SURVIVRE

TABITHA KING

SURVIVRE

traduit de l'américain
par Marc-Antoine

Flammarion ltée

Titre original : SURVIVOR

Publié avec l'autorisation de l'éditeur original,
Dutton Signet, une division de Penguin Books
USA Inc.

Dépôt légal : 2ᵉ trimestre 1998

À Anne, fervente lectrice

Comme toujours, cet ouvrage n'aurait pas vu le jour sans les efforts conjugués de toute une équipe : Julie Eugley, Marsha DeFillippo, Shirley Sonderegger et Nancy Gilbert pour les travaux de secrétariat. L'aide de Nancy s'est révélée inestimable dans les travaux de recherche sur le hockey. Susan Kominsky a aimablement lu mon manuscrit pour que les situations que j'ai imaginées concordent avec la réalité. Le Dr Philip Mossman m'a instruite de quelques types de blessures au crâne et des traitements appropriés. Lyne et Dave Higgins ainsi qu'Andy England sauvèrent mon ordinateur MacIntosh quand j'ai lamentablement cafouillé. Des amis sont toujours présents : mon agent, Chuck Verrill, mon mari et mes enfants, ainsi que toute ma famille et mes parents, qui sont mes plus patients lecteurs pour avoir lu plus d'une ébauche. Bill Abrahams, mon merveilleux directeur littéraire, et Elaine Koster, mon éditrice qui a fait en sorte que cet ouvrage voie le jour.

Rassemble tes esprits, réunis tes os, regroupe tes bras et tes jambes, secoue la terre de tes chairs ! Le gardien vient te chercher, il te prend la main pour te mener au Paradis.

TEXTE DE l'ANCIEN ROYAUME DES PYRAMIDES

1

Surgies brusquement de nulle part, les filles apparurent en plein milieu de la rue. Derrière son volant, elle les dominait de toute la hauteur de son véhicule, et tandis que les filles se figeaient, éblouies par les puissants phares, elle vit leurs rires se muer en une grimace horrifiée, et leurs bras se lever en un geste de défense. À ce moment-là, elle appuyait déjà de toutes ses forces sur la pédale de frein. Dans un crissement de pneus, le tout-terrain tressauta quelques secondes en piquant du nez pour s'immobiliser à quelques centimètres des deux filles qui, effarées, chancelèrent comme sous l'effet d'une violente bourrasque.

Mais, aussi soudainement que les jeunes filles étaient apparues, la voiture jaune qu'elle croyait derrière elle surgit à sa droite, juste à sa hauteur. Désemparées, les filles restaient plantées devant l'énorme véhicule, quand le long coup de klaxon qu'elle leur adressa, furieux et désespéré à la fois, les tira de leur torpeur. Leur premier réflexe fut de rebrousser chemin. C'est alors que la voiture les frappa de plein fouet. Lorsqu'elles retombèrent sur la chaussée, elles n'étaient plus que deux pauvres pantins désarticulés. Après avoir heurté le Blazer la jambe d'une des deux filles resta accrochée à une roue. S'il y eut un bruit d'impact, la conductrice ne l'entendit pas à cause de la musique qui jouait à tue-tête.

La voiture jaune, une Thunderbird, ne ralentit pas immédiatement. Une seconde plus tard, elle faisait une brusque embardée pour finalement s'arrêter à quelques dizaines de mètres du Blazer, légèrement en travers de la route. Entourant le volant de ses bras, son conducteur baissa la tête quelques instants, puis ouvrit sans hâte sa portière et descendit enfin de son véhicule. Au premier coup d'œil, il semblait avoir tout au plus dix-sept ans, et marchait à pas comptés comme un ivrogne qui s'efforce de suivre une ligne droite imaginaire.

Malgré son désarroi, elle réussit à allumer ses feux de détresse et à tirer le frein à main. Ayant mis pied à terre à son tour, elle se tint, interdite, au milieu de la chaussée, les membres agités d'irrépressibles tremblements, la poitrine oppressée au point de ne pouvoir respirer.

Elle connaissait bien cette route et les arbres, monuments d'un autre âge, qui la bordaient. D'un côté, il y avait un alignement monotone de boutiques, tandis que de l'autre se profilaient les dortoirs, vestiges du siècle passé, derrière lesquels se cachait le vieux gymnase. Pourtant, à cet instant, tout cela lui parut étranger.

Une fille gisait sur le côté de la route. Elle faisait penser à un de ces mannequins faits de morceaux de chiffons cousus ensemble et bourrés de feuilles mortes, qu'on installe sur les pelouses ou sous les porches des maisons au moment d'Halloween et que le vent d'automne finit par emporter. Elle avait tout à fait l'air de cela, un objet abandonné...

Le jeune homme se mit à vomir dans le caniveau en émettant une sorte de beuglement.

Elle fit un pas en arrière en s'appuyant contre le capot pour ne pas perdre l'équilibre. Le métal était brûlant et recouvert d'une épaisse couche de poussière. Depuis plusieurs jours elle pensait à faire laver sa voiture mais, l'occasion ne s'étant pas présentée, elle avait à présent la paume noire de crasse ; elle l'essuya machinalement sur son Levi's.

Elle n'osait se retourner pour regarder l'autre fille. Quand elle s'y résolut, elle vit d'abord un talon nu, émergeant de sous le châssis. Sans qu'on ait jamais su comment, la victime était passée presque entièrement sous le véhicule. Ce talon, prolongé d'une cheville bien tournée, était celui d'une jeune fille ordinaire, sans le moindre bleu ni la plus petite écorchure, juste un talon aussi innocent que s'il émergeait d'un coin de lit par une nuit de grande chaleur. Comment cela avait-il pu arriver ? Un bref instant, elle eut la vision atroce de la fille en train de se tortiller, de ramper, cherchant désespérément à se sortir du piège noir et brûlant qui la retenait prisonnière.

L'atmosphère était empuantie d'odeurs humaines et mécaniques, de gomme brûlée et de freins surchauffés. Elle en avait la nausée.

14

Titubant au milieu de la chaussée, tremblant, répugnant de lâcheté, le chauffard geignait : « J'ai pas pu m'arrêter ! » en se ratissant les cheveux à deux mains.

Des sirènes se rapprochaient. Attirés par le drame, les curieux s'attroupaient, pendant qu'un agent de sécurité du campus leur enjoignait de se disperser en agitant sa lampe torche. Bientôt, il y eut tant de lumières qu'elle en fut éblouie. Un grand vertige la conduisit à s'asseoir sur le bord du trottoir où, accablée, elle se mit à pleurer doucement.

L'agent de sécurité se pencha vers elle pour lui demander si tout allait bien. Ils se connaissaient un peu, échangeant sourires et saluts chaque fois qu'elle entrait ou sortait du campus. Mais pour l'instant, elle était incapable de mettre un nom sur son visage.

— Je conduisais le Blazer, lui apprit-elle.

Naturellement... Il la voyait chaque jour au volant de ce véhicule. Elle se rappela soudainement son nom : Chick.

— Ne bougez pas, fit Chick en lui tapotant l'épaule. Une ambulance est en route.

Puis il alla au-devant du chauffard. Ce dernier était toujours planté au milieu de la route, maugréant contre ce qu'il considérait comme un mauvais coup du sort.

— J'ai pas pu m'arrêter, j'ai pas pu m'arrêter...

Chick lui lança quelques phrases assez sèches qui le firent éclater en sanglots.

L'ambulance arriva, suivie d'une voiture de police. Chick agita sa lampe torche en direction des victimes, vers le jeune chauffard, puis vers la jeune femme... Et tous les regards convergèrent vers elle : celui des ambulanciers, des policiers et des dizaines de badauds venus d'on ne sait où s'agglutiner sur le trottoir.

Un policier alla jusqu'au Blazer et la musique se tut tout à coup. Dans son émoi, elle avait oublié de couper l'allumage. Du coup, les Clash cessèrent de faire danser la Casbah et elle en fut fort aise, car elle reçut ce silence comme un puits dans lequel elle aurait voulu se jeter.

Elle se leva, s'apprêtant à déclarer aux policiers qu'il s'en était fallu de peu que ce fût elle, et non le garçon, qui eût renversé les jeunes filles. Mais ses jambes la trahirent. Un policier la retint par le coude et, fermant les yeux, elle s'abandonna contre son épaule, le temps que son vertige se dissipât.

— Restez calme, lui conseilla l'homme, prenez votre temps.

Il était jeune, à peine quelques années de plus qu'elle. Tout récemment, elle avait remarqué que nombreux étaient les gens de son âge qui se vêtaient correctement et se comportaient comme des adultes, alors qu'elle n'était toujours qu'une étudiante mal fagotée.

— J'ai failli les renverser, lui dit-elle.

— Ne parlez pas, ne dites rien, répéta le policier. Tenez-vous tranquille et calmez-vous.

Il l'aida à traverser la rue. Une fois encore, elle dut s'immobiliser pour ne pas tomber. Soutenue par le policier, elle baissa les yeux et aperçut le corps disloqué de l'autre jeune fille.

Elle était morte. N'importe qui l'aurait compris. La conductrice crut voir quelque chose d'intensément mystérieux dans ce visage qui la regardait fixement d'un œil où se reflétaient les lumières de la rue. L'autre œil n'était plus qu'une cavité noire de sang. Il y avait aussi cette dislocation de la mâchoire qui, sous le violent éclairage, conférait au visage des allures de masque primitif.

Comme le dictait le règlement, le policier l'installa sur la banquette arrière de sa voiture. Il s'appelait Michael Burke. Son père n'avait jamais quitté l'uniforme, ni jamais dépassé le grade de sergent, sans que ce fût pour autant un manque d'ambition. Michael Burke avait des ambitions, lui aussi, parmi lesquelles celle de ne pas connaître le sort peu enviable de son vieux père.

— Quel est votre nom ? s'enquit-il aimablement.

Elle le lui dit. Il était trop invraisemblable pour qu'on la crût.

— Vous avez vos papiers ?

— Dans la voiture...

— Voulez-vous que j'aille les chercher ?

Elle acquiesça d'un signe de tête.

Burke referma la portière sur elle avec un sourire. En ce qui le concernait, elle venait de l'autoriser à fouiller le Blazer. Non pas qu'il espérât y trouver quelque chose en particulier, mais on voit souvent des personnes oublier l'existence d'objets compromettants à l'intérieur de leur voiture, et dont un policier pourrait faire usage.

Pearce, le coéquipier de Burke, vérifiait les papiers et le permis de conduire du conducteur de la T-Bird. Tête rentrée et menottes aux poignets, l'adolescent était assis dans la deuxième voiture de police. Quoique ivre et en état de choc, il avait pleinement conscience de son acte : il avait tué une personne, peut-être deux, et, par la même occasion, avait aussi royalement fichu sa vie en l'air. Il pleurait. Il y avait de quoi...

L'impact avait laissé de nombreuses traces sur la carrosserie de la T-Bird, notamment des tissus et du sang, sans parler des traces de peinture jaune sur les vêtements des victimes. L'autopsie distinguerait les lésions occasionnées par le véhicule de celles provoquées par la chute des corps sur la chaussée. En revanche, le jeune policier ne décela aucune marque de collision sur le Blazer. Les longues traces de pneus laissées par la T-Bird étaient éloquentes et ne laissaient place à aucune équivoque : le conducteur roulait trop vite, trop près, et n'avait pu freiner à temps ; alors que le freinage du Blazer démontrait sans contredit que la conductrice roulait dans les limites de la vitesse autorisée.

Dans la cabine du quatre-quatre, le policier ne découvrit ni bouteille, ni canette, pleine ou vide, ne décela aucun relent suspect de marijuana ni même de tabac, à peine une imperceptible odeur de javel qui picotait le nez. Les fenêtres étaient baissées, cependant, et le cendrier clos. Ouvert, il se révéla d'une propreté virginale. Pas la plus petite cendre à se mettre sous la loupe, mon cher Holmes. Sur le siège arrière, une serviette humide dépassait d'un sac de sport. Les clés pendaient encore sur le contact, reliées par un porte-clés à l'effigie de la mascotte de Sowerwine University : un spectre bringuebalant. Burke ne trouva rien qui ressemblât à un sac à main, mais un trépied et un sac de toile contenant du matériel photographique gisaient sur le plancher de la cabine. L'attrapant par la courroie, le policier ouvrit la fermeture éclair. Outre un appareil photographique et quelques objectifs, il y trouva un portefeuille contenant un permis de conduire et une carte d'étudiant. Le prénom était différent de celui qu'elle lui avait donné, mais, dans la confusion, probablement avait-elle énoncé son diminutif. Cependant, l'identification du propriétaire du véhicule mentionnait un troisième prénom.

Documents dans une main, sac dans l'autre, Burke regagna sa voiture. Une fois effectuées les vérifications d'usage, il restitua le sac à la jeune fille.

— Comment vous sentez-vous ?

Elle haussa les épaules.

— Êtes-vous Kristin ou Caitlin Mellors ?

— Kristin, Caitlin, c'est ma mère.

— Tout à l'heure, vous avez prétendu vous appeler Kissy Mellors...

— C'est vrai, Kissy c'est mon diminutif.

Après avoir annoncé son nom et son grade, le policier voulut

17

savoir si elle était « défoncée » ou même un peu partie ; elle répondit que non. D'ailleurs, elle n'en portait aucun signe, rien que ne pût expliquer le choc qu'elle venait de subir. Si elle était consciente d'être impliquée dans un accident mortel ? Oui, balbutia-t-elle d'une voix enrouée, à la suite de quoi le policier l'avisa de l'alcootest auquel elle devrait se soumettre et de ce qu'elle encourait en cas de refus. Elle acquiesça docilement et, comme il lui faisait remarquer que les papiers de la voiture n'étaient pas à son nom, elle expliqua que, bien que lui appartenant, le véhicule avait été mis au nom de sa mère afin de minimiser le montant de la prime d'assurance, comme cela se voit fréquemment chez les conducteurs âgés de moins de vingt-cinq ans. Le policier lui apprit que le Blazer risquait d'être réquisitionné quelque temps pour cause d'expertises. Cela parut la contrarier, jusqu'à ce qu'il lui précisât qu'elle serait cependant autorisée à récupérer les effets qui se trouvaient à l'intérieur.

— Voyez-vous, si vous y cachez de l'« herbe » ou quoi que ce soit qui puisse vous attirer des ennuis, vous feriez mieux de le dire tout de suite, la prévint-il, sinon vous pourriez le regretter.

Elle parut soudain considérer le policier avec un intérêt accru. Un mince sourire adoucit le pli de sa bouche, tandis qu'elle secouait la tête d'un air las.

— Je ne touche pas à ces saloperies.

Elle appuya sa nuque contre la banquette et ferma les yeux, tandis que le policier se penchait à nouveau sur la photo du permis de conduire.

Kristin Elizabeth Mellors, vingt et un ans depuis trois semaines, permis valide encore un an. Douze mois plus tôt, elle avait les cheveux noirs, broussailleux, avec une longue queue-de-rat qui partait du sommet du crâne, plus longs qu'aujourd'hui, mais taillés à la va comme je te pousse, comme si elle avait voulu échapper aux ciseaux de son coiffeur. Cette image tira un sourire au policier.

Plus de tignasse noire, à présent, mais un casque de plumes décolorées à outrance contrastant avec le teint marmoréen du visage percé de deux yeux couleur d'obsidienne. Point de soutien-gorge non plus pour contenir les protubérances d'une paire de seins exceptionnelle dont l'avant-bras du policier avait conservé un plaisant souvenir au moment où il avait fait traverser la rue à la jeune femme. Il compara la photo avec l'original : même personne, avec l'oreille gauche triplement percée de clous, l'autre n'en portant qu'un.

Nouvelle contemplation de la photo et de sa propriétaire. Le lec-

teur de carte jetait une pâle lumière à l'arrière du véhicule. Par inter-
mittence, le gyrophare d'un véhicule d'urgence mettait en relief la
structure osseuse du visage, le léger renflement de l'arête du nez,
certes attirant, quoique la possibilité d'une ancienne fracture ne fût
pas exclue. Compte tenu de l'étrangeté de la coiffure et des clous
dans les oreilles, et nonobstant les impressionnantes proportions du
buste, l'aurait-il aperçue dans les environs que, zélé comme il l'était,
il s'en serait souvenu. Le campus constituait une enclave qui avait
son propre service de sécurité maintenant un minimum d'ordre en
surveillant les allées et venues, mais qui, lors de crimes sérieux, se
limitait à rédiger un rapport qu'il transmettait aux autorités munici-
pales. Chez les policiers de Peltry, on ne jugeait pas utile que le campus fît l'objet de rondes constantes. Pour y avoir passé de
nombreuses années, Burke en comprenait les rouages, même si
aujourd'hui il n'avait pas idée de ce qu'était sa population estudian-
tine. Elle changeait chaque année et, en tant que diplômé de l'école
de droit, il ne connaissait le campus que par les cours du soir qu'il y
avait suivis.

Quittant le véhicule de patrouille, il alla rejoindre son collègue.

— C'est une étudiante... papiers en règle et tout à fait sobre. Le
Blazer est à son nom. J'attends que l'ordinateur me dise si elle a un
casier. Et toi ?

— James A. Houston. Première année à Sowerwine. L'ami James
a des antécédents. Trois : à douze ans, possession et usage de drogue.
Retrait de permis à seize pour délit de fuite et, surprise, un autre délit
de fuite l'an dernier. Il venait de récupérer son permis depuis deux
mois. La voiture est à son nom. Papiers en règle. C'est notre jour de
chance : un témoin au coin de la rue l'a vu doubler à droite en biberonnant une bouteille. L'étiquette lui est apparue aussi grosse que
sur son écran de télé.

Burke se mit à rire.

— Il est cuit. Et les victimes ?

— Une tuée sur le coup. Étudiantes toutes les deux, affirma
Chick. Elles sentaient le houblon. Je pense qu'elles étaient à une
petite fête et qu'elles en cherchaient une autre, ou un bar...

— Un peu trop tôt pour ça, non ? fit le jeune policier.

Pearce eut un bref coup de menton en direction du jeune chauffard, à l'arrière de sa voiture.

— Il y en a pour qui il n'est jamais trop tôt pour s'enivrer, tu crois
pas ?

Le policier rendit son sac à Kissy. Le soulagement qu'elle en conçut la surprit. Non qu'elle fît grand cas des choses matérielles, mais elle trouvait bigrement réconfortant de récupérer ses affaires. L'ordre de réquisition dûment rempli, le policier lui transmit le numéro auquel elle devrait téléphoner pour récupérer son véhicule.

Si elle désirait faire une déposition, voilà comment cela se passerait : il l'enregistrerait ici, sur place. En tant que simple témoin, elle ne risquait absolument rien.

— Elles ont déboulé juste devant moi, et j'ai presque failli les renverser, déclara-t-elle. Et puis le gamin dans la T-Bird a... Mais dites, la fille qui était encore vivante, est-ce qu'elle est morte ? – sans attendre de réponse, elle s'essuya le visage du revers de la main. Et le gamin, qu'est-ce qui va lui arriver ?

— On ne peut pas faire grand-chose pour lui, rétorqua le policier. Vous feriez mieux de ne plus y penser ; pensez plutôt aux deux filles : l'une est morte, pour l'autre, ça ne saurait sans doute tarder. Il est responsable. Il conduisait en état d'ivresse ; il a mis les gaz et tenté de vous doubler par la droite, et la catastrophe est arrivée.

— Mais ç'aurait pu être moi ! J'aurais très bien pu les renverser !

— Seulement, vous ne l'avez pas fait, vous étiez sobre et vous rouliez à une vitesse raisonnable, ce qui vous a permis de freiner à temps.

— Ce sont elles qui se sont pratiquement jetées sous la voiture pour tenter de m'éviter !

Le policier la fixa d'un regard intense, comme s'il voulait lui faire comprendre que seule *sa* thèse était à retenir.

— Je vous conseille de garder ça pour vous. Vous n'êtes aucunement responsable de cet accident et ne cherchez surtout pas à persuader quiconque du contraire. Cela dit, quelqu'un peut-il venir vous retrouver à l'hôpital pour vous ramener chez vous ?

Elle hocha la tête.

— J'appellerai ma colocataire.

Cette dernière l'attendait à la sortie du laboratoire. Un peu plus âgée qu'elle, Mary Frances avait tendance à la materner.

— Ça va ?

— Non, j'ai vu quelqu'un se faire tuer, Mary.

Mary Frances l'attira par la taille.

— Pauvre chou, raconte-moi ce qui s'est passé.

Mais Kissy en fut incapable. À vrai dire, elle se sentait prête à défaillir, aussi son amie l'entraîna-t-elle rapidement jusqu'à sa Subaru, dont Kissy baissa aussitôt la vitre pour l'aérer. Elle était vannée. Elle venait de se soumettre à des analyses, afin de démontrer aux autorités que dans ses veines coulaient uniquement du sang et quelques molécules de chlore. Pour son malheur, se formait à la saignée du coude un hématome qu'un ruban adhésif tentait de dissimuler.

S'abandonnant contre le dossier, elle ferma les yeux pour ne les rouvrir qu'au premier arrêt de la voiture. Elles étaient à l'intersection de Riverside Drive et de College Avenue. En regardant à droite, elle put voir dans College Avenue l'endroit où était survenu l'accident. Les véhicules d'urgence étaient partis, et aucune trace de l'accident ne subsistait, comme si rien n'était jamais arrivé. Le feu passa au vert, mais elle garda les yeux fixés sur l'endroit jusqu'au dernier moment. Puis elle se mit à fixer la route devant elle, incapable de fermer les yeux plus longtemps.

La Dance River coupait Peltry en diagonale dans le sens nord-ouest-sud-est. L'appartement du rez-de-chaussée qu'elle partageait avec Mary se situait dans les faubourgs du nord de la ville, sur la rive droite de la Dance. Pour le traverser, Mary Frances emprunta le Mid-Dance Bridge qui s'arc-boutait très haut par-dessus les eaux. En raison de suicides répétés, on avait érigé le long des parapets des grillages de trois mètres de haut et recourbés vers l'intérieur du pont. À travers ces grillages, la rivière ne semblait plus être qu'une infinité de prismes luisants et mobiles que Kissy eut l'impression de voir avec des yeux d'insectes.

Le courant était violent, tumultueux. Elle se rappela la première fois qu'elle s'y était trempée, avec mille précautions, quand elle n'était qu'une enfant de onze ans qui enfreignait l'imprescriptible décret municipal : « Baignade interdite. » Elle se souvint du froid saisissant, même aux heures les plus chaudes de l'été, et de la force avec laquelle le flot l'avait empoignée pour l'emporter vers l'océan.

Ce n'était pourtant qu'un cours d'eau, fait de la même matière insignifiante qui coule d'un robinet, une simple goutte de pluie sur le carreau, mais jadis, c'était aussi la voie des grands espaces sauvages et la raison qui faisait que Peltry existait aujourd'hui. Au premier regard, elle avait été captivée, subjuguée. Elle avait perçu l'état d'esprit qui donnait lieu à ces prétendus suicides, quoique certains fussent, encore aujourd'hui, couronnés de succès. Il ferait bon y mourir, se disait-elle, se laisser emporter vers le néant, un peu à la manière dont elle sombrerait dans le sommeil ce soir-là. C'est ainsi qu'elle aimerait partir, dans une étreinte glaciale, tandis que le flot l'emmènerait furtivement où bon lui semblerait sans qu'elle offrît la moindre résistance. À l'extrémité du pont, la route venait à leur rencontre. Elle pressa sa joue contre la vitre froide et son souffle s'y imprima en contours mouvants et éphémères.

Sans crier gare, surgis de la chaîne stéréo installée au-dessus de sa tête de lit, les Clash firent entendre leurs vociférations. Elle se redressa brusquement, le cœur au bord des lèvres. La veille, dans sa torpeur, elle avait oublié de retirer la cassette qui, depuis quelques semaines, faisait office de réveille-matin. Leur coupant le sifflet d'un coup de pouce rageur, elle s'allongea sur son lit et laissa les événements de la veille refluer vers son esprit.

Elle occupait une petite chambre au fond de l'appartement. En arrivant, elle avait eu envie de finir une bouteille de vin blanc bon marché. La colique qui en avait résulté lui avait fait passer la nuit à se tordre de douleur. Un violent haut-le-cœur la projeta en titubant vers la salle de bains. Pour chasser le goût aigre qu'elle avait dans la bouche, elle se gargarisa d'un antiseptique mentholé qu'elle recracha dans le lavabo. Ses aisselles dégageaient l'odeur âcre de quelqu'un qui souffre d'une forte fièvre.

Elle finissait de s'habiller quand un arôme de cigarette et de café frais moulu s'insinua dans la salle de bains. Entré par la porte de la cuisine, Ryne préparait des œufs brouillés, la cendre de sa cigarette en équilibre au-dessus de la poêle à frire. Une fois encore, la fête de la veille l'avait probablement retenu au Skinner's jusqu'à trois heures du matin. Quatre soirs par semaine, Ryne travaillait comme boucher à la Maison de la viande, finissant son quart en début d'après-midi et dormant de quatorze, parfois quinze, à vingt et une heures. Quand il était à l'abattoir, il cachait son crâne récemment tondu sous un foulard rouge. Avec ses lunettes sans monture et sa boucle d'oreille discrète, on l'aurait facilement pris pour un étudiant, même s'il avait décroché de Sowerwine dès le premier semestre.

Elle se versa du café dans une chope en terre cuite subtilisée chez Denny's. C'était un des jeux favoris de Ryne : sortir de chez Denny's tard dans la nuit ou très tôt le matin nanti d'une chope, d'une assiette, d'une salière et d'une poivrière, ou même d'un ensemble de couverts. Ce que Kissy considérait au départ comme une extravagance lui apparaissait aujourd'hui, et depuis fort longtemps, comme une bravade teintée d'infantilisme.

Mary Frances se faufila jusqu'à la salle de bains sans un mot. Habituellement maussade au réveil, l'idée de devoir se lever à cause de Ryne lui était insupportable.

— Tu as dû passer une drôle de soirée, dit-il. J'ai écouté les infos à la radio... Ça va ?

— Ça va, bâilla-t-elle.

En réalité, elle avait l'impression d'avoir passé la nuit à déménager des pianos. Un journal traînait sur la table. On ne le leur livrait pas à domicile, c'était donc Ryne qui avait dû l'acheter en espérant y lire quelque article élogieux sur son groupe musical. Dépliant le quotidien d'un geste sec, elle en parcourut les grands titres.

— Diane Greenan..., articula-t-elle lentement. C'est incroyable, je la connaissais...

Sur la première page, non pas une photo, mais le portrait d'une jeune diplômée en toge avec cheveux laqués, rang de perles et fond de teint, sorti tout droit d'un studio de photographe. Elle ne ressemblait pas plus à la Diane Greenan qu'elle avait connue que la fille qu'elle avait vue, la veille, à la lueur de ses phares. Avant qu'elle ne se jetât sous les roues de la T-Bird, ce visage, Kissy l'avait saisi du regard et ne l'avait pas reconnu, pas plus qu'elle n'avait reconnu le faciès grimaçant écrasé sur la chaussée.

— Je ne la connaissais pas vraiment, se reprit-elle. À son arrivée, on partageait le même dortoir. Je me souviens même qu'elle était deux étages au-dessus.

Diane avait été une blonde pétulante ; elle jouissait d'un support financier appréciable, d'excellentes introductions dans les clubs étudiants et d'un choix étendu de soupirants. L'université n'autorisant pas les étudiantes de première année à loger à l'extérieur du campus, et Sowerwine ne disposant pas de résidences pour ses étudiantes, les nouvelles venues étaient tenues de rester au dortoir jusqu'à ce qu'elles fussent parrainées par une étudiante de deuxième année.

Sans crier gare, un autre souvenir surgit à son esprit. Elle était à la fenêtre du troisième étage et regardait la lune se lever lentement dans le ciel, quand, du coin de l'œil, elle avait perçu un mouvement. Sous le porche vitré qui formait un L avec le dortoir, un couple se querellait. Leur attitude tendue, la brusquerie de leurs gestes et l'expression de leurs visages ne laissaient place à aucune équivoque. Prêtant l'oreille, et malgré la distance, elle avait pu les entendre échanger des invectives. En l'un des deux opposants elle avait reconnu Diane Greenan. Dans sa rage, le garçon avait fait volte-face et avait donné un grand coup de pied dans un panneau de verre.

Les souvenirs revenaient par bribes. La violence, autant émotionnelle que physique, l'avait alors consternée, tant elle s'en sentait éloignée, un peu comme si elle l'observait à travers une lorgnette. Cela ressemblait à une comédie sur un thème intime et choquant. Avec le recul, elle revoyait la scène comme un événement dont un enfant aurait été témoin et qu'il ne pourrait comprendre qu'une fois adulte.

Mais elle se rappela soudain un détail, insignifiant *a priori* et pourtant remarquable : la forme de l'oreille du garçon, et s'avisa aussitôt de son identité. C'était quelqu'un qu'elle connaissait mieux qu'elle ne connaîtrait jamais Diane Greenan. Elle avait mis tant de soin à l'oublier qu'elle n'avait pas fait la relation entre lui et la jeune fille.

— Je l'ai vue rompre avec un garçon, dit-elle.

— Quel monde de merde..., grommela Ryne en lui tendant une part d'œufs brouillés.

Prenant place à table, Kissy décida de lire le reste de l'article.

Camarade de chambre de Diane, la deuxième victime se nommait Ruth Prashker. Une photo de fête assez floue la montrait au milieu de ses amies. Son état était critique, disait-on.

Il y avait quelque chose de troublant à regarder les photos d'un accident dont elle avait été le principal témoin. Le corps de la défunte n'était plus qu'une vague silhouette rendue non identifiable par un suaire de plastique. En arrière-plan, on pouvait voir le Blazer, plus sale que jamais, et la T-Bird, dont la carrosserie portait de nombreuses marques d'impact. Une autre photo montrait les taches sombres qui maculaient la chaussée. Mais elle, Kissy Mellors, n'apparaissait, n'était citée nulle part autrement qu'en termes vagues tels que « le conducteur de l'autre véhicule ». C'était comme si le photographe (qu'au reste elle n'avait pas remarqué) n'avait pas jugé utile de faire un cliché d'elle. C'était à se demander si elle avait *vraiment* assisté à cet accident.

Pourtant, une photo du gamin qui avait renversé Diane et la dénommée Prashker avait été prise alors qu'on le conduisait au poste de police. Débraillé, échevelé, il donnait l'impression de quelqu'un ayant déjà eu maille à partir avec la justice. Il s'appelait James Houston. Il avait vingt ans et, comme les victimes, suivait des cours à Sowerwine University.

Kissy se couvrit le visage des deux mains.

— Un foutu merdier, hein ? fit Ryne.

24

— Oui...

— Tu veux un petit remontant ?

Elle ignora la proposition.

Tout en se versant ce qui restait de café, il la lorgna d'un œil appréciatif.

— Tu devrais peut-être sécher ton cours, hasarda-t-il, espérant que cela lui donnerait des idées.

Le jeune homme enfournait ses œufs brouillés debout, à grandes pelletées. Voyant que Kissy n'avait pas touché à son assiette, il s'empressa de la récupérer.

— Peux-tu me dire où nous en sommes, Ryne ? Et où tout ça va nous mener ? demanda-t-elle à brûle-pourpoint, plus curieuse qu'inquiète.

— De bon matin, comme ça, je trouve ta question un peu loufoque, poupée, s'esclaffa-t-il.

Depuis que, cédant à la curiosité, elle s'était permis de coucher avec lui, c'était la toute première fois qu'elle abordait un tel sujet. « Tous les deux, on ne va pas s'appesantir, d'accord ? » l'avait-elle prévenu en lui riant au nez, parce que cette « expérience » lui semblait aussi saugrenue que si elle s'était pâmée d'amour pour lui. Naturellement, il avait pris cela comme un affront, et depuis leur relation n'était qu'une suite de ruptures et de réconciliations.

Son « groupe » l'accaparait presque entièrement. Elle avait sa vie de son côté, et il n'était pas question qu'elle lui donnât l'impression de l'attendre, ne fût-ce qu'un instant. Mais en réalité, et en dépit de ses bonnes intentions, elle était devenue une groupie, la petite amie d'un membre du groupe. Pas n'importe laquelle, toutefois, mais celle que tout le monde détestait à cause de son indépendance et de son égoïsme, celle qui refusait de prêter son Blazer quand la fourgonnette était en panne, celle qui refusait de prêter de l'argent, quand bien même il fallait récupérer le matériel chez le prêteur sur gages ; quant à se fendre pour une caisse de bière ou quelques grammes de coke, « ils » pouvaient toujours courir. Elle était la salope qui ne fait pas de cadeaux, qui refuse de vous héberger une seule nuit, fussiez-vous à la rue. C'est qu'aujourd'hui elle avait vingt et un ans, pas dix-sept, et il lui était facile de constater la dérive de sa propre existence et de se demander jusqu'où cela irait.

— Ne m'appelle pas poupée, le prévint-elle. Je ne plaisante pas.

Le sourire s'effaça du visage du jeune homme. Il s'adossa contre le réfrigérateur, les bras croisés sur la poitrine.

— Qu'est-ce qui se passe, Kissy ? À quoi tu joues ? Est-ce que tu me cherches, par hasard ? Tu veux que je te dise qu'on va se marier, hein, c'est ça ?

— Non, je me demandais seulement où on allait, tous les deux.

— Et tu voudrais que je te réponde vers le mariage, enchaîna Ryne. Pourtant, tu as dit toi-même qu'on devait s'en tenir là. Je croyais que tu avais besoin d'espace. Eh bien, moi aussi, j'ai besoin d'espace, figure-toi. Et je pensais qu'on s'était bien compris là-dessus, toi et moi. Et maintenant, voilà que tu te mets à rêver de mariage – il s'interrompit, attendant une réaction qui ne vint pas, ce qui ne fit que redoubler sa colère : Tu n'es pas facile à vivre, Kissy. Tu veux porter une alliance, c'est ça ? Tu veux te sentir engagée ? Tu sais aussi bien que moi que ça ne veut strictement rien dire. On peut se marier demain, et divorcer le jour suivant...

— Je suis au courant, dit-elle enfin. Je n'ai pas besoin d'alliance, Ryne. Depuis trois ans qu'on est ensemble, rien n'a bougé, rien. Est-ce que ça ne t'inquiète pas ?

— Tu sais bien que je suis dans une passe difficile. Avant de percer, dans mon métier, ça peut prendre des années. T'entendre déballer tes salades, ça me fout les idées en l'air.

— C'est que j'ai vingt et un ans, Ryne, toi vingt-six, et je n'ai pas l'impression d'être une personne adulte. Quand va-t-on devenir des adultes, Ryne ?

— J'en crois pas mes putains d'oreilles. Tu n'as pas compris que devenir adulte, c'est comme se suicider pour un artiste – dans une tentative de réconciliation, il posa ses mains sur les épaules de la jeune fille : Allez, Kissy, laisse tomber, viens plutôt...

— Non, Ryne, s'objecta-t-elle en s'éloignant. Baiser n'arrangera rien. Ça ne suffit plus.

— Ce qui veut dire que tu baises avec quelqu'un d'autre, c'est ça ?

La colère dessinait sur le visage du jeune homme de minces stries entre le nez et le menton.

— J'aimerais bien, répliqua-t-elle, ne serait-ce que parce que tu en parles.

Il la fusilla du regard.

— Tu n'es qu'une salope ! lui lança-t-il dans un grand claquement de porte.

— Parfait, murmura-t-elle, je crois que ça répond à ma question. Elle secoua le carton de lait pour en apprécier le niveau, referma la

26

boîte sur les œufs restants, et les replaça avec le beurrier dans le réfrigérateur presque vide. La cuisine, puisqu'il fallait l'appeler ainsi, était déprimante de désordre et de saleté, malgré tous ses efforts pour la garder propre. Elle aurait dû n'en avoir cure – ce qui était le plus souvent le cas, mais il arrivait que cela lui mît les nerfs à vif. Parfois, elle regrettait de n'avoir pas d'argent, pas assez d'argent...

Ses études étaient payées grâce à des bourses. Le Blazer, elle l'avait acquis avec ses propres deniers en économisant sou après sou, été après été, en acceptant tous les emplois qui se présentaient, et souvent même en travaillant à deux endroits différents. Divorcée mais ayant néanmoins à sa charge un enfant en bas âge, confrontée elle aussi à des difficultés pécuniaires, sa mère défrayait en partie le montant des assurances, mais sans plus. Après le divorce de ses parents, Kissy l'avait vue reprendre son nom de jeune fille et repartir de zéro comme tisserande d'art dans un piège à touristes de la côte Est. Elles étaient devenues comme deux sœurs qu'un trop grand nombre d'années sépare, au lieu de les rapprocher comme cela se doit pour une mère et sa fille.

Mary Frances entra en trombe dans la cuisine, sac à dos à la main.

— Je te dépose, si tu veux... Dis donc, est-ce que tu comptes demander à ce guignol de nous rendre la clé ou bien faut-il que je change la serrure ?

— Navrée, mais il vaut mieux la changer..., fit Kissy en rassemblant ses affaires.

2

Travailler, c'était encore ce qui lui convenait le mieux. Cela l'aiderait à chasser l'accident de ses pensées. Elle avait un film à développer, quelques impressions à effectuer. Comme toujours, les émanations chimiques de la chambre noire lui soulevèrent le cœur, et la pièce elle-même, sa moiteur, l'absence de lumière, l'impression de claustration qui s'en dégageait la faisaient souvent suffoquer, du moins jusqu'à ce qu'elle se plongeât dans son travail. Mais aujourd'hui, avec l'absence d'étudiants à ses côtés, c'était pire que tout ; c'était comme si on l'enterrait vivante. Les erreurs qu'elle commettait avaient le don de l'irriter. Tout le monde passait par des moments difficiles, mais elle avait rarement accumulé autant d'échecs.

Saisie d'une impulsion soudaine, elle décida de se rendre à l'hôpital. Le temps était agréablement frisquet et la marche lui éclaircit les idées. Le service des soins intensifs lui parut comme une succession d'îlots mécanisés. À une infirmière elle demanda où se trouvait la chambre de Ruth Prashker.

— Les visites sont interdites sauf pour les proches, déclara sèchement la femme.

— Je suis Rachel, sa sœur jumelle, prétexta Kissy.

— Oh, mon Dieu..., se reprit la femme qui, hélant une collègue, lui demanda de conduire Kissy jusqu'à la chambre.

Tel un insecte pris au piège, l'accidentée semblait suspendue à une sorte de toile d'araignée de métal. Le crâne était entièrement bandé, le visage si déformé par les œdèmes qu'on la reconnaissait à peine. Néanmoins, sa fiche indiquait bien « Prashker ».

Une mince ligne blanche immobile apparaissait entre ses paupières tuméfiées et la poitrine, sur laquelle reposaient ses deux poings serrés, semblait animée d'un mouvement mécanique. Un large collier cernait son cou, au centre duquel brillait le trou de la trachéotomie qu'on y avait pratiquée. Kissy s'étonna de la flaccidité de sa peau, très pâle, et constellée d'ecchymoses et d'égratignures. Elle trouva choquantes la croûte de sang séché sur ses cils et son arcade sourcilière, les traces de crasse sur le visage et les mains.

— Qui êtes-vous ? fit une voix.

Kissy se retourna. Une femme âgée, aux longues tresses tombant sur ses épaules, s'adressait à elle. Quoique décatie, elle ne manquait pas d'élégance. Contrairement à Kissy, la blancheur de ses cheveux était aussi pure que naturelle. Kissy ne manqua pas de noter certaines ressemblances entre son visage et celui de la photographie de Ruth : similitude du nez, des yeux, légèrement en amande, de la bouche et du menton. Dans sa pâleur et son regard enfoncé au creux des orbites, Kissy crut aussi voir le reflet de la terrible condition de Ruth.

— Kissy Mellors.

La femme eut un rapide battement de paupières.

— Mellors, c'est le nom de l'autre conducteur...

— C'est moi, annonça Kissy.

— Et moi je suis Sylvia Cronin, la grand-mère de Ruth.

— Je suis tellement désolée, dit la jeune fille.

— Qui ne le serait pas, acquiesça Mme Cronin. C'est très courageux de venir voir Ruth. Cela a dû vous être très pénible. J'ai cru comprendre que vous n'étiez en rien responsable de cet accident. Peut-être aimeriez-vous vous asseoir un moment, acheva-t-elle en désignant un siège.

Kissy fit un pas en arrière.

— Je ne voudrais pas déranger...

— Pas du tout... mais je comprends que ce soit difficile, reprit la femme en la voyant hésiter.

— Je reviendrai, dit précipitamment la jeune fille. Si ça ne vous ennuie pas...

— Les médecins affirment que Ruth pourra bientôt reconnaître son entourage, lui apprit l'aïeule. Revenez, je vous en prie.

— Je reviendrai, promit Kissy, je reviendrai.

Cet engagement, dont elle fut la première surprise, lui procura une paix à laquelle elle ne s'attendait pas. Voilà au moins une promesse qu'elle pourrait tenir.

Pliant l'échine sous le vent, Kissy ruminait quelques pensées sur la qualité du papier photographique qu'elle venait d'acheter chez son fournisseur. Elle était déjà descendue du trottoir, quand elle eut conscience de se trouver là même où avait eu lieu l'accident. Elle s'immobilisa, le cœur battant, et s'assura qu'aucun véhicule ne venait dans sa direction avant de traverser d'un bond, le front couvert d'une sueur froide.

Sous les arbres, une trouée bordée d'ifs signalait l'entrée du campus. Le passage incessant des étudiants y avait tracé un sentier où l'herbe ne repousserait jamais. C'était de là qu'avaient surgi les filles. Elle-même avait emprunté ce chemin bon nombre de fois, surtout quand elle habitait le campus. Le bâtiment le plus proche était le gymnase, vieille construction victorienne à laquelle s'était greffé le nouveau complexe athlétique ultramoderne où se disputaient les matches masculins de hockey et ceux de basket-ball. Outre les équipes de basket féminines, l'ancien gymnase, appelé Field House, recevait les athlètes spécialisés dans des disciplines aussi diverses que la gymnastique, la lutte, la danse et l'aérobic.

D'un côté de la haie se dressait, telles d'énormes colonnes, une rangée de vieux pins. Le sol était jonché d'un épais tapis d'aiguilles que le vent soulevait de temps à autre par petits tas. Un léger mouvement attira son attention : sur un tronc était épinglée une photographie glissée dans une pochette de plastique transparent. Se rapprochant, elle en rabattit un coin et constata qu'il s'agissait d'une photo de Diane Greenan. Fouillant au fond de son sac à dos, elle trouva quelques punaises, grâce auxquelles elle fixa solidement la photographie au tronc de sorte qu'elle ne fût emportée par le vent.

Il la cherchait, sachant que tôt ou tard ils finiraient par se rencontrer à la piscine où elle avait l'habitude de s'entraîner. La salle de poids et haltères hautement spécialisée se trouvait au second étage. Son hall s'ouvrait sur une galerie ouverte dominant une autre salle de vocation identique, mais ouverte à tous, ce qui permettait aux copains de voir les athlètes en action. C'est de là qu'il aperçut « Melons ». Il se serait arrêté pour la regarder prendre place dans l'appareil, de toute façon. C'était le genre de spectacle auquel il penserait encore longtemps après être rentré chez lui. Son amie l'accompagnait, celle que l'on disait être une ancienne nonne.

Sentant qu'on la regardait, elle leva les yeux pour s'assurer de ce à quoi elle était mentalement préparée, à savoir qu'à un moment ou à un autre elle tomberait sur lui.

Il était incapable de se rappeler la première fois qu'il l'avait vue, si c'était dans le campus, entre deux cours ou à la bibliothèque. Il se remémorait la queue-de-rat, le clou planté dans le lobe de l'oreille et les seins. Comment aurait-il pu en être autrement ? Puis quelqu'un lui avait dit comment elle s'appelait, mais pour y croire vraiment il avait dû consulter le répertoire des étudiants.

Elle avait réapparu dans la salle des poids et haltères, avec sa copine, bien sûr. Quand on racontait que cette dernière était une ancienne novice, il le croyait volontiers. Il n'y avait qu'à voir l'impatience qui se lisait sur son visage, comme si elle était prête à se lancer dans une partie de jambes en l'air avec les étudiants de cinquième année. Mais il y avait quelque chose de monacal dans ses doux yeux gris et ses cheveux carotte de deux centimètres qui donnaient l'impression qu'elle venait de prendre le voile plutôt que de jeter son bonnet par-dessus les moulins.

Une fois, sous le coup de l'impulsion, il s'était arrêté près de Melons, pendant qu'elle faisait des tractions : « J'aime bien cette salle », lui avait-il dit en baissant les yeux sur elle.

En retour, il n'avait rien attendu. Il avait tenté sa chance, comme à la loterie, surtout qu'il avait entendu dire qu'elle vivait avec une sorte de musicien. L'ex-novice s'était mise à cligner des paupières, comme un feu rouge en panne.

Melons avait suivi son regard jusqu'à l'échancrure en V de son tee-shirt qui laissait voir l'étroit et profond sillon de ses seins. À cet endroit, la peau semblait moite, ce qu'il ne détesta pas, tout comme il apprécia les aisselles largement auréolées de sueur.

— Moi, c'est Junior Clootie, avait-il annoncé, bien qu'il s'attendît à ce qu'elle le sût déjà.

— Tu en as de la chance, avait-elle rétorqué en reposant les haltères sur leurs étriers.

Ce n'était précisément pas un bon départ mais, tant qu'à faire, autant se jeter à l'eau.

— Tu prends un café ou une bière avec moi quand tu auras fini ?

— Non, avait-elle craché. Et je ne veux pas baiser non plus. Va donc reluquer les nichons de quelqu'un d'autre, tu veux bien ?

L'ex-nonne avait souri avec une infinie commisération, pendant que, les deux mains levées en signe à la fois de défense et de reddition, Junior avait battu en retraite.

— Désolée pour la vulgarité du langage, Mary Frances, s'était-elle excusée.

— Elle peut faire un tour complet avec sa tête, et te couvrir de vomissures ! lui avait lancé l'ex-nonne en ricanant.

Penaud, il avait adressé un haussement d'épaules aux deux garçons qui le regardaient s'éloigner en rougissant.

Un jour qu'il feuilletait le journal du campus, une photo, puis le nom de son auteur, avaient attiré son attention : « par Kissy Mellors », lisait-on. Beaucoup plus suggestive qu'on l'aurait cru de prime abord, cette photographie représentait un couple en train de batifoler sous un arbre ; elle était prise sous un angle tel que les protagonistes ne pouvaient être reconnus.

Non seulement la jeune fille était largement dépoitraillée, mais le garçon exhibait une turgescence qui ne laissait place à aucune équivoque. Contrairement aux photos des magazines, pourtant, celle-ci aspirait à montrer deux corps imparfaits, à la peau grumeleuse comme une pelure d'orange. Même la mise au point en était discutable. C'était la vision amusée d'un employé de voirie surprenant leurs ébats tout en promenant son balai dans le caniveau.

Il se rappelait le sarcasme de Diane Greenan : « Du travail d'artiste bidon et prétentieux, bon à foutre aux chiottes ! » Il n'avait pas désapprouvé, d'abord parce qu'il n'y avait pas matière à discussion, et ensuite parce que les Beaux-Arts étaient pleins d'artistes bidon. Pour les besoins de la cause, il avait suivi des cours d'art, tous aussi chiants les uns que les autres, pour en arriver à la conclusion que l'aptitude à étaler de la peinture sur une toile ou à sculpter un bloc de pierre était largement surestimée. Mais en l'occurrence, si Diane rabaissait Melons, c'était uniquement pour se donner du lustre. Son charme, sa beauté et son entregent faisaient d'elle une snob dont la vanité rendait la chose facile à qui voulait la critiquer. À preuve, elle ne s'entourait que de filles ne pouvant que souffrir de la comparaison.

Junior avait vu de nombreuses fois ses photos publiées dans le journal du campus. Il avait même remarqué ses œuvres accrochées dans les couloirs du pavillon des Beaux-Arts. Sans aller jusqu'à dire qu'ils se connaissaient, on pouvait affirmer sans erreur qu'ils savaient tous deux à quoi s'en tenir. Puis cette histoire était arrivée, et, par un étrange coup du sort, elle s'y retrouvait impliquée.

Il descendit la voir :

— Tu finis dans combien de temps ?

— Vingt minutes.

— Je t'attends dehors, je veux te parler.

33

Elle acquiesça.

Il attendait patiemment, assis en tailleur sur le sol, en faisant rebondir les balles de tennis qui ne le quittaient jamais, histoire d'exercer ses réflexes et la souplesse de ses poignets. Il aurait pu attendre des siècles, la patience étant son unique qualité, comme le lui répétait sa mère sans la moindre complaisance. Quoique, en y regardant de plus près, elle lui en aurait assurément trouvé d'autres, ne fût-ce que l'autodiscipline, vu le sérieux avec lequel il s'entraînait. Il avait aussi un bon sens de l'humour et une bonne hygiène. Sans compter qu'il ne fumait pas. En vérité, des qualités, il en avait des tas, si on se donnait la peine d'y penser.

Melons s'accroupit près de lui en lâchant un soupir.

— Je n'arrive pas à croire qu'elle est morte, dit-il. Ç'a dû te faire un choc. Tu t'en sors ?

— À peu près.

— C'est quand même bizarre... Toi, là-bas, en train de voir mourir quelqu'un que je connaissais...

— Je suis désolée...

— C'est le choc, rien de plus. On ne s'attend jamais à voir mourir quelqu'un qu'on connaît.

— Je n'ai appris son identité que le jour suivant...

À peine avait-elle dit ces mots qu'elle changea de visage en se mordant la lèvre.

— Est-ce que tu sais quand aura lieu l'enterrement ? demanda-t-il d'une voix éraillée. C'est drôle, je veux y aller, je sens que je dois y aller, même si je ne connais personne de sa famille.

— Je ressens exactement la même chose, sourit-elle presque.

— Si tu veux, on peut y aller ensemble, dans ta voiture ou dans la mienne.

— Dis donc, Clootie, ce n'est pas un prétexte pour sortir avec moi, j'espère..., fit-elle, espérant ainsi lui faire perdre contenance.

— Pourquoi pas ? Je ne suis jamais sorti avec une fille avant un enterrement.

— Un service funéraire, corrigea-t-elle. L'enterrement aura lieu à Trust Fund, dans le Connecticut, c'est bien ça ?

Il acquiesça gravement.

— Et si on va là-bas et qu'il s'agit d'une autre Diane Greenan ? Si celle que nous connaissons est toujours vivante ?

Pour toute réponse, Melons se limita à lui décocher un regard apitoyé.

— Merde, grommela Junior en se levant, je savais que tu répondrais ça.

Diane avait trouvé la mort un jeudi soir, huit jours plus tôt, une semaine et un jour exactement, et il attendait encore Melons, sur les marches devant son immeuble. C'est là qu'elle le retrouverait, avait-elle décidé en s'esclaffant quand il lui avait dit qu'il habitait le Barnyard.

Barnyard se nommait jadis Baignade, bidonville au bord de la rivière dont la population se composait en grande majorité de femmes d'origine française, faisant office de lavandières auprès des hommes des bois et des gens de la mer. Dans ces galetas, alors qu'on lavait leur linge, ces hommes étaient décrassés, rasés, épouillés. C'est là aussi qu'ils s'en donnaient à cœur joie auprès de ces dames et contractaient maladies vénériennes, gueules de bois et gueules cassées sans ordre de préférence. Il ne faisait pourtant aucun doute que les galantes avaient une inclination pour ceux qui se lavaient d'abord.

Si de nombreux incendies avaient détruit Barnyard, il avait toujours été reconstruit, jusqu'à atteindre un degré de semi-respectabilité, alors que le port de Peltry touchait à son déclin. Ne conservant que son nom anglicisé, il était devenu un quartier d'immeubles de rapport pour la classe ouvrière, avant qu'il ne fût envahi, au cours des années soixante, par les étudiants en quête de logements à bas prix.

En veston et cravate, chaussé de vrais souliers et non de tennis, Junior s'occupa l'esprit en se demandant ce que Kissy porterait pour la circonstance. Du noir, supposa-t-il. Étant en dernière année d'étude aux Beaux-Arts, le choix ne devait pas lui manquer, puisque tous les gens de son espèce s'étaient approprié tout ce qui existait de noir à travers le monde. Outre le fait de s'habiller en noir, ils buvaient du café noir, fumaient du tabac noir, et ne se lavaient qu'avec du savon noir. Il en avait vu, une fois, fabriqué en Espagne. « Le monde est riche d'un nombre incalculable de choses, je suis sûr que nous y serons heureux comme des rois », avait-il écrit un jour dans un devoir de philosophie. La note obtenue avait suffi à combler les lacunes de ses autres matières.

Effectivement, il s'était révélé particulièrement brillant en philosophie ; et non seulement cette révélation était un objet de plaisir incessant, mais il trouvait également cocasse d'obtenir de bonnes notes en débitant des absurdités. La naïveté et l'opiniâtreté qui l'avaient si bien servi face à l'autorité, depuis son entrée à l'université, étaient taillées sur mesure pour le dialogue socratique. Il avait fait en sorte que chaque membre éminent du pavillon de philosophie se sentît un génie en puissance, en plus de lui procurer l'ineffable plaisir d'avoir parmi ses élèves un athlète de haut niveau. On l'aimait bien, et il enlevait les meilleures notes sans effort, portant ainsi sa moyenne au plus haut degré d'accessibilité à l'équipe de hockey. Le grand scandale résidait dans le fait qu'il ne deviendrait sans doute jamais un grand philosophe, il s'attendait plutôt à être admis dans l'équipe sans même avoir obtenu son diplôme. Déjà au lycée, il faisait partie de l'équipe senior, et, de ce fait, il était en droit de s'attendre à ce qu'une grande carrière s'ouvrît à lui.

La voir venir à sa rencontre le déconcerta, puisqu'il ne s'attendait pas à ce qu'elle fût à pied ; l'aurait-il su, il serait allé la chercher. Par-dessus son tee-shirt noir et son gilet, elle avait passé une veste de tweed bon marché. Toutes ces épaisseurs dissimulaient un peu trop à son gré sa voluptueuse poitrine. En plus de ses bottes de cow-boy éraflées et de son inséparable sac à dos, elle portait des lunettes de soleil à monture de plastique rouge qui lui donnaient des airs de Joan Crawford éplorée. Il regretta aussitôt de n'avoir pas pensé à se munir lui aussi de lunettes.

Le geste qu'elle fit pour les retirer lui ébouriffa les cheveux, dévoilant du même coup un regard égaré, avec de larges cernes. Il fit mine de la recoiffer gentiment du plat de la main.

— Ça va ? Tu as l'air lessivée.

— Des crampes...

Il pêcha les clés de sa camionnette dans sa poche de poitrine.

— Ah... Dans ce cas, nous ferions mieux d'y aller...

Derrière l'autel de Sowerwine Chapel, un vitrail à travers lequel filtrait la lumière du jour montrait un cheval blanc dressé sur les jambes arrière désarçonnant un squelette bringuebalant, avec, dessous, une bannière qui stipulait : « Ainsi choit l'homme de la vie à la mort. » Le vitrail et la chapelle elle-même prétendaient évoquer la chute de cheval mortelle qu'avait faite un étudiant quelques années après la fondation de l'école. Gothiques et finement ouvragées, les boiseries sombres, comme la chaire et les rangées de bancs cirés à outrance, avaient l'éclat profond d'un cercueil. Les vitraux projetaient sur l'assemblée d'étranges couleurs à travers lesquelles voletaient une fine poussière et quelques mites. L'air était lourd, presque irrespirable.

Les éloges de sa marraine d'université et du ministre du culte instruisirent l'assistance des principaux événements qui avaient jalonné la vie de Diane Greenan. Elle avait un jeune frère, cloué dans un fauteuil roulant par une paralysie cérébrale. On apprit aussi que, depuis l'âge de quinze ans, elle œuvrait comme conseillère musicale dans un camp pour jeunes handicapés. Son frère aîné aspirait à devenir acteur, son père était un psychologue reconnu et sa mère troisième violon dans un orchestre symphonique. D'ailleurs, avant le tragique accident qui allait l'emporter à la fleur de l'âge, Diane jouait du violoncelle et souhaitait marcher sur les traces de sa mère.

Tirant sur sa cravate, Junior fit rouler ses épaules sous son veston de velours.

— C'est pire que le banquet annuel des athlètes, souffla-t-il à l'oreille de Kissy.

La jeune fille esquissa une grimace. Prise d'un brusque hoquet, elle s'empressa de mettre la main devant sa bouche. L'œil humide, elle baissa les paupières, se disant que son hoquet était seul responsable de ses larmes. Junior passa un bras affectueux autour des épaules de Kissy. Il était heureux de se trouver à ces funérailles où, sous couleur de piété, il pouvait en toute légitimité lorgner les seins de la jeune fille que son souffle saccadé soulevait délicieusement.

Le ministre du culte se lança dans une finale shakespearienne :

Les vents mauvais secouent les bourgeons de mai,
Le temps d'été aura été pour toi trop court...
Mais un éternel été t'attend qui ne se fanera jamais.

Puis il convia l'assistance à présenter ses condoléances à la famille. Comme Kissy se mettait en ligne, Junior la prit par la main et murmura à mi-voix :

— Crois-tu que ce soit une bonne idée ?

Elle s'avança néanmoins parmi les murmures. Il la suivit, regrettant déjà de s'être embarqué dans cette aventure. Leur tour arriva.

Mme Greenan se tenait entre son mari et son jeune fils, assis dans son fauteuil roulant. Avec un battement précipité de paupières, elle tendit sa main gantée à Kissy qui s'en saisit aussitôt.

— Kissy Mellors, annonça Kissy, toutes mes condoléances.

En entendant son nom, M. Greenan sursauta comme s'il avait reçu une claque dans le dos.

— Oh..., souffla Mme Greenan.

Agrippant Kissy par le coude, Junior l'entraîna à l'écart. Quand elle se retourna, les Greenan la regardaient toujours.

Tout ça, c'est pas drôle, murmura Junior en lâchant le volant pour retirer sa cravate.

Encore émue par les mines ravagées de la famille Greenan, Kissy ne répondit rien. Un instant plus tard, à un feu rouge, le jeune homme se mit à tambouriner nerveusement son volant.

— J'ai envie de prendre une bonne cuite. Est-ce que ça te dit ?

Kissy s'accorda quelques instants de réflexion, ce qui n'était pas bon signe.

— Je ne bois pas beaucoup, annonça-t-elle finalement. Pas au point d'être complètement partie. Je ne vois aucun intérêt à vomir tripes et boyaux.

— Ce n'est pas la peine d'en arriver là. Et puis, ça te soulagera peut-être de tes crampes.

Une fois encore, elle réfléchit à la proposition.

— Très bien, je veux bien prendre un verre avec toi. Où veux-tu que nous allions ?

— J'ai de la bière chez moi. Je n'ai pas tellement les moyens de fréquenter les bars, ces jours-ci.

— Ah, chez toi...

Junior leva les mains d'un air faussement horrifié.

— Vous autres, les femmes, vous ne pensez qu'à ça. Tout ce que je désire, c'est prendre une cuite, et j'ai besoin d'un peu de compagnie pour ça. Évidemment, si je suis trop soûl, je ne réponds plus de rien...

Elle se mit à rire, de bon cœur, un rire venu du ventre, sans le moindre sarcasme, mais à travers lequel perçait un rien de concupiscence. Leurs regards se croisèrent ; il l'amusait, la taquinait gentiment.

— Je n'aime pas beaucoup la bière, dit-elle.

— Du vin, alors ? J'en ai aussi.

— Du bon ?

— Mon préféré. La vie est trop courte pour attendre qu'une bonne bouteille soit prête à boire.

— Sauvage..., sourit-elle.

Très pragmatique, le jeune homme disposait d'une pièce unique, meublée d'un matelas posé à même le sol, d'une chaîne stéréo et d'un téléviseur, avec une minuscule cuisine dans un coin, et une salle de bains tout aussi succincte dans l'autre. La pièce était encombrée de matériel de hockey : bâtons, casques, genouillères, etc. tous dans un état d'usure avancée, mais auxquels il semblait trop tenir pour s'en séparer. Il s'en dégageait une forte odeur de sudation, mais la pièce semblait maintenue dans un état de relative propreté. Les couvertures étaient tirées sur le matelas et on ne voyait aucun relief de nourriture. Des affiches et de nombreuses photographies tapissaient les murs que Kissy scruta avec attention.

Elle en désigna une du menton : on l'y voyait devant un micro, entouré de ses coéquipiers, à l'époque où il jouait avec les Islanders.

— Tu es toujours avec eux ?

— Pour le moment, je ne suis avec eux que pendant des sessions d'entraînement. Ils veulent d'abord savoir s'ils doivent m'échanger, me vendre à une autre équipe ou tout simplement se passer de moi quelque temps, expliqua-t-il en lui tendant un verre de vin rouge. Ce n'est pas pour rien qu'on les appelle « propriétaires ». Si je refuse leur proposition, ils peuvent très bien m'envoyer jouer en Terre de Feu, où j'aurai le choix entre faire de mon mieux et ne pas jouer du tout. Cette saison, je joue pour les Spectres, et si je m'en tire bien je pourrai améliorer ma situation, mais pour le moment, ça reste du domaine du rêve.

Les endroits pour s'asseoir étaient limités : le matelas, la cuvette, la baignoire, le sol ou bien un des trois sièges. Deux d'entre eux étaient des tabourets de cuisine, le troisième un rocking-chair sans accoudoirs qui semblait avoir été récupéré dans une décharge publique. Elle choisit le rocking-chair.

Junior décida de faire tourner le fameux « Sergeant Pepper ». Et si elle n'aimait pas les Beatles, elle pourrait toujours aller se faire voir. Si elle aimait aussi, d'ailleurs, se dit-il avec un sentiment issu de cette élévation d'esprit spontanée qu'engendrent les vapeurs de l'alcool. S'emparant de la lampe de lecture posée près du matelas, il en dévissa l'interrupteur pour en extraire les quinze grammes d'« herbe » qu'il gardait pour les grandes occasions. Quand il lui montra le « joint », elle lui répondit par un signe dénégatoire, ce qui le surprit un peu.

— Tu es sûre ? C'est aussi bon pour tes crampes qu'un verre de vin.

— Tu as un problème avec les gens qui souffrent de crampes ?

— Pas avec ceux de ton sexe, non.

Elle envoya une pichenette sur une photo de famille : papa, maman, Junior en personne, le petit frère, la petite sœur et le chien, prise sous un porche, dans un camp d'été.

— Est-ce que ton frère va venir jouer ici ?

— L'an prochain, peut-être. Il a encore beaucoup à apprendre. Ça, c'est mon chien, Ed.

Après avoir accroché sa veste à une patère, le jeune homme expédia ses chaussures dans un coin de la pièce et alla s'allonger sur le matelas, accompagné de son verre et de son cubitainer. De ses coussins il fit un dossier contre lequel il se cala confortablement, parce que ce serait aussi bien, et qu'elle ne se sentirait à l'aise que dans la mesure où lui le serait. Mais cet avant-goût de bien-être fut de courte durée.

— Je t'ai vu rompre avec Diane, dit-elle.

Du coup, il faillit s'étrangler et répandre son vin sur sa chemise, ce qui aurait été d'autant plus regrettable que c'était la seule qui fût encore présentable. Pendant ce temps, elle le regardait d'un œil froid, comme si sa réaction était parfaitement normale. Reprenant le contrôle de lui-même, il secoua la tête d'un air incrédule.

— À l'époque, j'habitais Melville, expliqua-t-elle. J'entrais en première année. L'année suivante, j'ai quitté le dortoir du campus, trop cher pour moi.

Il roula des épaules, afin de se détendre un peu.

— J'avais rencontré Diane à une petite fête, et on commençait à peine à sortir ensemble. On était encore des gamins qui se cherchaient. Si elle ne m'avait pas laissé tomber, c'est probablement moi qui l'aurais fait, poursuivit-il avec une moue dégoûtée. Tout ça pour aller coucher avec le prof d'anglais... Faut-il être con !

— Avec Putman ?

— En personne. S'envoyer les nouvelles, c'est sa passion. Chaque année, on pourrait prendre des paris sur celles qu'il va épingler, conclut le jeune homme en finissant son verre.

— Je crois que ce qui m'a choquée le plus, continua-t-elle, c'est quand tu as donné ce coup de pied dans le panneau de verre.

— J'étais complètement immature, répliqua-t-il en riant. Mais je ne comprends toujours pas ce qui pouvait lui plaire chez ce crétin. Une bouteille d'Amaretto, un peu de hasch, quelques poèmes, et elle s'imaginait qu'il allait renoncer à sa femme pour elle. En ce qui me concerne, Diane aura été un accident de parcours. Elle est morte, mais ça ne me fait pas de peine. Je suis tout au plus étonné qu'une fille que j'ai fréquentée ait été tuée dans un accident – il se perdit quelques instants dans la contemplation de son verre comme pour y détecter un corps étranger, puis en avala une bonne lampée : Je sais que ça t'a fait un choc de la voir se faire tuer sous tes yeux, mais tu ne la connaissais pas vraiment, n'est-ce pas ?

— Non.

— Et l'autre, Ruth Prashker, tu la connaissais ?

Kissy secoua la tête.

— Et le conducteur de la voiture ?

— Non plus.

— Ça a dû être l'horreur... Tu dois penser que je suis dégueulasse de déblatérer comme ça sur Diane.

— Je sais que tu ne représentais pas grand-chose pour elle.

— Comment se fait-il qu'on t'appelle Kissy ?

— C'est à cause de mon frère aîné, Kevin ; il n'a jamais su dire Krissy, et encore moins Kristin, fit-elle en esquissant une moue de mépris de ses lèvres pulpeuses. Et depuis que j'ai de la poitrine, les garçons m'appellent Kissy Melons.

Junior avait le feu au visage d'entendre dire tout haut ce que tout le monde – y compris lui-même – murmurait tout bas.

— Tu pourrais insister pour qu'on t'appelle Kristin...

— Je ne changerai pas quoi que ce soit sous prétexte que quelques trous du cul en sont encore au stade des plaisanteries douteuses sur les grosses poitrines. Ce sont eux qui ont des problèmes, et c'est à eux de changer, pas à moi.

Junior faisait tourner son vin dans son verre, tout en songeant au nombre de fois où il avait fait référence à Kissy en ces termes. Elle aurait quand même pu changer de diminutif, se faire opérer et porter des soutiens-gorge appropriés. Mais les trois quarts du temps, elle n'en portait pas du tout. Et si ses seins ondoyaient de manière aussi suggestive, c'était uniquement de sa faute. Mais il y a des filles comme ça, qui s'imaginent pouvoir à la fois ne rien cacher et passer inaperçues. Peut-être est-ce possible, mais ça reste encore à prouver.

La voix de John Lennon chantant « *I heard the news today oh boy* » emplit momentanément le silence, les ramenant à la case départ.

Un petit coup de rouge, ça met du cœur au ventre, avait coutume de dire sa mère lorsque ses crampes prémenstruelles la faisaient souffrir. Le cubitainer était très raisonnablement entamé, mais elle avait déjà chaud au ventre et les crampes s'espaçaient. Du bout de la langue elle humecta sa lèvre supérieure.

— Les bourgeons de mai..., rappela Junior, ça m'a déchiré. C'est d'une puissance évocatrice incroyable, tu ne crois pas ?

Kissy l'observait à travers ses paupières à demi baissées. D'une légère poussée elle se propulsa hors du rocking-chair et s'assit à croupetons près de lui ; il la regarda faire, une lueur incertaine au fond du regard. Puis, lui poussant doucement le menton, elle alla planter sa langue dans l'oreille du garçon. Ce dernier frissonna et la main qu'il venait de poser sur le bras de la jeune fille se crispa un peu. Mais quand elle se mit à lui mordiller le lobe de l'oreille, il fit un bond de côté.

Les pommettes en feu, il la regarda un instant, à quatre pattes devant lui, puis, l'attirant par la nuque, il écrasa ses lèvres contre celles de Kissy. Elle n'offrit pas plus de résistance quand, s'emparant de sa main, il la posa sur son membre turgide. Alors qu'il lui caressait les seins, elle s'étonna de la légèreté de son toucher. Se détachant un peu d'elle, il voulut l'allonger sur le matelas, mais, les deux mains à plat sur la poitrine du garçon, elle le repoussa doucement sur le côté. Avec un raclement de gorge embarrassé, il s'empara de son verre.

— Qu'est-ce qui t'arrive ? C'était pourtant bien parti... Si c'est à cause de tes menstruations, moi, ça ne me dérange pas..., annonça-t-il en lui tendant un verre.

— Non, ce n'est pas ça, hésita-t-elle en se rasseyant. À vrai dire, je ne sais pas si je le veux vraiment.

— Si c'est comme ça, la taquina-t-il, je vais décider à ta place. J'ai entendu dire qu'il n'y avait rien de tel pour soulager les crampes.

Le disque était terminé. Junior se leva et le remplaça par Abbey Road.

Du bout du pied, elle entreprit de retirer ses bottes, mais, s'agenouillant devant elle, le garçon se fit un devoir de les lui retirer. Alors qu'elle s'abandonnait contre les coussins, il profita de ce qu'il lui ôtait ses chaussettes pour lui chatouiller la plante des pieds. Elle rit tandis qu'il s'allongeait doucement sur elle.

« *Come together* », chantait John Lennon par-dessus son épaule.

3

C'était comme s'éveiller, le corps douloureux, les viscères tordus de crampes, après avoir rêvé de quelqu'un qu'elle ne connaissait pas mais dont elle avait toujours eu envie. Au moment où elle fit passer sa chemise par-dessus sa tête, il inhala profondément l'odeur de ses aisselles et, l'attirant par le coude, y promena sa langue. Après qu'elle lui eut retiré sa chemise, il la coucha de nouveau sur le matelas, avec une soudaine envie de goûter à ses saveurs intimes. Sentir le visage du garçon, là, de manière aussi inattendue, lui coupa le souffle. Quand il réapparut, il s'employait à ôter son pantalon.

— Non, attends, je dois prendre des précautions, d'abord.

— Je croyais que tu étais sur le point d'avoir tes règles, que tu ne risquais rien...

— Tu te trompes.

— Je ferai attention, promit-il précipitamment, sentant sa chance lui échapper.

Elle secoua la tête :

— Je suis déjà tombée enceinte dans les mêmes circonstances.

Il la regarda attentivement, se passa la langue sur les lèvres avant de confesser :

— Je sais, j'ai ce qu'il faut.

Ainsi, bien qu'il fût au courant de son avortement, il était prêt à prendre des risques dans le seul but de ne pas entamer leur plaisir réciproque, manière, supposa-t-elle, de les rapprocher l'un de l'autre.

— Très bien, concéda-t-elle.

Il lui décocha un sourire reconnaissant. Amusée, animée du sentiment soudain d'être plus forte et plus généreuse, la jeune fille se mit à déboutonner son pantalon. Les reins cambrés, elle le fit glisser jusqu'à ses chevilles, aussitôt imitée par le garçon. Rougissant, ce dernier baissa les yeux comme s'il doutait un instant de son érection, puis plongea tête la première entre les jambes offertes et l'embrassa avec tant de ferveur et d'enthousiasme qu'elle éclata de rire. Très vite ses rires se changèrent en hoquets de plaisir. Un certain temps fut nécessaire avant qu'elle n'atteignît l'orgasme, mais cela ne parut pas déranger le garçon outre mesure. Au contraire, il s'y appliqua comme s'il n'avait d'autre désir.

Sans attendre qu'elle reprît haleine, il lui souleva le menton et l'embrassa passionnément, la bouche pleine du plaisir qu'il venait de lui procurer.

De longues minutes plus tard, leurs souffles haletants emplissaient encore la petite chambre. Sentant son cœur heurter violemment sa poitrine, elle posa la main sur le torse de son amant. Le sien battait aussi à tout rompre, comme un poing cognant à une porte. Se redressant sur un coude, elle s'empara de son verre et le porta à ses lèvres, consciente du regard énamouré que le garçon laissait peser sur elle.

— Tu saignes, constata-t-il.

Afin d'y remédier, elle alla chercher le tampon qu'elle gardait en réserve dans la poche de sa veste. Elle se sentait bien, comme une machine aux rouages bien huilés. Tout en s'aspergeant le visage d'eau, elle pensait à ce qui venait de se passer entre elle et Junior, sans oser vraiment y croire. Elle s'adressa un sourire embarrassé.

Elle se rhabilla en le regardant somnoler sur son matelas comme un gros chat repu.

— Ça va? demanda-t-il en ouvrant un œil.

Elle lui adressa un bref sourire.

— Très bien... Merci, Junior.

— Tout le plaisir est pour moi.

Ensemble ils éclatèrent de rire. Avant de partir, elle se pencha et lui effleura les lèvres d'un baiser avec une moue moqueuse.

Vaguement euphorique, il se prélassa un peu dans ses draps, parmi les fantômes olfactifs de leur étreinte. La vision de la tignasse ébouriffée et trempée de sueur de la fille, son visage contorsionné de plaisir avaient été pour lui une révélation. Elle était O qui, au cours de ses ébats sadomasochistes, portait un masque de hibou. C'est du moins ce qu'évoquaient la forme de son crâne et ses mèches de cheveux blancs, légères comme des plumes. Cette pensée avait de puissants effets sur lui, et quand bien même il s'en serait défendu, elle incarnerait désormais pour lui la célèbre héroïne de roman.

La mort de Diane était en quelque sorte responsable de cette nouvelle idylle, et cela ne laissait de le surprendre. Mais devait-il pour autant se sentir coupable, parce qu'il était vivant et qu'il prenait ce que l'existence avait à offrir ?

Elle avait quelqu'un, se rappela-t-il dans sa somnolence, une espèce de branquignol qui sévissait dans la musique. Subsistait donc le risque qu'elle allât tout lui raconter, et que l'individu prît mal la chose. Ce n'était pas encore l'alerte rouge, mais quand on distrait la femme de quelqu'un d'autre, il faut s'attendre à tout ; pourtant, cela ne serait peut-être pas désagréable de mettre en bouillie la gueule de ce musicien à la manque...

— J'ai fait ma propre sauce soja, expliquait Mary Frances qui s'employait depuis deux heures à préparer un poulet à l'orange. C'est fou le temps qu'il faut pour écorcher tous ces quartiers d'orange.

— Pourquoi ne les as-tu pas achetés tout prêts, en conserve ?

— J'ai pensé que le goût serait meilleur, c'est idiot, n'est-ce pas ?

Kissy admirait le soin que son amie apportait à émincer ses poitrines de poulet. Devant elle s'alignaient déjà des bols remplis des ingrédients qui composaient la recette, et classés par ordre de cuisson. À l'écart des autres, un saladier contenait un mélange de légumes inadéquats pour cette recette, mais qui serviraient ultérieurement à la confection d'un potage.

Tous les dimanches soir, Mary Frances cuisinait pour ses amis. Cela requérait presque la journée. Elle avait confié à Kissy que cette occupation lui faisait oublier le sentiment d'affolement qui s'emparait d'elle chaque fois qu'elle manquait la messe. Cette notion la rendait d'autant plus furieuse qu'il lui arrivait de rater son plat ou d'oublier d'y incorporer un ingrédient essentiel.

— Mon père a téléphoné, annonça-t-elle.

Depuis la disparition soudaine de sa mère, quelques mois plus tôt, Mary Frances était devenue la principale préoccupation de son père. Pour ses frères et sœurs, son statut de célibataire induisait qu'elle prît en charge son père, alors que, pour les mêmes raisons, ce dernier était convaincu qu'il lui devait une attention toute particulière. Le dilemme résidait dans le fait de savoir qui devait prendre l'autre en charge, avec tous les conflits que cela entraînait.

— Il vient d'avoir une brillante idée : il veut que nous allions faire un grand voyage en Europe, l'été prochain, quand j'aurai obtenu mon diplôme.

— Et toi, qu'est-ce que tu veux ?

— Cette perspective ne me déplaît pas, ça me permettrait de faire la tournée des bars de lesbiennes. Mais si je veux qu'il me fiche la paix, je dois d'abord lui trouver une petite amie pour occuper ses soirées.

— Tu ne croiras jamais ce que j'ai fait, après le service funéraire de Diane, annonça Kissy en arpentant nerveusement la cuisine.

— Vas-y, ne me fais pas languir...

— Tu sais que j'y suis allée avec Junior Clootie...

Mary Frances ouvrit de grands yeux. Piaffant d'impatience, elle frappa le sol du talon.

— Raconte, raconte !

— C'était..., fit Kissy avec un rire de gorge, plutôt bien.

Pêchant un morceau de carotte dans le saladier, elle le mit dans sa bouche. Les pommettes rosissantes, elle hésitait, se demandant à quel point elle souhaitait se livrer à de telles confidences. Elle ne savait encore quel sens donner à cette aventure, même si celle-ci restait plus présente à son esprit qu'elle ne s'y était attendue.

Mary Frances leva les yeux comme pour conjurer le ciel d'avoir pitié de l'âme de son amie, même si la rougeur de son visage donnait la véritable mesure de ses sentiments. Versant ses émincés de volaille dans un saladier, elle alla ranger ce dernier dans le réfrigérateur, puis entreprit de laver son couteau avec soin, avant de le placer sur son support.

— Je croyais t'avoir entendue dire que tu voulais te passer des hommes. Qu'est-ce qui t'a pris de te jeter dans les bras de ce garçon ? Et puis vas-tu me dire ce qu'une femme saine d'esprit peut faire avec Junior Clootie ?

— Coucher avec, répliqua placidement Kissy en mastiquant sa carotte. Mais je n'ai pas l'intention de vivre avec lui, précisa-t-elle, encore étonnée de la crudité de ses termes.

— J'ose l'espérer, fit Mary Frances en frissonnant avec exagération.

Mary Frances pouvait toujours se targuer de fréquenter les bars homosexuels, Kissy n'ignorait pas qu'il y avait – si l'on ose s'exprimer ainsi – loin de la coupe aux lèvres. En vingt-sept ans d'existence, elle avouait une seule expérience sexuelle avec une autre

46

personne. Encore aujourd'hui, Kissy imaginait mal comment cela avait pu arriver, ou plutôt, elle se demandait quelle était la personne assez patiente pour attendre que Mary Frances eût d'abord retapissé la chambre à coucher avant de passer à l'acte. En dépit de ses ratiocinations sur les vertus de l'onanisme, Kissy l'en savait incapable pour la simple raison que son amie était bien trop falote pour y prendre plus de plaisir qu'en émincant du poulet.

— Viens, poursuivit-elle, tu me raconteras les détails en dressant le couvert.

Affectant une certaine nonchalance, Kissy obtempéra et disposa autour de la table le service en porcelaine des grandes occasions.

— Oh ! Il n'y a pas grand-chose à raconter, on a copulé comme des bêtes, rien de plus.

— Bien sûr, bien sûr, mais à quel chapitre du *Kama-sutra* vous êtes-vous arrêtés ?

— Il faut une vie pour ça, ma pauvre amie, gloussa Kissy.

— En réalité, tu as voulu rendre à Ryne la monnaie de sa pièce, hasarda Mary Frances en rectifiant la position des assiettes que venait de placer son amie.

— Peut-être...

— Tout va bien pour toi ?

Kissy acquiesça, touchée par l'attention de son amie :

— Je m'y emploie.

Le lundi suivant, le Blazer fut rendu à sa propriétaire. Quand Mary Frances déposa Kissy à la fourrière de la police, le tout-terrain, recouvert d'une épaisse couche de poussière, était parqué loin des autres véhicules comme un pestiféré, à l'instar de la T-Bird jaune. Kissy ne l'avait jamais vu aussi sale.

Elle n'avait plus conduit depuis l'accident. Le plus souvent, c'était Mary Frances qui lui servait de chauffeur. Elle tourna la clé d'allumage les mains moites, l'estomac révulsé. Elle se mordit la lèvre quand, en voulant manœuvrer, le volant lui glissa des mains. Elle s'engagea sur la route avec une prudence extrême, presque ridicule. « Va te faire voir ! » pesta-t-elle contre les automobilistes qui manifestaient leur impatience en klaxonnant à tue-tête. Au premier lave-auto, elle s'y engouffra. Dans le tunnel obscur le Blazer devint une caverne, un confessionnal.

En avait-elle fait des choses en voiture ! Sur le siège avant, sur le siège arrière... Que d'explorations ! Que de découvertes ! Ce qui jadis lui était apparu comme des gestes hautement répréhensibles, voire des comportements ignobles, lui semblait aujourd'hui futile. Puis, pendant trois ans, il y avait eu Ryne, et rétrospectivement leur relation ne différait en rien d'une passade maintes fois renouvelée. Plus que pour tout autre, y mettre un terme avait été une sage décision. Et puis il y avait eu Junior. Elle n'avait rien attendu de lui que de bien ordinaire, sauf que cela avait été différent; quant à dire de quelle manière et pour quelle raison, elle en était encore au stade des hypothèses.

Quelques mois plus tôt, en fouillant dans ses affaires, elle avait retrouvé l'enveloppe brune qui contenait les photos des garçons qu'elle avait fréquentés au lycée. D'emblée, elle avait été frappée par leur allure enfantine. C'est souvent le cas, avec les photos, auxquelles le temps confère souvent une dimension inusitée. D'ailleurs, sur ces clichés, elle semblait plus jeune que jamais. Ce fut là sa première perception de la fuite du temps, de la vie qui passe...

Les souvenirs du lycée lui revenaient dans cette même substance dont sont faites les vieilles photographies, grumeleuse, fade, racornie. Ces clichés délavés la suivraient tout en emportant son existence vers l'oubli, une existence dont elle avait su ce qu'il adviendrait dès l'instant où elle avait collé son œil sur le viseur du Nikon de son père. Ce dernier l'avait abandonnée à ses chimères au moment où elle avait été reçue dans une des meilleures écoles d'art du Nord-Est. Pour obtenir des bourses, elle avait dû décrocher les meilleures notes, trimestre après trimestre.

En dehors de la photographie, son unique passion était la natation. Pour la satisfaire, elle avait accepté une place dans l'équipe de natation dont personne ne voulait. Jamais sélectionnée, elle n'avait jamais non plus perdu ses huit kilos en trop comme l'exigeait son entraîneur. Mais à la fin, elle était quand même présente pour recevoir sa médaille interscolaire des mains d'un entraîneur toujours aussi acariâtre.

À l'intérieur de son Blazer elle se sentait coupée du monde extérieur. Dans le crépitement des jets, le tournoiement des brosses et le claquement des bandes de séchage, elle se mit à penser à sa seconde déposition, enregistrée quelques jours après l'accident dans le petit bureau du District Attorney par un petit personnage tapant sur une petite machine installée sur un pupitre. Non content de lui poser plusieurs fois la même question, il s'était longuement attardé sur des détails *a priori* insignifiants. De guerre lasse, elle s'était demandé combien de temps allait encore durer cette comédie. Jusqu'à ce que ses dires se fussent parfaitement recoupés, s'était-elle soudainement avisée. À partir de cet instant, elle avait soigneusement pesé ses mots. Brutalement réexpédiée à la lumière du jour, elle avait incontinent éprouvé un ineffable sentiment de liberté.

Le Blazer brillait à nouveau comme un sou neuf. Elle baissa sa vitre et respira profondément.

Dans la foule des étudiants qui se bousculaient dans les couloirs elle aperçut James Houston. Il était dix-sept heures. Elle s'apprêtait à sécher un cours pour aller suivre son entraînement quotidien. Il devait être en liberté sous caution, supposa-t-elle, et en attendant son procès ne pouvait rien faire d'autre que de suivre les cours. Détournant les yeux, il se mêla aux autres étudiants. Le teint hâve, sale et mal rasé, on aurait dit un troglodyte.

Vingt minutes plus tard, elle s'accroupissait sur le rebord de la piscine. Une brusque détente la propulsa en avant, lui procurant un très bref instant le sentiment d'échapper à la pesanteur. Glissant entre deux eaux, elle se mit à nager sans effort, avec des gestes lents et parfaitement coordonnés, jusqu'au bout du bassin. Elle glissait, se fondait dans une eau qu'elle déplaçait à peine, puisque nager était pour elle une seconde nature, un processus quasi rituel au cours duquel elle n'était plus qu'un corps dont le contact pur et simple de l'eau exacerbait les sens.

Sous la douche elle se rappela James Houston et sa mine défaite, l'application qu'il mettait à éviter les regards. Avec un sentiment coupable, elle se rappela sa promesse d'aller rendre visite à Ruth Prashker. Elle tiendrait parole ; si elle n'était pas encore retournée la voir, c'est uniquement parce qu'elle avait été occupée.

Le sommeil, quand il venait, était accompagné de rêves agités et récurrents à propos de l'accident, au cours duquel c'était elle, et non Houston, qui renversait les deux filles. Et lorsqu'elle quittait sa voiture pour se pencher sur les victimes, à leur visage se substituaient celui de son père, de sa mère, celui de son frère Kevin ou de James Houston, souvent aussi celui de Mary Frances ou d'elle-même, tout cela entremêlé de rêves érotiques qui la réveillaient en sursaut, oppressée, le ventre noué d'anxiété.

Un matin, très tôt, elle se dressa sur son lit comme sous l'effet d'un coup de canon. Le corps tendu à l'extrême, le torse agité de sanglots, elle tremblait de tous ses membres. Cette fois-là, c'était le visage de Junior qui était apparu dans son rêve. Elle était plus que lasse de pleurer sur tous ces gens ; ce chagrin excessif était ridicule, se raisonna-t-elle, des tas de gens mouraient tous les jours.

Il était quatre heures et demie. Après avoir passé un chandail, elle se glissa hors de la maison. L'air frais lui fit du bien dès la première inspiration. Les derniers lambeaux de cauchemar se dissipaient. Au volant de son Blazer, elle franchit la Dance et prit la direction de Valley. En passant par Drumhill, elle revit la maison qu'avait habitée son frère Kevin après avoir renoncé à ses études. Son frère et elle avaient été très proches, jusqu'au jour où il avait décidé de l'initier aux joies de l'existence en lui faisant boire une bière additionnée à son insu d'« acide ». Pour une initiation, cela en avait été une. Mais cela avait aussi mis un terme à la confiance qu'elle avait en son frère. Même si cela avait pu la séduire, cette triste aventure l'avait à tout jamais dégoûtée des drogues et des soi-disant plaisirs qu'elles procuraient. Elle avait aussi parfois l'impression que cela l'avait guérie de sa naïveté et lui avait appris à se méfier d'autrui. Après Sowerwine, son frère avait fui Peltry sans un au revoir. Leur mère avait bien reçu une carte postale de lui quelques mois plus tard, mais plus de nouvelles depuis. La carte provenait de Sturgis, dans le Dakota du Sud, où se déroulait la grande rencontre annuelle des amateurs de Harley-Davidson.

Gorge à la végétation dense traversant la partie sud de la ville, Valley charriait au plus creux de ses ravines un impétueux torrent de la Dance appelé le Hornpipe. Alors que Peltry s'accroissait, Valley était restée sauvage. Régulièrement des gens peu fortunés venaient y construire une cabane qu'une crue de la rivière finissait par emporter tôt ou tard. Aujourd'hui, ses derniers riverains étaient de pauvres hères tout juste capables d'ériger des abris en carton. Pour les services municipaux de Peltry, Valley était un parc public, à juste titre d'ailleurs, puisque c'était le lieu de prédilection des promeneurs, des coureurs et des cyclistes. À la belle saison, avant que le torrent en crue ne fît la joie des amateurs de kayak et de descente en radeau, on y apercevait même des pique-niqueurs.

Mais Valley était aussi un lieu d'intrigues et de machinations. Sous le couvert de ses épaisses frondaisons et de ses grands éboulements gris, dans la pénombre du viaduc de l'autoroute et sous les nombreuses voies qui enjambaient le Hornpipe, dans la solitude du cimetière qui le bordait se cachait tout ce que la région recelait de clochards et de fornicateurs adultères, de vendeurs de drogue et de prostituées. De temps à autre, un viol y était perpétré, et, une ou deux fois par an, un meurtre ou un suicide. Au reste, c'est parmi les stèles du cimetière, sur l'herbe grasse de l'une des plus anciennes tombes, qu'elle s'était donnée à un garçon pour la première fois.

Sa bonne vision de nuit conjuguée aux lampadaires placés aux points névralgiques lui permirent de courir d'une bonne foulée. Alors que la nuit commençait à pâlir, elle prenait conscience des détails qui l'entouraient. De loin en loin lui parvenaient les premiers bruits de la circulation. Empruntant un raidillon qui la sortirait de Valley, elle entendit un caillou rouler derrière elle, suivi du souffle haletant d'un autre coureur.

Arrivée au sommet, elle se retourna et, à travers une trouée, scruta le sentier qu'elle venait de quitter. Tout en sautillant sur place, elle attendit qu'apparût le coureur. Les cheveux collés au visage, le chandail auréolé de sueur, il semblait à bout de souffle. Pourtant, il courait toujours et ne semblait pas prêt à s'arrêter. Se sentant probablement observé, il leva les yeux et la vit. C'était James Houston.

Elle détala comme si elle avait le diable aux trousses.

Les lampadaires éclairaient vainement les rues encore désertes. Sans trop savoir comment, elle se retrouva au volant de son Blazer, à proximité de l'hôpital. Peut-être s'était-elle endormie quelques minutes. Il était six heures du matin.

Sylvia Cronin était assise au chevet de sa petite-fille comme si elle ne l'avait jamais quittée. La chaleur du sourire que la vieille dame lui adressa la rassura sur le bien-fondé de sa visite. Beaucoup plus calme que la fois précédente, elle arborait un magnifique tailleur bleu roi, surmonté d'une chevelure rassemblée en une couronne de tresses élaborée. Elle portait des boucles d'oreilles en gouttes d'eau et un collier orné d'un médaillon en vieil argent.

L'état de Ruth ne semblait guère reluisant. Si ses ecchymoses tendaient à disparaître, son visage était exsangue, ses lèvres cyanosées, et sans le vernis à ongle carminé Kissy n'aurait pu faire de distinction entre les mains et le drap sur lequel elles reposaient.

Les photographies qu'elle avait vues d'elle dans les journaux et à la télévision ne donnaient qu'une vague idée de ce qu'avait été la jeune fille avant l'accident. De même que Diane Greenan, les photos d'elle parues dans le *Peltry Daily News* la dépeignaient comme une jeune personne débordant de vitalité et de bonheur. Toutefois, peut-être à cause d'une certaine langueur dans le regard, on y voyait aussi un souci de plaire évident. Aguicheuse, enjôleuse, telle lui était apparue Ruth Prashker.

Mais aujourd'hui inanimée, inaccessible, la personne qui gisait dans ce lit d'hôpital n'était qu'un vague reflet de ces photographies, tout comme le visage qui était apparu dans le halo de ses phares n'était qu'un masque, aussi irréel et désespérant que celui qu'elle portait à présent. Se penchant vers la blessée, elle murmura :

— Je m'appelle Kissy Mellors. C'est moi qui conduisais la voiture qui a failli te renverser. Je suis désolée de ce qui t'arrive.

Prenant un peu de recul, Kissy s'assit sur la chaise la plus proche et couvrit son visage de ses mains.

— Vous êtes exténuée, n'est-ce pas ? demanda Mme Cronin, avant de proposer, en voyant la jeune fille hocher la tête : Venez, allons boire un chocolat.

À la cantine, elles s'installèrent à une table pour prendre leur boisson chaude.

— Vous m'inquiétez, reprit la femme après qu'elles eurent gagné la cafétéria.

— Je fais des cauchemars, bafouilla Kissy.

— Ça ne me surprend pas. J'en ai fait moi-même, récemment. En fait, j'ai l'impression d'en vivre un, fit Mme Cronin en remuant distraitement son chocolat.

La boisson avait meilleur goût qu'on pouvait s'y attendre. Saisie d'une soudaine fringale, Kissy alla chercher du lait et des céréales qu'elle ingurgita sous le regard approbateur de la femme.

— Est-ce que l'état de Ruth s'améliore ? demanda Kissy.

Mme Cronin balaya l'air de la main avec une moue dépitée.

— J'ai passé la semaine à interroger des médecins. Une fois leur jargon décodé, il ne reste pas grand-chose. Ruth souffre d'une lésion au cerveau qui ne laisse guère d'espoir sur ses chances de guérison. Même si demain elle sortait du coma et que les tests se révèlent tout à coup favorables, il y a de fortes chances pour qu'elle reste lourdement handicapée jusqu'à la fin de ses jours. Mais ne serait-ce que reprendre conscience et tenter de communiquer avec son entourage par des battements de paupières relèverait pour elle du miracle.

— Est-ce qu'elle souffre ?

— Oh, non ! Tant qu'elle est inconsciente, elle ne sent strictement rien. Encore heureux..., ajouta-t-elle en écrasant furtivement une larme.

— J'ai tant de peine...

En réponse, Mme Cronin sourit tristement.

— Sartre prétendait que l'enfer, c'est les autres. Je trouve l'aphorisme un peu complaisant, mais si l'on devait y croire, on pourrait dire que Ruth est au paradis, puisqu'elle est coupée du reste du monde.

— Elle est quelque part dans les limbes, renchérit Kissy, si cet endroit existe...

— Oui, acquiesça Mme Cronin, et nous aussi.

— J'aimerais pouvoir faire quelque chose, dit Kissy en froissant nerveusement sa serviette en papier.

Mme Cronin inclina la tête. On aurait dit un vieux cacatoès s'apprêtant à poser une devinette.

— Prenez donc un peu de repos, chère enfant.

— Je reviendrai, promit Kissy.

— Bien sûr, la rassura la dame en posant une main parcheminée sur celle de la jeune fille.

Ses doigts se portèrent sur le médaillon qui ornait son cou. Elle l'effleura quelques instants, puis leva un regard implorant vers Kissy. Comme cette dernière répondait par un signe d'acquiescement, elle dégrafa la chaîne qui le retenait et la passa autour du cou de la jeune fille. Le bijou d'argent ciselé était tiède. En l'ouvrant, Kissy découvrit la photo d'une fillette d'une dizaine d'années : Ruth. Ses yeux noirs pétillaient de joie. Un large sourire découvrait une double rangée de dents éclatantes de blancheur.

— C'était une enfant si gaie, soupira Mme Cronin.

Contempler cette photo mit Kissy mal à l'aise : cette ravissante fillette était aujourd'hui une femme dont le corps brisé faisait l'objet de soins intensifs. Cela lui parut inconcevable, insupportable au point d'avoir envie de s'enfuir à toutes jambes.

Quand elle redressa la tête, Mme Cronin se tenait immobile comme une statue, les mains sur les genoux, le visage ruisselant de larmes muettes.

Au moment où elle quitta le parc de stationnement de l'hôpital, la montre du tableau de bord indiquait sept heures. Dans les rues la circulation était encore fluide. Kissy se sentait calme et parfaitement éveillée, du moins jusqu'à ce qu'elle montât l'escalier d'une maison, celle de la deuxième personne à qui elle souhaitait rendre visite. Elle frappa à la porte. N'obtenant pas de réponse, elle réitéra son geste avec plus d'insistance.

De l'intérieur lui parvint un grommellement puis un bruit de pieds nus frappant le plancher. Junior ouvrit enfin dans un clignotement de paupières. Il émit un long bâillement, puis se gratta ostensiblement les parties génitales.

— Bon Dieu..., maugréa-t-il en livrant le passage à la jeune fille. J'aurais pu être avec quelqu'un.

— Mais ce n'est pas le cas.

Souriant, il se malaxa le torse tout en la couvant d'un regard enveloppant.

— Tu es venue pour quoi ? Un café ou un « cœur-à-cœur » ?

Sans répondre, elle alla prendre place dans le rocking-chair. Elle voulut le regarder droit dans les yeux, mais y renonça très vite.

— Ah, je vois ! reprit-il en bâillant de plus belle. Sous prétexte que je t'ai cédé une fois, tu t'imagines sans doute que je suis un greluchon qu'on peut avoir n'importe quand.

Elle se retint de ne pas pouffer de rire. « Deux fois, cela reste encore du domaine de l'expérience », songea-t-elle. Un brin de folie ne pouvait faire de tort. Ryne était le premier garçon qu'elle avait désiré en sachant exactement ce qu'elle attendait de lui. Avec Junior, ce qu'elle voulait par-dessus tout, c'était avoir du bon temps, prendre du plaisir comme elle n'en avait jamais pris avec quiconque, pas même avec Ryne. À l'origine de tout cela, se dit-elle encore, il y avait le souvenir du garçon administrant un coup de pied dans la baie vitrée sous la lumière opalescente de la lune. Elle se rappelait avoir lu quelque part – peut-être dans un livre d'enfant quand elle était gamine – que si les papillons de nuit se brûlent à la flamme, c'est parce qu'ils la confondent avec l'astre nocturne. Et par la pensée, elle pouvait maintenant voir une nuée de papillons de nuit s'envoler, tel le sillage d'une comète, en direction de la lune.

Elle s'installa à califourchon sur les genoux du garçon, dont le regard l'implorait de ne pas en rester là. Elle avait eu beau plaisanter en annonçant à Mary Frances qu'ils avaient forniqué comme des bêtes, cela restait néanmoins la vérité; ils s'étaient comportés comme des animaux, et elle entendait que cette relation se limitât au stade de l'accouplement passager.

Il n'était pas certain, cependant, que Junior partageât tant soit peu ce point de vue, car peut-être n'était-ce de sa part qu'une simple vue de l'esprit, une appréhension soudaine de ses propres aptitudes envers les choses de l'amour, une sorte de grâce qui lui serait accordée : j'étais aveugle et maintenant je vois. Tout cela ressemblait un peu aux instants où elle avait vraiment appris à nager, à sortir la tête de l'eau et à emplir ses poumons d'air au moment précis où elle croyait suffoquer. C'était comme ce fameux soir où Latham, son professeur principal et conseiller pédagogique, lui avait fait goûter son premier grand cru, et que, suivant ses recommandations, elle l'avait gardé un instant dans sa bouche, en s'avisant que tout ce en quoi elle ne voyait jusqu'alors que fadaises était vrai. Dans cette expérience unique, son palais avait perçu la texture, la complexité des saveurs sensuelles et anciennes des grands vins.

Éperdue, elle se demanda à côté de combien d'expériences du même genre elle était passée. Puis elle éclata de rire, d'étonnement et de plaisir. Junior l'observa et, semblant comprendre avec exactitude les raisons de son hilarité, se mit à rire à son tour.

4

Elle avait la peau moite et rouge d'excitation. Ses yeux grands ouverts fixaient le néant. Se dressant sur un coude, il se mit à la couver des yeux. Elle se tenait sur le dos, les jambes entrouvertes et ruisselantes, la vulve visible et tumescente, le ventre de temps à autre agité de légers tressaillements. Un bras était levé, l'autre baissé, si bien qu'un sein était redressé, tandis que l'autre reposait, affaissé sur la poitrine. Il n'avait jamais conçu d'engouement particulier pour les fortes poitrines, mais il fallait reconnaître que celle-là retenait l'attention. Et puis les seins, petits ou gros, possèdent cette ineffable qualité d'aller par deux, ce qui tend à prouver que Dieu possède un phallus.

Roulant sur le dos, il ferma quelques instants les yeux, puis, le souffle en arrêt, loucha de nouveau dans sa direction. Elle dormait, la bouche entrouverte, une bulle de salive à la commissure des lèvres. Les yeux légèrement révulsés, elle ressemblait à une femme violée pendant son sommeil.

Plus tard, alors qu'ils se pelotonnaient l'un contre l'autre dans la baignoire en jouant avec leurs pieds, il lui demanda :

— Qui aurait pu croire qu'il se passerait quelque chose entre nous ?

En réponse elle produisit un rire rentré, dont il ressentit les tressautements contre son torse, un rire qui lui rappela les instants où il était en elle. Pressant une éponge, il regarda les bulles de savon se former sur ses seins et autour, les rendant lisses et brillants comme deux pierres polies. Les muscles qu'elle devait à la natation et aux poids et haltères lui donnaient des allures sculpturales. Malgré la plénitude de ses seins, elle possédait la carrure – épaules larges et hanches étroites – des nageuses de compétition. Les cuisses, ainsi que les fesses, étaient puissamment musclées.

Il n'avait jamais été capable de retenir une fille plus de quelques mois. Les femmes étaient pour lui comme des plantes : on peut les acquérir certes facilement, reste qu'il faut les arroser, les exposer tantôt à l'ombre, tantôt au soleil. En sciences, il avait choisi la botanique et l'horticulture. Le joyeux drille qu'il avait eu en terminale en guise de professeur ne manquait jamais une occasion de citer joyeusement Dorothy Parker : « Vous pourrez toujours amener une ribaude à se cultiver, mais jamais à réfléchir. » Ce fut une des dernières choses que Junior retint de ce cours. Une fois la saison commencée, sortir avec les filles s'était révélé une véritable épreuve. Aussi, entre les cours, le conditionnement physique et l'entraînement, il ne lui resta ni temps ni énergie à consacrer à l'horticulture.

Pour ce qui était du batifolage, les résultats étaient encore plus imprévisibles que les filles qu'il parvenait à séduire. La scène qu'il avait eue avec la péronnelle délurée et complètement hystérique qu'était Diane Greenan lui avait amplement suffi. Il y avait cependant quelque vérité dans le fait que le pire est encore magnifique, et que rien n'est jamais pareil. Après sa carrière, pour lui n'existait que le bon, le mauvais et ce qui laisse indifférent. La dernière fois, il était tombé sur Diane par accident. Elle était aussi ivre que lui et, sans un mot, il l'avait suivie dans la salle de bains pour renifler la cocaïne qu'elle lui proposait, avant de la prendre, debout, contre la porte. Petite et mince comme elle l'était, la chose n'avait pas été facile, mais cela en valait la peine. Diane avait reboutonné son pantalon et, après un rapide coup d'œil au miroir, était sortie sans un mot, pour se faire renverser par un chauffard.

Avec Kissy, au contraire, cela s'était passé comme dans un film, comme s'il avait réinventé l'amour. Rien d'aussi intense ne pouvait le rester, mais pour aussi longtemps que cela durerait, ce n'était pas lui qui se déroberait. Après tout, c'était elle qui avait fait le premier pas, sans pour autant lui donner son numéro de téléphone, et il inclinait à ne pas le lui demander. Il est parfois préférable d'attendre, et à cet instant il attendait de savoir à quel moment il devrait mettre un terme à leur relation. Cela importait peu, d'ailleurs, tout cela n'était qu'un jeu qu'il jouait avec lui-même.

— Nous sommes de la soupe, balbutia-t-elle, somnolente, de la soupe de cannibale.

Il rit en lui mordillant le lobe de l'oreille.

— Et qui fait le missionnaire, cette fois?

Cherchant ses chaussettes dans son sac de sport, Junior comprit qu'il devrait rester les pieds humides. Sur le banc, près de lui, Zoo examinait le ruban adhésif qui entourait son bâton de hockey. La séance d'entraînement achevée, ils étaient à peu près seuls dans le vestiaire, avec quelques autres traînards vérifiant leur équipement. Zoo tira sur l'extrémité du ruban pour le réajuster.

— Tu l'as sautée?

Qui ça?

— Melons. J'ai aperçu son Blazer devant ta porte, ce matin, et puis, je sais pas, tu fais une drôle de tête, aujourd'hui.

Une chaussette laissait apparaître son gros orteil. Junior la retira et examina son ongle.

— Tu n'aurais pas un coupe-ongles, par hasard?

Zoo lui en lança un.

— Dis donc, Hoot, tu as des goûts plutôt bizarres, tu ne trouves pas? Elle a failli renverser Diane...

— C'est la vie. Selon toi, j'aurais dû m'abstenir sous prétexte que Diane a été tuée?

Le visage grumeleux de Dionne apparut dans l'entrebâillement de la porte. Il avait un sac de glace fixé sur l'épaule droite. Sous l'effet des anti-inflammatoires, ses pupilles étaient réduites à la dimension de têtes d'épingles.

— Diane? Diane Greenan?

— Hoot est sorti avec elle, expliqua Zoo.

C'était bien avant qu'elle ne fréquentât Dionne, ce dernier ayant une année de cours de moins que Junior et Zoo.

— Je m'en fous, rétorqua-t-il.

— Comment tu trouves ça? Il vient de s'envoyer Melons...

— Melons? s'étonna Dionne en ouvrant de grands yeux. J'ai entendu dire que c'est elle, en réalité, qui a renversé Diane et l'autre fille. Elle aurait heurté le Blazer avant de...

— Tu n'es qu'un foutu con, l'interrompit Junior. Le sagouin qui les a renversées était complètement bourré. Alors que les tests ont démontré qu'elle n'avait pas une seule goutte d'alcool dans le sang, c'était écrit noir sur blanc dans tous les journaux.

— Ils l'ont couverte, argua Dionne. Ces choses-là arrivent tout le temps.

— Et je suppose que tu vas nous en chier la preuve, fit sarcastiquement Junior.

Dionne parut vexé. À travers sa migraine, il crut pertinent d'insister :

— Hé, tu as toujours prétendu que Melons était lesbienne.

— Eh bien, plus maintenant.

— Tu es vraiment idiot, lança Zoo à l'intention de Dionne. Tu crois que parce qu'une rue est à sens unique, on ne peut pas la prendre à contresens ?

Zoo prenait toujours beaucoup de plaisir à se payer la tête de Dionne.

Le noir et blanc de l'uniforme des Spectres formait de puissants contrastes, constata Kissy en regardant les joueurs s'échauffer sur la patinoire. Junior lui adressa un pouce dressé vers le ciel. À l'occasion de l'entraînement présaisonnier, on avait demandé à la jeune fille de photographier les Spectres. Pour la circonstance, une partie de l'équipe portait l'uniforme noir des visiteurs, et l'autre l'uniforme blanc bordé de noir qu'on pouvait lui voir quand elle jouait à domicile. Ce travail bien particulier, Kissy l'avait disputé à Clarissa, la rédactrice assistante du journal, sous les ricanements de Roger Day, le photographe en titre.

— Elle ne comprend rien au hockey ! s'était-il récrié à plusieurs reprises. Qu'est-ce qui se passe ? C'est la semaine des lesbiennes ?

— J'allais te demander de ne pas te conduire comme un gougnafier, mais je constate qu'il est trop tard, avait rétorqué Clarissa.

En manière de compromis, Roger assistait aussi à la partie, soi-disant pour aider Kissy, lui montrer les ficelles du métier. En réalité, il consacrait la plus grande part de son énergie à la traiter comme une idiote. Tous deux arboraient une carte d'identité qui leur donnait accès à la première rangée de sièges, juste derrière les écrans de plexiglas. Un grand nombre de places étaient libres, de sorte que Roger pouvait œuvrer de son côté et Kissy du sien, à l'autre extrémité de la patinoire, près du couloir du vestiaire des Spectres et de leur ligne de défense. Malgré d'épaisses chaussettes, elle sentait le froid de la glace remonter le long de ses jambes, et se félicita d'avoir passé des caleçons longs de flanelle sous ses blue-jeans.

— Explique-moi tout, avait-elle demandé à Junior.

— Non, avait-il grimacé. Tu es une fille, et les secrets ne doivent être connus que des hommes de la tribu – elle avait alors glissé sa

60

main entre les jambes du garçon : Oh ! Mais en réalité, c'est très simple ! Il suffit de pousser le palet à l'extérieur de son camp et de l'envoyer dans le filet de l'adversaire. Bon, d'accord, je vais t'apprendre tout ce que je sais...

Forte de ses enseignements, elle avait néanmoins jugé bon de les compléter par quelques lectures appropriées et par l'observation de photographies de matches de hockey. Le masque hideux du gardien de but, largement exploité lors de films d'horreur de série B, avait fait place à présent au casque articulé hautement élaboré qui, tout en protégeant efficacement le visage et le crâne, conférait au joueur des allures totémiques. Par exemple, à l'instar des sorciers des tribus anciennes, le gardien de but des Bears se voyait affublé d'un faciès de grizzly ou d'ours noir. Le masque de Junior affichait les formes grimaçantes d'un crâne avec une criante vérité. Contrairement à une tête de tigre ou de lion, il offrait l'avantage d'être parfaitement proportionné avec le visage qu'il protégeait. Le regard de Junior brillant de vie derrière le masque laissa entrevoir à Kissy la possibilité de quelques clichés spectaculaires.

Alors qu'il se mouvait tel un gorille devant sa cage, elle se sentit captivée par l'attente d'une prochaine attaque. En dépit d'un équipement encombrant, Junior se déplaçait avec une étonnante agilité. Il était comme le garde forestier en haut de sa tour, guettant le moindre signe d'incendie. Le palet pouvait arriver de n'importe où, à l'improviste, et il avait pour tâche de l'intercepter. Pourtant, malgré sa solitude, Junior participait au jeu en exhortant ses coéquipiers à l'autre extrémité de la patinoire. La voix était stridente, haut perchée, afin d'attirer leur attention et de couvrir le chuintement des patins glissant sur la glace, les cris, et le bruit sourd des corps heurtant les écrans de protection. Cette voix aiguë et modulée lui avait valu le surnom de « Hooter [1] ».

— Dégage la rondelle ! hurlait-il à un défenseur acculé derrière les limites de la patinoire.

Ou bien il lançait un cri d'alarme à quelqu'un qu'on surprenait par-derrière. Il vitupérait contre une pénalité non méritée ou une infraction, pressait sa propre ligne de défense de se regrouper avant de propulser le palet dans le camp adverse avec un hurlement de triomphe.

À la fin de la partie, tandis qu'elle remballait son matériel, Junior vint la voir quelques instants.

---

1. Sirène d'usine.

— Kissy, dit-il, on se retrouve au Bird's...

Roger, qui venait à leur rencontre, l'entendit.

— On dirait que c'est toi qui fais marcher l'équipe, fit-il avec un méchant sourire. C'est presque trop parfait...

Situé près de la marina, le Bird's avait beau rassembler tout ce que la ville comptait d'athlètes, ce n'était pas pour autant le lieu de prédilection de Kissy : trop de bruit, lumière à outrance attirant des hordes de renifleurs de « coke ». Son propriétaire n'était pas trop regardant sur l'âge des athlètes qui fréquentaient l'établissement. Mais il y avait également les autres, ceux entre deux âges, avides de se faire offrir un verre contre quoi ils narreraient inlassablement les heures glorieuses de leur jeunesse à Sowerwine.

Au moment où elle arriva, Junior occupait une table de coin en compagnie de Zoo, Brenda, son amie de l'heure, et de Dionne, serré de près par une fille très mince dont Kissy ignorait le nom mais qu'elle avait vue traîner dans la salle de gymnastique. La table voisine avait également été investie par des joueurs de hockey et quelques filles. D'ailleurs, les joueurs étaient toujours entourés de filles et de quelques admirateurs prêts à leur offrir une tournée de bière.

Junior se leva pour l'accueillir, le souffle lourd, l'haleine chargée de houblon. Elle se surprit à préférer le goût de bière dans la bouche d'un garçon que dans sa propre bouche. Raflant une chaise, il la posa près de la sienne et, tandis qu'elle s'asseyait, lui prit la main et l'attira hors de vue, sous la table.

— Tu vois l'effet que tu me fais ? lui souffla-t-il à l'oreille, avant de s'adresser à la cantonade : Vous connaissez Kissy ?

Tout le monde acquiesça d'un air entendu, y compris la fille que Kissy ne connaissait pas. D'elle on savait déjà l'essentiel : elle était avec Junior.

Elle débarquait au milieu d'une conversation, sans que personne ne prît la peine de lui expliquer de quoi il retournait. Elle finit par comprendre qu'il était question d'un problème politique concernant l'équipe, de quelqu'un de l'équipe qui ne faisait pas le poids. Cet éreintage dans les formes lui laissa tout le loisir de visiter les lieux du regard. Dans ce bar, où l'alcool libérait, en principe, tout un chacun de ses inhibitions, les gens ressemblaient à des personnages de carnaval, ce qui lui fit regretter d'avoir laissé son appareil dans le Blazer.

Junior lui offrit un ballon de rouge maison. Malgré de fréquents coups d'œil dans sa direction, il ne lui soufflait mot, trop concentré sur le discours de ses amis. La main qui ne caressait pas la canette de bière tâtait la cuisse de Kissy, sa taille, sa hanche, comme pour se rassurer de sa présence à ses côtés.

Une fille s'approcha du groupe d'un pas mal assuré. Le regard légèrement opaque, elle pencha lourdement le buste vers la table. Les regards convergèrent sur elle, sans que la conversation s'interrompît pour autant.

— Hooter ? fit-elle d'une voix pressante et rauque.

Entre ses longues serres frémissait un dessous-de-verre en carton sur lequel étaient inscrits un nom et un numéro de téléphone. Elle le tendit comme on tend une carte de visite.

— Tu me téléphoneras ?

Kissy repoussa le dessous-de-verre et la main qui le tenait.

— Va te faire foutre, dit-elle.

Tout le monde se mit à rire, sauf Junior.

La fille dévisagea Kissy avec un rictus méprisant :

— Qui c'est, cette pouffiasse ?

— Ma femme, répliqua Junior, et tu commences à nous emmerder.

Zoo et Dionne se tortillèrent sur leur siège, tandis que leurs petites amies riaient sous cape. Décontenancée, la fille battit précipitamment des paupières.

— Ah, renifla-t-elle en poussant le morceau de carton vers Junior, prends quand même mon numéro, on ne sait jamais...

— Ton numéro, il en a soupé et moi aussi, déclara Kissy en jetant le dessous-de-verre sur le sol.

Un court instant, la fille chancela, hésitant sur la meilleure stratégie à adopter, puis, après un coup sec du menton, elle battit en retraite, sous les éclats de rire de l'assistance.

— Va falloir que tu t'y habitues, souffla Brenda à Kissy.

— Ta femme ? suffoqua presque Zoo, les sourcils en accent circonflexe.

— Désolé, murmura Junior en pressant la main de Kissy.

Soudain, Dionne et sa bonne amie aperçurent quelqu'un à qui ils voulaient dire bonjour. Brenda annonça un besoin pressant, alors que Zoo se proposait d'aller lui aussi soulager sa vessie.

— Ne t'inquiète pas pour eux, déclara Junior après qu'ils furent partis. Ils sont sympas, mais ils ne te connaissent pas. Ils sont aussi impressionnés par toi que toi par eux. Tu veux autre chose ? demanda-t-il en montrant le verre vide.

— À boire ? fit-elle en secouant la tête. Non merci, sans vouloir te désobliger, une limonade aurait aussi bien fait l'affaire.

— J'aimerais bien te voir soûle, un de ces jours, déclara-t-il en la lorgnant d'un regard scrutateur.

Elle répondit par un haussement de sourcils étonné. Le voyant jouer avec son dessous-de-verre, le même que celui que lui avait tendu la fille, elle décida :

Fichons le camp d'ici.

— Je suis en voiture. Tu pourrais récupérer la tienne demain matin.

Un bref instant, croyant qu'il lui en voulait d'avoir fait fuir ses amis, elle le regarda avec insistance.

— Tout va bien, la rassura-t-il faiblement.

Posant deux dollars sur la table en guise de pourboire, ils quittèrent les lieux sous les quolibets à peine voilés de ses coéquipiers en train de s'abreuver aux dépens de l'équipe perdante.

Le vendredi suivant un nouveau match d'exhibition eut lieu, cette fois contre les Red Bloc Comrades. Bien qu'on la prétendît constituée d'étudiants, l'équipe visiteuse se composait essentiellement de joueurs d'une trentaine d'années, sauf pour un, à qui l'on aurait à peine donné quinze ans. Non content d'être étonnamment beau, à l'inverse de ses coéquipiers, il exhibait un sourire indéfectible.

Alors que les Spectres investissaient la patinoire pour quelques échauffements, Kissy prit place dans le poste réservé aux photographes. Après quelques circonvolutions, Junior passa son visage dans un des trous ménagés dans les panneaux de plexiglas.

— Est-ce que tu vas bien me prendre ?

— J'ai installé mon meilleur objectif. Les femmes vont tomber enceintes rien qu'en te regardant.

Il se mit à rire. L'objectif en question était un énorme engin qui requérait le support d'un trépied.

Un œil sur le viseur, l'autre fixait Junior sans un battement de cils. L'appareil photo partageait le visage de Kissy, dont une joue semblait s'incruster dans le boîtier, faisant d'elle une sorte d'androïde, mi-chair, mi-métal, mi-grave, mi-amusé.

Il se laissa glisser en arrière, comme à regret, comme si un fil invisible le rattachait encore à elle.

Les Comrades lui en firent voir de toutes les couleurs. Pas seulement à lui, mais à Zoo et aux siens, à Dionne et aux siens. Tous firent figure de garçonnets. La photo la plus représentative du match montrerait Junior complètement décontenancé, une fraction de seconde en retard à l'endroit où il aurait dû être. Il y en aurait une autre où on le verrait le masque rejeté en arrière, buvant goulûment, le gosier s'activant laborieusement comme s'il avalait des cailloux, les cheveux plaqués sur le crâne, le visage ruisselant de sueur.

Plus tard, face aux médias, cela ne l'empêcha pas de sourire, de produire les bons mots, expliquant combien son jeu et celui de son équipe avaient besoin de s'améliorer. Ses efforts pour paraître détendu, voire amusé, mais tout aussi responsable, rendaient le visage intéressant. D'aucuns auraient pu y lire de la tension, une mortification sous-jacente. Kissy aurait voulu s'attacher à ses pas, le retenir quelques instants, mais elle avait comme instruction de s'intéresser à l'« après-jeu », au comportement des entraîneurs et de l'équipe visiteuse, aux commanditaires et autres gros bonnets de l'université, sans oublier la mascotte.

Avec son crâne cauchemardesque et ses deux mètres de haut, le spectre dominait l'assistance, causant une certaine agitation parmi les Comrades, alors que la mascotte de ces derniers était un adolescent à la mine ravie comme un personnage de Disney World. Le costume du spectre cachait un spécialiste en communications aux façons amènes qui se plaisait à monter dans les gradins pour faire peur aux spectateurs. Récemment, cette mascotte avait fait l'objet de controverses, surtout à cause du casque orné de cornes qui conférait au personnage des allures franchement démoniaques. Au lieu de marcher, il titubait et faisait éclater les enfants en sanglots à la moindre apparition.

Tandis qu'elle rangeait son matériel dans son sac, Junior émergea de la foule.

— Tu aurais dû laisser le capuchon sur ton objectif, dit-il.

— Dure soirée, avança-t-elle, moins par commisération que par simple constat.

— J'ai merdé..., constata-t-il à son tour. Nous payons une tournée de bière aux vainqueurs ; tu te joins à nous, pas vrai ?

— Prends ta bière, je conduirai.

— Ton histoire tourne à l'obsession. On croirait que c'est toi qui as été impliquée dans l'accident.

Elle haussa les épaules, alors qu'il la prenait par la taille.

— Suis-moi jusque chez moi, je déposerai ma camionnette.

Arrivé chez lui, cependant, il demanda à conduire le Blazer.

— Juste à l'aller, précisa-t-il. Au retour, c'est toi qui conduiras.

Comme il se payait gentiment sa tête, elle lui tendit ses clés. Mais au lieu de se rendre au Bird's, il coupa par le centre-ville.

— Où va-t-on ? demanda-t-elle.

— Au Skinner's, c'est là que nous avons décidé de nous retrouver. Pour les Comrades, ce sera plus couleur locale.

— Et qui a eu cette brillante idée ? L'orchestre est nul.

Le ton se voulait mordant. Depuis le matin qui avait suivi l'accident, elle avait fait de nombreux efforts pour éviter Ryne. Ce dernier avait laissé un mot dans sa boîte aux lettres à son intention lui demandant de le retrouver au Skinner's, mais elle n'en avait rien fait. La plupart de ses nuits, elle les passait avec Junior, ne regagnant son appartement que pour se changer et travailler quelques heures sur son ordinateur.

— Moi, répliqua-t-il. Tu te tracasses à cause de ton petit copain le batteur.

— Ce n'est pas... Ne l'appelle pas comme ça.

Junior parut se réjouir de cette intervention.

— Il ne s'imagine quand même pas qu'après lui tu allais prendre le voile. De toute façon, il sera occupé à jouer.

— Allons chez toi.

Le visage se ferma.

— D'accord, mais pas avant d'avoir pris deux ou trois bières.

Qu'importe, se dit-elle. Il était plus que probable que Ryne serait davantage intéressé à lui montrer la facilité avec laquelle il pouvait « lever » une fille que d'avoir une prise de bec avec Junior, si c'était ce à quoi ce dernier s'attendait.

Le Skinner's était situé dans le sous-sol d'un magasin à rayons désaffecté. C'est là que les groupes locaux faisaient leurs premières armes, drainant à la fois les punks universitaires et les skinheads des bas quartiers, les rockers et les chevelus *metalheads*, ce qui donnait souvent lieu à de violentes confrontations. Peinte en noir, la brique extérieure servait de toile de fond à un enchevêtrement de graffitis injurieux ou salaces. L'entrée se trouvait dans ce qui avait été l'arrière du bâtiment. On y accédait par un petit escalier en colimaçon au bout duquel un videur pouvait indifféremment percevoir un droit d'entrée, vendre un billet advenant le cas où le groupe était en veine d'inspiration ou vérifier l'âge du postulant si le cœur lui en disait. Reconnaissant Kissy, il l'invita à entrer puis serra vigoureusement la main de Junior en le dispensant de droit d'entrée.

L'intérieur était sombre, l'air composé d'un subtil amalgame de fumée, d'odeur de sueur, d'urine, de vomissures et de bière rance. D'une violence extrême, la musique se révéla aussi agressive en décibels qu'en rythmique. Front contre front, Jose et Leo, le bassiste, suaient de conserve au-dessus de leurs guitares. À force de frapper sur ses caisses, Ryne avait les muscles des avant-bras aussi tendus que ceux d'un haltérophile. Un tee-shirt détrempé pendait autour de lui comme une seconde peau.

Les Comrades et les coéquipiers de Junior avaient déjà investi ce qui tenait lieu de piste de danse, criant et gesticulant comme des aliénés mentaux. Kissy en remorque, Junior plongea dans cette mer de corps et commença à se trémousser avec des airs extatiques. Parmi les habitués, quelques-uns le reconnurent, ainsi que son équipe, voyant dans les Comrades une nouvelle race d'envahisseurs qu'ils se mirent à bousculer intentionnellement, ce qui, du moins au début, fut perçu comme « une façon de s'amuser ».

Débordant d'enthousiasme, Junior lança ses bras autour de Kissy.

— Quelle ambiance ! cria-t-il à son oreille.

Pour une ambiance, c'en était une, en effet : des corps déchaînés, livrés à eux-mêmes à cause d'une musique qui les fermait au monde extérieur et portait les pulsations cardiaques à leur paroxysme. À certains moments, cela confinait à l'acte sexuel avec cependant quelque chose en plus ou en moins, toute conversation étant rendue impossible.

— Oui, convint-elle, accrochée à lui pour hurler à son oreille.

— Tu viens souvent ici ?

Moins souvent qu'avant depuis que tout était fini entre elle et Ryne.

— De temps en temps, ce n'est plus ce que c'était.

Il ne sembla pas l'entendre ou peut-être ne le put-il pas, mais une sorte de transmission de pensée les conduisit tout à coup à s'embrasser avec fougue. Près d'eux, quelqu'un beugla, parmi les éclats de rire :

— Baise-la, mec ! Je l'ai baisée !

Il ne s'agissait pas de Ryne, mais elle ne put s'empêcher de regarder en direction de la voix, et, quand ses yeux se reportèrent sur Junior, ce dernier lui adressa un sourire ironique mais qui voulait la rassurer sur les craintes qu'elle aurait pu avoir.

La prenant par la taille, il désigna la fille, la jupe retroussée jusqu'aux hanches, assise à califourchon sur les épaules de Dionne. Elle avait retiré sa chemise et ses petits seins tremblotants furent aussitôt happés par les projecteurs. La fille vit quelques instants onduler sa mince silhouette sur les épaules de Dionne puis, alors que ce dernier s'effondrait, elle tomba entre des mains avides, avant de disparaître parmi les corps enchevêtrés en poussant un terrible hurlement. Décidé à récupérer son bien, Dionne se jeta dans la mêlée et se mit à repousser l'agresseur jusqu'au moment où l'un d'eux lui administra un coup de poing sur l'oreille. C'est à peine si on y prêta attention. L'orchestre poursuivit son tintamarre et les danseurs continuèrent de danser.

— Merci, dit Junior à l'oreille de Kissy, c'est une expérience rare.

Les fêtards étaient de plus en plus ivres, la musique de plus en plus violente, la danse de plus en plus sauvage. Se hissant sur la scène, le jeune éphèbe des Comrades commença à se trémousser. C'est à peine s'il semblait avoir l'âge requis pour fréquenter ce genre d'établissement. Il avait l'air d'un gamin venu jouer dans la cour des grands et qui se conduit comme un idiot après sa première bière. Le groupe de musiciens l'ignora superbement, jusqu'au moment où, perdant l'équilibre, il voulut s'agripper à l'un d'eux. Ce dernier lui administra un coup de poing dans le bas-ventre, provoquant de la part du Comrade de violentes régurgitations dont il aspergea la scène et quelques skinheads qui, aussitôt, voulurent lui faire un mauvais sort. Les coéquipiers de l'éphèbe se jetèrent bientôt dans la mêlée, rendant coup pour coup sous les exhortations des Spectres.

Les skinheads décidèrent alors de faire collusion avec les « casseurs de tête ». Après une brève concertation, Zoo et Junior décidèrent d'un commun accord que, si amusant que ce fût d'échanger quelques horions, mieux valait encore laisser ce privilège aux Comrades, vu qu'ils étaient les invités et qu'à ce titre on leur devait certains égards. Sans les informer, les Spectres se tapèrent sur l'épaule et, par groupes de deux, trois ou quatre, s'éclipsèrent discrètement du club.

5

Bruce Springsteen se lamentait, pendant que Kissy hoquetait avec lui sous les coups de boutoir de Junior, quand un long cri de rage se fit entendre, ponctué de coups assenés contre la porte avec assez de force pour l'arracher de ses gonds. Un brusque sursaut les sépara. Junior se recroquevilla dans une attitude de défense, tandis que Kissy se dressait sur les genoux, le drap tiré sur la poitrine. Dans les haut-parleurs, la voix de Springsteen poursuivait sa complainte. Kissy y mit un terme en éteignant l'appareil. Entre-temps, la passion qui animait Junior s'était changée en colère, alors qu'elle restait glacée de terreur. Nu, il sortit quelques instants de son champ de vision et réapparut, armé d'un bâton de hockey.

— Enculé ! hurlait la voix à présent reconnaissable de Ryne.

En voyant Junior esquisser un pas vers la porte, Kissy comprit qu'il avait l'intention d'ouvrir. Ryne ne s'attendait sûrement pas à se faire accueillir à coups de bâton de hockey. Si choquée et atterrée qu'elle était par la violence de Ryne, elle ne pouvait permettre qu'un meurtre pût survenir. Se précipitant vers Junior, elle le retint par le poignet.

— Non ! s'écria-t-elle.

Ce fut suffisant pour le faire hésiter. Elle en profita pour plaquer son dos contre la porte que Ryne tentait d'enfoncer avec des rugissements de colère.

— Je vais vous tuer tous les deux ! hurla-t-il, écumant de rage.

Une longue fissure zébra le vantail en un éclair.

— Ôte-toi de là, souffla Junior avec un sourire mauvais, le panneau va céder.

— Arrête, Ryne ! vociféra Kissy, je vais téléphoner aux flics !

Mais, loin de produire l'effet attendu, cette menace ne fit que redoubler la fureur de l'intrus.

— Viens ! Amène-toi ! cria Junior en ouvrant brusquement la porte.

Lâchant le téléphone, Kissy tenta de s'interposer entre les deux adversaires, mais trop tard. Junior avait levé son bâton et s'apprêtait à en assener un coup sur la tête de Ryne qui se précipitait sur lui. Kissy saisit Junior par la taille, déviant ainsi le coup porté au front de Ryne sans pour autant empêcher ce dernier de sauter à la gorge de son adversaire. Déséquilibré, Junior tituba. Le bâton se révélant inefficace au corps à corps, le jeune homme y renonça. Pour se libérer des mains qui lui enserraient la gorge, il glissa ses bras entre ceux du forcené et les écarta brusquement. Kissy, qui se relevait, reçut un poing fermé en plein visage.

Elle s'effondra d'un bloc, assommée, sans un cri. Pendant ce temps, Junior plaquait Ryne au sol et lui administrait un violent coup de poing dans la poitrine. Non loin des sirènes hululaient. De leur porte entrebâillée, des voisins observaient prudemment la scène. Junior alla vers Kissy.

— Ça va, ma chérie ?

Se redressant sur ses genoux, Ryne tenta une nouvelle attaque, mais, le saisissant par les cheveux, Junior lui frappa plusieurs fois la tête contre le plancher. L'embrasure de la porte fut subitement remplie par un énorme personnage en uniforme bleu marine, brandissant une matraque et lançant des sommations.

Kissy s'effondra sur le sol, les mains sur le visage. Très vite, les lieux furent pleins de cris et du sifflement de matraques s'abattant sur des corps avec un bruit mou. Les lampes s'allumèrent ; les cris cessèrent et quelqu'un s'accroupit près d'elle pour poser sur ses épaules une couverture dont elle s'empara à tâtons.

— Couvrez-vous, jeune fille, commanda une voix.

Redressant la tête, elle reconnut le regard avenant de l'agent Burke.

— Mais c'est Kissy ! Vous vous souvenez de moi : Mike Burke. Vous êtes blessée, poursuivit ce dernier en l'examinant d'un œil critique. Nous allons vous conduire à l'hôpital.

Elle voulut protester, mais il ne l'écoutait déjà plus.

Toujours nu, Junior était allongé visage contre terre à quelques pas de Ryne ; un policier leur passa les menottes. Le musicien saignait du front et du nez, ce dont Junior n'était pas seul responsable. L'œil hagard et injecté de sang, Ryne semblait à peine comprendre ce qui lui arrivait.

— Merde, grommela Kissy.

Burke raffermit sa prise autour du bras de la jeune fille. Il attendit qu'elle tournât la tête dans sa direction pour désigner Ryne du menton.

— Qu'est-ce qu'il a ?

— Il est gelé, murmura-t-elle en détournant le visage.

— Avec quoi ?

— Je ne sais pas. De la coke, probablement.

— Il en consomme ?

— Quelquefois.

Le policier s'éloigna quelques instants pour se concerter avec l'autre policier que Kissy reconnut comme étant le sergent Pearce, le policier qu'elle avait entrevu le soir de l'accident. Les deux hommes aidèrent Junior à se mettre debout.

— Je ne me sens pas tout à fait à mon avantage, ironisa ce dernier. Vous ne pourriez pas me laisser passer un caleçon ?

— Oh, je ne sais pas, sourit Pearce sous les rires des autres policiers. Je ne vois pas ce que ta tenue a de désavantageux. Que s'est-il passé ? demanda-t-il, retrouvant son sérieux.

— C'est son ancien petit ami qui a perdu la tête, expliqua Junior.

Pearce y alla d'un long soupir.

— Tu m'en diras tant...

— Comment vous sentez-vous ? demanda Burke à Kissy.

Des femmes avec un sachet de glace sur le visage qui cherchent à passer inaperçues, il en avait déjà vu des tas, surtout quand leurs ecchymoses enflaient à vue d'œil.

Ryne Kowanek avait été emmené dans un fourgon cellulaire, tandis que Junior Clootie, à qui l'on avait enfin permis de passer un sous-vêtement, faisait sa déposition à l'officier Pearce. Burke tendit à Kissy un comprimé d'analgésique accompagné d'un verre d'eau qu'elle avala avec difficulté.

— Je suis désolé, dit le policier.

L'éclair de colère qui passa dans les yeux de la jeune fille ne lui échappa pas. Décidé à en avoir le cœur net, il la poussa dans ses derniers retranchements :

— Ainsi, votre petit ami Kowanek vous a surprise avec Clootie...

— Ce n'est plus mon petit ami depuis déjà pas mal de temps.

— Racontez-moi ce qui s'est passé.

Elle le fit brièvement, en quelques mots succincts débités à la hâte, anxieuse d'en finir et de fuir ce policier un peu trop bienveillant, et cet endroit qui puait la fornication.

— ... et les ecchymoses de votre visage sont accidentelles : les deux hommes se battaient et vous avez voulu les séparer...

— Oui.

— Où Ryne se procure-t-il de la drogue ?

— Je ne sais pas... n'importe où..., rétorqua-t-elle en rivant son œil noir dans celui du policier.

Pour lui faire comprendre qu'il n'était pas dupe, ce dernier soutint le regard avec insistance.

— Pensez-vous que la drogue devrait être légalisée ?

— Je croyais qu'elle l'était déjà, ricana-t-elle en réponse.

— Que comptez-vous faire ? demanda encore le policier après un bref sourire. Nous allons garder Kowanek à vue jusqu'à demain matin, après quoi il sera remis en liberté. Vous pouvez ne pas porter plainte contre lui à la condition qu'il s'engage à ne pas s'approcher de vous. Avec les charges qui pèsent sur lui, il se peut qu'il tienne parole.

— Très bien, acquiesça-t-elle, marchons comme ça.

— Vous pouvez aller où bon vous semble, poursuivit Burke après un soupir, mais vous vous épargnerez des ennuis en prenant soin de ne pas croiser son chemin. Sachant qu'il fréquente le Skinner's, évitez de vous y rendre, particulièrement en compagnie d'un autre garçon. Il faut lui laisser le temps d'accepter le fait que vous l'avez quitté, faites donc en sorte de ne pas attiser sa jalousie.

— Qu'il aille au diable ! répliqua Kissy avec humeur. S'il recommence, je porte plainte contre lui et il ira moisir en prison.

Le policier ne répondit pas. Quoi qu'elle fît, et avec toutes les accusations dont il faisait l'objet, Kowanek resterait en prison au moins vingt-quatre heures, ce qui remettait d'éventuels problèmes au lendemain soir.

Sauf dans l'exercice de ses fonctions, Burke n'avait jamais battu de femme, et lorsqu'il l'avait fait, c'était pour se défendre des attaques d'une traînée qu'une forte dose d'alcool ou de drogue avait rendue enragée. Pourtant, parfois, ce n'était pas l'envie qui lui manquait. Les femmes, ça s'y entend comme personne pour manipuler les hommes et les mener par le bout du nez. Certaines prennent même du plaisir à les pousser à bout. Cela met un peu de sel à leur existence, quitte à récolter au passage quelques taloches. Du point de vue de Burke, c'était ni plus ni moins qu'un exemple parmi tant d'autres du principe de la sélection naturelle : la femme met l'homme à l'épreuve pendant que ce dernier s'évertue à la garder, à moins que, histoire de s'offrir un petit extra, il ne veuille conquérir celle de son voisin. Ce jeu-là se fait d'instinct, sans réfléchir, comme un bouton que l'on gratte, mais toujours dans les règles de l'art, éternelle histoire de la lutte pour la possession et l'amour...

— Oh, poupée, dit Junior d'une voix caressante en effleurant la joue meurtrie de Kissy, je déteste te voir dans cet état.

Les policiers quittaient les lieux, alors que Burke, le plus jeune d'entre eux, contemplait les jeunes gens d'un air intrigué. Puis la porte se referma. Elle était entaillée d'une large fente par laquelle s'enfuyait toute la chaleur, laissant les deux amants transis, vulnérables.

— Bon Dieu, quelle nuit ! gronda Junior, en massant son basventre endolori. Ce salaud m'a rendu fou de rage. Veux-tu que nous allions quelque part prendre un petit déjeuner ?

Bien qu'encore bouleversée, Kissy se dit que manger contribuerait peut-être à la calmer un peu. Étant donné l'heure, le seul restaurant ouvert restait encore le Denny's.

Junior commanda un énorme petit déjeuner dans lequel il plongea avec enthousiasme. Il attendit d'en avoir ingurgité la moitié pour lever les yeux de son assiette et adresser un sourire à Kissy.

— Cette bagarre ne m'a pas déplu.

— Tant mieux pour toi, moi elle m'a terrorisée, répliqua-t-elle en grignotant sa tartine du bout des lèvres. Ce qui m'a plu, à moi, c'est que la moitié des flics de la ville m'ont vue à poil.

— Tu oublies que j'avais les bijoux de famille à l'air, moi aussi.

Kissy tenta de réprimer un sourire.

— Non, ça, je ne suis pas près de l'oublier.

— Je parie que non, en effet, et eux non plus, d'ailleurs... Il eut un haussement d'épaules avant de poursuivre : il arrive qu'on croise quelqu'un qu'on ne devrait pas ; arrive alors ce qui doit arriver, et on est bien obligé de s'en accommoder. De toute manière, c'est fini, maintenant, poupée, on oublie tout et on recommence...

— Ne m'appelle pas poupée.

— Si je veux, poupée, poupée, poupée... Tu ne t'intéresses plus à ce con, pas vrai ?

— Non. Et si t'imagines t'être battu pour m'avoir, tu te trompes. Cette bagarre ne concernait que vous deux.

— Je ne me suis pas battu pour t'avoir mais pour te protéger. Ce salaud te voulait du mal. Si tu avais été seule, tu serais à l'hôpital, à l'heure qu'il est, ou peut-être à la morgue.

Se rappelant la violence de Ryne, Kissy ne put nier le fait. C'était arrivé si vite, si brutalement, qu'elle n'avait pu qu'en être effrayée. Mais à présent, sous l'éclairage banal et rassurant du Denny's, elle ne pouvait croire que l'incident ait eu une telle importance, et que Ryne avait vraiment voulu lui faire du mal, pas plus que ne l'avait voulu Seth, son premier amant, alors qu'elle avait quinze ans et plus tout à fait sa tête à elle.

L'ecchymose de son visage commençait à la faire souffrir. Voyant son trouble, Junior lui prit la main.

— Nous allons prendre un bon bain et faire un petit somme.

Plus tard, la bouche contre son oreille, la tenant par-derrière à genoux de sorte qu'elle pût pleinement sentir sa puissance physique, il lui demanda :

Est-ce que ça va mieux ?

Elle lui répondit par un long cri de plaisir qui suffit à le satisfaire.

Depuis le temps qu'elles partageaient l'appartement, Mary Frances n'avait jamais demandé de comptes à Kissy. Cette dernière pouvait aller et venir à sa guise sans que cela soulevât la moindre question de sa part. Ryne n'avait jamais vécu avec elle, à telle enseigne qu'elle ne lui avait jamais permis de passer une nuit entière auprès d'elle. Et s'il possédait une clé, c'était uniquement grâce à un habile subterfuge : prétendant que Kissy avait perdu sa clé, il avait emprunté celle de Mary Frances et s'était empressé d'en faire fabriquer un double. Malgré maintes ruptures et réconciliations, ce dernier avait toujours gardé la clé en sa possession. C'est pourquoi, par mesure de sécurité, Mary Frances avait fait poser un verrou sur la porte de sa chambre, aussitôt imitée par Kissy, de crainte que le musicien ne lui subtilisât son ordinateur, sa chaîne stéréo ou son matériel photographique. Si Mary Frances n'avait jamais porté le jeune homme dans son cœur, elle s'en était toutefois accommodée. Mais aujourd'hui, le genre de relation que Kissy entretenait avec Junior Clootie la catastrophait.

Dès le départ, l'implication avait été profonde : elle passait plus de temps avec Junior qu'elle n'en avait jamais passé avec Ryne. En la voyant entrer le visage tuméfié, c'est à peine si Mary Frances osa la regarder. Tout le monde allait savoir, à présent. C'était inscrit dans les dossiers de la police, et Junior était connu dans tout le comté. Demain matin, on annoncerait à la radio que les policiers étaient intervenus dans une affaire de voies de fait, des noms allaient être cités...

— Je vais bien, annonça d'entrée Kissy.

Néanmoins éprouvée, Mary Frances se tamponna un instant les paupières, puis se moucha.

— Latham dit que...

— Laisse-le dire, l'interrompit Kissy. Écoute, cette histoire est terminée. Ryne a trop d'ennuis pour venir encore une fois me chercher des noises. Alors cesse de t'inquiéter, tout va bien.

Mary Frances acquiesça en silence en espérant que Kissy disait vrai.

La lumière automnale tombait sur Ruth Prashker, tranchante comme un scalpel, faisant ressortir l'opalescence de sa peau. L'œdème résorbé, la chair épousait à présent les contours de l'os comme si les muscles en avaient été retirés. Les hématomes avaient disparu, sauf à la saignée du coude à cause des prises de sang et des aiguilles de perfusion. D'une pâleur extrême, la jeune fille respirait cependant librement, sans l'aide d'un respirateur. Pour pallier la rigidité de ses membres, on lui avait administré des médicaments qui lui permettaient de se mouvoir par le biais d'appareils tendant à prévenir la contraction des ligaments et à stimuler la circulation sanguine.

On l'avait transférée dans la maison de sa grand-mère, située dans James Street, à Peltry, où un salon avait été aménagé en chambre pour la convalescente. Tentures et plantes grimpantes, dont une offerte par Kissy, contribuaient néanmoins à garder à la pièce son caractère agréable. De confortables sièges étaient disposés autour du lit pour les visiteurs. Des pots enrubannés et les nombreuses cartes de vœux avantageusement disposées sur la cheminée témoignaient de l'intérêt que lui portaient ses amis et ses camarades de classe.

Une table basse mettait en évidence un montage de photos où l'on voyait Ruth en compagnie de ses amis ou relations. En l'examinant, Kissy sentit monter en elle un malaise doublé d'une profonde détresse. Cette fille n'était pas un fantôme, elle avait sa propre vie. Cela se voyait aux grimaces qu'elle adressait au photographe, à sa toque de diplômée précairement inclinée sur son crâne tandis qu'elle posait entre ses parents, aux regards timides qu'elle adressait à l'objectif, à son exubérance d'adolescente assise à califourchon sur les épaules d'un garçon au bord d'une piscine.

Des médicaments sous toutes leurs formes occupaient entièrement le dessus de la table de chevet. Un cathéter domestique permettait à Ruth de soulager sa vessie, quoique la préoccupation majeure des soignants demeurât ses intestins et la nécessité de la changer fréquemment de position afin de prévenir les plaies causées par un trop long alitement. C'est à cela que se limitait l'existence de Ruth, aujourd'hui.

Mme Cronin avait accueilli Kissy avec un empressement qui laissait percevoir la lourdeur du fardeau qui pesait sur ses épaules. Si la mère de Ruth venait tous les jours, son père ne s'était encore jamais manifesté. Une terrible dispute avait eu lieu à l'hôpital, le père arguant que sa fille était d'ores et déjà morte et que la personne qui gisait dans ce lit n'était plus qu'un corps que l'on maintenait en vie dans le seul but d'enrichir les charlatans de la médecine, et que sa femme, sa belle-mère, et son fils Daniel en étaient les premières victimes.

L'état de Ruth stabilisé, on avait jugé préférable de la transférer dans la demeure de sa grand-mère car Daniel vivait chez ses parents et avait de jeunes enfants qui requéraient une attention de chaque instant. Enseignante à la retraite et veuve d'un avocat, Sylvia Cronin était de santé robuste et, vivant seule, elle n'avait d'autre désir que de s'occuper de sa petite-fille. Pour la circonstance, elle avait acquis une fourgonnette spécialement aménagée pour son transport, puisque Ruth devrait se rendre à l'hôpital, pour y subir des examens ou pour y suivre une thérapie. Cette sortie lui serait bénéfique à bien des égards, avait-on dit, même si elle n'était pas encore en mesure de s'en rendre compte. Des rampes d'accès pour fauteuil roulant avaient été installées un peu partout dans la maison, ainsi qu'une salle de bains dotée de toutes les commodités nécessaires aux handicapés, y compris un bain à remous. En fait, Mme Cronin avait pris ses dispositions pour que tous les soins nécessaires pussent être dispensés à Ruth, que ce fût par quelqu'un de la famille ou par toute personne appartenant au personnel hospitalier.

Au moment où Kissy arriva, Mme Cronin faisait à sa petite-fille la lecture d'un roman où il était question d'un homme qui, après un long coma, se découvrait des dons d'extralucide. Même en l'observant de près, Kissy ne décela aucune réaction sur le visage de la blessée. Profitant de ce qu'elle interrompait sa lecture, Kissy lui demanda l'autorisation de prendre quelques photographies.

Un court instant la vieille dame fixa la jeune fille d'un œil inquisiteur, puis déclara :

— Oui, peut-être le devriez-vous...

Kissy se mit donc à l'œuvre posément, passant de longs moments à cadrer Ruth, puis Ruth avec sa grand-mère, avant de prendre des clichés qu'elle voulait aussi naturels que possible. Cela terminé, elle reposa son appareil et alla prendre la main de Ruth pour lui parler en s'adressant directement à elle, à l'exemple de Mme Cronin.

Plus tard, dans les bacs de sa chambre noire, avant d'être développé en grand format, le visage de Ruth apparut comme un fantôme. C'était du bon travail. Les images étaient empreintes d'une dignité qui plairait à Mme Cronin, songea Kissy. Et si quelqu'un devait les voir, c'était bien elle.

Le week-end arriva avec les premières rencontres en terrain adverse, en l'occurrence à Arkham, dans le Rhode Island.

Sérieusement malmené durant les premières minutes, Junior sua sang et eau le reste de la partie. Sa ligne de défense fit un travail exemplaire, bloquant toutes les attaques à revers et effectuant de longs dégagements. Jamais il ne but autant d'eau ni ne s'épongea aussi fréquemment le visage.

La ligne de Zoo glissa hors limites pendant que Dionne montait à l'attaque, suivi de ses coéquipiers. Sur une passe de Zoo, Dionne manqua le palet aussitôt intercepté par Arkham. Bloquant un long tir de biais, Junior expédia la rondelle à Golem, l'ailier gauche de Dionne.

Plus tard, il concéda deux buts, ce qui ne l'empêcha pas de garder la tête froide. Mais ce qui devait arriver arriva : en tout dernier recours, rester dans les filets reviendrait à s'exclure du jeu. Les erreurs, cela se discutait après le match, c'est du moins de cette manière qu'il parvint à se rassurer. Quittant ses filets, il frappa le palet qui venait dans sa direction afin de l'expédier en zone neutre. Pour remporter la victoire, les Spectres durent marquer trois buts, et pour ce qui était de Junior, sa moyenne de buts interceptés resta inchangée.

Sans en discuter avec quiconque, pas même avec Zoo, il se limita à avaler un repas accompagné de deux ou trois bières, puis, au lieu de faire la noce avec ses coéquipiers, il alla se coucher, car un autre match était prévu pour le lendemain soir, et cette année serait décisive pour sa carrière. Stannick, l'entraîneur, saurait qu'il avait sagement passé la soirée dans sa chambre, tout comme il saurait qui avait fait la noce. Sans que personne n'en soufflât mot, tout le club saurait que Junior était fermement décidé à ne pas gâcher sa saison.

Se mettre au lit de bonne heure n'induit pas que l'on s'endorme aussitôt, bien au contraire. Les péripéties du match tournaient encore dans sa tête. Bien que l'expérience lui eût appris que faire la fête n'améliorait en rien la qualité de son jeu, il n'avait pas encore trouvé de meilleur moyen pour se détendre.

Au cours du second match contre les Warlocks, il ne devait concéder qu'un but, et les Spectres l'emportèrent par deux à un.

Dans le vestiaire, les membres de l'équipe écoutèrent à la radio portable de l'entraîneur le dernier des six matches entre les Sox et les Mets. Cris de colère, bordées d'injures, protestations étonnées, on en oublia momentanément sa propre partie. Dans l'autocar, ce ne furent qu'allées et venues, qui jouant aux cartes, qui sirotant une bière, chacun remâchant sa rancœur à cause de la balle perdue entre les jambes de Billy Buckner.

Junior regarda par la fenêtre : il pleuvait dru sur des kilomètres et des kilomètres. Peu à peu, une douce somnolence le gagna. Puis un cahot le fit sursauter, et il essuya la salive qui perlait au coin de ses lèvres. Il rêvait de Kissy. Avec un soupir, il changea de position. Près de lui, Zoo ronflait doucement, assuré de retrouver à l'arrivée un lit douillettement réchauffé par Brenda. Junior ferma de nouveau les yeux, espérant retrouver le fil de son rêve.

En cette veille d'Halloween, les gradins de Sowerwine furent très tôt remplis de spectateurs, pour la plupart en costumes carnavalesques. Les plus populaires n'étaient qu'une variante de la mascotte des Spectres, au point qu'on aurait cru voir une cohorte dépêchée par la Grande Faucheuse, se manifestant, comme il se doit, dans un tumulte du pire augure qui soit.

Tout imprégné des instructions de son entraîneur, Junior fit mine de ne pas voir Kissy dans son coin, et c'était tant mieux car la moindre vision d'elle lui brûlait la rétine. Elle arborait un costume de squelette, c'est-à-dire un collant noir sur lequel des os étaient peints en blanc, fors ceux de la cage thoracique qui, par la force des choses, s'arrêtaient en deçà des seins, laissant ainsi place à une sorte de bustier du meilleur aloi. À cause de l'appareil photographique, le visage était exempt de maquillage, ce qui constituait une indéniable lacune.

La partie consista en une mise à mort sans rémission : trois à zéro en faveur des Spectres, alors qu'au départ l'équipe adverse laissait craindre le pire. Debout la plupart du temps, la foule n'eut de cesse de chahuter les visiteurs, par ses cris et ses trépidations ébranlant l'édifice jusque dans ses fondations.

— Ils nous ont bien aidés, tu ne crois pas ? commenta Junior en dénouant ses lacets, une fois la partie enlevée. Je crois que ça tient aux costumes. On aurait dit que ça leur permettait de faire à peu près tout ce qu'ils voulaient...

— Ne m'en parle pas, rétorqua Zoo, un vrai festival...

Près de lui, Dionne et Golembiewsky hurlaient leur victoire.

6

Les morts se promenaient partout à travers le campus. La conjonction du week-end d'Halloween avec la pleine lune et la douceur de la nuit générait de puissants effets, telle une marée de printemps, quand la Terre et la Lune sont au plus près du Soleil et qu'elles se positionnent pour ne former avec lui qu'une seule ligne droite. On se serait cru projeté dans une sorte de quatrième dimension où le temps et le lieu ne comptaient plus. Abraham Lincoln côtoyait Marie-Antoinette, le David de Michel-Ange, le diable de Tasmanie, Minnie Mouse le Marlboro Man, Madonna, Michael Jackson, cependant que le Président et Mme Reagan, la reine Élisabeth et Adolf Hitler, Tracy Lords, Freddy Kreuger et Karem Abdul Jabbar déambulaient sur les pelouses du campus. Ichabod Crane marchait la main dans la main avec le Cavalier sans tête, lequel, pour la circonstance, non content de s'être départi de sa monture, avait la tête qui oscillait au bout d'un énorme phallus émergeant du pantalon d'Ichabod. On reconnaissait diverses tribus de punks à la crête multicolore et aux oreilles diversement percées, de nombreux Alice Cooper au visage peint, ainsi que des légions de monstres, démons et vampires de tout poil voletant d'une bacchanale à l'autre. L'amicale des admirateurs des Spectres avait inspiré squelettes, zombis et morts-vivants dans des proportions dépassant de très loin tout autre style de costume.

Cette fête carnavalesque se déversait à l'intérieur et à l'extérieur des dortoirs, du siège de diverses fraternités jusque dans les amphithéâtres et les communs pour finir dans un des trois grands bals costumés donnés pour la circonstance. Représentant le plus grand nombre d'étudiants, le Student Senate commanditait l'un d'eux au

Centre des conventions du campus, alors que les Grecs avaient organisé le leur dans le gymnase des garçons. La guilde des étudiants des Beaux-Arts, elle, réputée pour rassembler les plus « frappés » d'entre tous, avait investi le gymnase des filles dans la Field House. Ce bal annuel avait depuis peu été surnommé le « Homo Hop », en raison du nombre de lesbiennes et de pédérastes avoués qu'il drainait.

Le gymnase des filles, donc, seul espace disponible, avait été surnommé le puits non sans quelque bonne raison. Adoptant ce nom comme thème, les « Frappés » avaient transformé les lieux en antichambre de l'Enfer. Avant que l'accès des gradins supérieurs ne fût interdit pour des raisons évidentes de sécurité, les plus anciens du pavillon d'art dramatique les avaient peuplés de personnages échappés de l'au-delà. Hurlant ou gémissant, d'irrémissibles pécheurs souffraient d'abominables tortures au milieu de flammes éternelles. Sur une autre rangée, les sièges étaient occupés par des squelettes poussiéreux et des momies recouvertes de toiles d'araignées. Un disc-jockey déguisé en démon dispensait une musique démentielle, pendant qu'un technicien au masque de troll œuvrait à sa console d'éclairage. Aux confins du gymnase, un dais soutenait un cercueil en planches de pin, sur le capitonnage duquel reposait un véritable squelette humain, maître de céans, nommé M. Bones. La rumeur disait que le susdit M. Bones avait été exhumé d'un cimetière indien.

Les danseurs s'agglutinaient sur la piste, hachée par des projecteurs de couleurs rouge, vert et violet qui peignaient sur les visages des masques d'outre-tombe. Une lumière noire, issue d'un stroboscope synchronisé avec la musique, jetait sur les os peints des costumes des lueurs phosphorescentes qui semblaient animer l'assistance pour une danse macabre. Le chanteur du moment criaillait :

J'vais à une fête où y a plus personne d'vivant.

Il était presque minuit quand Spectre, la mascotte, surgit devant la porte en brandissant des tickets. Son équipage, parmi lequel on dénombrait de nombreux Jason échappés d'un énième *Vendredi treize*, le monstre de Frankenstein et sa non moins monstrueuse compagne, se pressait derrière lui. Cette apparition fut accueillie par des cris et des applaudissements nourris. Puis, lui livrant le passage, les fêtards s'inclinèrent ou même s'agenouillèrent en signe de révé-

82

rence et de soumission devant celui qu'ils considéraient comme leur seigneur et maître, alors que ce dernier se dirigeait en titubant vers le dais pour s'y hisser sans effort. Le spectre cornu mesurait, on l'a dit, quelque deux mètres dix de haut, son long squelette en trompe l'œil émergeant des lambeaux d'une longue cape noire qu'il faisait tournoyer autour de lui. Ses phalanges métalliques prolongées de longues griffes serraient une immense faux. Son crâne ivoirin luisait sinistrement dans la lumière noire.

Il se mit à exécuter une danse de Saint-Guy en balançant son funeste outil.

> *Dos à dos, panse contre panse*
> *J'en ai rien à branler*
> *Car j'suis déjà clamsé.*

La faux décrivit une large parabole pour terminer sa course entre les fémurs de son propriétaire qui se mit aussitôt à la chevaucher de manière obscène. Puis, la rejetant sur le côté, le Spectre se laissa tomber sur le sol et s'adonna à une série de contorsions sous les exhortations hystériques de la foule. Se redressant d'un bond, il courut jusqu'au dais où il se mit à rouler des hanches de façon lubrique en mimant l'onanisme, pendant que son autre main griffue dessinait dans l'espace des circonvolutions, pour désigner enfin la fiancée de Frankenstein. Avec un rugissement de plaisir, le troupeau humain propulsa la femme dans ses bras, sans que le prétendu fiancé s'y objectât un instant. Tandis qu'on la tendait en offrande, elle fit mine de tomber en pâmoison avec de petits cris de gorge aigus.

Sa victime foulée aux pieds, le Spectre agita ses mandibules pour lui dicter un ordre qu'elle reçut avec un sourire de goule assoiffée de sang. Puis, la poussant dos contre terre, il mima brièvement une furieuse copulation, avant de se saisir d'elle en ayant l'air de vouloir la livrer en pâture. Aux acclamations de la foule, elle répondit par des râles de plaisir anticipé, jusqu'à ce que le Spectre la propulsât entre des bras éperdus.

Apparemment insatisfait, le Spectre reprit ses mouvements de hanches suggestifs. Survolant la cohue, un missile fendit l'air et atterrit avec une remarquable précision dans sa main tendue. C'était la tête du Cavalier sans tête. Il la tendit à la foule, puis la plaqua contre son pelvis, pour exécuter encore quelques mouvements de bassin. Se saisissant de la faux, il lança ensuite la tête vers la foule déchaînée, avide de s'approprier le sinistre trophée.

Alors que le Spectre brandissait sa faux d'un air triomphant, un second missile traversa l'espace. Il s'en empara avec la même dextérité. Il s'agissait d'un godemiché au visage d'Ichabod. Après l'avoir exhibé aux spectateurs, il le coinça entre ses jambes et lui imprima un mouvement de coït avant de le jeter dans le cercueil.

De retour sur le dais, il pointa derechef sa griffe pour désigner sa seconde victime. Abandonnant leurs partenaires, les danseuses se précipitèrent alors sur la scène pour faire offrande de leur corps. Le Spectre reporta ailleurs son attention pendant quelques instants et fixa son choix sur une femme squelette. La foule s'en saisit alors et la porta à bout de bras jusqu'au dais.

De tous les squelettes qui peuplaient le bal, elle représentait un chef-d'œuvre de maquillage qui n'avait d'égal que celui du Spectre. Mais alors que ce dernier portait un masque articulé, elle arborait un visage si habilement grimé qu'on aurait cru à un véritable crâne. Les orbites soigneusement noircies ne laissaient apparaître qu'une prunelle flottante où s'agitait un regard de braise. Le nez avait disparu pour ne laisser à la place qu'un trou noir, pendant que, largement retroussées, les babines exhibaient une double rangée de dents d'un blanc éclatant. Les projecteurs stroboscopiques mettaient en relief les os du squelette peints sur un corps dont on ne discernait qu'un vague contour.

La femme tenta d'échapper au Spectre, mais, se saisissant d'elle, il la traîna jusqu'au dais où, se redressant d'un bond, elle parvint à lui échapper. Une poursuite s'engagea alors autour de la scène pour le plus grand délice des spectateurs électrisés. À l'issue de cette course, capitulant enfin, le couple funeste s'adonna à une furieuse cavalcade.

Puis le Spectre se leva et, enveloppant sa proie dans les plis de sa cape, il l'aida à se redresser. Ils quittèrent ainsi la scène, le visage de la femme squelette enfoui dans l'épaule de son macabre amant. La foule en délire s'écarta pour leur livrer le passage et, un instant plus tard, ils disparaissaient dans la nuit.

Dehors, on put voir les silhouettes confondues du Spectre et de sa victime s'enfoncer dans un épais taillis. Là, sous les frondaisons, ils procédèrent à une danse macabre à l'horizontale, tandis qu'à deux pas le clair de lune illuminait la photographie de la jeune fille décédée.

Derrière son volant, le Spectre retira son masque, inhala profondément l'air de la nuit et se ratissa les cheveux à deux mains.

— Alors, c'était comment ? demanda Junior.

Encore frémissante de plaisir, Kissy s'abandonna contre la vitre sans répondre.

— Je ferais mieux d'aller remettre ce costume à sa place, continua le jeune homme, sinon... Ah, merde ! j'ai oublié la faux !

Un rire hystérique saisit Kissy, et ne cessa qu'après que leurs regards se furent rencontrés, soudainement embarrassés : dans l'exaltation du moment, il s'était oublié en elle.

— Ça ira, n'est-ce pas ? s'inquiéta-t-il.

— Comment veux-tu que je le sache ? rétorqua-t-elle en rajustant son justaucorps.

Il voulut la rassurer en lui caressant longuement la cuisse, le regard plongé dans celui de la jeune fille. Puis, après avoir parqué sa camionnette près d'une porte dérobée, il entreprit de retirer son costume. En y jetant un coup d'œil, Kissy se rendit compte qu'il était conçu de telle manière qu'il contraignait celui qui le portait à marcher sur la pointe des pieds, ce qui conférait à celui qui l'endossait, outre une haute taille, la démarche vacillante des spectres de bonne maison.

Le costume rassemblé en boule, Junior ouvrit la porte et disparut. Quelques instants plus tard, il démarrait en trombe.

— Ralentis, tu roules trop vite, fit Kissy non sans irritation, tu vas finir par attirer l'attention des flics.

Junior obtempéra aussitôt en répliquant :

— Et toi, baisse-toi ; tu es encore maquillée.

La cuisse du jeune homme lui fit un agréable coussin. Il hasarda une caresse sur les cheveux laqués, hérissés en pointes.

— Hé, lança-t-elle, il y a une pharmacie ouverte dans la Septième ; tu t'y arrêteras, j'ai besoin d'une douche vaginale.

— Ah, tu crois ?

Peu disposée à se montrer dans son accoutrement, elle demanda à Junior d'aller acheter ce dont elle avait besoin. Ne le trouvant pas, il dut, à son corps défendant, s'adresser à un préposé, lui qui osait à peine acheter les préservatifs dont Kissy lui avait imposé l'usage dès le commencement. Comme il n'entendait rien aux douches vaginales, il accepta ce qu'on lui proposa.

À peine arrivée, elle se précipita dans la salle de bains. Quelques minutes plus tard, il alla frapper à sa porte et, comme elle n'était pas fermée, il risqua un œil à l'intérieur. L'emballage de la douche et ses composants se trouvaient déjà dans la poubelle. Des cotons démaquillants plein le lavabo, elle retirait l'épaisse couche de fond de teint qui recouvrait son visage. Ce qui restait de son costume gisait en boule sur le sol.

— Tu veux prendre un bain ? proposa-t-il.

— Je suis vannée.

C'était son cas, à lui aussi.

— Tu as faim ? Que dirais-tu de toasts avec des œufs brouillés ?

Elle acquiesça d'un air reconnaissant.

Les toasts étaient prêts et les œufs presque trop cuits quand elle sortit de la salle de bains. Elle se jeta dessus comme une louve affamée, si bien que Junior lui offrit sa propre tartine et alla en faire griller d'autres.

Au moment où il réapparut, elle gisait étendue sur le matelas, la main serrant encore un reste de tartine. Ses cheveux se dressaient toujours en mèches raides comme autant de petites cornes démoniaques. La bouche était luisante de beurre et quelques miettes adhéraient encore à la commissure de ses lèvres. Avalant sa tartine en deux bouchées, il alla s'allonger près d'elle avec mille précautions en lui effleurant la poitrine du bout des doigts. « Ce doit être l'amour », songea-t-il. Pour étouffer son fou rire, il dut enfouir son visage dans son oreiller.

Le giclement de la douche l'arracha à son sommeil. Les yeux encore mi-clos, il tâtonna vers la place encore tiède de Kissy, puis bâilla en s'étirant longuement. Mais la résurgence des événements de la veille eut tôt fait de dissiper son bien-être matinal. Quand il ouvrit enfin les yeux, la lumière crue du jour frappa violemment sa rétine.

Kissy émergea, reluisante, de la salle de bains, et cette vision lui apparut déjà comme une chose agréable en soi.

— Hé ! lança-t-il en repoussant les draps pour exhiber son érection. Regarde ça !

Elle en fut plus amusée qu'impressionnée, mais avant l'orgasme de son compagnon elle était déjà au comble du plaisir, lequel déferla comme une lame de fond, emportant le jeune homme avec elle.

Vint le petit déjeuner, composé de soupe et de sandwiches au thon, qu'ils prirent sur le matelas.

— Je me demande si on ne devrait pas vivre ensemble, hasarda-t-il.

De surprise elle en lâcha un petit rot. Piqué au vif, il s'empressa d'enchaîner :

86

— À moins que tu aies une meilleure idée...

— Merci, Junior, fit-elle en mâchonnant son sandwich, mais je ne sais pas. Nous ne sommes pas sûrs de bien nous connaître...

— Nous nous connaîtrons mieux en vivant ensemble. Te rends-tu compte à quel point on est bien toi et moi ? Ce qui nous arrive, ce n'est pas donné à tout le monde...

Elle finit son sandwich, le regard perdu dans la contemplation de ses miettes.

— Si ça ne marche pas, proposa-t-il encore, il n'y aura qu'à le dire, on restera amis.

Repue de nourriture et de plaisir comme elle l'était, il lui était difficile d'ignorer le bien-être qui l'envahissait, à plus forte raison s'il était doublé du sentiment qu'il devait perdurer. Elle était bien forcée d'admettre qu'elle concevait un plaisir sans mélange à fréquenter Junior, ce qui ne lui était jamais arrivé avec d'autres garçons. Quand ils sortaient ensemble, il s'occupait d'elle, ne l'ignorait pas. Il n'avait jamais essayé de lui emprunter son Blazer ou de l'argent. C'est vrai que son appartement était minuscule, mais cela avait aussi ses avantages. Et quand bien même elle s'engagerait, ce ne serait pas nécessairement pour l'éternité. Cela durerait ce que cela durerait. Le seul obstacle était Mary Frances, qui souffrirait de son départ, et le fait qu'elle venait à peine de s'acquitter de sa part de loyer pour le mois de novembre...

— Je viens juste de régler mon loyer.

— Moi aussi...

— On partagera...

— Naturellement, acquiesça-t-il. Mais je te fais cadeau du mois de novembre, d'accord ? Pour moi, ça ne fait aucune différence.

— Tu ne peux pas, c'est un mois de loyer presque complet.

En réponse, il lui souleva le bord de son tee-shirt et, pour la faire rire, souffla bruyamment sur son nombril.

Afin de ne pas déranger Mary Frances, elle chargea sa chaîne stéréo et ses haut-parleurs dans la voiture sans requérir l'aide de personne. Mis à part le matelas, hérité du précédent locataire et qu'elle décida d'abandonner sur place, c'était son bien le plus encombrant. Une fois rassemblés ses vêtements, ses livres, son ordinateur et son attirail photographique, elle fut surprise par la nudité de la pièce dans laquelle elle avait vécu pendant plus de deux ans, et ne conçut aucun chagrin à la quitter. Elle commençait à s'y sentir un peu à l'étroit et, si cela ne marchait pas avec Junior, elle n'y reviendrait pas. Extra-yant les clés de l'appartement de son porte-clés, elle les déposa sur la table, accompagnées d'un mot indiquant l'adresse et le numéro de téléphone de Junior.

Après s'être servi une tasse de café, elle s'assit à la table et attendit. Mary Frances apparut bientôt, traînant les pieds dans son pyjama.

— Après la nuit que tu as passée, bâilla cette dernière, je me demande où tu as trouvé la force de déplacer des meubles.

— Je vais aller vivre avec Junior.

Sans un mot, Mary Frances se servit à son tour un café, puis s'affala sur une chaise.

— Je me doutais bien que ça finirait par arriver. Tout ce que je veux, c'est que tu sois heureuse, Kissy.

— Allons, Mary Frances, protesta la jeune fille, dis franchement le fond de ta pensée.

Mary Frances posa sur son amie un regard brillant de défi.

— Très bien. J'espère que tu seras au moins aussi malheureuse que je vais l'être. Je m'attends à ce que tu réalises de très grandes photos, Kissy, et j'espère que tu ne te laisseras pas distraire par une tocade.

— Jamais de la vie, sourit Kissy avant d'aller murmurer à l'oreille de son amie : Ça ira, Mary Frances, je t'aime beaucoup, même si tu n'es qu'une sainte-nitouche.

En guise de réponse, cette dernière prit la main de son amie et y posa un baiser.

Un vendredi soir sans match prévu pour le lendemain signifiait que l'entraîneur Stanning lâcherait quelque peu la bride à ceux qui avaient bien joué, mais n'accorderait aucune rémission aux traînards. Une séance de vidéo était quand même prévue à quinze heures, à l'issue de laquelle Junior décida de courir huit kilomètres autour du campus. La tonicité de l'air ne fit qu'amplifier l'impétuosité avec laquelle il entreprit sa course. Zoo l'arrêta, alors qu'il entrait dans la salle de gymnastique.

— Du nouveau ? demanda Junior.

— Dans le campus on raconte que quelqu'un s'est servi du costume du Spectre, hier soir, à la soirée de l'Homo Hop, et qu'il aurait bousculé quelques filles en public. Il se serait passé quelque chose comme une orgie ou une messe noire, à toi de choisir.

— Qui ça « on » ?

— Barry, le gardien, m'a assuré que la serrure du vestiaire avait été forcée. Le costume était toujours là, mais quelqu'un l'a porté. La faux a été retrouvée ce matin, plantée devant le gymnase des femmes, près d'une fausse tête décapitée. Barry soutient que le directeur a débarqué avec les gens de la sécurité dès qu'on a découvert que la porte du vestiaire avait été fracturée.

— C'est révoltant, lâcha Junior, se servir du costume de la mascotte pour une messe noire, c'est un véritable sacrilège.

— Souviens-toi quand même que tu as passé la soirée chez moi, d'accord ? fit Zoo à voix basse.

— Entre vingt-trois heures et une heure du matin, confirma Junior.

— Tu devrais peut-être prendre tes distances avec Melons, pendant quelque temps, reprit Zoo en secouant la tête. Il y a des gens qui l'ont reconnue, même si personne à part moi ne sait que tu jouais la mascotte. Je te rappelle que des lolos comme les siens, ça ne s'oublie pas. Si l'administration décidait de procéder à une identification, je ne veux surtout pas rater ça.

Junior passa son bras autour du cou de son ami et lui murmura à l'oreille :

— Elle vient habiter chez moi. Puis d'ajouter, devant le grognement réprobateur de Zoo : Je cherchais quelqu'un avec qui je pourrais vivre quelque temps, et puis, elle m'excite comme personne.

— Tu penses avec ta queue, mon pauvre Junior...

— Va te faire voir, rétorqua amicalement ce dernier.

Un léger tremblement dans les mains, Sylvia Cronin remit soigneusement les photos dans le sous-main.

— Vous en prendrez d'autres, n'est-ce pas ? Vous monterez un dossier...

— Naturellement.

L'infirmière était présente, vérifiant tubes et flacons, fiches et aiguilles. Une bronchite inattendue avait contraint le médecin à faire prendre à Ruth des antibiotiques. Son souffle dans les tubes sifflait comme une bise hivernale. Un œil était fermé, l'autre partiellement ouvert. Au lieu de la traditionnelle blouse d'hôpital, elle portait un pyjama de flanelle. Ses cheveux, coupés court pour des raisons d'hygiène, la faisaient paraître plus jeune. Exempts de boucles d'oreilles, les trous de ses lobes se réduisaient à de minuscules fossettes.

Parfois, sa bouche s'agitait comme si elle voulait parler, parfois elle gémissait. Elle pleurait aussi, en longues larmes silencieuses, mais aussi en douloureux sanglots parfaitement audibles. Les médecins affirmaient que cela était probablement dû aux errances de son activité cérébrale, et que cela n'avait pas plus de sens que le brusque raidissement de ses membres, les battements précipités de ses paupières ou sa façon de rouler sa tête de gauche à droite.

Errances ou pas, Kissy n'avait cependant jamais vu Ruth rire ou même sourire. Plus le temps passait, plus le cas de la jeune fille lui semblait mystérieux. Elle était dans les limbes, quelque part entre l'enfer et le paradis, entre la vie et la mort. Kissy se limitait à l'observer, ne souhaitant être rien de plus que le témoin d'un transit, quelle qu'en fût la direction.

Junior n'avait jamais vécu avec une femme auparavant, une femme qui lui appartînt, s'entend. En plus d'un sentiment de maturité, de la découverte d'un aspect inconnu de la condition masculine, attendre une femme et savoir qu'on est attendu d'elle lui apparaissait comme une agréable révélation ; si elle n'était pas encore arrivée, il attendrait son retour avec impatience. Le studio était déjà rempli de sa présence : ses affaires de toilette dans la salle de bains, quelques vêtements, et surtout son odeur dont était imprégnée leur couche. Ses livres, ses cassettes et son ordinateur s'empilaient sur la paillasse de la cuisine. Des photos qu'elle avait prises, il y en avait partout sur les murs, alignées en rangs parallèles. Parmi elles, des polaroids et des instantanés au flou indéniablement artistique.

Il lui dit des mots qu'il n'avait jamais dits à personne. D'elle et de son corps voluptueux il semblait n'être jamais repu. Ses propres sentiments le surprenaient, l'irritaient et l'excitaient tout à la fois. S'il était en passe de tomber amoureux, c'était bien la première fois que cela lui arrivait, sans égard pour tout le bien qu'on en disait. Ils ne sortiraient pas souvent, par manque de temps, d'argent, mais surtout parce qu'ils se suffisaient à eux-mêmes. D'ailleurs, ce brusque revirement de comportement se révélait consternant. À ce sentiment largement partagé s'ajoutait un mensonge dont personne n'était dupe : à l'Homo Hop, rien ne s'était passé ou, du moins, qui pût être formellement prouvé, n'empêche que tout le monde en parlait.

Un dimanche, elle l'avait emmené dîner à son ancien appartement, et pendant qu'ils se régalaient de petits plats thaïlandais que Mary Frances leur avait accommodés, il en avait profité pour se faire une idée de ceux que Kissy appelait ses amis. Tous étudiants en arts comme elle, ils lui étaient apparus comme des gens qui, en plus de vouloir assumer le fardeau de la société, se sentaient prêts à foncer comme des marathoniens en fauteuil roulant. Décontenancé, il s'était demandé si Kissy n'avait pas un peu de sœur Teresa en elle, si elle n'éprouvait pas une certaine attirance pour les paumés, ce qui, naturellement, l'amena à s'interroger sur ce qui avait bien pu l'attirer en lui.

Il eut grand mal à savoir qui « sortait » avec qui, et comprit enfin que cela faisait partie de ce génie sous-culturel de fin de millénaire. En vérité, tout le monde couchait avec tout le monde et, à la limite, afficher clairement ses affinités ou ses tendances frisait la grossièreté et l'exclusion. Parmi ces gens, il ne parvint à déceler qu'un couple « normal » et un garçon qui semblait l'être aussi, le reste n'étant qu'un ramassis de pédérastes et de lesbiennes, incluant Latham, le chef du département, précisément reconnu comme authentique pédale. Barbu et massif, ce dernier avait débité un répertoire de gauloiseries homosexuelles qui auraient fait pâlir de jalousie n'importe quelle amicale homophobe. Étant considéré comme un gorille échappé du zoo, tout le monde s'était attendu à ce que Junior manifestât son acrimonie. Ce ne fut pas l'envie qui lui manqua, mais il résista, par déférence envers son hôte, cette petite sœur des pauvres, Mary Frances, qui, de toute évidence, ne l'aimait pas.

— Intéressants, tes copains, dit-il à Kissy sur le chemin du retour, respirant l'air frais par la fenêtre ouverte pour remettre ses idées au clair.

Comme elle lui lançait un regard sceptique, il crut bon d'insister :

— Mais si, mais si. Je n'aurais pas su dire qui couchait avec qui, mais... Sans parler de ceux avec qui toi tu as couché...

— Pourquoi tiens-tu tant à le savoir ?

— Parce que je suis d'une jalousie maladive, bien sûr. À part ton petit copain Kowanek, ce type, là... Gordon, hésita-t-il, faisant allusion au garçon « normal », il se comportait comme s'il y avait eu quelque chose entre vous.

— Lui ? J'ai renoué avec lui une fois, après m'être disputée avec Ryne. Du cinéma à petit budget. On s'est retrouvés dans un ciné-parc en train de se faire du bouche-à-bouche, mais au bout d'un moment on a décidé d'en rester là. Il a réfléchi, puis il a décidé qu'il était amoureux de moi, mais je m'étais déjà réconciliée avec Ryne. Voilà, on est quittes, à présent : je suis au courant à propos de Diane, et toi tu l'es à propos de Ryne, vu que Gordon ne compte pas. Ne sois pas jaloux de mes amis, il n'y a plus que toi qui comptes, aujourd'hui.

À peine arrivé à l'appartement, Junior glissa ses mains sous le chandail de Kissy.

— J'aurais aimé te connaître au lycée.

— Pourquoi ?

— On se serait bien amusés, tous les deux.

Elle ferma les yeux, un instant ravie par l'aspect ludique de cette idée. Il aurait sans doute été un de ces garçons qui n'osaient jamais baisser les yeux sur sa poitrine ni faire la moindre allusion à ses mensurations. Elle tenta d'imaginer ce qu'avaient été ses seins, six ans plus tôt, dans le cimetière, avec Junior à la place de Seth, son petit ami du moment. À l'occasion, elle regrettait de ne pas se souvenir davantage, non parce que cela avait été la première fois pour eux deux, mais du fait de l'impatience qui les avait poussés à franchir le pas. Était-ce vraiment de l'impatience ? Elle se souvenait de le lui avoir demandé. Encore une chose gâchée de crainte de la voir gaspillée. Le pas franchi, tout avait basculé. Le gentil Seth qu'elle trouvait si drôle s'était mué en un personnage dénué d'humour, intransigeant et dominateur. Au mieux, elle aurait pu supporter son incessant tripotage, mais la possessivité dont il faisait preuve la plongeait dans des états proches de la folie. Si peu qu'elle se rappelât cette « première fois », les derniers mots qu'elle avait prononcés en sa présence étaient restés gravés dans sa mémoire : « Je suis enceinte, Seth. » Six secondes d'horreur avaient suivi, six secondes au cours desquelles il l'avait fustigée, verbalement et physiquement, allant jusqu'à lui casser le nez, avant de l'abandonner sur le bord de la route, près du cimetière. Jurant et sanglotant à la fois, il avait claqué la portière de la Cadillac empruntée à son père et s'était enfui dans un crissement de pneus, projetant sur son visage une giclée de gravillons dont elle n'avait pas cherché à se protéger.

Les doigts de Junior suivaient avec délicatesse les contours de sa peau, comme s'il craignait qu'un simple toucher la fît disparaître comme par enchantement.

7

C'était à son tour de faire la popote, aussi s'astreignit-il à préparer ses macaronis selon la recette indiquée sur l'emballage. Elle était en retard, partie faire des photos, semblait-il. La faim le tenaillait, il ne put attendre plus longtemps et prit son dîner tout seul. Après s'être octroyé un dernier verre de vin rouge, il feuilleta quelques livres. Quand elle entra enfin, telle une tornade, il avait la nuque raide d'angoisse et l'estomac à nouveau dans les talons.

Près du couvert de Kissy, il avait disposé un vase contenant une rose. Elle se pencha pour la sentir.

— Tu veux voir quelques photos ? proposa-t-elle en lui tendant un classeur, mais ne mets pas tes doigts dessus, d'accord ?

— Bien sûr, acquiesça-t-il, l'ayant déjà vue faire.

— C'est moi, fit-il avec un sourire de plaisir en découvrant la première photo. Puis, retrouvant son sérieux pour contempler la suivante : Ça, c'est l'autre fille, non ?

Elle acquiesça. Ayant parcouru le classeur, il le referma et proposa :

— Tu veux dîner ? Un verre de vin, peut-être ?

— Oui...

— Un peu morbides, tes photos, non ?

— Pas du tout, rétorqua-t-elle sèchement. J'y suis retournée, ce soir, j'en ai pris d'autres.

Apprendre d'où elle venait sans s'abaisser à le demander lui procura du réconfort, même s'il n'y avait rien d'humiliant à s'enquérir de son emploi du temps de la journée, se rassura-t-il. Il remplit deux verres et, appuyé contre le comptoir de la cuisine, il la regarda manger, ce qu'elle fit de bon appétit, nullement affectée par le fait d'avoir rendu visite à une personne dans le coma.

— Goulue, lâcha-t-il.

Elle répondit par un rire de gorge, un éclat concupiscent au fond du regard.

Un nouveau match contraignit Junior à s'absenter. Elle aurait pu le suivre car, si le journal du campus n'avait pas les moyens de lui payer ses déplacements, le *News* lui avait demandé d'intervenir en tant que correspondante de presse, en lui proposant de défrayer le coût de l'essence, de l'hôtel et des repas. Mais ce week-end-là, en plus de faire son travail de classe, elle voulait prendre un certain nombre de photos pour un projet qui lui tenait à cœur. Du coup, cela lui fit penser que sa vocation n'était pas d'être la groupie d'un joueur de hockey, ni d'organiser sa vie en fonction de celle de Junior, quitte à se voir supplantée par une quelconque gourgandine qui se serait entichée de lui. Tout bien considéré, c'était son problème à lui, et non le sien.

Elle rendit de nombreuses visites à Ruth auprès de qui Mme Cronin l'abandonnait parfois, percevant sa venue comme une sorte de répit. Si la quiétude de l'endroit ne la distrayait en rien de la triste condition de Ruth, il offrait l'avantage inattendu de créer un climat propre aux confidences. Assise au chevet de la convalescente, Kissy lui faisait part des événements qui avaient surgi dans son existence, de tout ce qu'elle avait décidé d'entreprendre. De prime abord, cela semblait beaucoup, mais une fois trié il ne restait plus grand-chose.

Pendant ce temps, Ruth restait sans réaction ; c'est à peine si elle respirait. Un autocollant sur un calendrier indiquait que son anniversaire arriverait à la fin du mois. La famille donnerait une fête, ici même, avec gâteau, bougies et cadeaux, et avec l'espoir que, de ses limbes, Ruth percevrait l'amour qu'on lui portait.

Kissy pressa doucement la main inerte de la jeune fille, puis quitta son chevet pour saisir son appareil.

Au programme du Nouvel An était prévue une trêve assez longue pour permettre à Junior de se rendre à Kingston, sa ville natale située près de la frontière canadienne. Chacun fit le voyage à bord de son propre véhicule, Junior ayant décidé, suite à certains arrangements, de laisser le sien à son frère Mark à Kingston : féru d'électronique, ce dernier réparerait sa chaîne hi-fi, en échange de quoi Junior lui prêterait sa camionnette pour un mois.

Junior avait grandi dans une petite ville agglutinée à un bras de la rivière Saint-John. Ses rues sinueuses, parsemées de maisons de bois délavées par les intempéries, convergeaient toutes vers le centre-ville où se mêlaient sans la moindre grâce le granit et la brique, et dont l'activité ne devait son existence qu'au fait d'être loin de tout. La ville semblait vivre dans un état de crainte permanente, moins des maraudeurs que de l'isolement et du sentiment de solitude que susci-tait la proximité d'un ancien glacier.

— Sois la bienvenue au pays du bout du monde, annonça Junior en l'aidant à descendre de voiture.

À le voir plaisanter et faire de grands gestes théâtraux en direction du paysage, on aurait dit quelqu'un qui venait de comprendre à quoi il avait échappé. C'était elle qui en était la cause, songea Kissy. Pro-bablement était-ce la première fois qu'il voyait le décor de son enfance avec des yeux autres que les siens. La demeure était une vieille bâtisse avec de hauts plafonds rendant les pièces impossibles à chauffer, et dont les cheminées dataient d'une époque où l'on igno-rait tout du chauffage central. C'était l'ancien presbytère d'un prêtre anglican, lui avait appris Junior, jusqu'au jour où ses ouailles étaient devenues trop âgées et trop pauvres pour entretenir à la fois le pres-bytère et l'église attenante. Son grand-père maternel, réputé de la race des bâtisseurs, avait troqué le presbytère contre une modeste cabane de bois, à quelques pâtés de maisons de là, puis se faisait peu d'illusions quant aux capacités de bâtisseur de son gendre, l'avait offerte à sa fille en cadeau de mariage.

Le frère aperçu sur la photographie, réplique en plus jeune de Junior, ouvrit brusquement la porte, suivi d'un saint-bernard qui, pour manifester sa joie, se jeta aussitôt sur Junior et posa ses deux pattes sur les épaules du garçon. Ainsi enlacés, on aurait dit deux ours en train de danser.

Enjambant la balustrade, le frère vint le premier saluer Kissy.

— Je suis Mark, vous devez être Kissy.

Les parents arrivèrent ensuite, arborant des sourires de bienvenue. Kissy fut présentée à Dunny et à Esther, qui la pressa d'entrer se mettre à l'abri du froid. À peine eut-elle fait un pas à l'intérieur de la maison que Kissy fut frappée par l'état des sols. Linoléum ou par-quet, ils étaient lacérés comme si une meute de chiens s'y étaient fait les griffes. Puis apparut une adolescente chaussée de patins à lame. Entre le saint-bernard et cette gamine de quatorze ans équipée de patins à lame dans une maison, il n'y avait rien de surprenant à ce que les planchers fussent dans un état aussi pitoyable.

— Je m'appelle Bernie, annonça la fillette, et si tu t'avises de m'appeler Bernadette, je t'envoie mon poing sur la gueule.

Kissy acquiesça en riant.

À l'instar de nombreuses filles de son âge, Bernie Clootie arborait un physique complètement épanoui. Pour peu qu'on l'eût convenablement maquillée et vêtue des vêtements appropriés, on lui aurait aisément donné dix-neuf ou vingt ans. Mais dans son état naturel, avec sa longue tresse qui lui descendait jusqu'au bas du dos, elle avait encore l'air d'une gamine.

L'endroit exhalait des remugles de vestiaire. Pour ce qui était de l'ameublement, il était clair que le premier critère de choix était la robustesse, le deuxième, la facilité d'entretien, et le troisième, le confort. L'arbre de Noël était toujours là, en partie déplumé, donnant de la bande, ses branches basses délestées de leurs ornements par deux énormes chats, s'il fallait en juger par le morceau de guirlande qui dépassait de l'anus de l'un d'eux.

Ils quittèrent Kingston pour un baraquement situé près d'un étang gelé, après deux heures de route à l'intérieur des terres. Aussitôt arrivés, les Clootie s'empressèrent d'aller préparer la patinoire, pendant que le chien, nommé M. Ed comme le cheval parlant de la série télévisée, folâtrait autour d'eux. Junior avait fait l'acquisition de l'animal quand il était au lycée, apprit Esther à Kissy, après avoir vu le film *Snapshot*, où Paul Newman, dans le rôle d'un joueur de hockey, partageait la vedette avec un saint-bernard. Ce film était devenu familier à Kissy. Les coéquipiers de Junior le connaissant presque par cœur, ils se plaisaient parfois à se donner la réplique.

Junior pénétra dans le baraquement et lui annonça que, quoique tardivement, il avait un cadeau de Noël pour elle. C'est ainsi que, après avoir déballé le paquet, elle se découvrit l'heureuse propriétaire d'une paire de patins, de hockey, faut-il le préciser, et non de patinage artistique. Il parut alors évident qu'elle allait devoir se joindre à la troupe, ses craintes se vérifiant lorsqu'elle vit Esther chausser elle aussi une paire de patins. Elle comprenait maintenant pourquoi Junior avait tant insisté pour qu'elle portât des caleçons longs et un tricot de flanelle.

Junior était gardien de but. Esther et Kissy assuraient la défense contre les attaques conjuguées du père, de Mark et de Bernie. Tout se déroulait dans la bonne humeur, mais les coups et les bleus n'en restaient pas moins réels, et Esther en recevait plus que sa part. On voulait s'emparer du palet et marquer, et Bernie faisait montre de la même agressivité que son frère Mark. En tant qu'amateur, seule Kissy représentait de la chair fraîche à se mettre sous la dent.

Elle rentra, n'aspirant qu'à un bon bain qui la soulagerait de ses ecchymoses, mais découvrit que la cabane était équipée d'un minuscule chauffe-eau, en appoint avec un poêle à bois. De l'eau chaude, il y en avait certes pour faire la vaisselle et se laver les mains, mais assurément pas pour prendre un bain. Pour ce faire, la famille utilisait un sauna qu'on appelait bain de vapeur, et plongeait dans un trou aménagé à même la glace de l'étang. Au grand soulagement de Kissy, le trou était à peine assez grand pour recevoir deux personnes à la fois, car depuis son arrivée Mark n'avait eu d'yeux que pour son anatomie.

— Ne t'inquiète pas, la rassura Esther, tu es la première fille que Junior ramène à la maison. Dunny, lança-t-elle à son mari, emmène Mark faire une promenade, que Kissy et Junior puissent prendre leur bain.

— Jamais de ma vie je ne me suis trempée dans un étang gelé, objecta Kissy, une fois seule avec Junior.

Ce dernier lui adressa un sourire matois. À peine s'alanguit-elle à l'intérieur du sauna, qu'il la prit à bras-le-corps et courut la jeter dans le trou de l'étang en sautant derrière elle. Elle se mit à grelotter. Le trou avait été aménagé près de la rive, de sorte qu'on avait pied jusqu'aux épaules, avec quelques glaçons flottant autour de soi. Kissy se dit que c'était ce que devait ressentir une olive dans un martini-dry bien frappé.

Des robes de chambre et des mocassins les attendaient sur la rive. À moitié gelée, Kissy pouvait à peine se mouvoir. Junior la prit dans ses bras et la transporta dans la cabane. Mark piétinait autour du poêle, espérant surprendre un coin de chair qu'il n'aurait pu voir en d'autres circonstances. Se glissant derrière lui à pas de loup, Bernie lui boucha les yeux. Le jeune homme sursauta et se retourna brusquement, prêt à réagir, mais la gamine courut se réfugier en gloussant dans le giron de son père.

— Allons, grommela ce dernier à l'intention de son cadet, va prendre ton bain.

À cet instant, Junior déposait Kissy sur le lit qu'ils allaient partager. À peine plus grande qu'un placard, la pièce était séparée de la chambre principale par une simple cloison de bois. Mark et Bernie s'installeraient au grenier qu'une bibliothèque divisait en deux. Le vieux matelas affaissé sentait la fumée et le moisi, mais après les épreuves que Kissy venait de subir il représentait pour elle le summum du confort. Junior vint à ses côtés pour la réchauffer. Faire l'amour leur sembla alors inévitable.

— Est-ce qu'ils peuvent nous entendre ? s'inquiéta Kissy dans un murmure.

— En tout cas, moi, je les entends, souffla Junior.

Après dîner, ils se rassemblèrent autour de la cheminée, échangeant de tardifs cadeaux de Noël.

— Maman et moi, nous avons quelque chose à vous annoncer, déclara soudain le père.

— Merde..., grinça Junior.

Esther gardait les yeux baissés, tandis que la bouche de Mark esquissait une mimique qui ne laissait rien présager de bon. Bernie s'étreignait la poitrine, comme pour retenir en elle ce qu'elle savait déjà. Dunny s'éclaircit la voix.

— Mark rentre au collège l'automne prochain, et maman et moi nous avons décidé de le suivre.

Junior se sentit immédiatement soulagé.

— Rien ne nous retient ici, continua Dunny. Si on reste, on ne verra jamais jouer Mark, comme ça a été pratiquement le cas pour Junior ces dernières années. C'est pourquoi, maman et moi, on a décidé de mettre la maison en location. George Labree se chargera de la boutique, pendant qu'on ira s'installer près du collège. Bernie aime bien l'idée de fréquenter un lycée important. J'ai l'intention de louer une échoppe et de monter un autre salon de coiffure. Maman, elle, veut passer son diplôme d'infirmière. Elle pourra ainsi travailler dans un hôpital à temps partiel.

— Je vois que vous avez tout prévu, commenta Junior. Je croyais que vous alliez nous annoncer un divorce.

— Junior ! se récria aussitôt Esther, horrifiée.

— Je craignais qu'aucun d'entre vous ne veuille s'occuper de Mark et de Bernie et que ce serait à moi de le faire, plaisanta le jeune homme.

— C'est une idée dont je prends bonne note, renchérit Dunny.

— Ce sera plus facile pour nous d'assister à quelques matches de Junior, ajouta Esther. L'aéroport de Peltry ne sera pas si loin. Et puis je veux ce diplôme ; il ne me manque que quelques cours et je sais que je peux l'obtenir.

Junior applaudit, puis se leva pour embrasser sa mère.

— Le jour où tu l'auras, je veux être là.

Alors que Kissy et Junior se préparaient à retourner à Peltry, le jeune homme annonça son intention d'emmener Ed, dont Kissy pourrait s'occuper pendant ses déplacements. La fureur de Bernie ne décrut pas quand il lui annonça que ce n'était que l'affaire de quelques mois, et que l'animal lui serait rendu aussitôt après. Kissy s'opposa à l'idée, informant Junior qu'il ne devrait pas compter sur elle pour s'occuper de son chien, tout en lui rappelant l'exiguïté de leur appartement. Mais l'idée de Junior était faite. Le retour se fit avec Ed. Cinq heures confinée avec un chien dans la cabine du Blazer lui confirmèrent qu'elle avait raison.

Pourtant, le premier week-end où Junior fut absent, elle ne redouta plus ces instants de solitude. Ed était là, imposant ami, aimable et odorant, toujours heureux de l'accueillir et d'accepter ce qu'elle lui donnait à manger, toujours à la recherche d'une caresse ou d'un grattage entre les oreilles. La nuit, sur le matelas, sa présence était aussi imposante que rassurante. Les cauchemars qui la tourmentaient depuis l'accident prirent définitivement fin. Pour en venir à bout, tout ce qu'il lui avait fallu, finalement, c'était un chien. Il la faisait rire. Un de ces jours, il faudrait qu'elle dise à Junior comme il lui serait facile de se passer de sa personne.

Les allées de la bibliothèque étaient plongées dans une obscurité telle que Kissy en avait la chair de poule, particulièrement le soir. Mais elle avait un article à écrire et les éléments qu'elle détenait lui semblaient trop aléatoires pour s'y fier. La liste des livres de référence qu'elle désirait consulter en main, elle se glissa dans une rangée. Un toussotement lui apprit qu'elle n'était pas seule. Tournant la tête, elle aperçut un étudiant assis à une table et le reconnut aussitôt : James Houston, plongé dans un amoncellement de feuillets et de livres ouverts comme un personnage de Dickens. Sa maigreur et ses cheveux presque ras le faisaient ressembler à un moine après un long carême.

Elle dut faire un bruit, un simple soupir, car il l'aperçut à son tour. Il la dévisagea un très court instant de son regard ténébreux, puis se replongea dans son travail avec des airs de chien battu.

— Comment ça va ? demanda Kissy d'une voix rauque.

Il la fixa sans répondre durant un long moment, puis il éclata de rire, un rire éraillé, presque hystérique qui donna à Kissy l'envie de fuir à toutes jambes. Mais elle décida d'attendre que cet étrange rire s'éteignît de lui-même, et qu'il posât de nouveau les yeux sur elle.

— Désolé, murmura-t-il, c'est la façon dont tu as posé la question. J'ai perdu l'habitude qu'on m'adresse la parole.

— Je suis Kissy...

— Je sais qui tu es. Veux-tu t'en aller, maintenant ? l'interrompit-il en se replongeant dans ses livres.

Ne sachant trop que répondre, elle fit ce qu'il lui demandait.

La troisième semaine de février fut accompagnée d'un long redoux nimbé d'une lumière ténue, délicate. La tiédeur de l'air permit à Kissy de faire quelques photos extérieures sans avoir à réchauffer son appareil entre deux clichés. Elle emmena Ed faire le tour du campus, laissant l'animal s'ébattre librement pendant qu'elle prenait ses clichés.

Des esprits malveillants s'étaient frayé un chemin dans les taillis pour s'en prendre à la photographie de Diane Greenan en l'ornant de cornes et d'une paire de moustaches. Les graffitis avaient été faits au marqueur, à même le plastique recélant la photographie toujours intacte. Le vase posé sur le sol était renversé, les fleurs qu'il contenait, piétinées. Kissy récupéra la photo et la glissa dans son sac à dos.

Une fois la photo plastifiée, elle retourna l'accrocher au même endroit. À ce moment-là, le redoux avait fait place à un air glacial d'autant moins supportable qu'il était censé annoncer les prémices du printemps. Au pied de l'arbre, quelqu'un avait posé une bouteille de soda en plastique tronquée dans laquelle étaient sommairement agencées quelques roses très vite rabougries par le gel. Kissy les photographia en noir et blanc, se demandant à quoi ressembleraient ces roses si elle les coloriait à la main.

Une fois les tirages effectués, elle voulut les étudier sur-le-champ, afin de les publier dans le journal du campus, accompagnés de quelques lignes à la mémoire de la disparue. Contre toute attente, le *News* s'y intéressa et les photos parurent au journal télévisé local.

Par la suite, la direction de l'établissement et la famille Greenan décidèrent qu'en plus d'une donation en son nom un modeste monument serait érigé près du taillis. Ce serait un simple socle de granit sur lequel serait sertie la photo de Diane. Pour commémorer son souvenir, un vase de laiton serait mis à la disposition du visiteur ainsi qu'un banc pour les amis venus se recueillir. Son inauguration était prévue le jour de la remise des diplômes.

Après une demi-finale harassante – quatre prolongations – les Spectres concédèrent un but à onze secondes de la fin, ratant définitivement la finale des championnats nationaux. C'était la fin. Anéanti, Junior sentit son moral sombrer, lentement d'abord, puis de plus en plus vite, jusqu'à ce qu'il eût l'impression de toucher le fond. Après cela eurent lieu les manifestations d'usage : banquets, réceptions, dont la platitude n'avait d'égal que son découragement. Il tenta de se secouer, mais son sentiment d'égarement demeurait récurrent.

Il s'employa à terminer ses cours, même cela n'influait en rien sur ses résultats, vu qu'il lui manquait trois notes pour passer à un degré d'études supérieur et qu'il n'avait pas l'intention de les acquérir immédiatement. Cela lui permettait néanmoins de passer le temps, d'oublier le fait que quelque chose ne tournait pas rond dans sa tête. En avril, Kissy commença un stage de six semaines au *News*. Ses cours étaient finis, et le projet qui lui tenait à cœur allait être exposé au Salon des Beaux-Arts. À sa grande surprise, Junior disposait maintenant de plus de temps qu'elle.

À six ans, quand son père avait acheté à Junior sa première paire de patins, il voulait déjà devenir hockeyeur professionnel. Aujourd'hui, il était près du but. Cela l'obsédait au point de ne pouvoir se concentrer sur autre chose. Restait Kissy et, pour être réaliste, il n'était pas certain de pouvoir jamais la prendre en charge. En hockey professionnel, la saison était longue, et longues aussi seraient ses absences.

— Nous sommes presque en été, dit-il un dimanche après-midi, alors qu'ils trempaient dans leur baignoire. Qu'allons-nous faire ?

— Tu pars pour ton stage de hockey. Moi, j'ai l'intention de continuer à travailler tout l'été.

L'ironie à peine perceptible avec laquelle elle prononça ces mots l'irrita, lui faisant oublier les prudentes formulations qu'il avait imaginées pour préserver leur relation sans avoir à faire de promesse.

— Je ne veux pas qu'on se sépare, bredouilla-t-il. On pourrait peut-être se marier.

Un long silence succéda à ces paroles : en fait, il ne demandait rien, mais ne faisait qu'énoncer une possibilité parmi tant d'autres.

Elle se retourna pour le regarder droit dans les yeux.

— Voyons d'abord comment se passera l'année prochaine.

Quelle fille raisonnable... Plus qu'il ne l'était, en fait. Il cacha son soulagement en lui faisant l'amour avec un transport inaccoutumé.

Le bruit du feu la surprit comme un grondement annonciateur des grandes catastrophes, déchaînement soudain de forces occultes et monstrueuses. C'était la première fois qu'elle voyait brûler un bâtiment d'une telle importance. Avant que la première alerte fût donnée, la filature abandonnée des bords de la Dance n'était plus qu'un grand brasier. Entre les camions de pompiers et les voitures des curieux, la grand-rue, qui longeait le vieux bâtiment, était devenue infranchissable.

Armé de son grand-angle pour mieux capter l'atmosphère chaotique des lieux, Kissy prit quelques instantanés. La fumée était dense au point de la faire tousser. Elle commençait à s'inquiéter pour ses lentilles que la suie menaçait de recouvrir. Une activité soudaine sur la façade capta son attention. Sous la hache d'un pompier, le panneau de contreplaqué qui obstruait une fenêtre du rez-de-chaussée vola en éclats, laissant échapper des flammes comme la gueule d'un dragon. Au milieu de la fumée apparut la silhouette d'un pompier. Au moment où elle s'avisa que ce dernier portait un corps, elle leva son appareil.

À quelques mètres de la bâtisse en flammes, le pompier tomba à genoux, aussitôt entouré de ses collègues et du personnel d'urgence. Le corps glissa lentement de son épaule sur l'herbe piétinée. Elle cadra la chevelure blond filasse de la victime sur laquelle se penchait le visage livide et maculé de suie de son sauveur au moment où ce dernier retirait son masque. Quelqu'un courut vers eux, deux bouteilles d'oxygène à la main. Quelques instants plus tard s'élevaient des cris de colère, suivis d'une bordée de jurons : les bouteilles étaient vides. Le visage de l'héroïque pompier passa par une gamme d'émotions allant de la fureur au désespoir, tandis que derrière lui la bâtisse se consumait dans de sinistres craquements. Sa tête bascula en arrière. Anxieux, un infirmier lui tâta le pouls ; d'autres réclamaient de l'oxygène à grands cris.

Émergeant de la foule, un homme alla s'agenouiller auprès de la victime. Il se laissa choir sur le corps inanimé, et Kissy comprit qu'il lui administrait le bouche-à-bouche. En un éclair elle vit qu'il ne s'agissait ni d'un pompier ni d'un secouriste mais d'un policier en uniforme. Son initiative eut l'air de galvaniser la troupe des sauveteurs, car de nombreuses personnes vinrent se joindre à lui pour lui prêter main-forte.

Elle continua de photographier jusqu'à ce que des brancardiers eussent emmené la victime dans une ambulance sans qu'on eût réussi à la ranimer. L'homme qui avait commencé le bouche-à-bouche fit quelques pas en arrière. Comme elle cadrait son visage, elle le reconnut : Mike Burke. Momentanément aveuglé par le flash, il cligna les yeux.

— Désolé ! cria-t-elle pour couvrir le grondement des flammes.

Le policier secoua la tête, cracha à plusieurs reprises sur le sol, puis se dirigea vers la route. Elle le rattrapa en quelques rapides enjambées.

— C'est drôle de vous rencontrer ici, sourit-il.

D'une pichenette, elle fit sauter le macaron épinglé sur le revers de sa veste.

— Je suis envoyée par le journal.

— Je vois, dit-il, avant d'ajouter en désignant la route : Il faut que je reprenne mon travail ; je suis censé disperser les curieux pendant que mon collègue règle la circulation.

Elle battit en retraite. Julius Horgan, le reporter qui l'accompagnait, vint la rejoindre. Replet et court sur pattes, il soufflait comme une forge.

— Tu as pris une photo du flic ?

— Oui.

— C'est sûr qu'il va avoir droit à une citation.

Au volant de sa voiture, Julius en gigotait encore d'excitation :

— Avec cette histoire de bouteilles d'oxygène vides, quelqu'un va en prendre pour son grade. La ville peut se retrouver avec un procès sur les bras. Pas à cause du pauvre clochard qu'on a arraché aux flammes, il n'est rien du tout, mais à cause de Kimball, le pompier. À tous les coups, son syndicat va vouloir clouer quelqu'un au piloris.

— Tu connais la victime ?

Horgan sourit à l'occasion qui lui était donnée de montrer à quel point il connaissait la ville.

— C'est Donnie Hebert. Il n'a pas dessoûlé depuis l'âge de treize ans. C'est un ivrogne et un drogué qui traîne ses guêtres dans Valley. Pas étonnant que personne n'ait été pressé de lui faire le bouche-à-bouche, la peur du sida, bien sûr. Mais à ma connaissance, on n'a répertorié qu'une demi-douzaine de cas dans la ville, et tous contaminés à l'extérieur. Le sida, c'est comme l'herpès, vois-tu, c'est le fléau de Dieu. Une bonne trouille, ça fait vendre des tas de magazines. Le fait est que ceux qui l'attrapent l'ont bien cherché. Pour ma part, je ne vais pas me mouiller pour un truc qui ne me concerne pas, tu comprends ça, poupée ?

Sans répondre, Kissy repoussa la main baladeuse que Horgan laissait traîner sur sa cuisse. L'homme avait une quarantaine d'années ; marié et souffrant d'une calvitie précoce, c'était le genre d'individu qui, une fois gagné par cette peur dévorante à l'idée que tout finit un jour, s'accroche à la première paire de fesses qui passe à portée de main. Peut-être est-ce instinctif, ou même atavique, puisque de nombreux hommes en sont affligés. Un beau matin, ils sont convaincus que la meilleure façon de lutter contre leur calvitie et leur embonpoint, d'oublier leur femme, leurs enfants et leurs conditions de très ordinaires mortels, c'est d'avoir une bonne partie de jambes en l'air avec une femme ou, selon Latham, un homme beaucoup plus jeune qu'eux. Kissy aurait aimé concevoir quelque commisération pour cet homme, mais il était trop lamentable pour cela.

8

— Tu as mis la langue ? lança Pierce à Burke, en lui montrant la photo qui s'étalait à la une du journal.

C'était le lendemain de l'incendie, et les deux hommes venaient de terminer leur quart. Burke savait qu'on allait lui lancer souvent ce genre de sarcasme, mais il sourit, cependant. Son initiative n'avait pas permis de ramener Donnie à la vie, mais il n'avait rien d'un prince charmant et Donnie n'était sûrement pas une princesse. Ce qu'il avait fait, c'était avant tout pour lui-même. Avec au dossier une citation et de bonnes notes à son examen de sergent, il était assuré d'obtenir ses barrettes dès le mois de juillet, après que Don Harkness eut pris sa retraite.

La famille apprécierait. Dès qu'elle apprendrait la nouvelle par les journaux, sa mère lui téléphonerait et se ferait un devoir d'accrocher la photo de son fils près de celle de son mari. Ce dernier avait été promu sergent à vingt-cinq ans, et pourtant, à ce moment-là, il ne suivait pas de cours de droit, mais songeait plutôt à fonder une famille. D'ailleurs, lui aussi viendrait au téléphone pour le féliciter. Mike Burke aurait fait n'importe quoi pour que son père soit fier de lui.

Depuis la nuit où il avait dû se rendre chez le dénommé Clootie, il n'avait plus revu Kissy. Des mois plus tard, alors qu'elle exposait sa photo à la une du *News*, il la retrouvait, le même jour, assise au comptoir du Denny's.

— Hé ! lança-t-il, je vous dois une tournée. Ma mère a beaucoup aimé votre photo.

— Mon rédacteur aussi, répondit-elle en riant. Cela nous vaudra un bon point, à vous et à moi.

— Vous travaillez pour le *News*, à présent ?

— Comme stagiaire, seulement.

— Je crois que vous ferez une excellente journaliste.

— Merci...

— Quand devez-vous témoigner dans l'affaire Houston ?

— À la fin de l'été, je crois. Ça risque de prendre du temps.

— Oui...

Les places voisines de celle de Kissy étaient prises et personne ne semblait disposé à céder la sienne au policier.

— Nous nous verrons à ce moment-là, et bonne chance dans votre travail...

Elle lui répondit par un sourire qu'elle voulut avenant.

Trouvant une banquette disponible, il s'y installa et ouvrit son journal en se demandant s'il pouvait lui demander de se joindre à lui sans que cela prêtât à confusion. Se retrouver côte à côte à un comptoir, ce sont des choses qui arrivent, mais compte tenu de la situation mieux valait en rester là. Il ne voulait en aucune façon que certaines personnes racontent que la photo dans le journal était une sorte de coup monté.

Il jeta un coup d'œil sur elle au moment où elle portait à la bouche le dernier morceau de hamburger, le poussant du bout des doigts avant de se passer la langue sur les lèvres, sans toutefois lever les yeux de sa lecture. Il la lorgnait du coin de l'œil quand le nom de Clootie lui vint subitement à l'esprit. À ses yeux, les personnes les moins recommandables restaient encore les drogués, et il savait par expérience que Clootie ne devait pas se priver de fumer un petit joint à l'occasion, tout comme la plupart des étudiants de Sowerwine.

Une fois encore, ses souvenirs l'assaillirent, prenant le pas sur son côté rationnel : l'appel radio lui ordonnant de se rendre chez Clootie, son corps nu à la vue de tous, le contraste entre les cheveux décolorés de Kissy et la touffe noire de son pubis attirant tous les regards. Pas un souffle dans la pièce, mais de puissants remugles de stupre, aussi prenants qu'une odeur de marijuana. Une histoire courait à propos du costume de la mascotte disparu la veille d'Halloween et qui aurait servi à une messe noire au bal des Beaux-Arts, celui que l'on nommait le Homo Hop, où Kissy jouait le rôle de la victime et Clootie celui du démon. Tout à fait plausible, selon lui. Conscient de la rougeur de son visage, il ne l'était pas moins de l'érection que suscitaient ses pensées. « Mon Dieu, songea-t-il, aidez-moi. » Manifestement, le petit garçon de Mme Burke souffrait d'éjaculation tardive. Peut-être aurait-il quelque chose à dicter à Penny, la secrétaire rousse qui l'avait aguiché, quelques jours auparavant, au cinq à sept du Bird's.

Subrepticement, il lorgna encore du côté de Kissy.

Le bruit de l'eau permit à Junior de la situer : elle était dans la salle de bains. Des agrandissements noir et blanc, 20 x 25, étaient étalés sur le comptoir de la cuisine comme un jeu de cartes. C'était son projet, celui qu'elle allait présenter à l'exposition, sans toutefois lui en avoir préalablement fait part. Junior appuya sa batte de base-ball contre le meuble et lança son masque et son gant de receveur sur le rocking-chair. Il avait vécu le genre de partie qui incite à se demander si l'on n'a pas raté sa vocation, même s'il jouait pour une petite ligue de rien du tout, juste pour le plaisir. Il s'octroya un verre d'eau, puis se pencha sur les photos.

Elles étaient finies, prêtes à être maties. Il trouvait étrange de se voir ainsi, par fragments. Si on ne devait voir de lui que les plans rapprochés, personne ne le reconnaîtrait, alors qu'il était reconnaissable sur les autres photos qu'elle avait, de toute évidence, l'intention d'exposer.

Le bruit de la douche cessa et la tête de Kissy apparut, enturbannée d'une serviette.

— Qu'est-ce que tu en penses ?

— Je ne pourrai jamais les oublier, fit-il.

Rose et encore tiède, elle semblait plus que nue, mais ne semblait guère s'en soucier. Ses yeux se posèrent sur les photos étalées.

— Elles sont bonnes, Junior, vraiment bonnes.

— Tu as eu l'autorisation de les exposer...

— Oui.

— Il a bien fallu que tu les montres à quelqu'un pour ça. Je n'arrive pas à croire que tu aies pu faire une chose pareille.

Elle lança sa serviette dans un coin comme un boxeur prêt pour la deuxième reprise.

— Tu savais bien que je prenais des photos de toi...

— Je ne me doutais pas que tu avais l'intention d'en faire des agrandissements, et encore moins que quelqu'un te permettrait de les exposer.

Kissy rassembla ses photos et les rangea dans son sous-main.

— Je ne vois pas ce qu'il y a de gênant, tu passes la moitié de ton temps à te balader nu dans les vestiaires au milieu d'une foule de gens : joueurs, entraîneurs, etc.

— Mais pas en érection, ergota Junior. Soyons sérieux, Kissy, tu ne me vois tout de même pas sortant mon portefeuille pour montrer les photos érotiques que tu as prises de moi...

— Ce ne sont pas des photos érotiques, protesta-t-elle, mais des scènes de la vie ordinaire ; c'est Latham qui l'a dit.

— Latham est homosexuel et ces photos ont probablement dû l'exciter. Je ne comprends pas comment tu as pu les lui montrer.

— C'est mon professeur principal. Il devait d'abord les approuver.

— Si tu exposes ces putains de photos, tout est fini entre nous.

Elle se raidit.

— Ne me mets pas au défi, Junior.

— Tu m'as dit que l'éthique d'un photographe lui interdisait de publier des photos sans l'autorisation du sujet.

Une ombre passa dans le regard de la jeune fille. Elle détourna les yeux et admit, après un silence :

— Oui, c'est vrai.

— Dans ce cas, tu n'as pas ma permission.

— Tu ne ferais pas ça pour moi ?

— Non, et ce n'est pas correct de me le demander.

Lui tournant le dos, elle alla rassembler ses vêtements.

— Ce sont mes photos ! s'écria-t-elle soudain. C'est mon travail ! C'est toi qui n'es pas correct !

— Elles n'existeraient pas sans moi... Écoute, Kissy, tu n'as pas le droit de me faire ça.

Il la vit se mordre la lèvre et baisser la tête en signe de reddition, et eut le sentiment de se conduire comme un salaud.

Zoo et Brenda se mariant à New Haven le week-end de l'inauguration de l'exposition, Junior n'eut pas à chercher de prétexte pour quitter la ville. À cause de cette exposition, justement, Kissy ne put l'accompagner, mais de toute évidence, cela ne l'intéressait pas. Elle ne s'était jamais sentie très à l'aise avec les amis de Junior, ni lui avec les siens. Il avait failli la supplier de l'accompagner en l'incitant à invoquer de faux prétextes, mais, à la dernière minute, il s'y était refusé. Il se contenta de l'embrasser avec fièvre en lui disant combien elle allait lui manquer, puis, lançant le sac qui contenait son smoking de location à bord de la camionnette de Dionne, il sauta dans la cabine et la planta sur le bord du trottoir.

Depuis qu'il lui avait refusé la permission d'utiliser deux photos de lui, était née une situation fausse où chacun s'efforçait de faire preuve d'amabilité envers l'autre, elle en évitant de jouer les rabat-joie, lui en agissant comme si de rien n'était. Subsistait néanmoins un malaise latent. Il avait exercé son droit de veto sur un sujet qui le touchait personnellement, et en cela il n'avait pas à se sentir coupable. On ne demande pas à quelqu'un quelque chose qu'il ne peut vous donner.

Assis sur la banquette à tirer sur le joint que Dionne avait allumé une fois Kissy hors de vue, Junior profitait de ce qu'ils traversaient le pont pour jeter un coup d'œil à la rivière, quand un brusque vertige se saisit de lui, l'impression de vide que l'on connaît de temps à autre lorsqu'on est brutalement arraché au sommeil. Pourtant, il ne somnolait pas, bien au contraire, il était éminemment conscient des odeurs de terre qui montaient jusqu'à lui, de la violence du torrent qui roulait au-dessous d'eux, comme un monstrueux animal prêt à l'engloutir ; mais la nausée causée par la marijuana le mettait en sueur. Tenter de rassembler ses pensées revenait à rassembler un puzzle dont les pièces seraient entièrement noires, aussi noires que les eaux de la rivière. Il rit faiblement, atterré par la certitude qu'il avait d'avoir fait fausse route sans possibilité de retour.

À part Ed, Kissy n'avait aucune raison de rentrer chez elle, et elle en conçut un sincère soulagement. Quoique recrue de fatigue, elle emmena le chien courir. Huit kilomètres à travers Valley, avant de s'octroyer une longue douche, une assiette de pâtes et un verre de vin rouge. Elle eut l'impression de revenir à la vie, surtout après une bonne nuit de sommeil.

Le dimanche soir, Junior arriva en montant les escaliers quatre à quatre. Après s'être hâtivement dévêtu, il se glissa, grelottant, auprès de son corps nu contre lequel il se recroquevilla comme s'il venait d'échapper à mille morts. Il ne dit rien et elle pas davantage, tout cela étant inexprimable, comme une brutale collision.

Finalement, elle resta étendue sur le dos, une main en guise d'oreiller, pendant qu'il glissait les siennes sous elle pour l'attirer contre lui. Alors que, presque imperceptiblement, leurs bassins roulaient l'un contre l'autre, il tendit le cou pour effleurer l'aisselle de

Kissy du bout de la langue. Au-dessus de son visage culminait le sien, ruisselant de sueur. Avec un cri, il leva un instant le corps de la fille vers le sien, puis s'effondra sur elle, haletant. Elle l'accompagna non sans quelque résistance, comme une tuile que le vent tente de détacher d'un toit. La main de Junior chercha la sienne.

— Oh, qu'est-ce que je peux t'aimer, murmura-t-il à son oreille.

— Chut, l'apaisa-t-elle en lui caressant la nuque.

— Je suppose que vous ne resterez pas très longtemps parmi nous, lui annonça Earl Fish, le rédacteur en chef, mais entre-temps vous aurez eu l'occasion d'acquérir une solide expérience.

Cela signifiait en clair qu'il lui octroyait un salaire de débutante, ce dont elle le remercia néanmoins. Les gens du journal s'étaient montrés bons pour elle en l'employant comme photographe indépendante, puis comme stagiaire, et elle leur en était reconnaissante. Le chroniqueur artistique n'avait pas caché son admiration en voyant son œuvre exposée au Salon, et voilà qu'aujourd'hui on lui donnait l'occasion de gagner tant soit peu sa vie. Elle quitta le bureau de Fish dans un état de surexcitation à peine retenu, déjà impatiente d'annoncer la bonne nouvelle à Junior.

Toute la semaine, ce dernier s'était attaché à ses pas comme un retraité désœuvré, évoquant occasionnellement la noce de Zoo, la sculpture de glace qu'on avait érigée pour la circonstance et les huit demoiselles d'honneur. Il avait également raconté comment, après s'être gavé de hors-d'œuvre, le neveu de Brenda avait tout restitué sur la piste de danse. Kissy avait fini par comprendre qu'il voulait la convaincre qu'il s'était bien amusé.

Les seuls moments où il se taisait, c'était quand ils se retrouvaient sur leur grabat, l'intensité de la relation qu'ils avaient eue au moment de leurs retrouvailles se répétant de façon quotidienne, sans que cela inspirât à la jeune fille de sentiment particulier. Elle n'ignorait pas qu'il se sentait coupable de lui avoir infligé une fin de non-recevoir, et que l'approche de l'été ne laissait de l'inquiéter, se demandant d'une part ce qui ressortirait de son stage de hockey, de l'autre ce qu'il adviendrait de leur couple une fois qu'il serait parti. Elle s'abandonna donc à ses désirs, ce dont il semblait avoir le plus besoin.

C'est à peine, toutefois, s'il parut entendre la bonne nouvelle, tant il semblait préoccupé. Pour elle ce fut une déception supplémentaire qui l'irrita d'autant plus qu'elle s'était toujours réjouie de ses succès.

110

Le vendredi s'annonça pénible, vu le mal qu'elle éprouvait à uriner. Trop de bon temps, se dit-elle. Plus tard, la même journée, elle fut tour à tour saisie de frissons et de bouffées de chaleur. Sa gorge lui faisait mal. Elle en conclut qu'elle avait contracté un mauvais rhume, la veille, au cours du match de base-ball dont elle devait faire des photographies. Renonçant à ses exercices de musculation et à sa séance de natation, elle annonça son intention de ne pas participer à la grande fête de fin de saison que donnait Dionne.

Étrangement, au lieu de tenter de lui faire changer d'avis, Junior s'y rendit seul et rentra de bonne heure, parfaitement sobre. Allongé sur le matelas, il ouvrit un livre dont il ne tourna pas une seule page, se limitant à la lorgner en coin, et finalement éteignit la lampe en murmurant un vague bonsoir.

Elle s'éveilla vers deux heures et demie du matin, et perçut une odeur de cannabis filtrant sous la porte de la salle de bains ; trop fourbue toutefois pour y croire vraiment, elle se rendormit et, au matin, s'éveilla juste à temps pour voir la porte se refermer sur Junior.

Un tournoi de volley-ball devait l'occuper pendant tout le week-end. Le samedi, après le travail, elle alla le voir, mais il l'ignora superbement, et quand elle revint à l'appartement il était déjà reparti. Au moment où il réapparut, elle ne put se résoudre à lui demander où il était passé. Roulant sur le côté, elle replongea dans un profond sommeil.

Des bruits de verre brisé suivis d'injures l'éveillèrent tôt le matin. Bien qu'encore somnolente, elle fut capable de discerner distinctement l'agitation qui régnait dans la salle de bains. Elle se leva, suivie d'Ed, et vit Junior en train d'envelopper sa main gauche dans une serviette. La porte en miroir de la pharmacie pendait sur un seul gond, il l'arracha de sa main valide, pendant qu'elle retenait le chien pour éviter à l'animal de s'entailler les pattes.

— Ça va, fit Junior, c'est juste quelques coupures aux doigts.

— Que s'est-il passé ?

— Je voulais prendre de l'aspirine, quand l'étagère a dégringolé sur moi. Un accident stupide..., conclut-il d'une voix traînante, le front baissé.

Elle tendit la main, s'attendant à ce qu'il lui laissât examiner sa blessure, mais il se détourna brusquement.

— Retourne te coucher, je vais m'en occuper, lâcha-t-il.

Ce qu'elle fit.

Quelle qu'en fût sa nature, elle ne parvint pas à se débarrasser du virus qu'elle avait contracté. Ce n'était pas la grippe, même si sa gorge était douloureuse et enflée. Mais les frissons et la fièvre persistaient et sa vessie lui faisait de plus en plus mal. Elle se demanda si elle n'avait pas contracté quelque infection vaginale en se baignant ; aussi se tint-elle éloignée de la piscine afin que d'autres n'en fussent pas infectés.

Le lundi suivant, la gorge était redevenue normale, et la fièvre était tombée, mais nager restait encore aléatoire. Elle observa en elle une légère perte d'énergie, ce qui l'amena à penser qu'elle combattait et un virus et une infection. C'était la première fois que cela lui arrivait, mais elle connaissait de nombreuses nageuses qui avaient été infectées, sans qu'elles s'en plaignissent outre mesure.

Au pavillon médical, un médecin qui, selon toute apparence, n'était pas plus âgé qu'elle écouta attentivement le récit de ses symptômes, puis décida de procéder à un examen. Il semblait un rien distant, comme si quelque chose en elle le mettait mal à l'aise. Elle se demanda un instant s'il n'était pas homosexuel, puis décida que sa froideur était naturelle et que lui aussi, peut-être, avait sa part de soucis.

À sa grande surprise, l'examen se révéla douloureux. Quand elle gémit, une infirmière lui prit la main pour la réconforter. Après qu'elle se fut rhabillée, le médecin revint, portant une ampoule et une seringue qu'il posa près de lui.

— Avez-vous eu des relations sexuelles depuis l'apparition de ces symptômes ? s'enquit-il d'une voix enrouée.

D'abord trop abasourdie pour répondre, elle finit par bredouiller :

— Vous pensez que j'ai attrapé une maladie vénérienne ?

— Nous appelons cela une maladie sexuellement transmissible, corrigea le médecin avec un nouveau raclement de gorge. C'est une possibilité, en effet.

— Je vis avec quelqu'un, déclara Kissy. Et je n'ai vu personne d'autre. Je ne vois pas comment...

— Je crains que vous n'ayez contracté une blennorragie, mademoiselle Mellors. Nous en serons absolument certains d'ici quarante-huit heures, mais nous allons commencer le traitement dès à présent. La loi m'oblige à faire un rapport ; aussi me vois-je contraint de vous demander le nom de votre ou de vos partenaires.

— Junior, articula-t-elle, la bouche sèche. Junior Clootie.

Le médecin nota rapidement le nom.

— Je vais vous faire une injection, annonça le jeune médecin. Voulez-vous découvrir votre hanche, je vous prie ?

L'aiguille entrant dans ses chairs lui arracha un gémissement.

— Désolé, murmura le praticien. Vous devrez suspendre vos activités sexuelles jusqu'à ce que vos tests redeviennent négatifs, ou alors utilisez un préservatif.

Elle eut un rire âpre.

— Ces choses arrivent à tout le monde, mademoiselle Mellors. Dans un certain sens, vous avez de la chance : bien des femmes atteintes de blennorragie ne connaissent aucun symptôme et, à la longue, deviennent stériles. Vous vous y êtes prise tôt, ce qui est bien. Je ne puis vous promettre que vous n'en conserverez pas quelques séquelles, mais au moins seront-elles minimes.

Elle reboutonna son blue-jean d'une main tremblante.

— C'est une véritable consolation, docteur.

Après avoir établi une ordonnance, ce dernier lui tendit une brochure traitant de maladies vénériennes, lui prescrivit de nouveaux tests en lui demandant de prendre un autre rendez-vous.

— Junior est déjà venu vous voir, n'est-ce pas ? lança-t-elle à brûle-pourpoint. Au moment où je suis entrée, vous connaissiez déjà les raisons de ma visite, parce qu'il vous avait déjà donné mon nom.

— Mademoiselle Mellors..., tenta le médecin en rougissant.

— Ce salaud aurait dû me prévenir, et il ne l'a pas fait. Et vous, que comptiez-vous faire ? Me laisser dans l'ignorance jusqu'à ce que je devienne stérile ?

— Discuter d'un autre patient avec vous va à l'encontre de la déontologie médicale, répliqua précipitamment le praticien. Dans le cas de maladies sexuellement transmissibles, un test positif requiert une intervention auprès du conjoint de la personne atteinte. Si nous avions eu connaissance de votre nom, nous n'aurions pas manqué de vous joindre dans les plus...

— Merci, l'interrompit-elle, encore une grande consolation pour moi...

Le salaud, doublé d'un pleutre, n'était pas à l'appartement, ce qui était heureux pour lui, parce que, s'il y avait été, il aurait saigné par où il avait péché. Si cela se trouvait, il devait se cacher quelque part, fumant un joint pour se calmer les nerfs.

Il fallut à Kissy pas moins d'une heure pour charger ses effets dans le Blazer. Tous ses effets sauf ses disques et sa chaîne hi-fi. Les disques étant mélangés à ceux du garçon, le moment lui parut mal choisi pour en faire le tri. Tout ce qu'elle voulait, c'était décamper au plus vite. Ed la suivait avec de petits gémissements, comme s'il comprenait la situation.

Elle avait un nœud au creux de l'estomac et s'efforçait de ne pas pleurer. Comme dit la chanson, rompre, c'est vraiment difficile, oh que oui...

Toute son enfance n'avait été qu'une succession de déménagements, au point de n'avoir jamais le temps de défaire tout à fait ses valises. Goose Bay, Huntsville ou Fargo, sous quelque latitude que ce fût, cela avait toujours été la valse des cartons, des écoles, de l'hôpital, toujours exécutée sur le même morne linoléum. Elle vivait à Peltry depuis sept ou huit mois quand la grande dispute familiale avait finalement éclaté. Un soir, au dîner, son père avait évoqué la possibilité d'une nouvelle affectation, ce qui induisait un autre déménagement. À ce moment-là, elle venait d'avoir ses premières menstruations, et sa première réaction avait été de se dire combien il lui serait difficile de se faire de nouvelles amies. Les larmes avaient pris le dessus et, quand son père l'avait rabrouée en la traitant de pleurnicharde, Kevin s'en était mêlé. Avant que leur mère se fût interposée, ils en étaient presque venus aux mains. De toute manière, Kevin, alors âgé de dix-sept ans, avait toujours été à couteaux tirés avec son père. Plus tard, une violente algarade devait avoir lieu dans la chambre à coucher parentale à la suite de quoi leur père était sorti en claquant la porte, probablement parti au mess des officiers se consoler auprès de la dive bouteille. Rétrospectivement, cela était paru inévitable à Kissy. Sa mère, s'était-elle dit, devait être aussi lasse que ses enfants de ces déménagements incessants, et sans doute leur père était-il aussi las d'entendre leurs récriminations car, dans les semaines qui avaient suivi, il était parti pour de bon. Si tant est que cela se puisse, abandonner femme et enfants n'affecta en rien sa carrière militaire.

Mary Frances avait déjà quitté l'appartement pour s'installer chez Latham jusqu'à l'obtention de son diplôme. Toutefois, la maison était grande et le professeur se plaisait à jouer les hôtes. Encore heureux car, excepté chez lui, Kissy ne savait où aller.

Latham était dans son jardin, en train de couper des asperges. Il l'aperçut alors qu'elle descendait de voiture.

Immédiatement, l'homme perçut l'égarement du regard, le

malaise dans la posture. Alors qu'elle les croyait taries, les larmes revinrent à flots. Son tee-shirt en fut tout mouillé.

— Le chameau, grinça Latham en la prenant dans ses bras. Que vous a-t-il fait ?

— J'ai besoin d'un endroit où dormir, le temps que je trouve un autre appartement, sanglota-t-elle contre son épaule.

— Naturellement. Heureux de vous avoir parmi nous, chère amie... Mary Frances va être aux anges ; peut-être parviendrez-vous à l'arracher à ma cuisine.

— Ce ne sera pas pour très longtemps...

— Inutile d'en parler... Mon Dieu ! vous ne seriez pas..., s'enquit le professeur avec emphase.

— Non.

Latham poussa un grand soupir de soulagement, elle-même respirant mieux en sachant qu'elle avait un toit pour dormir. Le jardin exhalait de partout les senteurs entêtantes du lilas.

Mary Frances apparut dans un tourbillon, bouillant d'impatience de réconforter son amie.

— Je ne désire pas en parler, la prévint Kissy. Puis de se radoucir : Pas pour le moment.

— Naturellement, acquiesça Mary Frances avec ferveur.

Latham revint avec un verre de vin qu'il tendit à Kissy.

— Un excellent remontant...

Puis il lui fit les honneurs de la maison comme s'il en était le propriétaire. Arrivé à la chambre qu'il avait assignée à Kissy, il se précipita pour en ouvrir grand la fenêtre.

— Ne touchez pas à vos affaires, je m'en occuperai...

Mais quelques minutes suffirent à Kissy pour faire le tri des affaires dont elle avait expressément besoin. Latham ne put retenir un gloussement en la voyant se jeter sur son lit, une fois son attirail déposé sur le sol. Après un coup discret, son visage réapparut quelques instants plus tard dans l'entrebâillement de la porte.

— Tout va bien ?

— Très bien.

— Vraiment ?

Il portait un plateau. Outre un verre de vin et un bouillon de légumes, on pouvait y voir un vase débordant de lilas et de tulipes en boutons gros comme le poing. Elle se redressa, il déplia une serviette et posa le plateau sur les genoux de Kissy.

— Vous dépérissez ; il faut vous sustenter, ma chère, minauda-t-il en s'asseyant en tailleur auprès d'elle. Si vous éprouvez le besoin de parler...

— Merci, mais ne vous inquiétez pas pour moi.

Après un petit gloussement faussement offusqué, Latham déposa un baiser sur le front de Kissy et s'en fut.

Une douche prolongée ne suffit pas à lui procurer le sentiment de propreté qu'elle recherchait. De retour dans la chambre, elle relut la brochure que lui avait remise le médecin, puis la rangea soigneusement en se promettant de l'abandonner incognito sur le campus en sorte que d'autres pussent en prendre connaissance. Couchée sur le dos, elle posa la main sur son ventre comme pour sentir en elle le grouillement des microbes, le mal que Junior avait instillé en elle, dans sa gorge et ses organes génitaux. Véhiculé par le sang, il avait traversé sa vessie pour s'insinuer dans ses reins, son cerveau, son corps tout entier. Peut-être ses trompes étaient-elles déjà atteintes ; peut-être ne pouvait-elle déjà plus être fécondée. Jusqu'alors, son unique préoccupation concernant les enfants consistait à ne pas en avoir. Bien qu'incertaine d'en désirer un jour, elle nourrissait envers Junior un terrible ressentiment à l'idée qu'il eût pu la priver de la faculté d'enfanter. Subitement, elle fondit en larmes. Bien qu'effondrée, elle trouva l'énergie d'appliquer une compresse froide sur ses yeux rougis. Cette histoire devait cesser. La remise des diplômes était prévue pour le week-end suivant. Si elle passait la semaine à pleurer, Dieu sait ce qu'on allait imaginer.

Elle emplit ses poumons des senteurs sucrées de lilas qui s'engouffraient par la fenêtre ouverte, et se mit à observer en détail les petites fleurs rassemblées en grappes légères qui se balançaient au gré du vent. En même temps, dans un besoin d'introspection inattendu, elle perçut les battements désordonnés de son cœur, la rigidité de son torse, le frémissement angoissé de ses entrailles.

9

Il aurait dû se douter que, le temps de se faire à l'idée de passer aux aveux, il serait déjà trop tard. En l'entendant arriver, Ed émit un aboiement étouffé, ce qui signifiait que Kissy n'était pas là. Simultanément soulagé et saisi de panique, il sentit ses muscles se contracter. En un coup d'œil, il comprit qu'elle était partie en emportant tout sauf son équipement stéréo, ce qui dénotait sa hâte de le quitter. Ed leva sur lui un regard chargé de reproches.

Pour s'assurer du fait, il alla dans la salle de bains : brosse à dents, shampooing, maquillage, etc., tout avait été emporté. Il aurait aimé donner un grand coup de pied quelque part, mais en dehors de son mobilier et du chien, il ne vit rien ni personne à qui s'en prendre, et Ed ne méritait pas d'être maltraité.

Tout cela, c'était la faute de Dionne, cet abruti de Dionne et ces prostituées qu'il avait invitées à la soirée de Zoo. Ils s'amuseraient bien, qu'il avait dit, parce que c'est toujours le cas quand des putes sont de la fête. La vie est courte, mon vieux, attrape tout ce qui passe, avant de te réveiller un beau matin pour souffler tes cinquante bougies.

Comme il était alors complètement défoncé, tout cela lui avait paru très sensé. Après tout, Kissy et lui n'étaient pas mariés, et son phallus n'appartenait à personne sauf à lui-même. Or, ce soir-là, outre le fait d'être en rut, il avait besoin de se prouver à lui-même qu'il était toujours libre de ses actes. Elle ne le saurait jamais, et ce qu'elle ne savait pas ne pouvait lui faire de tort.

Ah, Dionne, putain de Dionne...

Il sonna chez lui, pas rasé et salement éméché.

117

— Salut, fit Dionne.

En réponse, Junior lui envoya son poing sur le nez.

Le sang gicla. Dionne encore chancelant, Junior se dirigea vers le réfrigérateur, dans lequel il espérait trouver quelque chose qui eût un goût de bière.

— Putain ! s'écria Dionne dans son dos.

— Comment va ta bite, connard ? À moins que tu sois encore trop beurré pour t'en rendre compte...

Dionne essuya le sang de son visage du revers de sa manche.

— Tu as attrapé quelque chose ?

— Oui, une chaude-pisse, grâce à tes putes. Tu les as sautées, tu dois l'avoir, toi aussi.

— La chtouille ? se rembrunit Dionne. Tu es sûr ?

— Il y a des analyses pour le prouver.

Se pressant rêveusement le bas-ventre, Dionne alla vers l'évier, et se mit à fixer le robinet jusqu'à ce qu'il se rappelât ce qu'il venait y faire, après quoi il l'ouvrit, humecta un chiffon et s'essuya le visage.

— Putain, fit-il, mais comment sais-tu que tu l'as attrapée ?

— J'ai l'impression de pisser des lames de rasoir.

Lâchant son chiffon, Dionne ouvrit sa braguette et, voulant uriner, n'émit qu'un bref jet. Finalement, il se retourna vers son ami en acquiesçant d'un air entendu.

— Ouais, je crois que j'en tiens une aussi... Bon, ce n'est pas une grosse affaire, une bonne dose de pénicilline dans le cul et on n'en parle plus. Cela étant réglé, Dionne concentra son attention sur le visage de Junior : Dis donc, j'ai vu des morts qui avaient meilleure mine que toi. Qu'est-ce qui se passe ?

— Est-ce qu'il te reste un peu d'herbe ?

Dionne s'empara d'une canette de bière et la décapsula avec un long chuintement.

— Je te rappelle qu'on s'est éclatés ; on a tout fumé, mon vieux... Qu'est-ce qui t'arrive ?

Junior se traîna jusqu'à un siège, cassé en deux comme s'il était blessé à l'abdomen.

— Kissy s'est barrée, bredouilla-t-il avec plus de mal qu'il ne s'y attendait.

Dionne resta planté devant Junior, le temps d'assimiler l'information, avant d'éructer bruyamment.

— Eh bien, qu'elle aille se faire foutre...

Le regard brouillé de larmes, Junior regarda son ami s'asseoir près de lui.

— Eh ben, mon vieux, au moins tu en es débarrassé. Tout passe, tout lasse, et mieux vaut maintenant que dans cinq ou dix ans. Tu connais le proverbe : une de perdue, dix de retrouvées. Pourquoi t'emmerder avec une salope alors qu'il en traîne des tas...

En dépit du caractère inédit de ces mots de consolation, Junior n'était pas d'humeur à se lancer dans des considérations d'ordre sociophilosophique.

— Faut plus que je pense.

— Ça, c'est une bonne idée, apprécia Dionne en se grattant derrière l'oreille, puis les testicules. Combien tu peux investir ?

Sortant son portefeuille, Junior se mit à compter son argent, aussitôt imité par Dionne.

— Qu'est-ce que tu préfères, les fumer ou les boire ?

— Les boire, ça dure plus longtemps.

— Dans ce cas, on ne s'arrêtera que lorsqu'on nous aura foutus en taule.

En voulant s'y appuyer, Junior trouva la porte un peu branlante. De l'autre côté du vantail, Ed aboyait furieusement. Il n'avait pas mis la truffe dehors depuis le départ de Kissy : trois jours et trois nuits. Junior se sentait comme quelqu'un qu'on vient de sortir du tombeau : moulu, tremblant, désorienté. Il ne sentait pas très bon non plus, un peu comme un vieil os qu'Ed aurait déterré.

— Oui... Oui..., murmura Junior sans toutefois parvenir à faire taire l'animal.

Après avoir réussi à attraper la poignée, il brandit sa clé. Plusieurs tentatives furent nécessaires avant qu'il parvînt à l'insérer dans la serrure. Sans trop savoir comment, il se retrouva assis sur son séant dans le couloir, pendant que, le piétinant presque, Ed se précipitait vers l'escalier. Accroupi sur le sol, s'agrippant à la porte pour éviter de tomber, Dionne fut pris d'un inextinguible fou rire.

Les deux garçons se traînèrent à l'intérieur de l'appartement. Puis, le sol étant parsemé des crottes et des flaques d'urine du chien, ils jugèrent préférable de se mettre debout.

— Seigneur, se lamenta Dionne, ton chien doit avoir le côlon aussi long que le tunnel Eisenhower.

À l'aide de papier et d'un sac-poubelle, Junior entreprit de nettoyer les lieux. Dénichant un seau, il le remplit d'eau et y versa une bonne dose de lessive, puis, sans grande conviction, se mit à promener une serpillière à travers l'appartement. Ed battit en retraite dans l'escalier où, en manière de réprimande, il se mit à aboyer et à grogner.

Soudain, Junior eut l'impression que ses jambes refusaient de le porter. Son pied accrocha le seau, la serpillière lui échappa des mains et il se retrouva à nouveau sur son séant, assis parmi les excréments du chien. En voulant l'aider, Dionne glissa à son tour et tomba brutalement sur le dos. Se redressant vaille que vaille, Junior entama une série de glissades dans une mare d'eau savonneuse parsemée d'étrons. Dionne se joignit à lui, et ils s'amusèrent ainsi jusqu'à en perdre le souffle.

— Laissons tomber, haleta Dionne en s'étreignant le torse. Allons plutôt vendre la stéréo, ça nous paiera un peu d'herbe.

Toutes affaires cessantes, ils se mirent à farfouiller dans les fils. Il ne leur fallut pas moins de dix minutes pour descendre l'appareil jusqu'à la camionnette de Dionne. Glissant sur la dernière marche, Junior laissa choir un haut-parleur. Le bruit de ferraille qu'il émit quand ils le ramassèrent ne présageait rien de bon.

— Il est foutu, observa Junior.

— Peut-être que Mack ne s'en apercevra pas.

— Hé, Ed ! appela Junior.

Le chien déboula du coin du bâtiment, manquant renverser son maître, puis détala de nouveau.

— Être resté trop longtemps enfermé, ça l'a rendu fou.

Junior appela de nouveau l'animal et, cette fois, réussit à le faire monter sur la plate-forme de la camionnette, près de l'équipement stéréo.

— Regarde, il se torche le cul sur les appareils, remarqua Dionne, mais peut-être que Mack n'y verra que du feu.

Avec l'argent, ils s'offrirent une visite à un dealer de leur connaissance, puis firent une halte au 7-Eleven pour faire le plein de bières. Comme le domicile de Junior était le plus proche, ils y retournèrent. Ils remplirent la gamelle d'Ed de bière, mais comme l'odeur attisait leur soif ils en lapèrent un peu, de conserve avec l'animal. Le chien parut se prendre au jeu, car il aboyait de temps à autre comme pour exprimer son plaisir d'avoir du bon temps avec eux. Alors, ils aboyèrent tous ensemble, puis fumèrent quelques joints.

Le jour suivant, toute bière étant éclusée, ils allumèrent un autre pétard et firent le concours de celui qui entrerait le plus profondément sa langue dans le goulot d'une bouteille. Le jeu n'était pas nou-

120

veau et, comme d'habitude, c'est Junior qui l'emporta, à ceci près que cela le mit de si mauvaise humeur qu'il lança la bouteille contre le mur. L'explosion du verre ne sembla pas déplaire à Dionne qui mit à son tour la main à la pâte. Il était à l'évidence grand temps de refaire le plein. Les bouteilles consignées rassemblées, Junior fit un tas de l'argent qu'il leur restait et le glissa dans son caleçon. Puis ils tirèrent à pile ou face pour savoir qui conduirait. Junior perdit, ce qui signifiait qu'il prendrait le volant.

Ni l'un ni l'autre ne remarqua que, la porte étant restée entrouverte, le chien les avait suivis. Dionne lança le sac de bouteilles vides sur la plate-forme, pendant que Junior se glissait derrière le volant et passait brutalement en marche arrière. Le véhicule s'ébranlait à peine qu'un bruit sourd se fit entendre, quelque part à l'arrière de la camionnette, comme s'ils avaient percuté un gros sac de plastique bourré de feuilles mortes. Le moteur étant toujours en prise, Junior s'évertuait à ouvrir sa portière, pendant que le véhicule poursuivait sa marche arrière. Dionne parvint à passer au point mort ; au même moment, un violent coup d'épaule contre la portière projeta Junior sur la chaussée. La camionnette s'immobilisa en frémissant, tandis que Junior rampait sur le sol en appelant son chien.

Il prit la tête de l'animal entre ses bras. La langue pendait, flasque, entre les mâchoires entrouvertes, l'œil était aussi atone qu'une bière éventée.

— Bon Dieu..., gémit Dionne.

Junior voulut se lever et remettre Ed sur ses pattes, mais l'animal pesait autant que lui.

— Il faut l'emmener chez un vétérinaire, sanglota-t-il.

Dionne aida son ami à hisser le chien à bord de la camionnette. L'exercice se révéla aussi laborieux que de monter un piano par une échelle de meunier. Junior décidant de rester auprès de son chien, Dionne prit le volant, la pédale d'accélérateur collée au plancher. Le véhicule démarra en trombe, lancé dans une sorte de course contre la mort où les virages se prenaient sur les chapeaux de roue, sans égard pour les feux de circulation. Dionne en brûla quatre, avant de s'aviser qu'il ne savait pas où trouver un vétérinaire. Immobilisant son véhicule dans un long crissement de pneus, il alla interroger Junior qui, étendu sur la plate-forme de la camionnette, serrait la tête de l'animal contre sa poitrine. Le corps d'Ed était d'une flaccidité d'autant plus inquiétante que, lorsque Junior tenta de se redresser, la tête de l'animal roula, inerte, sur le côté. Il apparut évident à Dionne qu'Ed lapait sa bière au paradis des chiens.

— Il est mort, Junior ; ce putain de chien est mort.

— Non, protesta Junior. Grouille-toi, on peut encore le sauver.

Mais Dionne ne bougeait pas ; il regardait Junior pleurer. Voilà plusieurs jours qu'il le regardait pleurnicher en se lamentant sur son sort, et ce triste spectacle commençait à lui écorcher les nerfs.

— Tu aurais pu faire attention ! vociféra-t-il, soudain saisi d'une colère qu'il voulait légitime. Va te faire foutre, connard ! Tu as tué Ed ! Tu as tué ton propre chien !

Les sanglots de Junior redoublèrent ; il enfouit son visage dans le poil ensanglanté de l'animal. Dionne remonta dans la cabine, sans savoir davantage où aller. Une chose était sûre, cependant : il en avait soupé de Junior Clootie, de son chien et de la salope qui avait eu la bonne idée de le laisser tomber. Il roula lentement le long des rues, tentant de recouvrer ses esprits. Il lui fallait un plan. Un coup d'œil dans le rétroviseur lui apprit que Junior s'était assis et berçait toujours la tête de son chien en lui parlant, l'implorant sans doute de revenir à la vie, ou de lui pardonner, ou quelque absurdité du même acabit.

Dionne était presque arrivé au carrefour suivant quand son esprit embrumé enregistra l'enseigne lumineuse du *Daily Peltry News* se découpant sur le stuc rosâtre du bâtiment. À droite se trouvait le Centre municipal, construction notablement imposante et aux couleurs criardes qui faisaient penser à un château de cartes érigé derrière la statue d'un personnage mythique nommé Peter Gallouse. Le personnage offrait cette particularité assez frappante de ressembler à Charles Manson et, par voie de conséquence, de hanter les nuits de nombreux enfants de Peltry. Dans les lycées du comté, une rumeur courait selon laquelle, le soir d'Halloween, le personnage revêtait un costume de clown et se transformait en tueur sadique, mais ceux qui avaient assisté à cette transformation admettaient avoir préalablement sucé du LSD.

Concernant le *News*, ce qui importait le plus aux yeux de Dionne, c'était que cette garce de Melons y travaillait. Faisant brusquement demi-tour, il s'engouffra sur le terrain de stationnement. Le gardien se tenant à quelque distance de là, il n'eut aucun mal à parcourir les allées jusqu'à ce qu'il eût repéré le Blazer de la jeune fille. Arrivé à sa hauteur, il sortit de la cabine.

— Amène-toi, connard ! lança-t-il à Junior. Ramasse ton putain de chien que tu viens de tuer et descends de ma camionnette. La voiture de ta morue est juste ici, connard !

Junior n'ergota pas. C'était vrai qu'il était l'assassin de son chien, et il comprit aussitôt le raisonnement de Dionne. Ed avait passé de nombreuses heures dans ce Blazer, et même Kissy comprendrait que ce même Blazer devait être le moyen de transport pour son ultime voyage. En outre, la seule vue du cadavre d'Ed suffirait à éveiller sa pitié. Ils se retrouveraient, tragiquement réunis au-dessus de la dépouille de leur chien. Il tira la bête jusqu'à l'arrière de la plate-forme et sauta à terre.

— Tu as encore la clé de cette caisse ?

Junior palpa ses poches : pas sur lui.

Dionne leva un regard éperdu vers le ciel comme pour lui deman-der de lui venir en aide. Pêchant un pied-de-biche de sous son siège, il en administra un coup sur la lunette arrière, puis sur la vitre du conducteur. Il trouva la chose si amusante que l'inspiration lui vint de faire le tour du Blazer en en faisant éclater les phares avant et arrière, assenant au passage quelques coups bien sentis sur la car-rosserie.

Un employé du journal sorti avant ses collègues émit un cri de protestation. Mais, en voyant le genre d'olibrius à qui il avait affaire, il battit hâtivement en retraite vers sa voiture.

Junior et Dionne le remarquèrent à peine. Ce dernier poussa la bonté jusqu'à aider à transférer le cadavre à bord du Blazer, après quoi Junior se glissa derrière le volant. Restait à faire démarrer le véhicule, ce qui ne serait pas chose facile vu qu'il ne disposait d'aucun outil pour shunter le circuit de démarrage. Mais il se souvint que Kissy gardait un tas de cochonneries dans sa boîte à gants. Un coup de poing sur le bouton d'ouverture, et tout ce qu'elle contenait se répandit sur le plancher de la cabine. Il savait que, parmi les cartes routières, se trouvait un couteau suisse.

Dionne se pencha à la fenêtre dont la vitre avait volé en éclats.

— Tu t'y prends comme un pied, elle partira jamais.

Le moteur gronda comme un coup de tonnerre. Se redressant de sous le tableau de bord, Junior adressa à son acolyte un majeur dressé.

Hé, Melons, lança Julius au guichet de la chambre noire. Ton copain est en train de faire un sort à ta voiture !

La raucité du rire suffit à convaincre Kissy de la véracité du pro-pos. Rangeant la bobine de film qu'elle s'apprêtait à développer dans son boîtier, elle courut à la fenêtre la plus proche. D'autres personnes ayant eu la même idée, elle dut jouer des coudes pour y parvenir.

Dionne était appuyé contre la portière du Blazer, et elle reconnut distinctement Junior au volant. Deux étages dominaient la scène et l'angle de vision laissait quelque peu à désirer, mais les éclats de verre scintillant aux quatre coins du véhicule en disaient long sur ce qui venait de se passer.

— Que quelqu'un appelle la police ! suggéra une voix.

La lunette arrière n'étant plus qu'un trou béant, Kissy put voir Ed recroquevillé sur lui-même comme s'il craignait de prendre un mauvais coup.

Elle en avait assez vu. Surgissant du groupe des curieux comme une caille effarouchée, elle dévala quatre à quatre l'escalier et courut jusqu'au parking. Le hululement des sirènes électrisait l'air comme l'ozone avant un coup de tonnerre.

Elle se dressa sur la pointe des pieds et cria à l'adresse de Junior :

— Qu'est-ce que tu fais, espèce de salaud ?

Mais la voiture avait déjà pris le large. Apercevant Dionne, Kissy alla vers lui.

— Qu'est-ce qui se passe ?

L'autre lui répondit par un haussement d'épaules.

— Pourquoi est-ce qu'il a pris ma voiture ?

— Parce que je ne veux plus de lui dans ma camionnette, fit précautionneusement Dionne. Il n'arrête pas de chialer.

Les sirènes couvraient maintenant le bruit de la circulation. Soudain, les issues du terrain furent bloquées par deux voitures de police.

Depuis qu'elle travaillait au journal, Kissy avait appris à connaître les policiers du cru, sinon de nom, du moins de vue, et tous la connaissaient. Même, se rappelait-elle non sans amertume, nombre d'entre eux l'avaient vue nue. Mais les plus familiers restaient encore Pearce et Burke. En les voyant, elle abandonna Dionne à ses récriminations.

Mike Burke baissa sa vitre pour l'écouter.

— Junior m'a piqué mon Blazer, déclara-t-elle d'un seul souffle en énonçant son numéro de plaque minéralogique.

Déjà, Pearce communiquait avec le répartiteur.

— Il doit être défoncé, ajouta-t-elle.

— Dans quelle direction est-il parti ?

— Vers le nord, sur la grand-rue.

124

Pearce passa aussitôt la marche arrière et, toute sirène hurlante, se lança à la poursuite de Junior.

Pendant quelque temps, Junior eut l'impression d'être sur des montagnes russes avec cette vitesse excessive, ces lumières, ces sirènes, et ces voitures qui faisaient de brusques embardées pour éviter la collision. Mais les effets de l'adrénaline s'estompant, il lui vint à l'esprit que cette corrida pourrait lui coûter très cher. Le bruit des sirènes convergeant vers le *News* l'avait complètement affolé. À ce moment-là, il n'avait eu qu'une seule pensée : fuir.

Puis un panneau indicateur lui sauta aux yeux, et il sut aussitôt ce qu'il devait faire et où aller. Il accéléra comme pour manifester son intention de traverser le carrefour, mais à la dernière seconde il bifurqua à gauche et se retrouva aussitôt sur le Mid-Dance Bridge, alors que, derrière lui, les sirènes poursuivaient tout droit leur chemin.

Ce n'est qu'une fois sur le tablier du pont qu'il vit les grilles de protection installées de part et d'autre de la porte centrale. Écrasant la pédale de frein, il fit un brusque tête-à-queue de manière à se retrouver sur la voie opposée. Tandis que les conducteurs des voitures venant en sens inverse freinaient des quatre fers, le Blazer alla percuter le rail de sécurité et le grillage qui le surplombait. Sous la force de l'impact, la tête de Junior frappa violemment le pare-brise qui, en une fraction de seconde, se transforma en une sorte de toile d'araignée opaque. Glissant vers l'avant, le corps inerte du chien alla buter contre le dossier de la banquette arrière.

À demi assommé, le front ensanglanté, Junior poussa la portière et descendit de voiture pour constater que l'engin avait ouvert une large brèche entre le rail et le grillage. Un hululement de sirènes lui apprit que les policiers avaient retrouvé sa trace. Le temps risquait de lui manquer. Le sang qui coulait de son arcade sourcilière glissait en minces rigoles jusque dans ses yeux. Il s'essuya du revers de sa manche et contourna la voiture en titubant, sous les invectives et les jurons des conducteurs qui s'employaient à l'éviter.

L'énorme poids de l'animal lui fit perdre l'équilibre. Il tomba à genoux tandis que le cadavre glissait sur le sol avec un bruit mou. Au prix de mille efforts, tantôt poussant, tantôt tirant, il réussit cependant à l'emmener près de la brèche. Le bruit des sirènes toutes proches lui vrillait les tympans. Dans un ultime effort, il hissa le cadavre du chien sur le rail et le poussa à travers la brèche. Un instant plus tard, Ed avait disparu dans les eaux noires et tumultueuses de la rivière.

125

Les sirènes étaient sur lui. Hérissé d'arêtes triangulaires comme autant de crocs, le trou dans le grillage ressemblait à la gueule d'un monstre dans laquelle il voulut s'engouffrer à son tour. Enfin libéré d'un poids immense, se tenir à l'aplomb du torrent, prêt à faire le grand saut, lui procura un immense soulagement.

Mais alors qu'il ne s'y attendait pas, il se sentit saisi par les genoux, puis par les hanches, puis tiré sans ménagement de l'autre côté de la brèche. Un avant-bras puissant se verrouilla autour de son cou. Toute tentative de résistance, songea-t-il aussitôt, ne ferait que resserrer l'étreinte qui lui écrasait la pomme d'Adam, aussi se laissa-t-il glisser mollement sur le sol sans regimber. Un genou sur les reins, un policier lui agrippa les cheveux.

— Alors, on s'amuse bien, Junior ? fit l'homme en uniforme.

Comme le jeune homme éclatait de rire, le policier lui frappa durement le visage contre la chaussée.

Kissy vit une paire d'uniformes, en qui elle reconnut les officiers Schmidling et Feathers, procéder à l'arrestation de Dionne. Ce dernier semblait tomber des nues, ayant l'air de se demander ce qui justifiait leur colère. Horgan et à peu près tout le personnel du *News* étaient sortis pour jouir du spectacle. Le quart de jour tirait à sa fin, mais les employés ne semblaient guère pressés de rentrer chez eux. L'équipe de nuit ne tarda pas à se joindre à celle de jour dans une allégresse où railleries et quolibets allaient bon train. Apparut bientôt une unité mobile de la chaîne de télévision locale. Horgan marcha vers les micros et les caméras, puis pointa Kissy du doigt avec un geste d'impuissance.

Quelques instants plus tard, Schmidling et Feathers entraînaient la jeune fille à l'intérieur du bâtiment pour une déposition préliminaire.

— Qu'est-il arrivé à Junior ? voulut-elle savoir.

Les deux hommes échangèrent un regard.

— Il a été arrêté sur le Mid-Dance Bridge, lui apprit Feathers. De toute évidence, il voulait faire le grand plongeon avec votre voiture, mais la grille a résisté. Il a quand même réussi à jeter son chien dans la rivière.

— Quoi ? s'exclama Kissy, éberluée.

— Le saint-bernard, expliqua le policier, il l'a poussé du haut du pont.

— Je ne vois pas...

— Nous non plus, l'interrompit Schmidling. Vous n'allez pas vous évanouir, au moins ? Vous feriez mieux de vous asseoir.

— Que s'est-il passé ? s'écria-t-elle encore en fondant en larmes. Est-ce qu'Ed va bien ?

— Il gît par cinquante mètres de fond, mademoiselle, déclara Feathers.

— Il faut que je parle à Junior, hoqueta-t-elle en tentant vainement de refouler ses pleurs.

— Nous allons vous conduire au poste de police, proposa Schmidling. Vous pourrez y faire votre déposition finale et apprendre ce qui s'est passé exactement.

Junior n'était pas encore arrivé au poste de police, attendu qu'on l'avait au préalable conduit à l'hôpital pour soigner ses blesures – mineures au dire des agents Schmidling et Feathers – et pour lui faire subir un alcootest. Kissy en apprit néanmoins un peu plus après que les policiers eurent arraché, non sans mal, quelques informations à Dionne.

À première vue, Junior et Dionne faisaient la noce depuis plusieurs jours.

— Il y avait assez de bouteilles vides sur la plate-forme de sa camionnette pour ouvrir un centre de recyclage, commenta Feathers.

Kissy apprit avec soulagement qu'Ed était déjà mort, avant que son maître le jetât du haut du pont. S'ils avaient laissé sauter Junior, songea-t-elle, il aurait survécu sans le moindre effort ; il aurait barboté dans la rivière comme dans sa baignoire, et en serait sorti, l'esprit clair et le cœur léger, prêt à recommencer la fête de plus belle. Il y a souvent des coups de pied au cul qui se perdent...

Elle dut attendre un long moment dans le bureau où Schmidling et Feathers avaient enregistré sa déposition. Il apparut que c'était celui du chef Cobb. Peut-être que l'attention particulière dont elle faisait l'objet tenait à ce qu'elle était employée par le *News*, à moins que ce ne fût à cause de Junior et de sa popularité parmi la population locale.

Quelques minutes plus tard, Mike Burke vint frapper à la porte.

— Comment ça va ?

Elle répondit par un faible sourire. Après qu'il eut refermé la porte derrière lui, elle l'entendit s'adresser à quelqu'un, puis éclater de rire. Peu après, il réapparut, une tasse de café à la main.

— Junior va bien, dit-il, du moins physiquement. Il souffre seulement de quelques contusions et d'une entaille au cuir chevelu. Mais il n'est pas tiré d'affaire pour autant, ainsi que son ami Dionne.

— Saquez-les.

Cette réaction ne parut pas surprendre Burke.

— Je vous comprends. Je crains de devoir vous annoncer que votre véhicule est presque irrécupérable. Pourriez-vous me dire ce qui s'est passé ?

— Je ne sais pas grand-chose.

— Peu importe, dites-moi ce que vous savez. Désirez-vous voir Junior, après votre déposition ?

Elle secoua négativement la tête.

— Voulez-vous téléphoner à quelqu'un pour lui ?

— Non, qu'il se débrouille tout seul.

Burke marqua une pause pour la scruter longuement, ce qui la mit mal à l'aise au point de baisser les yeux sur la tasse de café qu'elle tenait d'une main tremblante. Une fois sa déposition succinctement faite, sans la moindre allusion quant aux raisons de sa rupture avec Junior, elle entendit le policier lui demander par quel moyen elle entendait rentrer chez elle.

— En taxi, fit-elle en désignant un téléphone.

10

Une voie étant fermée, la circulation sur le pont se révéla difficile.

— J'ai écouté la fréquence de la police, annonça le chauffeur de taxi à Kissy. Vous connaissez Junior Clootie, le gardien de but ?

— Non, jamais entendu parler, répliqua-t-elle.

— J'ai pensé que vous étiez sa copine, insista l'homme, les yeux fixés sur le rétroviseur. Je vous ai vue prendre des photos, pendant les parties de hockey. J'oublierai jamais vos cheveux. Quelqu'un a dit que vous étiez...

— Est-ce que j'ai l'air stupide à ce point ?

Les véhicules avançaient pare-chocs contre pare-chocs. En contrebas, dans la rivière, Kissy put voir des hommes-grenouilles tirer hors de l'eau ce qui lui apparut comme un monstrueux paquet de poils de soixante-quinze kilos.

— Bon Dieu, regardez ça, lâcha le chauffeur.

En voyant le cadavre d'Ed ruisselant d'eau comme une éponge, Kissy ne put retenir un frisson.

— On dit qu'il a jeté son chien du haut du pont, continua l'homme. Qu'est-ce qu'il voulait faire, d'après vous ? Vous êtes sûre de ne pas être sa...

— Non ! renâcla-t-elle. Je déteste le hockey, et Junior Clootie peut aller se faire foutre !

— Pas la peine de parler comme ça, fillette, dit l'homme afin de la calmer, je voulais simplement faire la conversation. Vous avez vu ? reprit-il, alors qu'ils passaient devant le Blazer accidenté. J'espère que son propriétaire est bien assuré.

Assuré ou pas, elle allait devoir faire appel à la bienveillance d'autrui pendant quelque temps. Si elle voulait trouver un nouvel appartement, elle allait même devoir emprunter la voiture de Mary Frances ou de Latham. Cet inconvénient était peu de chose, comparé à ce que Junior avait fait à Ed ; mais elle allait malgré tout devoir le subir jour après jour pour une durée indéterminée.

À vingt-trois heures, elle regardait les informations télévisées, recroquevillée sur le divan de Latham. Ce dernier, qui venait de lui masser les pieds, passait du vernis à ongles sur ses orteils, Mary Frances assise à ses côtés. Les nouvelles étaient si désolantes que Kissy fut tentée de se couvrir le visage, comme elle le faisait enfant, quand elle voyait des images sur la guerre du Viêt-nam.

On eut un bref aperçu d'elle, montant à bord d'une voiture de police, devant le bâtiment du *News*. Elle avait l'air d'une coupable, comme c'est souvent le cas sous un éclairage violent. Une fois encore, elle trouva étonnant de se voir avec les yeux des autres, à cause peut-être de cette distanciation qui la rendait à la fois étrangère à elle-même et plus réelle qu'elle ne se sentait vraiment.

Il était difficilement concevable que Junior se retrouvât en prison. C'était sa première infraction ou, du moins, ses premières infractions conduisant à son arrestation ; cela, Kissy le savait. Ce qu'elle ignorait, en revanche, c'est le nombre de fois qu'il avait eu maille à partir avec la police, que ce fût à Kingston ou au cours des quatre années passées à Sowerwine. Elle l'ignorait parce que certaines « histoires » avaient été soigneusement enterrées par les policiers, les entraîneurs et les administrateurs, simplement parce qu'il était Junior Clootie, le gardien de but des Spectres. Restait à espérer que l'avocat général fût lui aussi un partisan des Spectres, ainsi que le grand jury, et peut-être même le juge, qui sait...

Tenter de contenir ses émotions se révéla éprouvant. Le contact soyeux du divan lui rappela l'espace entre les oreilles où Ed aimait être gratté. Ce souvenir fit jaillir ses larmes. Elle ressentit de violentes crampes au bas-ventre, sans pouvoir dire si elles étaient dues au chagrin ou aux microbes dont elle était infectée par la faute de Junior.

Quand, le jour suivant, Mary Frances la déposa au journal, Earl Fish l'attendait déjà. Il l'invita à entrer dans son bureau et lui offrit du café, tout en s'enquérant de sa santé et en lui exprimant ses sincères regrets. En plus d'être rédacteur en chef, c'était un homme charmant.

— En ce qui me concerne, dit-il, je veux que vous sachiez que votre vie privée vous appartient. Seulement, s'il vous plaît, ne racontez rien aux autres médias. Si vous avez des révélations à faire, venez me voir, nous en discuterons avec un de nos chroniqueurs.

— Merci.

— Naturellement, vous pouvez aussi vous confier à moi ; cela restera entre nous ; à moins que vous ne nous autorisiez à écrire un article...

Kissy fit un signe dénégatoire.

— Je comprends, conclut le rédacteur en chef. Quoi qu'il en soit, bonne chance, et si je peux vous aider d'une quelconque façon...

Après avoir de nouveau remercié son employeur, Kissy retourna à ses occupations. Elle alla se réfugier dans la chambre noire, loin des regards curieux, mais, une fois seule, Junior accapara toutes ses pensées. Elle examina d'un œil critique le film des photos de la une que l'équipe de nuit avait laissé dans la boîte de séchage. « Espèce de salaud, pensa-t-elle en revoyant le négatif du cadavre d'Ed que les plongeurs tiraient hors de l'eau, j'aimerais pouvoir t'écraser avec mon Blazer et jeter ta carcasse du haut du pont. »

Junior était affalé dans le vieux fauteuil de barbier installé dans la cuisine de ses parents, à Kingston, pendant que, levant son rasoir à lame, son père grommelait des menaces où il était question de lui trancher la gorge.

— J'ai dû faire un emprunt, et je t'en tiens personnellement responsable. Mais ne crois pas que je vais passer l'éponge ; tu as commis un crime, et tu vas en assumer la responsabilité. Redresse-toi, que je puisse te couper les cheveux. Et ôte cette boucle de ton oreille ; jusqu'à ce que cette affaire soit terminée, je veux que tu aies l'air aussi net qu'un boy-scout.

La caution payée, Clootie père avait ramené Junior chez lui. Ce dernier se trouvait dans un état pitoyable. Tremblant, ruisselant de sueur, il avait dû quitter de nombreuses fois la voiture pour vomir dans le fossé. Après trois heures de voyage, uriner n'avait réussi qu'à lui arracher un cri de douleur.

— Qu'est-ce qui se passe ? s'était inquiété Dunny.

— J'ai oublié de prendre ma pénicilline, avait gémi le garçon sans se souvenir vraiment s'il l'avait prise ou non.

— Et pourquoi diable dois-tu prendre de la pénicilline ?

— Aucune importance, avait bougonné Junior.

Après quelques secondes de réflexion, Dunny avait craché dans le fossé en marmonnant que les préservatifs n'étaient pas faits pour les chiens. En cours de route, il avait néanmoins fini par comprendre le fin mot de l'histoire :

— C'est pour ça qu'elle t'a laissé tomber.

— Je lui ai passé ma maladie, avait avoué Junior.

— Nom de Dieu..., avait grommelé Dunny, avant d'ajouter, en abattant son poing sur le volant : J'aimais bien cette fille. Crois-tu que ça valait la peine de te conduire comme tu l'as fait ?

Ils avaient atteint les faubourgs de Kingston quand il avait conclu :

— Faudra aller voir le Dr Hansen pour une nouvelle ordonnance. J'en ai connu au Viêt-nam qui ont attrapé la chtouille et qui n'ont pas pris la chose au sérieux ; résultat, il leur a fallu six mois pour s'en débarrasser. Faut pas que tu laisses traîner ça, Junior, quoique, en y repensant bien, ç'aurait au moins l'avantage de te rendre stérile.

Dans un geste machinal de coiffeur, Dunny tendit un miroir à son fils. À présent, ce dernier avait vraiment une tête de boy-scout... n'eussent été la boucle d'oreille et la gueule de bois.

— Tes erreurs vont te coûter cher, poursuivit Dunny. En quittant l'armée, tout ce que je savais faire, à part tuer des gens, c'était ce que mon père m'avait appris : couper les cheveux. Mais toi, tu peux faire mieux et même gagner beaucoup d'argent. Je ne pense pas que tes erreurs vont t'empêcher de poursuivre ta carrière, mais à condition de ne jamais recommencer.

Des larmes coulèrent lentement sur le visage de Junior.

— Tout ira bien, le rassura son père, tout ira bien.

L'avocat engagé par Dunny vint au rapport.

— La jeune femme ne portera pas plainte pour le vol de son véhicule. Il ne nous reste donc plus que les infractions au code de la route ; mais comme votre dossier de conducteur est vierge, voilà ce que je propose : vous plaidez coupable et acceptez d'acquitter les amendes habituelles, et vous vous en tirerez avec une période de probation, des services communautaires, et un retrait de permis de conduire de six mois.

Soulagé, Junior se sentit tout à coup regonflé à bloc. Spencer Lobel, son agent, devait être mis au courant. Mais dès que Junior lui fit part de ses problèmes, Lobel refusa de l'entendre et demanda à parler à Dunny.

— Non, répétait ce dernier, non, ne vous inquiétez pas. Il n'aura pas de casier judiciaire ; on veut lui laisser une chance de se racheter.

Ce point étant éclairci, Lobel accepta enfin de parler à Junior.

— Bon, ce n'est pas la fin du monde. Mais dorénavant, tu devras te tenir tranquille, compris ?

Junior avait compris. Il avait toujours obéi aux ordres sans rechigner. Cette fois, on lui demandait de se faire tout petit et de sortir le plus vite possible du guêpier dans lequel il s'était fourré. Tout d'abord, il devait contacter le Dr Hansen et obtenir une nouvelle ordonnance ; ensuite, téléphoner à Kissy. Pas aujourd'hui, parce qu'il avait trop mal à la tête et qu'elle devait être encore furieuse contre lui, mais demain. Ou après-demain, quand il aurait l'esprit suffisamment clair pour échafauder un plan qui lui permettrait d'entrer de nouveau dans ses grâces.

— C'est pour vous, annonça Latham, la paume de la main couvrant le micro. L'ineffable...

Il était presque temps de se rendre à la cérémonie de remise des diplômes. S'emparant du combiné, Kissy fit mine de le replacer sur son étrier, mais le professeur l'arrêta d'un geste :

— Il dit que c'est au sujet du Blazer.

— Salut, connard, fit-elle alors en portant l'appareil à son oreille.

— Je suis désolé...

— Tu peux l'être. Je partais. Accouche de ce que tu as à dire et ne traîne pas.

— J'ai l'intention de payer les réparations de ta voiture, déclara précipitamment Junior. Dès que j'aurai un peu d'argent. Je te rembourserai ta stéréo, aussi.

— Crève donc, charogne, répliqua-t-elle avant de raccrocher.

Mme Cronin avait promis de la retrouver, une fois les cérémonies terminées, dans la salle où se tenait encore l'exposition photographique. Caitlin, la mère de Kissy, venue elle aussi assister à l'événement avec Noah, le demi-frère de Kissy âgé de quatre ans, devait se joindre à elles. Elles se retrouvèrent donc dans une salle remplie de visiteurs. Effarouché comme peut l'être un enfant sans père, Noah s'accrochait aux jambes de sa mère.

Kissy observait les réactions des gens contemplant ses photos quand un visage familier attira son attention. Était-ce parce qu'il avait senti son regard ? Toujours est-il que Mike Burke tourna aussitôt la tête dans sa direction, et lui adressa un sourire accompagné d'un signe de la main, avant de se replonger dans l'observation des photos. En civil, on aurait dit un étudiant ou, à la rigueur, un professeur assistant.

La vieille dame héla Kissy depuis l'entrée. Plus tard, après un déjeuner rapidement expédié, les trois femmes cheminèrent jusqu'au petit bosquet pour assister à l'inauguration du modeste monument érigé à la mémoire de Diane Greenan. Encadrée de sa mère et de Mme Cronin, c'est Kissy qui prononça l'éloge funèbre. Alors qu'un joueur de cornemuse clôturait la cérémonie en jouant quelques mesures d'« Amazing Grace », Mme Cronin prit la main de Kissy et la tint serrée dans la sienne. Aux bras de sa mère, Noah fredonnait l'hymne familier, pendant que, le front bas, James Houston se tenait en retrait à l'ombre d'un grand pin comme un assassin revenu sur les lieux de son crime.

Kissy reçut une autre lettre de Junior qu'elle mit comme les autres au panier sans l'ouvrir. Aujourd'hui, elle vivait au troisième étage d'un immeuble dont les occupants n'étaient guère plus reluisants que ceux du temps où elle partageait le studio de Junior. En partie meublé d'objets abandonnés par d'anciens locataires, l'appartement puait la misère et la saleté, mais offrait néanmoins l'avantage d'avoir été disponible immédiatement. Fidèle à sa promesse, Junior ne tarda pas à défrayer les coûts de réparation du Blazer ; en sortant de l'atelier du carrossier, le véhicule émettait des cliquetis et des vibrations que Kissy ne lui avait jamais connus.

En plus de veiller à l'entretien de la tombe de Diane, elle décida de suivre des cours d'été deux fois par semaine. Le fait d'être diplômée de Sowerwine lui permit de garder le libre accès aux salles de sport. Moyennant certains travaux de développement, Latham lui prêta une somme d'argent et, partant de ce qu'elle voulait surtout être seule, le fait que son existence se limitât à des activités purement professionnelles ne l'inquiéta pas outre mesure. À un moment où toutes ses relations se dispersaient et commençaient une nouvelle existence, Mary Frances partit pour l'Europe avec son père.

Un matin, très tôt, comme elle prenait son petit déjeuner au comptoir du Denny's, Mike Burke vint s'asseoir auprès d'elle. Le regard caché derrière des lunettes de soleil, il portait des vêtements civils depuis peu, s'il fallait en juger par les quelques gouttes d'eau qui perlaient encore dans ses cheveux. Lui aussi venait de finir son quart, songea-t-elle, les lèvres étirées d'un faible sourire. Le jeune homme fit jouer les muscles endoloris de sa nuque et de ses épaules, puis se pencha vers elle pour demander :

Comment ça va ?

Elle répondit par une moue désabusée.

— À cette heure-ci, je ne peux jamais me résoudre à rentrer chez moi et me mettre au lit, ajouta-t-il.

— J'aime la lumière du matin.

— Je vois, sourit-il.

Après que la serveuse lui eut servi un gobelet de café fumant, le policier contempla le contenu de l'assiette de Kissy et commanda la même chose.

— J'aime beaucoup ce que vous faites, lâcha-t-il en trempant ses lèvres dans son café.

C'était toujours mieux que « Je trouve ça intéressant » ou bien « Jolies, vos photos... ».

De tout le corps policier de Peltry, c'est Burke qui jouissait de la plus haute considération parmi les employés du journal. Reporters, photographes, rédacteurs... malgré leurs airs désabusés, Kissy était persuadée qu'ils appréciaient ces va-t-en-guerre dont ils faisaient des choux gras : voyous, athlètes, policiers, politiciens. Mike Burke était un garçon brillant, plein d'entregent, disaient-ils – mais également ambitieux, en quoi ils voyaient un défaut majeur puisque cette ambition induisait une quête de pouvoir considérée comme anti-démocratique par les « politiquement corrects ». C'était comme s'ils ignoraient les pouvoirs qu'ils détenaient, sauf quand il était question d'éreinter en bonne et due forme tel ou tel personnage. Au lieu du policier conventionnel, c'est d'eux que Mike se rapprochait le plus. Non seulement ses études secondaires avaient été couronnées de succès, mais en plus il suivait des cours de droit. Il jouissait de cet avantage considérable que d'aucuns nomment « la crédibilité de l'homme de la rue ».

— J'ai entendu dire que les Islanders avaient échangé Junior et qu'il jouait à présent pour l'équipe de Denver, annonça-t-il. Savez-vous si c'est à cause de ses récents démêlés ?

— Non. Je suis comme vous ; tout ce que je sais, je l'apprends par les journaux.

— Vous savez, continua le policier avec un long regard de biais, alors que, par inadvertance, ses doigts frôlaient le genou de Kissy, quand je l'ai bousculé, je ne faisais que mon travail.

— Qu'il aille au diable, répliqua-t-elle, et Ryne Kowanek peut lui tenir compagnie.

Le souvenir d'avoir malmené deux anciens petits amis de Kissy arracha un sourire à Burke. Retirant ses lunettes, il exhiba un regard pétillant de franchise et de bonne humeur.

— Avez-vous été convoquée ?

— Convoquée ?

— Au tribunal. Je pensais qu'on vous demanderait de témoigner au procès de Houston.

— Une fois, en effet, l'automne dernier, à propos de l'accident.

Alors que Burke réclamait d'un signe un deuxième café, Kissy finit le sien. Au moment où elle voulut consulter l'addition, Burke tenta de l'en dissuader en la couvrant de sa main. Elle réussit néanmoins à la récupérer en la faisant glisser entre les phalanges du jeune homme.

— Merci quand même, dit-elle.

Comme elle quittait les lieux, le policier la regarda partir pardessus ses lunettes. Pour ce qui était des photographies, il avait menti, il les détestait. Elles le contraignaient à voir Junior à travers son œil de photographe, à partager les instants d'intimité qu'elle avait eus avec le jeune hockeyeur car, loin de se limiter à « un érotisme discret mais puissamment évocateur » comme le mentionnait le catalogue, l'œuvre de Kissy témoignait d'un esprit facétieux, un regard amusé mais froid d'une personne se retenant d'éclater de rire. La jeune fille lui avait donné l'impression d'avoir été vu sans jamais avoir été regardé, de traverser sa propre existence comme un automate.

Pourtant, elle l'avait pris en photo, lui aussi, l'avait dépeint sous les traits d'un héros, lui permettant du même coup de se distinguer aux yeux de ses supérieurs et probablement aussi aux yeux des milliers de gens qui assistaient à l'exposition. Il se plongea dans la contemplation de son café avec un sentiment de dérision. Son plus cher désir, c'était que son nom et son visage fussent connus de tous les gens du comté. Pourtant, se dit-il, se faire photographier dans l'intimité comme cela avait été le cas pour Junior Clootie éveillerait en lui de puissants fantasmes, à condition, bien sûr, que les photos ne fussent vues que de lui seul. Que le hockeyeur eût perdu la tête n'avait rien de surprenant ; encore heureux qu'il ne s'en fût pas pris directement à elle.

Assis esseulé au comptoir du Denny's, Burke se perdit dans l'observation de sa propre vanité, de son orgueil et de ses ambitions. À d'autres moments, il se serait empressé d'aller se confesser ; mais aujourd'hui, c'est lui qui écoutait les confessions des autres.

Son métier de policier, c'était un sale métier. Mieux que personne, il savait combien il était corrosif, à quel point il pouvait lui gruger l'âme. Le seul à le comprendre, c'était son père, aujourd'hui invalide et retraité après vingt-cinq ans de service. C'est ce même métier qui avait eu raison de Dan Burke en le faisant sombrer dans l'éthylisme, avant qu'il ne s'inscrivît aux Alcooliques anonymes, trop tard, hélas, pour lui éviter de perdre son emploi. N'empêche que sa triste expérience avait permis d'en sauver d'autres. Le temps que Dan Burke avait passé sur un tabouret de bar, lui, son fils, le consacrait à des réunions. Il en allait de même pour de nombreux policiers, qui devaient leur sobriété et parfois même leur carrière à Dan Burke et aux Alcooliques anonymes.

L'œuf au plat que la serveuse posa devant lui lui leva le cœur. Que lui avait-il pris de commander la même chose que Kissy alors qu'il détestait les œufs frits ?

— Ce n'est pas ce que j'ai commandé, lâcha-t-il. Puis, devant la moue dégoûtée de la femme : Apportez-moi des flocons d'avoine...

Remportant l'assiette, la serveuse s'éloigna d'un pas sec, sa large croupe tressautant de colère. En guise de pourboire, Kissy avait laissé deux dollars, soit quarante pour cent du montant de sa facture. C'était ridicule, mais il en ferait autant. La serveuse était peut-être une électrice en puissance et le nom de Mike Burke pourrait très bien se retrouver, un jour ou l'autre, sur une liste électorale.

11

Depuis l'accident, Kissy s'était bercée d'illusions, en se disant que tout se réglerait par un compromis. Mais à la mi-juillet, quand elle fut officiellement convoquée comme témoin à charge, elle connut un instant de panique qu'elle réprima très vite en se disant qu'il lui suffirait de raconter ce qu'elle savait et qu'après tout serait dit. Pour la première fois depuis des mois, ses cauchemars la reprirent, au cours desquels seule Ruth revenait la hanter.

L'état de cette dernière ne changeait guère, sauf peut-être pour glisser un peu plus profondément dans le coma. Malgré les perfusions, la jeune fille avait perdu le quart de son poids. Ses yeux semblaient noyés au fond de leurs orbites et les séances de thérapie répétées n'empêchaient pas ses membres de se faire de plus en plus gourds. La bouche déformée par un vague rictus, elle semblait s'enfermer dans une immobilité glaciaire, une momification vivante.

Chaque fois qu'elle la quittait, Kissy n'était jamais sûre de trouver le courage d'aller la revoir. Garder le recul nécessaire lui semblait de plus en plus difficile. Si, au départ, elle avait pensé n'être qu'un témoin, l'observatrice distante d'une existence végétative, elle prenait à présent pleinement conscience de la cruauté de l'existence. Elle croyait y déceler une forme de sadisme, un blasphème à la face de Dieu. Quelquefois, elle aurait voulu fracasser le monument vivant de sa propre personne qu'était devenue Ruth, trancher le fil qui la rattachait à la vie pour qu'elle pût enfin rendre le dernier soupir.

Pourtant, elle persista à lui rendre visite avec la même régularité, comme un devoir religieux. Alors qu'elle prenait place près de la fenêtre ouverte et que la brise tiède de l'été lui caressait doucement le bras, la chambre de Ruth lui sembla soudain nimbée d'une quiétude monastique. On se serait cru dans une église, l'église de Ruth. « Où tu iras, j'irai », se remémora Kissy, sauf que personne ne savait où Ruth s'apprêtait à partir.

Le vendredi précédant le début du procès, elle reçut un message sur son répondeur lui annonçant que le procès était reporté en août.

Dunny s'était installé au centre-ville. Son salon de coiffure avait pignon sur rue, à proximité du poste de police, de la caserne des pompiers, du tribunal et de la prison tout à la fois. En plus d'un loyer négligeable, le potentiel de clientèle ne laissait planer aucun doute sur le succès de son entreprise. Esther avait commencé ses cours, pendant que ses fils passaient l'été comme à l'accoutumée, c'est-à-dire dans divers camps de hockey, certains en tant qu'instructeurs, d'autres comme stagiaires. Ils profitaient de leurs jours de liberté pour rendre visite à leurs parents et aller au campus afin de s'adonner à leur sport favori, que ce fût de leur propre initiative ou parce que le programme de hockey de Sowerwine le leur imposait.

En manière d'expiation, Junior n'avait pas ménagé sa peine en aidant ses parents à emménager à Peltry. La situation se détériora quand sa mère, qui ne cessait de l'accabler de corvées de toutes sortes, lui fit comprendre en termes clairs que sa présence lui pesait, tout comme elle pesait à Bernie. Au reste, cette dernière lui avait déclaré une guerre ouverte, au point qu'il osait à peine manger en sa présence de crainte qu'elle eût versé un laxatif dans sa nourriture. S'il est vrai que Junior avait connu quelques différends avec les siens, il ne s'était cependant jamais heurté à une hostilité aussi ouvertement affichée.

De surcroît, la rancune que Kissy nourrissait à son égard était plus qu'il ne pouvait supporter. Non contente de refuser de répondre à ses appels téléphoniques, elle ignorait ses lettres. Quoique conscient de la nécessité de le faire, il redoutait d'aller la voir. Pour la première fois de sa vie, il avait peur, peur de se voir refuser son pardon, car à ce moment-là Kissy serait perdue à jamais, et éprouver son absence jour après jour lui semblait déjà assez douloureux comme cela.

Ed lui manquait à un point qu'il n'aurait jamais imaginé. Savoir qu'il ne le reverrait plus avait quelque chose d'affreusement définitif, et le fait de l'avoir tué, même par accident, éveillait en lui de terribles sentiments de culpabilité. Qu'avait donc fait ce pauvre chien pour mériter un tel sort ? La rancœur de Bernie était plus que légitime, et il ne pouvait l'en blâmer.

Jeune, débordant de santé, doté d'une force herculéenne et de réflexes de prédateur, une allure à justifier un narcissisme naturel et une autosuffisance laissant peu de place à la mesquinerie, hormis pour quelques biens matériels, qui en ce bas monde aurait-il pu envier ? Pourtant, il était éminemment au fait de son état dépressif et du peu de moyens dont il disposait pour le combattre. Le seul remède qu'il pouvait y apporter consistait en ce qu'il avait toujours fait. Le temps qu'il ne passait pas à jouer au hockey, il le consacrait au volley-ball, au base-ball, au golf... toutes sortes de jeux de balle, sauf celui où il pourrait exceller. Cette frénésie sportive lui procura des nuits de relatif sommeil.

Le pécule que lui rapportait chaque été son rôle d'instructeur l'avait toujours satisfait. Cette année-là, cependant, son père avait décidé d'utiliser cet argent pour régler les camps payants où il n'était que stagiaire, ne lui laissant qu'une maigre somme pour argent de poche, insuffisante pour s'offrir quelques bières et courir les filles.

Après les parties, il s'efforçait de ne pas regarder le verre des autres, même s'il en humait, en goûtait presque le contenu, avant qu'au soir ne lui parvînt l'effluve douceâtre d'un joint passant de main en main. Tout cela le laissait assoiffé, agité et plein de rancœur envers le médecin qui lui avait interdit l'alcool pour le temps que durerait sa maladie. Étrange décision en vérité : moyennant l'usage de préservatifs, il pouvait copuler autant qu'il le voulait, mais l'alcool lui était interdit, contre-indiqué en raison de son traitement antibiotique.

Quand il ne pensait pas à une réconciliation possible avec Kissy, c'était un éventuel échange qui l'obsédait, Spencer Lobel lui ayant précisé que c'était en effet dans ses intentions.

Après ce que les médias avaient qualifié de grand désastre, et malgré l'absence de signes avant-coureurs, cette éventualité s'était finalement installée dans l'esprit de chacun. Et si louables que fussent les efforts de son agent pour minimiser l'incident, il était notoire que la réputation de Junior au sein des grandes divisions était sérieusement compromise, et qu'on allait probablement l'intégrer à une équipe mineure dans un coin perdu du pays, quelque part à l'ouest de Chicago ou au sud du Minnesota, où le sport prédominant était le football, où le hockey sur glace le disputait à peine au hockey sur gazon, un de ces endroits où les gymnases attiraient surtout les adeptes de basket-ball. S'il lui était donné de choisir, il préférerait jouer au Canada et subir les sarcasmes de ses coéquipiers parce qu'il était américain. Mieux encore, il préférerait encore jouer au Québec, quitte à ce qu'on lui déversât des tombereaux de merde [1] sur la tête pour n'être pas un *frog*.

La proximité de son frère Mark, qu'il avait gardé à distance quatre années d'affilée, n'arrangeait rien car, aujourd'hui, Mark avait envahi sa vie, allant jusqu'à imiter le moindre de ses gestes. Il ne pouvait certes pas l'empêcher de se lier d'amitié avec ses anciens coéquipiers et amis, lesquels seraient les coéquipiers de Mark la saison suivante ; mais le petit salaud s'infiltrait insidieusement parmi les relations qu'il avait à Sowerwine, et participait à tous les matches, même les plus impromptus. Pis encore, non seulement Mark possédait son permis de conduire, mais en plus il s'était approprié la camionnette de son frère.

Dionne suivit quelques cours de rattrapage qui lui permettraient d'être admissible en terminale. Comme c'était à prévoir, l'événement donna lieu à une petite fête, au cours de laquelle, étant complètement guéri, Junior put s'octroyer deux ou trois bières. Une fille nommée Page, petit corps compact de petit gabarit, se mit à l'aguicher. Il s'en amusa quelque temps, tentant de deviner si ses seins étaient aussi impertinents qu'ils en avaient l'air. Puis il comprit que s'il l'emmenait chez lui, d'une façon ou d'une autre, Kissy l'apprendrait. Quelqu'un, comme son abruti de frère, par exemple, se ferait un devoir de l'en informer. Non sans amertume, Junior se dit que les gens seraient infiniment plus enclins à annoncer à Kissy qu'il avait couché avec une autre femme que le contraire. Quand bien même il ne l'aurait pas contaminée, son écart de conduite ne lui aurait pas été pardonné pour autant. C'était la manière d'être de Kissy, et il ne cessa d'y penser qu'en reconnaissant que c'était ainsi qu'il l'aimait. Si une femme n'est pas jalouse, c'est qu'elle fricote de son côté ou qu'elle en a l'intention, et ce n'était pas ce qu'il attendait de Kissy. Découvrir qu'elle fréquentait quelqu'un lui déplairait grandement, et cependant il demeurait incapable de la ramener à lui ; l'aurait-il pu, qu'il n'aurait su comment il concilierait ses prochaines activités sportives et sa vie amoureuse. Toutes ces cogitations aboutirent à un furieux mal de tête accompagné de crampes d'estomac. La vie devrait être plus simple. Pour se punir d'avoir tué Ed, il annonça à Page qu'elle montrait les premiers signes d'alcoolisme, avant de signifier à Dionne qu'il n'était qu'une pauvre cloche qui, outre sa

---

1. En français dans le texte.

142

propre existence, avait ruiné celle de Junior. D'étonnement, Dionne battit des paupières puis l'invita à lui donner la correction qu'il méritait, invitation à laquelle Junior ne daigna pas répondre, préférant gagner d'un pas lourd la sortie, et rentrer chez ses parents sobre comme un chameau. Là, il se heurta à sa jeune sœur, arborant une coiffure et une oreille percée identiques à celles de Kissy. Pour manifester sa révolte, elle avait mis son lit à l'envers et découpé le rouleau de papier hygiénique en tranches minces comme des rouleaux de ruban adhésif. Junior n'y toucha pas, afin que leur père pût lui aussi en profiter. Comme il fallait s'y attendre, il eut, le matin suivant, la satisfaction d'être réveillé par les hurlements de son père, avant que la porte de la salle de bains ne s'ouvrît brusquement sur le cri de « Bernadette ! ».

Dans le Maine, l'été ne commence jamais vraiment qu'à son premier déclin. Alors que les soirées se faisaient plus fraîches, Junior eut l'impression qu'une main le poussait dans le dos pour lui faire perdre l'équilibre. Bientôt, il partirait. Ses rêves étaient habités par Kissy et le besoin de la retrouver, de lui parler, de lui délivrer un important message. Mais jusqu'à présent, les eaux noires et tumultueuses de la rivière et le souvenir de son saint-bernard l'en avaient empêché.

Cette période de sa vie lui rappelait étrangement celle de ses six ans, quand, après l'y avoir accroché par son pantalon, les fils Atwood l'avaient hissé en haut du mât de la caserne des pompiers. Au début cela avait eu l'air d'une plaisanterie, fasciné qu'il était de voir la ville étendue à ses pieds. Mais il avait vite déchanté en voyant les Atwood enfourcher leurs bicyclettes et s'éloigner à grands coups de pédales avec l'intention manifeste de l'abandonner à son sort.

Fin juillet, Kissy prit le quart de jour. Elle se rendit à la foire du comté, photographiant les enfants sur leurs poneys, la course de chevaux et les amateurs de montgolfières. Un jour elle se leva avant l'aube pour monter à bord de l'une d'elles. Du haut de sa nacelle, elle put contempler Peltry et ses ponts sur la Dance, le Hornpipe et sa vallée avec un œil d'oiseau.

L'aérostier, « Garrett » s'il fallait en juger par l'insigne cousu sur son blouson, sollicita son numéro de téléphone. Il arborait la trentaine que ne contredisait pas la fine ligne blanche à la base de l'annulaire gauche. De sympathiques pattes-d'oie étiraient son regard que surmontait un front à peine dégarni, cependant que sa lèvre supérieure s'ornait d'une joyeuse mais néanmoins discrète moustache.

Il n'était certes pas le premier à lui manifester de l'intérêt, et, en général, elle les voyait tous venir avec leurs gros sabots. Cela avait été le cas pour Zoo, de retour en ville afin de récupérer quelques meubles, qui était apparu, armé d'un « six-pack » de bière et d'une sollicitude très vite encombrante. Elle lui avait ri au nez, et il était reparti la queue basse en maugréant.

Un soir, elle décida de refaire une ascension avec Garrett pour photographier les lumières de la fête, adipeuse et glauque au sol, mais totalement magique vue d'en haut, surtout pendant le feu d'artifice et ses magnifiques bouquets se répandant sur fond de clair de lune.

Ils regagnaient le sol quand, alors qu'elle faisait une mise au point sur l'allée centrale, elle se prit à observer un jeune couple, assis la main dans la main dans un manège. Instinctivement, elle photographia la fille et le garçon en qui elle crut reconnaître Junior. La fille se trémoussa dans ses bras en riant, puis le garçon l'attira contre lui et l'embrassa. Elle s'avisa alors que ce n'était pas Junior, mais Mark. À ce moment-là, sans crier gare, elle se mit à désirer Junior de toutes ses forces. Un irrépressible besoin de sentir le corps du garçon contre le sien s'empara d'elle.

Au premier coup sur la porte elle s'éveilla, sachant aussitôt que c'était lui, comme si son désir avait suffi pour le ramener jusqu'à elle. Elle en resta un instant paralysée, comme dans ses cauchemars, pas effrayée, cependant, seulement incertaine de la manière dont elle allait réagir.

Elle l'imaginait, les bras écartés, la joue appuyée contre la porte, un peu ridicule, murmurant son nom du bout des lèvres comme un enfant.

Elle s'assit lentement, les genoux serrés entre ses bras, nue à cause de la chaleur.

— Kissy..., répéta Junior.

Enfilant un tee-shirt et une paire de boxer, elle alluma la lampe de chevet et, la chaîne de sûreté décrochée, hasarda un œil par la porte entrebâillée.

— Kissy, dit-il à nouveau, l'haleine chargée de bière et de fumée.

— J'aurais pu être avec quelqu'un, fit-elle.

Il tenta un sourire mais sans succès.

— Je l'aurais tué, déclara-t-il d'un ton sépulcral.

Elle ouvrit toute grande sa porte, laissant apparaître son nouvel intérieur.

— Je sais qu'il est parti, continua Junior, agrippé au cadre de la porte. Qui était-ce ?

— Ça ne te regarde pas. Tu as bu ?

— Un peu, avoua-t-il, les yeux fixés sur le matelas posé à même le sol.

Les draps n'étaient froissés que d'un seul côté, comme lorsqu'elle se couchait la première en attendant son retour. Les narines frémissantes, Junior huma l'air de la chambre.

— Va te faire foutre, lui lança-t-elle, les bras croisés sur la poitrine. Je n'ai pas couché avec lui. Pas encore.

Cela, il le savait déjà. Voilà qu'il était prêt à se comporter comme un malappris, sous prétexte qu'il avait bu et qu'elle fréquentait quelqu'un d'autre.

— Je l'ai vu partir, avoua-t-il d'un air cauteleux. Je ne t'espionnais pas ; je voulais seulement te parler. De toute façon, ton bonhomme n'a pas l'air très porté sur la chose. Je l'ai suivi jusque chez lui, puis je suis revenu. Il fallait que je te voie, Kissy.

— Maintenant que c'est fait, tu peux rentrer chez toi.

— Je pars demain, et je ne peux pas partir en sachant que tu me détestes.

— Je ne te déteste pas, rétorqua-t-elle, soudain tremblante de colère. Alors va-t'en.

— Je t'aime, Kissy. Je déteste ce qui nous arrive ; ne nous séparons pas...

— Nous allions nous séparer de toute façon... Bon Dieu, Junior, tu me refiles une maladie, et tu n'as même pas le courage de m'en parler ! Quand comptais-tu le faire ? Dans dix ans, quand j'aurais voulu avoir un enfant et que j'aurais découvert que j'étais stérile à cause d'une blennorragie mal soignée ?

— Quand j'ai voulu t'en parler, tu étais déjà partie. Tu ne m'as jamais laissé la chance de...

— Je t'ai donné la chance de me contaminer, et tu ne t'en es pas privé.

— Je ne l'ai pas fait exprès ; c'est arrivé...

— ... comme on attrape un rhume, c'est ça ?

— Je n'avais pas l'intention de te faire du tort, mais j'étais complètement bourré. C'est à cause de la fête de Zoo et de cette pute...

— Ferme-la, Junior, tu aggraves ton cas. Sais-tu au moins l'effet que ça me fait de partager cette chaude-pisse avec toi et cette pétasse ?

Le jeune homme se tut, mais elle pouvait lire dans ses yeux battus la même affliction que dans le regard d'Ed quand il avait fait une bêtise.

— Junior, murmura-t-elle, incertaine, en se dandinant sur ses jambes, ne me regarde pas comme ça.

Charmeur et implorant à la fois, il l'attira vers lui, sans lui laisser le temps de battre en retraite. Il tenta de l'embrasser. Indignée, suffoquée par sa témérité, elle agrippa les cheveux du garçon et repoussa sa tête en arrière. Mais il la serra plus fort contre lui, lui faisant sentir l'odeur de sa peau et de ses cheveux. À nouveau, la violence de son désir la stupéfia. Elle l'écouta à peine lui dire combien il l'aimait, combien depuis leur rupture il avait été chaste, à quel point il l'avait dans la peau...

L'instant suivant, ils roulaient sur le matelas. Au plafond, une lampe projetait un vague halo de lumière, aussi pâle et impalpable qu'un clair de lune à travers le brouillard. Elle sentit Junior enfouir son visage entre ses jambes. L'orgasme fut brutal, douloureux, et, comme elle reprenait son souffle, Junior la couvrit dévotement de baisers. Ayant retiré son pantalon, il prit la main de Kissy et la dirigea vers son érection.

— Arrête ! s'écria-t-elle.

— Pourquoi ? C'était bien...

— La ferme, hoqueta-t-elle, éclatant en douloureux sanglots dont elle était la première surprise.

Junior la prit dans ses bras et se mit à la bercer tendrement. Il embrassait ses paupières et léchait ses larmes comme le ferait une chatte à son chaton. Le contact de la langue râpeuse sur sa peau lui chatouilla la gorge, lui arrachant un petit rire. Elle se sentait si lasse qu'elle était prête à s'amuser de rien, même de Junior qui lui prenait la main pour la poser sur son membre turgide.

— Écoute, Junior, depuis notre séparation, j'ai cessé de prendre la pilule.

— Je me retirerai à temps, promit-il aussitôt avec un rire.

— Nous en avons déjà discuté...

— Je t'en prie, Kissy, je t'en prie, insista-t-il à son oreille, tout ira bien, tu verras, je t'aime...

Elle ferma les yeux. La main de Junior posée en coque contre son pubis, elle imprima à ses hanches un mouvement de va-et-vient, pendant qu'il lui soufflait à l'oreille des mots doux et obscènes, la caressait en des endroits qui annihilaient toute pensée. « Tout cela est

146

ridicule, se disait-elle, ridicule... » sans pour autant mettre un terme à leur manège. L'insouciance libidineuse dont elle faisait preuve la consternait. Ses chevilles se verrouillèrent sur les hanches du garçon, cependant que de sa langue elle l'appelait de ses vœux...

Elle était sienne à nouveau, de manière totale et imprescriptible. Il aurait voulu rester éternellement en elle et, bien sûr, se répandre en elle. Aussi son désir d'attendre l'instant ultime le prit-il de court. Sans crier gare, il vint, trop vite pour laisser à la jeune fille le temps de se dérober. Elle lâcha quelques jurons sonores, et à sa bouffée de colère succéda un instant de panique. Le souffle court, ils étaient à nouveau séparés et s'observaient comme deux ennemis. Roulant sur le côté, elle se leva et se dirigea d'un pas mal assuré vers la salle de bains.

Elle en revint quelques instants plus tard pour le couvrir d'un regard sombre et contrit. Comme il levait les mains en signe de reddition elle alla, non sans réticence, se pelotonner contre lui, le dos tourné. Secouée de longs frissons, elle sentit une main emprisonner la sienne, pendant que l'autre se posait, possessive, sur son sexe.

Je t'aime, dit-il encore.

— Non, siffla-t-elle, c'est faux. Tu es un menteur, Junior, et je te hais pour ça.

— Je n'ai pas pu m'en empêcher... Ça faisait si longtemps... Tout ira bien, tu verras.

« Tout ira bien... tout ira bien... » Elle en avait plus qu'assez d'entendre cette litanie. Furieuse, elle l'était, certes, mais surtout contre elle-même pour n'avoir pas su dire non. Il n'en restait pas moins vrai qu'elle le désirait autant qu'il la désirait, preuve qu'ils étaient faits l'un pour l'autre et que personne ne comptait davantage dans leur vie. La prise de conscience de cet amour éveilla en elle une sorte d'embrasement de l'esprit. Peut-être qu'au fond tout irait bien...

Un des avantages de l'endroit : elle s'éveillait au chant des oiseaux. Ils peuplaient les branches des arbres qu'elle apercevait par sa fenêtre. L'ornithologie n'étant pas son fort, elle savait, naturellement, faire la différence entre une pie et un rouge-gorge, entre une mésange et un cardinal, mais ses connaissances s'arrêtaient là. Désireuse de combler cette lacune, elle s'était procuré un petit guide des oiseaux. L'heure n'était plus, hélas, à aller les reconnaître, mais à se rendre au gymnase et à la piscine. Néanmoins, elle se pelotonna encore quelques instants contre son amant. S'éveiller en sa compagnie lui semblait si agréablement familier. Bien que somnolent, il la pénétra. Elle se sentit soulevée comme par un levier, un levier assez fort pour la soulever tout entière. Ça, c'est la fin de tout, se dit-elle intérieurement en se retournant vers lui.

Leurs ébats terminés, elle se leva à la hâte et retourna dans la salle de bains où, comme la veille, elle ne fit rien qui pût la mettre à l'abri d'une malencontreuse grossesse. Elle se dit qu'elle avait perdu l'esprit, qu'elle était une idiote qui méritait tout ce qui pouvait lui arriver. À preuve, elle ne regarderait pas son calendrier, ni ne tenterait de se rappeler les dates de ses dernières menstruations.

Revêtue de vêtements propres, elle mit la cafetière en marche. Des bruits d'eau lui parvinrent de la salle de bains. Un instant plus tard, Junior apparut dans la cuisine, nu, serrant ses vêtements contre lui. Après un bâillement sonore, il laissa tomber ses chaussures sur le sol, enfila son caleçon, puis ramena une chaise sous son séant.

— J'ai toujours aimé les réveils en fanfare, sourit-il.

Retirant la cafetière de sous l'appareil, Kissy remplit un gobelet qu'elle posa devant Junior.

— Habituellement, les Drovers envoient leurs meilleurs éléments à Allentown pour la saison. Toute la famille y va aussi, pour la balade, en prenant son temps. J'aimerais que tu te joignes à nous, Kissy, mes parents apprécieraient et, dès que j'aurai reçu ma nouvelle assignation, toi et moi on retournera à Allentown, comme pour une lune de miel.

— Et mon emploi ?

— C'est un emploi merdique, et des emplois merdiques, il en existe partout.

— Mais peut-être qu'il me convient, à moi, cet emploi, objecta-t-elle en se servant à son tour.

— Et la nuit qu'on a passée, alors ?

— Elle est passée, Junior, répliqua-t-elle, moqueuse, et elle ne porte à aucune conséquence.

— Je ne comprends pas, s'étonna le garçon d'une voix soudainement enrouée. Serais-tu amoureuse de ce ballot avec qui je t'ai vue hier soir ?

— Non.

— Alors, quoi ? insista le jeune homme, déjà soulagé par ce qu'il considérait comme une bonne nouvelle.

— Junior...

— D'accord, l'interrompit-il, buté. J'ai déconné, c'est vrai. Mais tout ça, c'est du passé et nous nous aimons toujours...

— Rien n'est changé, déclara sèchement Kissy en allant vider le reste de son café dans l'évier. Je vais à la piscine. Si tu veux, je peux te déposer au passage. Après, nous nous dirons au revoir.

Ces déclarations frappèrent Junior de stupeur. Quand elle se retourna pour le regarder, son regard semblait contempler le vide.

— Tu ne peux pas me virer de cette façon...

— Je ne t'appartiens pas, Junior, rétorqua-t-elle en raflant ses clés et son sac. Remue-toi le derrière si tu veux que je te raccompagne.

Il la suivit en bas de l'escalier, puis jusqu'au bord du trottoir.

— Quand je me suis réveillé, ça faisait une demi-heure que tu avais ma queue dans la bouche, Kissy...

— Ce n'est qu'une habitude, Junior, le reprit-elle, sans la moindre gêne.

— Une habitude?

Pas rasé, les yeux rougis et voilés de larmes, Junior ressemblait à un ivrogne. En plus, se débattre avec l'idée selon laquelle la fellation ne serait qu'une habitude au même titre que la cigarette le laissait sans voix, au point de se demander s'il ne perdait pas la tête.

— Tu m'as refilé ta vérole, lâcha-t-elle entre ses dents. Une vérole que tu as attrapée avec une pute.

Ce fait n'étant pas nouveau, il ne le lui disputerait pas. Dévoré d'anxiété alors que Kissy déverrouillait négligemment sa portière, il ne pouvait accepter ce qui lui arrivait.

— Alors? Tu viens? le somma-t-elle.

— S'il te plaît, implora-t-il, s'il te plaît.

Quand elle se retourna vers son véhicule, il l'empoigna par les épaules et la contraignit à lui faire face. Elle se donna le temps de prendre une longue inspiration, puis lui expédia un violent coup de genou dans le bas-ventre.

Lâchant prise, il s'assit sur le bord du trottoir, les mains entre les jambes puis, roulant sur le côté, il se mit à vomir dans le caniveau. Elle s'installa à bord du véhicule et, malgré le tremblement de ses mains, réussit à faire démarrer son moteur. Elle mit en prise. En levant la tête pour la regarder partir, Junior reçut une bouffée de gaz d'échappement en pleine figure.

De coins de mur en réverbères il finit par arriver au premier carrefour. Il rassemblait ses forces pour traverser la rue, quand une voiture de police vint lentement se ranger près de lui.

— Salut, Junior, sourit l'agent Burke. Comment ça va ?

Peu disposé à faire la causette, Junior s'immobilisa. Mais le policier Burke et son collègue, le sergent Preston, semblaient en avoir décidé autrement car, descendant de voiture, ils allèrent au-devant de lui.

— Tu as bu ? s'enquit le sergent d'un ton plein de sollicitude. Junior secoua la tête.

— Tu me sembles un peu secoué, remarqua Burke. Il est très tôt. Tu sais où tu vas, au moins ?

— Je rentre chez moi, réussit à marmonner le jeune homme, tandis que Preston l'empoignait par le coude.

— Laisse-moi t'expliquer, Junior : tu te poses là, bien sagement, qu'on procède à la fouille, et si tu n'as rien à te reprocher, on te ramène chez toi gratis. C'est la meilleure affaire que tu puisses faire de la journée.

Sans se demander s'il avait le choix, Junior obtempéra et posa les mains à plat sur le toit de la voiture de patrouille en écartant les jambes. La familiarité avec laquelle Burke le fouilla lui arracha un gémissement de douleur, au grand ravissement du policier.

— Mais qu'est-ce qui t'est arrivé, Junior ? s'enquit encore le policier.

— Rien, grommela le jeune homme.

Cette réponse laconique n'empêcha cependant pas les deux hommes de l'aider à s'installer sur la banquette arrière.

— Alors, Junior, reprit Burke, tandis qu'ils sillonnaient les rues de la ville encore désertes. Tu as oublié où tu habitais la nuit dernière ?

— Je crois, murmura le jeune homme.

— Tu traînais du côté de chez Kissy Mellors, si je ne me trompe. Un quartier pourri, sauf pour elle, poursuivit Burke. C'est bien Kissy dans son Blazer que j'ai vue déboucher de ce carrefour, il y a dix minutes. On aurait pu l'arrêter, elle était en excès de vitesse, mais les rues étaient désertes, on était en train de prendre un café, et on s'est dit qu'elle devait être en retard à son travail. Alors, on l'a laissée filer.

— Bien aimable de votre part, murmura Junior.

— Tu n'étais pas en train de lui chercher des noises, au moins ? intervint soudain le sergent Preston, comme si cette pensée venait tout à coup de lui traverser l'esprit. Tu n'irais pas faire ce genre de connerie, n'est-ce pas ?

— Bien sûr que si, corrigea Burke d'un ton las. Il arrive que Junior s'arrête de réfléchir. Dans ces circonstances, il se met à picoler, il tue son chien, puis il vole la voiture de sa petite amie pour la transformer en épave, et finalement il jette son chien crevé au-dessus du pont. Quelques bières, un peu de coke, un joint ou deux, et l'ami Junior devient incommensurablement stupide.

— Je pars aujourd'hui, annonça ce dernier. Je voulais juste lui dire au revoir.

— Et c'est pour ça que tu es allé la voir avant qu'elle parte pour le bureau ? le poussa Preston.

Junior ne répondit pas. Ces policiers n'avaient aucun droit de lui poser des questions. Tout ce qu'il voulait, c'était poursuivre tranquillement son chemin. Il avait mal au ventre. Ses testicules le lançaient douloureusement. Il les protégea de ses mains et ferma les yeux.

— Réponds, ordonna sèchement le sergent, ou tu pourrais bien ne pas partir aujourd'hui, Junior.

— J'ai passé la nuit avec Kissy, grinça le garçon entre ses dents. Ce matin, en nous levant, nous nous sommes disputés. Ça ne vous arrive jamais, à vous, de vous disputer en vous levant ?

— En tout cas, sûrement pas en me faisant mettre les roubignoles en compote, répliqua Preston. Tu l'as fait dormir sur le coin mouillé ou quoi ?

Cette réflexion poussa l'hilarité de Burke à son paroxysme. La voiture de police s'immobilisa le long du trottoir.

— Dis donc, Junior, ne te monte surtout pas la tête. On aimerait pas entendre dire que tu as droit à des traitements de faveur, compris ?

Alors qu'on lui ouvrait la portière, le sourire du policier lui parut sincère. Ce dernier serra vigoureusement la main de Junior en lui tapotant amicalement le dos.

— Bonne chance, fils...

L'officier Burke était là aussi, main tendue. Junior la regarda et décida, non sans réticence, qu'il devait la serrer aussi. Non seulement il était en période de probation, mais il entendait revenir dans cette ville.

Dunny l'attendait devant la porte. Les policiers lui adressèrent un signe qu'il leur rendit après une courte hésitation. Junior se glissa dans la cuisine pour s'asseoir précautionneusement sur le siège le plus proche. Tout en dardant sur son fils un regard scrutateur, Dunny emplit un gobelet de café et le lui tendit.

— Agréable façon de commencer la journée que de te voir sortir d'une voiture de police. En ne te voyant pas rentrer, hier soir, j'en ai conclu que tu avais décidé de passer la nuit chez ton ami Dionne. Ne viens surtout pas me dire que tu as couché en prison...

Junior gardait les yeux fixés sur la pellicule huileuse qui flottait à la surface de son café.

— C'est eux qui m'ont proposé de me ramener. Je suis allé voir Kissy. Elle m'a permis de rester, mais ce matin on s'est disputés. Elle me reproche encore cette vieille histoire.

— Elle peut, acquiesça Dunny. Il y a des choses qui ne se réparent pas comme ça.

— Elle compte beaucoup pour moi, p'pa.

Dunny eut un hochement de tête ponctué d'un long soupir de découragement.

— Tu as un rendez-vous à trois mille kilomètres d'ici qui compte encore plus. Tu dois aborder cette affaire très sérieusement, Junior. Ferme les yeux et ne pense qu'à ça. Toute ta carrière en dépend. Ne laisse pas ta bite régir ton existence, Junior.

Sur ce, Esther entra dans la cuisine.

— Dunny, rappelle-moi de coudre les écussons sur les uniformes de Junior et de Mark. Excusez-moi d'interrompre cette passionnante conversation, mais la journée s'annonce longue et difficile – s'emparant d'un verre elle le remplit d'eau et le tendit, avec un flacon d'aspirine, à Junior : Va finir tes bagages, Junior. Je veux que nous levions le camp dans une heure. Dunny, monte là-haut et assure-toi que Bernie et Mark ne se sont pas recouchés.

12

Toute demande de remise ayant été rejetée, James Houston Jr. dut subir son procès pour homicide involontaire après avoir conduit un véhicule en état d'ébriété. Durant la semaine où l'on procéda à la sélection du jury, le *News* rappela les détails de l'accident en les accompagnant de nombreuses photos. Houston n'était qu'un enfant, y disait-on, fils d'une mère éleveuse de chevaux éprise d'équitation, et d'un père pédiatre. En apprenant que son fils avait été la cause d'un accident mortel, ce dernier avait eu une crise cardiaque qui lui aurait été fatale, sans un pontage coronarien pratiqué à la hâte. Ancien neurochirurgien, l'aïeul des Houston jouissait d'une réputation qui devait permettre à son petit-fils d'accéder sans difficulté à l'école de médecine. Étudiant remarqué dès le premier trimestre, Houston semblait indéniablement voué à marcher sur les traces de son grand-père. En liberté sous caution, il avait suivi ses cours pour obtenir son diplôme *summa cum laude* qui lui donnait, entre autres choses, accès au programme prémédical de Sowerwine. Dans ce cours que suivait aussi Kissy, il y aurait côtoyé Diane Greenan, si elle avait encore été de ce monde, mais également Junior Clootie, dans la mesure où ce dernier aurait eu les points nécessaires pour y être admis.

Douze jours avant le procès, Ruth Prashker contracta une pneumonie aiguë. Incapable de respirer par ses propres moyens, elle fut transférée d'urgence à l'hôpital où elle fut placée sous un poumon artificiel. En plus d'émettre une requête auprès de la cour pour qu'on la débranchât de l'appareil, son père interdit l'acharnement médical. Soutenues par le personnel hospitalier, Mmes Prashker et Cronin commencèrent par s'opposer à la requête. Mais l'influence de Dan, frère aîné de Ruth, finit par faire l'unanimité au sein de la famille, et les deux femmes revinrent sur leur décision. L'administration de l'hôpital demanda alors à la cour de désigner un arbitre neutre, ce qui fut accordé, privant ainsi les Prashker et les Cronin de toute décision concernant les soins à apporter à la malade, ainsi que toute disposition future la concernant. Ainsi, le cas de Ruth relevait à présent de la responsabilité des institutions légales. La salle des nouvelles bourdonnait de ragots, selon lesquelles, si la cour entérinait cet ordre, les avocats de Houston se préparaient à s'y objecter. Au cas où Ruth Prashker mourrait, ce serait une poursuite non pas pour un mais deux homicides involontaires qu'ils auraient à défendre.

La veille du procès, Kissy ne ferma pas l'œil de la nuit. Ses menstruations commençaient. Le soulagement qu'elle conçut en en voyant les premières traces lui fit prendre conscience de la folie qu'elle avait commise avec Junior. Ce dernier ne lui manquait pas. Si elle faisait des rêves humides et agités, la cause en était simplement hormonale, et rien de plus normal qu'elle se sentît seule et désolée après ses errances et un acte d'une inexplicable inconséquence qui s'était achevé par une rupture. De toute manière, avoir un enfant était hors de question, pas plus qu'elle ne voulait connaître un autre avortement, ne serait-ce qu'à cause de l'argent que cela coûtait.

Elle parcourut le prétoire du regard. Mme Cronin et les parents de Ruth, finalement réconciliés pour le bien de la jeune fille, étaient présents, ainsi que les Greenan, quoique les deux familles ne fissent pas cause commune. Après un court échange de civilités, chaque groupe prit place sur un banc. Les Prashker avaient souffert presque un an avant d'en arriver à la décision que Ruth avait le droit de partir. Ils auraient eu du mal à consoler les Greenan en prétendant que la situation de Diane était plus enviable que celle de Ruth.

La grande salle du tribunal avait ses hautes fenêtres toutes grandes ouvertes. Dehors, dans un atrium, étaient réunis les membres de la cour occupés à déjeuner, bavarder ou même flirter, assis dans l'herbe grasse sous les grands érables ombreux. Des parterres de fleurs s'ornaient de bégonias où se mêlaient le rose tendre et le rouge flamboyant.

Le prévenu, dans un costume sombre trop grand pour lui, portait sa cravate si serrée que les veines du cou en étaient gonflées. Ses mains ne cachaient pas leur tremblement, et il ne semblait pas vouloir détacher les yeux des dossiers étalés devant lui. Peu après avoir pris place entre ses avocats, il aperçut Kissy s'attardant près de l'entrée, et pâlit... si tant est que son visage hâve le lui permettait encore.

La jeune fille se demanda pourquoi il ne se limitait pas à plaider coupable et à trouver le meilleur arrangement possible, comme cela avait été le cas pour Junior. À l'inverse des grands procès télévisés, personne ne se bousculerait au fond de la salle pour émettre un avis ou des protestations.

On ouvrit les débats. Le premier appelé à la barre comme témoin à charge fut le nouvellement promu sergent Michael Burke.

Les montagnes barraient l'horizon de leurs grandes masses pierreuses infusées de brume. Assis en chien de fusil tout le long du parcours, Junior se redressa. Dans la plaine, les Rocheuses dressaient leurs pics vers le ciel en un paysage lunaire. Subjuguée, Esther se pencha vers son mari et exerça une légère pression sur son épaule.

— Mon Dieu ! s'exclama-t-elle, ébahie par tant de beauté.

— Nous ne sommes plus au Kansas, annonça Dunny. Nous avons parcouru plus de trois mille kilomètres.

Son permis de conduire suspendu pour six mois, Junior n'avait pas touché au volant, mais avait en revanche beaucoup dormi, pendant que Mark et Bernie s'adonnaient à toutes sortes de jeux. Chaque fois que l'occasion se présentait, cette dernière administrait sournoisement un coup de pied dans les reins de son frère aîné qui, exaspéré, avait finalement laissé libre cours à sa colère :

— Et si tu allais un peu te faire foutre, espèce de petite salope !

La famille avait gardé le silence, jusqu'à ce que Bernie rétorquât :

— Vas-y toi-même...

— Assez ! avait éructé Dunny. Cessez de vous chamailler et excusez-vous auprès de votre mère pour vous être montrés si grossiers.

Des excuses furent vaguement prononcées.

— Et maintenant, on se tait, ordonna Dunny.

Mark pinça Bernie qui, pour ne pas être en reste, lui lança un coup de coude dans les côtes. Et on en resta là.

Il fallut attendre encore trois jours avant que l'expédition se muât en voyage touristique, au cours duquel on visita un zoo et la brasserie Coors de Golden, avant de se rendre à Colorado Springs pour escalader Pike's Peak du haut duquel on croirait voir la moitié de l'État du Mississippi. Pour la première fois, Junior s'avisa du long chemin qui le séparait de chez lui. La dernière nuit passée avec ses parents était encore présente à son esprit. Spencer Lobel était du nombre et ils avaient dîné tous ensemble dans un grand restaurant, ce qui conférait à l'événement son caractère officiel. Bernie s'était mise sur son trente et un, si bien que l'agent l'avait quelque peu entreprise, du moins jusqu'à ce que son regard se heurtât à celui de Junior et de Dunny.

Il arriva au camp pour découvrir qu'il faisait chambre commune avec un gamin des Red Bloc, qu'il avait déjà vu se battre au Skinner's. Le jeune homme faisait partie des athlètes qui désertaient l'Europe de l'Est. Heureux d'avoir les devises fortes que leurs athlètes envoyaient régulièrement à leurs familles, les gouvernements des pays de l'Est avaient aujourd'hui changé leur fusil d'épaule. La rumeur disait que certains pays communistes cédaient même leurs athlètes moyennant de très fortes compensations. Le jeune homme s'appelait Evgenny Berymyanny, mais les journalistes l'avaient bombardé « Elvis » à cause de l'engouement qu'il suscitait chez la gent féminine. Avec sa naïveté, sa façon candide d'attirer l'attention, personne ne pouvait lui résister et encore moins le détester. Le jeune Russe se souvint lui aussi de Junior, et du surnom de « Hooter » dont on l'avait affublé.

C'était en fait comme partager sa chambre avec Mark, à la différence que Mark se conduisait comme un porc, alors que le jeune Russe avait été élevé dans une mentalité de caserne, comme il en va dans la plupart des pays de l'Est. Son inaltérable bonne humeur faisait des ravages auprès des filles, ce qui, d'une certaine manière, suscitait l'envie de Junior. Ce dernier concevait à son égard un brin de rancœur ; à côté de lui il se sentait vieux malgré ses vingt-deux ans et avait le sentiment de vivre lui-même reclus comme un moine, compte tenu des circonstances. Le simple fait de prononcer « Elvis » lui aurait donné l'impression de se conduire comme le dernier des flagorneurs, mais chaque fois qu'il tentait de l'appeler Evgenny il avait l'air de dire Eugénie. Pour régler le problème dans un esprit facétieux, Junior avait décidé d'appeler le jeune athlète « Der Kommissar », d'après une chanson à la mode.

— Hott, fit observer le jeune homme, « Der Kommissar » ce n'est pas du russe, mais de l'allemand.

— Je le sais, il n'y a qu'à écouter la chanson, le type chante en allemand, mais il est question d'un Russe particulièrement chiant. En réalité, il s'agit d'une métaphore parce qu'il parle de cocaïne. La cocaïne, c'est aussi chiant qu'un commissaire russe, expliqua Junior, énigmatique.

— C'est vrai ? s'étonna le jeune homme.

Junior se garda bien de dire qu'il n'en était pas absolument certain. Il avait passé une bonne partie de l'année 1982 à étudier la question. Il était possible que Der Kommissar fût un revendeur de drogue, voire un narcotrafiquant. Mais son interprétation restait possible.

Contre toute attente, tout le monde se mit à appeler le garçon Der Kommissar. Junior s'en avisa lorsqu'il entendit crier « Der Kommissar » chaque fois que ce satané Russe marquait un point. Il opta alors pour D.K. puis pour Deker, et enfin pour Deke, ce qui équivaut à « feinte », au grand ravissement du Russe. D'ailleurs, tout le ravissait, et il n'était enclin à aucune forme de discrimination. Étant né communiste, en déduisit Junior, rien de plus normal qu'il ne répondît pas aux normes.

Junior connaissait la plupart des autres stagiaires. Comme dans bien des domaines, le hockey postscolaire était un petit monde dont il connaissait chacun des membres, au moins de réputation. Non seulement la compétition y était féroce, mais chacun était obsédé par sa position sur le tableau. Junior, par exemple, était confronté à deux attaquants aussi rudes que lui, postulant pour de fortes sommes, en plus des gardiens de but sélectionnés selon le système des Drovers, et dont la gamme s'étendait du débutant hésitant à l'espoir incertain. Naturellement, tous les autres gardiens de but, minables ou talentueux, majeurs ou mineurs, étaient de la compétition, car les Drovers pouvaient l'échanger sur un simple coup de téléphone, comme ne s'en étaient pas privés les Islanders. S'il voulait une place, il fallait la prendre à quelqu'un. À la fin de cette semaine de stage, on lui apprit qu'il allait jouer chez les Dinosaurs, à Dry River, dans le Montana, la dernière équipe de la ligue mineure affiliée aux Drovers.

— Qu'est-ce que j'ai fait de mal ? bafouilla-t-il.

Rien du tout, le rassura-t-on. Personne ne remettait en question ses compétences, mais il ne fallait rien précipiter. L'idée consistait à l'amener à trouver sa vitesse de croisière, à acquérir un jeu plus professionnel en faisant montre d'un peu moins d'impatience, au moment où il se retrouverait sur la grande patinoire. Tout cela, il le comprenait bien, il l'avait même pressenti ; mais pourquoi Dry River, nom de Dieu ! Le choc lui fit prendre la mesure des espoirs qu'il avait mis dans une intégration parmi les Tommyknockers d'Allentown. Non seulement c'était la meilleure équipe affiliée à Denver, mais elle faisait aussi partie de la ligue de hockey de la côte Est, ce qui induisait qu'il pourrait de temps à autre rentrer chez lui. Ses parents auraient eu l'occasion de le voir jouer. Mais une mutation à Dry River signifiait qu'il ne verrait pas Kissy des mois durant. C'était comme se faire claquer la porte au nez. Il trouva la force de se contenir jusqu'à la fin des poignées de main, puis, clignant des paupières pour refouler ses larmes, il alla aux toilettes et vomit son amertume. En quittant la cabine, il se heurta au Russe, planté devant un urinoir.

— T'es malade, Hooter ?

— Nausée matinale, marmonna Junior en sortant.

Au téléphone, Spencer Lobel se révéla des plus enthousiastes, clamant que c'était exactement ce qu'il attendait, si bien que Junior se demanda s'il existait une chose le concernant que Lobel n'avait pas prévue, sinon orchestrée.

En plus de lui fournir des tickets d'autocar, le syndicat d'initiative l'avisa de la disponibilité de chambres au Devil's Backbone Motel. On lui indiqua les magasins environnants et on l'informa de l'existence de la Dry River Ice Arena, résidence des Dry River Dinosaurs... Il ne fut pas le seul à monter à bord de l'autocar. Deker faisait aussi partie du lot. Se joignit aussi à eux un grand garçon tout d'une pièce originaire de Moosejaw, dans le Saskatchewan. Il rappelait Dionne en moins fêlé et plus calme de tempérament. Naturellement, tout le monde l'appelait Moosejaw [1]. Celui-ci se trouvait relativement heureux de rester à proximité de chez lui. Ils s'assirent côte à côte, comme si l'autocar Greyhound leur était personnellement destiné, et bientôt se mirent à parler agent et argent. Ils expliquèrent ce que cette assignation signifiait pour eux et leurs projets. Le voyage leur permit de se détendre un peu ; les décisions étant prises, ne restait plus qu'à faire contre mauvaise fortune bon cœur et à attendre la prochaine occasion pour montrer son talent.

Le hockey avait déjà conduit Junior en différents endroits, pas toujours agréables, mais dès le premier coup d'œil Dry River se révéla être le pire. Les matériaux de construction courants semblaient se limiter au parpaing, au contreplaqué et à l'aggloméré de

_____

1. Mâchoire d'orignal.

158

bois. Il n'y manquait que des bagarreurs s'affrontant au pistolet dans la grand-rue. Par la fenêtre de l'autocar il eut un aperçu du lit de la rivière, chapelet de rocailles et de sable, parsemé de détritus et d'appareils électroménagers démantibulés. Aux trois petits ponts qui franchissaient cette rivière inexistante, il en déduisit que de l'eau devait y couler à un moment ou à un autre de l'année... ou de la décennie. Si on l'appelait Dry River, ce n'était certes pas pour rien.

Sans en avoir discuté préalablement, le chauffeur les déposa devant leur motel, situé dans les faubourgs de la ville. Du terrain de stationnement déserté, Junior ne vit rien qui puisse ressembler à une patinoire. Le réceptionniste, un octogénaire cacochyme au sexe indéfinissable, produisit un sourire édenté en leur apprenant que la patinoire se trouvait de l'autre côté de la ville, à quelque cinq kilomètres de là. Aucun d'entre eux ne possédant de véhicule, nul doute qu'ils voyageraient à bord du taxi déglingué qui attendait sur le bord de la route le client providentiel. À moins, suggéra Junior à Deker, prêt à gober n'importe quelle sornette, qu'ils n'empruntent le fameux métro de Dry River, réputé dans le monde entier et également fréquenté par les chiens de prairie, à condition que les autochtones ne les aient pas tous mangés, bien sûr. Mais à vrai dire, Junior ne savait même pas ce qu'était un chien de prairie, sinon de la vermine, et il s'en moquait éperdument.

Son unique chambre, comme il en va pour toute chambre de motel, était conçue pour un roulement régulier, disons toutes les demi-heures. Elle incluait une salle de bains nantie de toilettes fendues et qui fuyaient, ainsi que d'une cabine de douche aux parois couvertes de rouille, ce qui donnait à penser qu'on y commettait régulièrement des meurtres sanguinaires. Les robinets du lavabo se déchaussaient de leur axe et un magma infâme de cheveux et de savon en obstruait le trou d'évacuation.

Le lit donnait de la bande et sa couette s'auréolait de taches suspectes, certaines évoquant même du sang. Junior la souleva précautionneusement, s'attendant à voir détaler une horde de morpions. D'ailleurs, la pièce devait grouiller de parasites, c'était certain. Il envisagea un instant de boutonner son col de chemise et de sceller ses jambes de pantalons avec du ruban adhésif, mais comprit que ce serait peine perdue. Pendant son sommeil, une bestiole allait ramper jusqu'à son oreille et pondre ses œufs dans son cerveau... ou sur son pénis. Un court instant, il eut la vision de ses testicules grouillant de vermine. Une fenêtre aux carreaux sales s'ouvrait sur le terrain de stationnement, jalonné de tessons de bouteilles, de vêtements déchirés et de pots d'échappement abandonnés.

Le téléphone, lui aussi fêlé, reposait sur la table de nuit, près d'un radio-réveil qui, quoique boulonné, donnait une heure erronée. Consultant l'annuaire téléphonique, Junior n'y trouva aucun Clootie, aucun parent éloigné susceptible d'alléger son exil. Personne, non plus, n'avait songé à y faire inscrire le nom de Junior Clootie en signe de bienvenue.

Ce soir-là, il longea la route jusqu'à la première station-service pour se procurer une carte des États-Unis. La distance entre le Maine et le Montana lui parut incommensurable. Sous le poids des kilomètres, le pays semblait s'affaisser en son milieu. Quelle folie, songea-t-il, d'avoir accepté une offre qui le transporterait si loin de chez lui. Denver se trouvait à trois heures d'avion de Boston, avait assuré Lobel ; il pourrait être chez lui en moins de cinq heures. Très bien. « Je ne te jouerai pas de mauvais tour, mon vieux, fais-moi confiance, j'ai un plan qui te sortira de là ; ce n'est qu'une question de jours. » Toutefois, il n'était pas à Denver, mais à Dry River, dans le Montana ; non pas à trois heures, mais à des années-lumière de Boston, et sur la face cachée de la lune, de surcroît...

Il n'eut pas besoin de consulter son répertoire pour téléphoner à Kissy. La sonnerie retentit à trois mille kilomètres de là. Il attendit d'entendre l'enregistrement de sa voix pour laisser un message, mais après le bip il eut un trou de mémoire ; il ne savait plus ce qu'il voulait dire.

— Kissy, c'est moi, articula-t-il enfin ; je suis au Montana...

Puis tout se brouilla. Il tâtonna vers le socle de l'appareil et coupa la communication.

La défense tenta de semer un doute en demandant à un expert s'il était possible que l'autre véhicule, un Blazer 1984, eût heurté les victimes le premier, les projetant de ce fait sous les roues de la voiture conduite par Houston. Mais l'absence de traces d'impact constituait une preuve assez éloquente, aussi convaincante que les photos noir et blanc de la T-Bird à l'avant fortement endommagé.

James Houston était représenté par le ténor d'un cabinet d'avocats local en vue, ainsi que par une avocate stagiaire, chargée de l'interrogatoire des témoins. Cette dernière n'eut aucun mal à obtenir une confirmation d'expert, selon laquelle Diane Greenan et Ruth Prashker étaient sous l'influence de l'alcool et de la cocaïne, dont une petite quantité avait par ailleurs été trouvée en possession de Diane.

160

Kissy attendit à l'extérieur du prétoire, le temps que la femme qui avait vu James Houston boire au volant fît sa déposition. Puis ce fut son tour. Après avoir si souvent ressassé son histoire, Kissy était convaincue de la connaître par cœur. Elle se consola en se disant qu'elle la raconterait pour la dernière fois. Alors qu'elle prenait place au banc des témoins, le regard encourageant de Sylvia Cronin attira son attention.

Ayant prêté serment, elle avala une gorgée d'eau et produisit son témoignage. C'était on ne peut plus clair : elle descendait College Avenue un certain jour à une certaine heure. Elle revit mentalement Diane et Ruth exécuter leur danse macabre dans le halo de ses phares, et sa voix fléchit. Les ongles plantés dans les paumes, elle parla à la cour des phares de l'autre véhicule qui se reflétaient dans son rétroviseur, puis de la brusque apparition de la Thunderbird sur le côté droit, des deux corps projetés en l'air et de la secousse, quand celui de Ruth avait heurté sa roue. À ce moment-là, elle pleurait à chaudes larmes et le juge lui demanda si elle désirait se reposer un peu.

Aux toilettes des dames, elle s'aspergea longuement le visage d'eau froide. Sylvia Cronin, qui l'y avait suivie, lui proposa un comprimé d'aspirine qu'elle accepta avec empressement.

— Vous vous en sortez très bien, la rassura la vieille dame en la serrant dans ses bras.

L'avocat général l'aida à poursuivre son récit : James Houston quittant sa voiture en titubant, la forte odeur d'alcool que dégageait sa personne... Mais la défense se hâta de reprendre l'offensive :

— Vous-même avez failli renverser les deux jeunes filles, n'est-ce pas ?

Alors qu'elle répondit par un simple oui, Kissy s'avisa que la stratégie de défense consistant à utiliser un avocat féminin pour discréditer des victimes féminines s'appliquait aussi à elle.

— Revenons à la réaction des jeunes filles...

Subrepticement, l'avocate lui demandait de répéter ce qu'elle venait de dire, à savoir qu'en voulant éviter le Blazer les victimes s'étaient jetées sous les roues de la T-Bird.

— Connaissiez-vous personnellement Diane Greenan et Ruth Prashker ?

Avant qu'elle eût le temps de répondre, l'avocat général s'objecta sur la pertinence de la question. L'avocate rétorqua que cela serait démontré ultérieurement, ce que le juge accepta avec un geste évasif.

— Seulement Diane Greenan, répondit Kissy. Il nous arrivait de nous adresser la parole. Nous avons partagé le même dortoir pendant un an. Nous nous connaissions, mais nous n'étions pas amies.

Elle s'abstint toutefois de révéler à la cour qu'elle n'avait pas reconnu Diane dans le faisceau de ses phares, pas plus qu'au moment où elle gisait, défigurée, sur le bord de la route. C'est à peine si elle entendit la question suivante :

— Et vous ne connaissiez pas Ruth Prashker ?

— Non.

— Lui rendez-vous visite ?

— Oui.

— Pour quelle raison ?

Un court moment, Kissy ne sut que répondre, puis elle comprit : on voulait lui faire dire qu'elle se sentait coupable.

— La première fois, je suis allée la voir sous le coup de l'impulsion, déclara-t-elle. Ensuite, j'ai fait la connaissance de sa famille. Sa grand-mère m'a encouragée à revenir. Cela m'est apparu comme une bonne chose.

— Qu'entendez-vous par « une bonne chose » ?

— C'est que... si j'étais à la place de Ruth, je voudrais être... reconnue, savoir que j'existe toujours pour les gens. Si je n'avais pas porté de ceinture de sécurité, j'aurais probablement été projetée à travers le pare-brise. Cette rue, je l'ai traversée de nombreuses fois, au même endroit. J'aurais pu me trouver à la place de Ruth et me faire renverser par une voiture ; ce sont des choses qui peuvent arriver à n'importe qui.

— Selon les rapports d'autopsie, Ruth Prashker était en état d'ivresse au moment de l'accident. Vous est-il arrivé de traverser College Avenue dans le même état, mademoiselle Mellors ?

— Non.

— Avez-vous déjà conduit avec des facultés physiques amoindries ?

L'avocat général s'objecta à la question et, cette fois, le juge y souscrivit.

— Vous est-il déjà arrivé de doubler à droite, de façon illégale ?

Une fois encore, l'avocat général émit une objection, que le juge accorda.

Soudain, Kissy fut exténuée. La tension nerveuse qui lui nouait les entrailles se mua en une crampe douloureuse. Entre ses jambes elle sentit poindre une moiteur qui allait souiller ses sous-vêtements et même sa jupe si elle n'y remédiait pas bientôt. Elle décida d'en finir, et vite.

— Vous voulez me faire dire que je me sens coupable parce que j'ai failli renverser Diane et Ruth, mais à la vérité la voiture de James Houston est apparue à ma droite, là où elle n'aurait pas dû être, et c'est elle qui les a renversées.

Le juge instruisit les jurés de ne pas tenir compte de cette dernière déclaration, puis adressa une réprimande à la défense. Les yeux de Kissy et de l'accusé se croisèrent. Plutôt que de les baisser, ce dernier soutint longuement son regard, puis finalement sourit, si imperceptiblement, toutefois, que Kissy crut à une illusion.

— Je suis au Montana, annonçait Junior d'une voix étranglée.
— Eh bien, restes-y, murmura Kissy en réponse.

Le jour suivant, le jury en vint aux délibérations. Vingt minutes après que les douze personnes se furent retirées, James Houston Jr. fut jugé coupable de tous les chefs d'accusation portés contre lui. Son visage n'exprima aucune surprise. Kissy expliqua ce mystère en se disant que ce n'était pas les Greenan, les Prashker ou Mme Cronin qu'il avait contraint de souffrir ce procès, mais lui-même.

La mise en liberté sous caution révoquée, Houston devait être aussitôt incarcéré, sa sentence étant prévue dans les trois semaines à venir. La défense requit néanmoins la liberté provisoire jusqu'à la prononciation de la sentence, arguant que, pendant presque un an, son client avait strictement observé les règles que lui imposait sa liberté sous caution et qu'à aucun moment il n'avait manifesté l'intention de s'enfuir. Non content de se soumettre aux recommandations de la cour, il avait mené une vie exemplaire. Ayant accédé à cette demande, le juge demanda aux familles des victimes et aux témoins à décharge de produire déclarations et documents susceptibles d'influencer sa sentence.

Tandis que se vidait le prétoire, Kissy griffonnait des notes sur son calepin, levant à peine les yeux quand, s'approchant d'elle, Mme Cronin lui frôla l'épaule. Sur les marches du tribunal, elle évita l'équipe de télévision, et n'ayant rien à ajouter elle jugea inutile de s'attarder. Il lui vint à l'esprit d'aller voir Ruth, mais la présence des Prashker et même de Sylvia Cronin l'en dissuada. Que lui apporterait-elle de plus ? Le responsable avait eu ce qu'il méritait.

Dans l'ordinateur du journal elle retrouva la biographie de Houston parue avant le procès. La seule adresse de lui qu'elle découvrit fut celle de Crossroads Farm, une pouponnière où il travaillait chaque été depuis son entrée à Sowerwine.

Il s'agissait en effet d'une ferme, située à une croisée de chemins. Le corps principal du bâtiment avait été aménagé en magasin avec entrepôt. Avec ses toits pentus et ses multiples annexes, l'ensemble dégageait une impression d'étroitesse et d'espaces parcimonieusement répartis. Quoique sa construction eût été dictée par les impératifs du siècle passé, elle semblait échappée d'un autre âge. Toutes ses arêtes semblaient rognées, ses murs et ses toits fléchis comme sous le poids du temps. Cette vieille bâtisse lui rappelait la maison que sa mère avait louée après que son père les eut quittées, une maisonnette biscornue aux tapis usés jusqu'à la corde, à l'escalier aux craquements inquiétants, et dotée de fenêtres faisant penser à un œil au beurre noir sur un visage parcheminé.

Dans la cour s'alignaient des plantes en pots et des arbustes de mille et une variétés. Un panneau accroché à la porte d'entrée annonçait que l'établissement était fermé. Enchaîné à un piquet, un vieux labrador noir aboyait sans conviction. Deux mots suffirent pour qu'il se mît à remuer la queue, toute hostilité disparue. Néanmoins prudente, Kissy s'en approcha doucement et le caressa entre les oreilles. L'animal enfouit alors sa truffe entre les jambes de Kissy, qui partit d'un grand éclat de rire, puis poursuivit son chemin.

Le sac sur l'épaule, déambulant parmi les plantes et les fleurs, elle contourna la vieille bâtisse. Elle se dressait sur un devers, le rez-de-chaussée se situant au niveau de la route. Plus Kissy avançait, plus la construction laissait apparaître ses fondations, et ce qui était la cave devint bientôt un rez-de-chaussée. Elle emprunta le large chemin généreusement pavé qui cernait la maison et aboutit à une écurie, dans un état plus enviable que celui de la maison, puis à un enclos où paissaient quelques chevaux. Elle remarqua de nombreuses annexes, des granges et des remises, ainsi qu'un jardin de plantes aromatiques et de deux grands potagers, d'où lui parvint une chaude odeur de tomates sur pied... et de houblon...

— C'est fermé, annonça James Houston derrière elle.

13

Elle fit volte-face et le vit adossé à la bâtisse, dont la fondation de pierre était percée d'une porte peinte en vert, surmontée d'un vasistas à demi ouvert. Sous d'étroites fenêtres croissaient en multitude des chrysanthèmes blancs et des rosiers sauvages. Un vélo était accroché à un mur. Dans un coin de pelouse, un vieux rocking-chair délabré oscillait doucement à l'ombre d'un érable, près d'une caisse de bière entamée et d'une bouteille de whisky. Parmi les bouteilles vides qui jonchaient le sol gisait un panama cabossé. Le soleil de fin d'après-midi jetait des reflets dorés sur la nature environnante dont les ombres s'étiraient longuement vers le levant.

Le regard caché derrière des lunettes de soleil, Houston avait retiré sa veste et sa cravate, partiellement déboutonné sa chemise, pour ne garder que le pantalon de son costume et ses chaussures de cuir. Les cheveux étaient ébouriffés, l'œil injecté de sang, la pommette étrangement colorée. C'était la première fois qu'elle le voyait ainsi.

— Qu'est-ce que tu veux ?

— J'ai pensé qu'un peu de compagnie te ferait plaisir.

— Comme pour Ruth, ricana-t-il, trop aimable...

Un pas en arrière le fit trébucher. Sentant que ses jambes ne le portaient plus, il s'affaissa dans le rocking-chair et entreprit de délacer ses chaussures.

— Tu veux une bière ?

Elle se servit elle-même et en avala une longue rasade en s'avisant combien elle avait désiré sentir le froid liquide descendre dans sa gorge.

— Merci, James, dit-elle.

— Jimmy, corrigea-t-il avec une grimace. James Houston, c'est l'ivrogne qui a envoyé deux filles dans le décor. Tu veux des tomates? proposa-t-il en remuant les orteils. Ç'aura été une très bonne année pour les tomates. J'en ai cueilli des tonnes. En guise de thérapie, Liesel m'autorise à m'occuper des potagers. Liesel, c'est la propriétaire. Elle est très gentille. Elle me permet d'habiter ici tout l'été; moi et Groucho, que tu as dû voir attaché au bout de sa chaîne. Lui et moi, on est pour ainsi dire ses gardiens et ses hommes d'entretien.

Se propulsant hors du siège, le jeune homme rafla son panama et se dirigea vers les potagers. Sa bouteille de bière à la main, Kissy l'y suivit.

Une fois dans les rangées, Houston retira sa chemise et la noua autour de la taille pour s'en faire un tablier. De longues heures d'exposition au soleil avaient dessiné les contours de son maillot de corps autour de son cou et de ses aisselles. Si le panama avait gardé au visage sa pâleur naturelle, la peau des bras, desséchée à l'extrême, évoquait la brique trop cuite. Relevant les pans de sa chemise, il y déposa précautionneusement des tomates, le front ruisselant de sueur.

Kissy avalait une gorgée de bière, quand il lui tendit une tomate. Après l'avoir doucement frottée contre sa cuisse, elle y mordit à pleines dents. C'était chaud et sucré. Un peu de jus coula sur son menton qu'elle essuya du revers de la main. Cela le fit rire.

Houston avançait parmi les plants en lançant à Kissy des regards obliques. Le bord du chapeau jetait une ombre où se perdaient les yeux, le nez et le menton, ce que son appareil ne capterait jamais. Si la musculature du jeune homme évoquait le travailleur manuel, il était loin de posséder la puissante stature de Junior. Quoique calleuses, ses mains n'étaient ni courtes ni déformées, mais plutôt longues et fines comme celles d'un musicien, aux ongles coupés court et soigneusement entretenus.

— Je crois que je ferais mieux d'aller chercher un sac, dit-il, voyant que sa cueillette était trop volumineuse pour tenir dans sa chemise.

Alors qu'ils revenaient vers la maison, elle troqua sa bouteille vide pour une autre pleine dont elle avala une rasade. Sous le soleil, la bière avait un goût encore plus agréable. Le jeune homme revint avec un sachet de papier kraft qu'il déplia soigneusement avant d'y transférer les tomates.

166

— Voilà, c'est fait, dit-il en lançant son chapeau dans l'herbe. Mais j'aimerais quand même connaître la raison de ta visite. Tu n'es pas venue jusqu'ici pour quelques tomates... alors ? Tu voulais peut-être me photographier ; le coupable méditant sur son triste sort...

— Je t'ai déjà dit pourquoi ; j'ai pensé que tu aurais besoin d'un peu de compagnie.

Assis en tailleur sur le sol, Houston s'empara de la bouteille de whisky et en avala une gorgée qu'il accompagna d'une lampée de bière.

— Je vais te dire ce que tu peux faire pour moi, fit-il avec un sourire carnassier : retirer ta chemise et me montrer tes superbes nichons.

La gorgée de bière qu'elle venait de prendre faillit lui rester en travers du gosier, sous le regard ravi du jeune homme, manifestement heureux d'avoir réussi à la choquer.

— Pas la peine de prendre tes jambes à ton cou, j'ai été condamné pour homicide, pas pour viol.

Elle le foudroya du regard, avec l'envie de lui vider sa bouteille sur la tête.

— Ne me dis pas que je t'ai vexée... Je croyais que tu étais une artiste, et que les artistes ne connaissaient pas de tabous. Tu as bien exposé les photos de ton copain à poil... Où est le problème ? Je te montre mes tomates, tu me montres les tiennes. Au moins, pauvre de moi, j'aurai quelque chose à me rappeler quand je serai en taule.

Pour oser tenir de tels propos, il devait déjà être passablement ivre, se dit-elle. Et puis, n'avait-il pas le rôle du méchant... Ce n'était pas tant voir ses seins, qu'il désirait, que marquer des points et lui faire partager sa détresse. Compte tenu des circonstances, il n'avait pas à se montrer aimable, à moins d'être un petit saint, ce qu'il n'était pas, pas plus qu'elle n'était venue lui prodiguer des mots de réconfort. Tout cela était très clair, très compréhensible, mais ne changeait rien à son impression de se sentir une fois encore menacée. N'empêche que le mélange de curiosité et de défiance qu'elle avait connu avec Junior la poussait aujourd'hui à jouer le jeu de James Houston.

Elle s'accroupit et, glissant une main entre les jambes du garçon, s'empara de la bouteille de whisky. Houston se mit à rire. La première gorgée d'alcool lui embrasa la gorge, sensation qu'elle s'empressa de dissiper en avalant une bonne lampée de bière. Sous

167

l'effet du chaud et du froid, son corps se couvrit de sueur. Calmement, elle fit passer sa chemise par-dessus sa tête, la secoua quelques secondes puis fit mine de s'en revêtir.

— Non, fit le garçon d'une voix rauque en tentant de se mettre debout.

Derrière les lunettes noires, les yeux fixaient intensément les seins nus. Houston la contourna d'un pas nonchalant, s'attardant quelques instants sur la nudité du dos avant de se poster face à elle. Sous l'effet du soleil, les aréoles s'étaient contractées. Il les effleura d'une main tremblante, en suivit lentement le contour, puis, se saisissant d'un sein, en apprécia le poids. Sa main glissa le long d'un bras pour s'emparer de la chemise qu'elle tenait encore et la jeter au loin. S'écartant de quelques pas, il s'assit, les jambes croisées, devant elle.

— Si tu étais gentille, fit-il, les yeux levés sur elle, tu me montrerais le reste, ici, en pleine lumière.

S'il n'avait fait mention de la lumière, sans doute aurait-elle ramassé sa chemise et quitté les lieux. Les vapeurs de whisky qui faisaient bourdonner ses tempes attisaient également sa curiosité. Elle s'assit un instant dans le rocking-chair pour retirer ses bottes, puis se remit debout et commença à déboucler son ceinturon.

— Attends, l'interrompit-il, tourne-toi.

Elle obéit sans un mot et, sans hâte ni fausse pudeur, fit lentement glisser sa jupe sur ses hanches, la laissa tomber à ses pieds puis, après un pas de côté, attendit.

— Très bien, poursuivit le garçon, retourne-toi lentement.

Il avait l'œil brillant et les joues en feu comme quelqu'un qui vient de recevoir une transfusion. Renonçant à sa bouteille, il tendit les mains, les paumes vers le haut. Elle s'en saisit, mais quand elle fit mine de s'agenouiller il la fit allonger sur le sol. Leurs bouches restèrent soudées un long moment, comme pour redécouvrir les préliminaires amoureux. Puis les lèvres du garçon glissèrent vers un sein qu'il téta goulûment comme un enfant qui vient de naître. Sentant son membre turgescent contre son ventre, elle fit glisser la fermeture éclair du pantalon et le serra entre ses doigts. Puis, se recroquevillant, elle usa de sa bouche jusqu'à ce qu'il la repoussât avec des gémissements de plaisir.

Le visage cramoisi, sillonné de longues traînées de sueur, Houston respirait en longues inspirations frémissantes. Saisissant Kissy par les épaules, il la plaqua dos au sol. La lumière éclatante du ciel la contraignit à fermer les yeux, poussant un cri de surprise quand il voulut la pénétrer. Sentant qu'il se heurtait à un obstacle, le garçon eut un brusque mouvement de recul.

— Désolé, murmura-t-elle, mais tu m'as prise par surprise.

Elle retira son tampon hygiénique et, ne sachant qu'en faire, le glissa dans le goulot de la bouteille la plus proche. Houston eut un rire qu'il n'interrompit qu'après avoir saisi Kissy par les hanches et plongé profondément en elle. À peine préparée, elle poussa un gémissement de douleur que le garçon ignora pour s'agiter furieusement contre elle sans se préoccuper de ses réactions. D'ailleurs, elle se sentait à peine présente, comme observatrice tout au plus, ce qui ne manqua pas de lui rappeler la première fois avec Seth, trop ivre, trop droguée qu'elle était pour comprendre ce qui lui arrivait. Seule la moiteur du visage contre le sien la tira de sa distraction, alors qu'il éjaculait en elle en pressant sa bouche contre ses lèvres à peine ouvertes.

Il n'esquissa aucun mouvement pour se retirer, pendant qu'elle, vaguement hébétée, contemplait la cime des arbres se découpant dans le ciel comme une obscure dentelle. Détournant la tête, elle vit les ombres crépusculaires s'étendre sur la prairie. Dans l'enclos, les chevaux n'étaient plus que des silhouettes mouvantes qu'enflammaient les derniers rayons du soleil. Après un long moment, Houston se détacha d'elle et se mit sur son séant, le visage tourné vers la ligne rougeoyante de l'horizon. Il s'essuya le nez du revers de la main et avala une gorgée de whisky en déglutissant bruyamment.

— Je ne pensais pas pouvoir y arriver, dit-il, j'ai quelques problèmes, enfin... j'avais quelques problèmes...

Baissant les yeux, il examina son état, puis celui de Kissy. Ils étaient couverts de sang.

— Pour une baise dégueulasse, c'était une baise dégueulasse, ajouta-t-il. Tu peux entrer prendre une douche, si tu veux.

Ôtant le pantalon qu'il ne s'était pas donné la peine de retirer, il le contempla avec un sourire :

— Du sang et de l'herbe..., commenta-t-il, le blanchisseur va me prendre pour un violeur de vierges.

C'est ce dont il avait l'air, en effet. Étrange spectacle en vérité qu'un garçon au crâne presque ras, au maillot de corps tombant sur des cuisses et un sexe barbouillés de sang, toisant une femme nue, aux cuisses ensanglantées, étendue immobile sur le sol, sorte d'androgyne aux traits quasi masculins, mais dont le corps était pleinement féminin. Qu'aurait donc pu illustrer une telle image ? Elle n'aurait su le dire. Sur sa vulve, l'air produisait d'étranges effets abrasifs. Intérieurement, elle se sentait blessée, brisée, déchirée. Son cœur battait à tout rompre. Elle se recroquevilla sur elle-même et ferma les yeux. Quelques instants plus tard, un contact laineux la tira de sa léthargie. Houston lui tendait une robe de chambre. Elle le laissa passivement faire lorsqu'il l'aida à se relever et la conduisit dans la maison.

Elle eut immédiatement l'impression d'entrer dans une cave. Aveuglée par le contraste de luminosité, elle se tint un instant sur le seuil, écoutant le bruit de la douche que le garçon faisait couler pour elle. Les rayons obliques qui filtraient à travers les hautes fenêtres étroites éclairaient çà et là des objets n'ayant apparemment aucune corrélation entre eux. Elle était bien dans une cave. Cela se sentait à l'humidité des pierres et à l'odeur musquée des feuilles d'asters. Il la guida vers une porte s'ouvrant sur une salle d'eau dont les côtés étaient cernés de barres chromées pour handicapés.

— Liesel souffre de scléroses multiples, expliqua Houston. À certains moments, elle se déplace en fauteuil roulant, sinon, elle s'aide de cannes. Cet endroit a été spécialement aménagé pour elle. Puis ses parents ont décidé de venir vivre avec elle, et l'endroit est devenu trop petit. Son affaire de pouponnière occupe le reste de la maison, mais ce n'est pas très pratique : il y a des couloirs et des recoins partout. Ses parents possèdent un ranch sur un seul niveau, à moins d'un kilomètre, ce qui facilite la vie à tout le monde.

On aurait cru entendre un agent immobilier débitant son laïus. Les mots lui venaient aisément, comme si rien ne s'était passé.

Malgré les aménagements particuliers, la douche apparut à Kissy comme un rêve sybarite. Debout sous le jet, elle regardait, presque extasiée, l'eau éclabousser la céramique. La rejoignant dans la cabine, Houston savonna un gant de toilette et se mit à lui frotter le dos avec des gestes d'une douceur déconcertante, comme le ferait un esclave pour sa maîtresse. Cela lui rappela Junior, qui avait lui aussi coutume de lui laver le dos, bien que de tout autre façon.

— Tu as un dos magnifique, dit Houston d'une voix doucereuse. Je n'ai jamais vu chez une femme des muscles aussi bien dessinés.

Puis, la faisant pivoter par les épaules, il entreprit de lui laver le buste et le ventre, lui tirant un gémissement de douleur quand il s'attaqua à l'intérieur des cuisses.

170

— Ça t'a fait mal, hein ?

Cela était dit d'un ton gêné qui, cependant, cachait mal sa satis-faction d'avoir infligé à la jeune fille ce qu'elle méritait ou, du moins, ce à quoi elle aurait dû s'attendre avec quelqu'un comme lui.

Elle s'écarta de lui pour s'adosser contre la paroi de céramique, le dardant d'un long regard plein de méfiance pendant qu'il se lavait. Le silence dans lequel elle semblait vouloir se cantonner le mettait mal à l'aise. Mais son comportement avilissant la désorientait, la laissait sans voix. Le jeune homme s'empressa de finir ses ablutions, puis sortit de la cabine en tirant le rideau derrière lui. Après s'être lavé les cheveux, elle laissa l'eau ruisseler sur son corps jusqu'à ce qu'elle devînt froide.

Sortie de la salle de bains, elle vit que, le soir tombant, Houston avait allumé les lampes. L'appartement n'était en fait qu'une seule pièce dont seule la salle de bains était cloisonnée. Aménagée en coursive, la cuisine était conçue pour recevoir un fauteuil roulant. Sur le comptoir, un carton de lait tronqué servait de vase à un assem-blage d'asters roses, de chicorée bleue et de laiterons vieux rose. Bureau et chaise, bibliothèque, divan et téléviseur, lit, chiffonnier et banc, tout cela constituait autant d'îlots posés sur un linoléum de qualité, facile d'entretien et d'accès. Le vieux mobilier de chêne et même .les appareils chromés conféraient à l'endroit un caractère monacal. Quelques boîtes remplies de livres et une valise ouverte sur le lit disaient clairement que l'occupant se préparait non pas à prcndrc la fuite, mais à être incarcéré.

Pendant qu'elle était sous la douche, Houston avait enfilé un short et jeté son linge sale dans le panier réservé à cet effet. Les vêtements qu'elle avait laissés à l'extérieur se trouvaient à présent soigneuse-ment pliés sur le lit, au pied duquel elle reconnut également ses bottes. Les bouteilles de bière et de whisky avaient également réinté-gré la maison. Il lui en offrit sans un mot, mais elle refusa, considé-rant qu'elle devait rentrer chez elle.

Un instant égaré, il se gratta le front d'un air embarrassé en dési-gnant la porte.

— Tu veux que j'aille chercher ton...

— Tampax ? l'interrompit-elle crûment, non, mon sac, simple-ment.

Le rouge au front, il sortit. Après l'agression qu'elle venait de subir, l'embarras du jeune homme pour évoquer son indisposition l'exaspérait. Elle aurait voulu lui crier que ce n'était que du sang, de la même sorte que celui qui coulait dans ses propres veines. Si fautif fût-il, Junior, lui, n'avait jamais fait montre de cette gêne hypocrite qu'éprouvent la plupart des hommes quand leurs femmes sont menstruées. Houston revenu, elle se munit d'un tampon propre et entreprit de se vêtir.

— Tu pars ? s'étonna le garçon, une lueur de frayeur au fond du regard. Je t'ai fait mal, je le sais, mais moi aussi j'ai eu mal. Je sais que c'est idiot, mais j'éprouvais le besoin de me montrer brutal. Je sais que tu t'es laissé faire uniquement par curiosité, et c'est ce qui m'a rendu furieux. Tu n'aurais pas dû venir, je ne t'avais rien demandé. Mais je suis vraiment désolé de ce qui s'est passé, et je te demande de ne pas partir, pas tout de suite – il baissa la tête d'un air piteux, puis, le corps agité de tremblements nerveux, se laissa tomber en tailleur sur le sol, brisé : Je ne veux pas rester tout seul. J'aimerais que tu me tiennes un peu compagnie. Je te promets de ne te faire aucun mal.

Kissy hésita. Ses derniers sursauts de colère s'espaçaient. S'il s'était agi d'un feuilleton télévisé, elle l'aurait souffleté en le sommant de cesser de s'apitoyer sur lui-même. Réaction on ne peut plus galvaudée, il est vrai, mais combien réelle et cruellement dramatique.

— Tu devrais peut-être manger quelque chose, hasarda-t-elle.

Les doigts du garçon se refermèrent sur la bouteille qu'il avait posée près de lui, en émettant un son qui ressemblait à un bref éclat de rire.

— Je n'ai pas faim, mais soif. Tu peux boire avec moi si tu veux.

— Je n'ai pas envie de me soûler.

— D'accord, mais rassure-toi, je ne t'ennuierai pas. J'ai appris à rester sans bouger des journées entières s'il le faut. Mais je t'en supplie, ne pars pas.

Kissy hésitait encore, passant la pièce en revue comme pour y trouver une réponse. Au pied du lit se trouvait une boîte remplie de livres. Arrêtée par certains titres, elle s'en approcha. Récits réels ou pure fiction, grands formats ou livres de poche, tous les ouvrages traitaient de la vie carcérale. La voix du garçon la fit sursauter :

— Depuis l'accident, je sais que j'irai en taule, fit-il, les yeux rivés sur sa bouteille. Je pourrais écrire quatre ou cinq thèses sur la vie en prison. Mais toutes ces lectures ne m'auront servi à rien – il désigna du menton des haltères posés dans un coin : Je n'ai jamais pu

172

me résoudre à en faire en public... Figure-toi qu'en prévision de mon incarcération j'ai pris des cours du soir d'arts martiaux ; plutôt pathétique, non ?

Kissy ne trouva rien à répondre à cela. D'ailleurs, toutes ces questions n'appelaient aucune réponse susceptible de l'aider d'une quelconque façon. Au reste, le voulait-il seulement ? Elle se dit qu'il devait souffrir beaucoup plus qu'elle n'aurait souffert dans les mêmes circonstances.

— Tu vas rester ici encore quelque temps, déclara-t-elle en posant la valise ouverte sur le sol. Lève-toi, nous allons faire le lit pour que tu puisses te coucher.

Le jeune obtempéra non sans une certaine brusquerie.

— Ça ira, je me suis toujours débrouillé sans l'aide de personne, maugréa-t-il en glissant un oreiller dans la taie que venait de lui tendre Kissy. Au début, j'étais bien content de me retrouver seul, sans Erin. Je ne pouvais plus voir personne. Je ne sais pas ce qui est le plus insupportable, reprit-il après un silence, Erin et mes parents, qui lisaient en moi comme dans un livre ouvert sans oser me regarder dans les yeux, ou des gens comme toi, qui tiennent à se montrer aimables envers moi comme si j'étais encore un être humain.

— Tu as tué quelqu'un et tu es dans le pétrin jusqu'au cou, mais tu n'es pas mort, intervint Kissy. Et si tu n'es pas mort, c'est parce que tu as choisi de vivre malgré tes ennuis.

— Tu me fais penser à Liesel ; chaque jour de la vie, elle les perçoit comme autant d'obstacles à surmonter. Moi, je n'en ai qu'un, mais il est de taille. Je suis mort de peur... Je suis mort de peur depuis que ces deux filles ont surgi devant mes phares.

— Moi aussi, répondit-elle simplement.

Vague réminiscence de son enfance, la fraîcheur des draps propres procura à Kissy une manière de réconfort. La détresse qui étreignait son cœur se traduisait surtout par une grande lassitude, mais d'en être consciente n'y changea rien. Hésitant, Houston vint s'asseoir sur le bord du lit.

— Ça va ?

Elle répondit par un faible sourire. Quand elle voulut lui effleurer la main, elle sentit les doigts du garçon se refermer avec force sur les siens.

— Ce qui m'arrive, je l'ai mérité et je ne peux pas me dérober ; mais en attendant, je ne sais pas comment réagir. J'ai l'impression de me jouer une vaste comédie.

— Tu as trop bu, observa-t-elle, et je parie que tu n'as pas dormi ni mangé depuis des jours. Je pense que ça te ferait du bien d'avaler autre chose que de l'alcool et de prendre un peu de repos. Ça te calmerait les nerfs.

— Un criminel bien reposé et au ventre plein, rétorqua-t-il. C'est ce que me disait aussi Liesel : commence par prendre ton petit déjeuner et mets ensuite de l'ordre dans tes idées.

— À toi de décider, répondit Kissy en récupérant sa main. Et tires-en tes propres conclusions.

— Et tu as trouvé ça toute seule ?

Elle fit mine de se lever. Reposant hâtivement sa bouteille, il voulut la retenir par le poignet, mais elle se libéra d'un geste sec.

— Ne pars pas, implora-t-il encore. Tu sais, me conduire comme un salaud, c'est devenu un réflexe, chez moi. Laisse-moi te tenir dans mes bras, juste dans mes bras ; c'est ce dont j'ai le plus besoin.

Déjà, la main du garçon glissait vers la taille de Kissy. Elle ferma les yeux tandis qu'il la serrait doucement contre lui, comme il l'avait promis. Les exhalaisons avinées que dégageait son corps lui rappelèrent le soir de l'accident. Se substituant à l'odeur de savonnette, des relents âcres de peur et d'alcool semblaient suinter de sa peau.

Elle aurait aimé prendre quelques photos de lui, capter son égarement, son combat intérieur pour accepter son triste destin. Les remords, la peur, les pulsions autodestructrices qui s'opposaient à son instinct de survie faisaient du jeune homme une bombe à retardement prête à exploser. Elle aurait aimé en retenir l'image en l'opposant à celle de Ruth, agonisant dans son lit. Houston tremblait entre ses bras, accroché à elle comme à une bouée de sauvetage.

Ses lectures le trahissaient. D'une voix à peine audible, il la supplia de revenir le lendemain, puisqu'elle refusait de s'attarder plus longtemps. Après quelques atermoiements, elle s'y engagea. Mais une fois dans sa voiture, elle dressa le bilan de son après-midi. Une somme appréciable de travail l'attendait déjà, et plus encore si elle devait revoir Houston. Restait à choisir entre son travail et un objectif dont elle n'était pas sûre qu'il en valût la peine.

La moiteur de son entrejambe lui rappela qu'elle n'avait pris aucune précaution pour éviter de tomber enceinte. Il est vrai qu'à ce stade les risques étaient insignifiants, quoique existants. Avec Junior, elle en avait pris de bien plus grands sans aucune conséquence, bien qu'à force de tenter le diable on ne sait jamais le sort

174

qu'il nous réserve. Mais elle n'en avait cure : au cas où elle attendrait un enfant, elle se ferait avorter, comme la première fois, ou peut-être pas, elle n'aurait su dire.

D'un geste brusque, elle écrasa les larmes qui perlaient au coin de ses yeux. En entrant, un message de Mme Cronin l'attendait :

— Ma chère Kissy, j'aimerais avoir des copies des photos que vous avez prises de Ruth ; j'entends les présenter à la cour pour l'établissement de la sentence. Rappelez-moi dès que vous le pourrez.

Furieuse, elle fit voler ses bottes à travers la pièce. Voilà une requête qu'elle ne pouvait rejeter tout en continuant à voir Ruth. Au commencement, son projet avait implicitement consisté à photographier Ruth jusqu'à sa mort, qu'elle considérait inévitable. Elle savait ce qu'induisait la diffusion de ces photographies et l'impact qu'elles auraient sur le juge. Et cela, Sylvia Cronin le savait aussi.

Au bord des larmes, Kissy se laissa tomber sur son matelas, recrue de fatigue. « Saint Matthieu, saint Marc, saint Luc et saint Jean, bénissez le lit sur lequel je repose. » Il y avait aussi quelque chose sur le thème de quatre anges : « Quatre anges autour de mon lit... » Elle fut incapable de se rappeler la suite à cause de l'image de Ruth omniprésente à son esprit.

14

— C'est le jour, mon petit !

Ce disant, l'entraîneur fit entrer dans les vestiaires l'agent de probation de Junior, sous les lazzis et les quolibets des autres joueurs.

De Peltry, la mise en liberté surveillée dont Junior faisait l'objet avait été transférée à Denver, puis à Dry River. M. Horace, (puisque tel était son nom), lui avait décroché le gros lot. Il débarquait à l'improviste et faisait passer à Junior des tests antidrogues dont il expédiait les résultats à Peltry. Moyennant quoi, non seulement il avait accès aux quartiers privés du hockeyeur, mais aussi aux vestiaires, avec le droit d'assister à toutes les parties disputées par les Dinosaurs. Somme toute, il ferait partie du personnel aussi longtemps que durerait la période probatoire du jeune homme. Par bonheur, c'était un fervent admirateur des Dinosaurs, et il tirait grande vanité de la notoriété que lui conférait le fait de suivre son équipe de hockey favorite dans tous ses déplacements.

Agitant un test d'urine sous le nez de Junior, M. Horace invita ce dernier à le suivre aux toilettes. Le jeune homme s'exécuta de bon gré, pendant que l'homme, à qui on n'avait rien demandé, émettait des pronostics sur la prochaine saison. Le médecin qui avait soigné sa blennorragie avait, en même temps que quelques douleurs, éveillé son embarras, moins cependant que lors de l'examen de sa prostate. En plus d'être humiliants, ces examens le rendaient inutilement anxieux ; et vivre sous la tutelle d'un personnage dont dépendait sa liberté et son avenir ne faisait qu'ajouter à cette anxiété. Le jeune homme avait l'impression d'avoir basculé dans un monde de grisaille d'où ses vieux amis étaient exclus. Il aurait sûrement essuyé les mêmes sarcasmes en se promenant avec ses urines, mais au moins lui auraient-ils proposé de leur substituer les leurs, en cas de besoin. Deker et Moosejaw auraient pu le faire, si tant est que cette idée ait pu leur effleurer l'esprit, mais Deker venait d'un autre monde, et Moosejaw était persuadé qu'à l'instar des amphétamines le cannabis était la plaie de l'athlète digne de ce nom.

— Touche pas à ça, lui avait dit ce dernier. S'ils trouvent quelque chose dans ton urine, tu peux te retrouver en taule. Moi qui te parle, j'ai failli être intoxiqué rien qu'en prenant l'ascenseur avec une bande de rastas.

— Et il y en a beaucoup, des rastas, à Moosejaw ? l'avait daubé Junior.

— Pas à Moosejaw, ballot, avait rétorqué le Canadien avec une mimique méprisante. J'attendais l'ascenseur dans un hôtel de Toronto, quand une bande de bronzés est entrée en même temps que moi. Huit affreux avec des dents en or et des yeux tellement rouges qu'on se serait cru dans un film d'horreur. Le temps d'arriver à la réception, j'étais complètement défoncé, rien qu'en ayant reniflé la fumée de leurs pétards.

— Puisque c'est comme ça, dorénavant, je prendrai l'escalier, avait alors conclu Junior, sous le regard ahuri de son coéquipier.

Junior consacra de longues journées à travailler dur, allant jusqu'au bout de ses capacités. Il voulait être prêt pour le moment où l'occasion d'être transféré se présenterait. S'il connaissait parfois des moments d'exaltation, il avait surtout l'impression d'être en exil, un exil volontaire dont il n'avait pas choisi le lieu. À l'exemple des voyageurs solitaires, il lui arrivait de jeter un coup d'œil à la Bible posée sur sa table de chevet, juste parce qu'elle s'y trouvait. Se remémorant le passage sur les rivières de Babylone, il en adapta le texte pour lui-même : *Près de Dry River, au Montana, nous nous assîmes pour pleurer et nous souvenir...* se souvenir de tout ce à quoi il avait dû renoncer, au-delà de ce pays, au-delà de cette rivière.

Cette bière, il ne l'avait pas souhaitée. S'il suivit Deker, Moosejaw et Lek, autre coéquipier, au Rockie's, ce fut uniquement pour ne pas rester seul. Le Rockie's se distinguait du Bird's en bien des façons. Encaissé dans un bâtiment étriqué, il y faisait sombre au point que les gens y étaient méconnaissables. Tout y était d'une rusticité frisant le délabrement, sauf le bar en acajou, dont la douceur patinée évoquait l'intérieur d'une cuisse de femme, et au-dessus duquel était juché le portrait d'une femme nue aux formes épanouies. Le juke-box ne diffusait que de la musique country, où il était toujours question de femmes délaissées, d'hommes abandonnés, de chiens perdus ou les trois à la fois. Cela étant, le Rockie's disposait, tout comme le Bird's, de deux téléviseurs grand écran visibles de n'importe quel coin de la salle et perpétuellement branchés sur les derniers événements sportifs. Bien qu'il fût encore tôt, quelques filles y traînaient déjà, certaines pour retrouver d'anciennes relations, d'autres pour découvrir de nouveaux talents.

En entendant Lek commander un coca-cola, Junior décida d'en faire autant. Ses dirigeants finiraient bien par comprendre que sortie ne signifiait pas nécessairement beuverie, et qu'il pouvait quand même, si l'envie l'en prenait, boire à leur insu une ou deux bières dans sa chambre. S'il fallait prendre au pied de la lettre les conditions de sa liberté surveillée, fréquenter ce genre d'établissement relevait déjà de l'infraction. Mais réaliste, il se dit qu'aucun juge ne pouvait exiger de lui de vivre comme un ermite sans jamais voir personne, et encore moins toucher à une goutte d'alcool. Non, on attendait simplement de lui qu'il fît preuve de bonne conduite au cours des prochains six mois, histoire de montrer qu'il avait bien compris la leçon. La véritable punition, c'était plutôt la suspension de permis de conduire et la foule de contraintes qu'induisait son état de probation. Nul doute que les policiers ne se gêneraient pas pour lui botter le derrière si le besoin s'en faisait sentir.

Commençant à s'ennuyer ferme, il ne trouva rien de mieux à faire que d'ouvrir tout grands ses yeux et ses oreilles. Les gens qui l'entouraient étaient tous des rapaces, devait-il constater quelques instants plus tard en suçotant distraitement un glaçon. Tous ces joueurs pénitents qui peuplaient le bar étaient prêts à tout pour quelques miettes. On les sentait à la fois dévorés d'ambition et tenaillés par le doute et la crainte de se retrouver sur le pavé. Pourtant, tels que Junior les percevait, ils étaient tous partis pour se retrouver en ligue mineure. Joueur sans le moindre espoir d'être admis dans une équipe professionnelle ou espoir débordant de talent, tout le monde s'accordait à dire qu'il ne faisait pas bon faire trop longtemps partie des « 'Saurs ». Les murmures instruisirent aussi Junior de la situation de certains joueurs – qui frôlaient l'exclusion et qui était dans les grâces des sélectionneurs, mais aussi des agents congédiés et de ceux récemment pressentis. Tout ce qui était bon à savoir, Junior l'apprit.

— Tu as vu ta riche bourgeoise ? demanda-t-il à Lek Kiamos, autre compagnon d'infortune.

Le garçon secoua la tête sans quitter son verre des yeux. Kiamos s'éloigna avec un haussement d'épaules. Que Lek se désintéressât de cette personne, alors que la qualification de riche bourgeoise portait déjà en elle d'agréables résonances, laissa Junior rêveur.

— Cette « riche bourgeoise », qui c'est ? s'enquit ce dernier d'un air détaché.

— Quand tu la verras, tu la reconnaîtras, répliqua laconiquement Lek.

Deker et Moosejaw avaient d'ores et déjà abandonné Junior à son sort pour entreprendre deux filles esseulées. Caustique comme elle l'était, Kissy disait toujours « des filles », pour parler de celles qui traînaient dans les bars, et ceux qui s'y frottaient lui tiraient toujours une moue de mépris. Afin de trouver définitivement grâce à ses yeux, Junior lui avait expliqué que, pour ce qui était de la bagatelle, il n'y avait pas meilleur que lui ; mais à ce moment-là, elle déformait sa joue à l'aide de sa langue et mimait la fellation avec ses mains, ce qui le mettait dans un état d'hilarité tel que toute conversation sérieuse devenait impossible.

Quittant nonchalamment son siège, il alla rejoindre Kiamos.

— Dis donc, pourquoi Lek fait-il cette tête quand on lui parle de la riche bourgeoise ?

— C'est la marie-salope du coin, comme disent les bouseux d'ici. Elle doit faire pas loin du mètre quatre-vingt-dix. À part au cirque, on n'a jamais vu de minou aussi haut perché. Monette Daniels, elle s'appelle. Son paternel a dû penser que Monette, ça sonnait un peu comme monnaie. Elle est originaire de Denver, mais elle aime bien venir draguer ici, de temps en temps, avec sa meilleure amie. Tout le monde l'appelle Mony, comme Moany [1], c'est peut-être le cas, je ne suis pas allé voir. Du moins pas encore. Autrement, on l'appelle la riche bourgeoise, au cas où on oublierait qu'elle a du fric à ne savoir qu'en faire. Tu comprends, poursuivit Kiamos en s'esclaffant, Mony a brisé le cœur de Lek. Elle lui a laissé croire des choses pendant cinq ou six mois pour ensuite le larguer comme une merde. Mais c'est quand même une fille très marrante, prête à se foutre à poil n'importe quand. Quant à sa copine, Diane, elle n'a ni les moyens ni la classe de Mony, mais elle peut te lessiver en moins de deux.

---

1. Gémissante.

En entendant le prénom de Diane, Junior frissonna intérieurement. Pourquoi fallait-il que ce prénom soit si courant ? Après avoir remercié Kiamos, il partit à la recherche de ses amis. Deker avait quitté les lieux et Moosejaw s'apprêtait à l'imiter en galante compagnie. À l'autre extrémité de la salle, Lek lui désigna la sortie. Ce dernier possédait une vieille camionnette parfaite pour les déplacements, mais aussi un permis pour la conduire. Accepter sa proposition parut à Junior une sage décision.

— Où étais-tu passée ? Je t'attendais.

James Houston affichait une bonne humeur pour le moins inattendue. Après une journée de travail, longue et fastidieuse, Kissy dut se retenir pour ne pas l'envoyer au diable.

— J'ai dû travailler tard ; ça arrive...

Il la suivit à l'intérieur de la maison.

— Je n'ai pas cessé de penser à ce qui s'était passé entre nous.

Elle prit une bière dans le réfrigérateur. Apparemment, le garçon avait réussi à se distraire assez longtemps de ses préoccupations pour refaire le plein de bière et de whisky. Elle le sentit s'approcher d'elle. Il la serra contre lui et ses mains se glissèrent aussitôt sous sa chemise. Elle ferma les yeux, le front appuyé contre la porte du réfrigérateur avec, contre son oreille, le souffle brûlant du garçon. À ses caresses elle répondit par un ondoiement des hanches qu'il prit pour un encouragement car, après l'avoir déshabillée, il la fit mettre à quatre pattes sur le sol et la prit avec force. Elle se laissa faire, écoutant à peine les obscénités qu'il lui murmurait à l'oreille.

En sortant de la salle de bains, elle le vit, assis sur le sol, le pantalon ouvert, une bouteille de whisky entre les jambes.

— Je n'ai rien avalé de la journée, fit-elle. Tu as quelque chose à manger ?

Comme il ne répondait pas, elle se mit à fouiller dans les placards et le réfrigérateur. À sa grande surprise, ils regorgeaient de victuailles et de conserves de toutes sortes, probablement accumulées par Liesel, qui se chargerait aussi de les récupérer, tout comme elle se chargerait de faire laver son linge. Cette propension à materner Houston éveilla la curiosité de Kissy, même si les relations entre le garçon et Liesel ne souffraient aucune équivoque. Mais, compte tenu de son infirmité, peut-être était-ce sa façon à elle de se rendre utile.

Un pain de mie et du bacon suffirent à Kissy pour envoyer Houston cueillir quelques tomates et une laitue. Quelques instants plus tard, sous le regard étonné du jeune homme, elle confectionna un sandwich qu'il dévora sans se faire prier, pendant qu'elle en préparait un autre pour elle.

Bière et coït conjugués eurent bientôt raison de ses dernières énergies. Sa bouteille de whisky à la main, le jeune homme prit place près d'elle au bord du lit pendant qu'elle retirait ses bottes.

— J'avais peur que tu ne reviennes pas, répéta-t-il.

Elle aurait voulu lui parler des photos de Ruth et de la requête de Mme Cronin ; pas ce soir, cependant, se ravisa-t-elle. Houston avait déjà trop bu et, de surcroît, si elle voulait prendre quelques photos de lui, elle devrait attendre le moment opportun.

La bouteille, puis les chaussures du garçon tombèrent sur le sol avec un bruit sourd. Elle le sentit se pelotonner contre son dos et lui murmurer à l'oreille :

— Reste cette nuit avec moi ; tu verras, je serai gentil avec toi.

Soucieux d'éviter les beuveries presque quotidiennes de Deker et Moosejaw, Junior se rabattit sur le cinéma. Il n'en existait qu'un, le Dry River Cineplex, et le premier soir qu'il s'y rendit, ce fut pour tomber nez à nez avec Lek. Comme l'incident se reproduisit souvent, Lek finit par avouer que, comme Junior, les beuveries ne l'intéressaient pas. Ils jugèrent ainsi plus pratique d'aller au cinéma ensemble ; cela faisait en quelque sorte d'eux des amis, rapprochés par un passé que l'un et l'autre tentaient d'oublier.

Après que se fut épuisée toute la cinémathèque locale, ils décidèrent de faire bourse commune pour acheter un magnétoscope d'occasion ; ils joueraient à pile ou face pour décider dans quelle chambre l'appareil serait installé. Ce fut Lek qui l'emporta. S'estimant pour ainsi dire l'invité, Junior jugea bon de se rendre chez Lek nanti d'un « six-pack » de bière. À la vue des canettes, le jeune homme blêmit, puis se lança à brûle-pourpoint dans une confession : il était, disait-il, alcoolique. Plusieurs fois par semaine il assistait à des réunions des A.A., tantôt le midi, tantôt le soir. Voilà quatre mois qu'il n'avait pas touché à une seule goutte d'alcool, son record depuis l'âge de onze ans, prétendit-il.

— Mais ne te gêne surtout pas pour moi, voulut-il le rassurer, suant abondamment sous l'effet de la tentation.

C'était à se demander si fréquenter Junior n'était pas pour lui un tourment supplémentaire. Pourtant, une fois son secret révélé, Lek lui avait semblé plus détendu. Les Alcooliques Anonymes se révélèrent un sujet de conversation sur lequel ils s'étendirent longuement. Les nombreux aphorismes – comme « un jour à la fois » – dont son ami émaillait ses propos semblèrent soudain prendre tout leur sens. En même temps, Junior se sentit vaguement idiot de n'avoir pas compris plus tôt le sens profond de ce mouvement et le nombre considérable de personnes qu'il rassemblait.

Tous les quinze jours environ, Lek passait quelques heures au Rockie's en compagnie de ses camarades. Malgré l'épreuve que cela représentait pour lui, il soutenait que le monde était plein d'alcooliques et qu'il n'avait nulle raison de les éviter, l'important étant de rester sobre et non de se tenir à l'écart. Cet argument eut raison des derniers remparts de la conscience de Junior qui, du coup, décida de s'octroyer une bière ou deux, malgré la présence de son ami.

Ils étaient tous au Rockie's devant leur bière (sauf Lek qui s'en tenait à son coca-cola) pour fêter l'anniversaire de Deker. Un sifflement déclencha une salve d'applaudissements, alors qu'apparaissait la riche bourgeoise, portant à bout de bras un gâteau constellé de bougies. Junior la reconnut immédiatement à sa haute taille, car, comme l'avait affirmé Kiamos, les centimètres ne lui faisaient pas défaut. Mais malgré des proportions harmonieuses, il la trouva un peu trop en chair pour faire un mannequin. Belle, elle n'aurait su l'être en aucune façon, peut-être à cause d'un grain de peau un peu rêche et d'un visage grand et osseux nanti d'un nez busqué. Cependant, des mannequins elle possédait la démarche, le balancement un peu excessif de la hanche qui lui conférait une assurance de reine de beauté. Junior supposa qu'elle avait deux ou trois ans de plus que lui ; peut-être même frôlait-elle la trentaine.

À ses côtés se tenait une autre fille, son amie Diane, probablement. À l'instar de Diane Greenan, cette Diane-ci était blonde, possédait à peu près la même taille et la même corpulence, mais la ressemblance s'arrêtait là. Sous son opulente chevelure, elle arborait un visage maquillé à l'excès, au point de cacher ses véritables traits, ce qui laissait supposer que c'était l'effet recherché. Très svelte, le corps montrait cependant de nombreux signes d'affaissement, à l'exception des seins, qui, eux, étaient d'une surprenante fermeté. Les garçons accueillirent les deux jeunes femmes avec un enthousiasme délirant, de ceux qu'on réserve habituellement aux mascottes.

— Alors, où est-il ? s'écria la riche bourgeoise.

Des mains propulsèrent Deker devant elle. Le garçon produisit son sourire plein de réserve, alors qu'elle s'exclamait, en roulant de grands yeux ébahis :

— Mon Dieu, mais c'est encore un bébé !

Ces mots déclenchèrent l'hilarité générale, cependant que Deker baissait un front rougissant. Se penchant vers lui, la bourgeoise déposa un baiser sur ses lèvres, puis lui remit le gâteau avant de se diriger vers Lek, accoudé au bar en compagnie de Junior.

— Je m'appelle Mony, se présenta-t-elle avec un petit signe de la main à l'adresse de Junior qui, au regard furtif qu'elle échangea avec Lek, comprit qu'il était de trop.

Il les revit plus tard, attablés dans un coin. Sans se regarder les yeux dans les yeux, ils semblaient heureux d'être ensemble. Junior les contempla, la gorge un peu serrée, ému mais aussi un peu jaloux du bonheur de Lek. Une immense détresse l'envahit. Son amertume, sa fureur contre lui-même, seule une femme pourrait les dissiper, peu importe qui elle était, pourvu qu'elle lui fît oublier le mauvais sort qui l'avait frappé. Il en chercha une du regard, mais aucune ne lui plut ; fatalement : elles n'étaient pas Kissy. Tous ces atermoiements lui semblèrent ridicules, et son état d'hébétude le répugna au plus haut degré. Il se fit raccompagner par Moosejaw, fort heureusement trop ivre pour s'aviser de son état de détresse.

Plutôt que de s'attarder au Rockie's, la bourgeoise passa la nuit avec Lek, dans la chambre voisine de celle de Junior. D'après les calculs de ce dernier, ils reprirent par trois fois leurs ébats, et, en plus de soupirs alanguis, le jeune homme dut subir le bourdonnement de leur long bavardage. Cela lui rappela que lui aussi aimait bavarder avec Kissy. Il achevait à peine son petit déjeuner qu'ils apparurent dans le restaurant du motel avec des mines de déterrés. C'était aussi l'impression qu'il avait de lui-même. Quand ils prirent place, Junior tendit à son ami la page des sports du quotidien local, puis échangea un sourire de connivence avec la bourgeoise. Cette dernière attendit que son amant fût allé se servir au buffet pour confier sans préambule à Junior :

— Tu sais, il se prétend alcoolique, mais ce n'est pas vrai. C'est seulement sa manière à lui de trouver son équilibre.

Cette surprenante révélation prit Junior de court, surtout venant de quelqu'un qu'il ne connaissait pas. Il lui aurait bien dit, à la bourgeoise, sa façon de penser, mais du fait qu'elle couchait avec Lek elle pouvait prétendre le connaître mieux que lui et peut-être même mieux que Lek ne se connaissait lui-même. Du temps de Kissy, il avait eu aussi cette impression, et une certitude s'était toujours imposée à lui, chaque fois avec un frisson d'appréhension : un jour ou l'autre, Kissy lui donnerait son congé. Mais compte tenu des circonstances, il n'avait guère envie d'y penser.

Quand Lek revint à table, la bourgeoise ne dit plus mot et Junior en fit autant. Quelques minutes plus tard, elle se leva et partit, ce dont Lek parut très bien s'accommoder.

Plus que jamais absent du jeu, Junior s'écarta dangereusement du filet. Il se surprit à faire des incursions spectaculaires au centre de la patinoire dans le seul but d'expédier le palet dans le camp adverse. Fort heureusement, il se tira de difficiles situations, en effectuant des arrêts qui relevaient du miracle, cueillant la rondelle en plein vol sans même s'en rendre compte, pendant que, comme à dessein, les 'Saurs s'entêtaient à se trouver au mauvais endroit au mauvais moment.

Dans cette situation personne ne trouva son compte, mais pour Junior, qui n'avait jamais connu de saison perdante, elle se révéla plus qu'éprouvante. Il se sentait perpétuellement fiévreux, le corps parcouru de frissons, probablement parce qu'il jouait dans une tenue qui n'avait jamais le temps de sécher. Les déplacements devenaient hallucinants. L'œil humide, le nez ruisselant, il avait toujours l'impression d'avoir été surpris au saut du lit, d'être toujours ailleurs, avec une douleur à l'aine et aux reins qui ne semblait pas vouloir le quitter. La seule chose susceptible de lui procurer un semblant de consolation, c'était que la plupart de ses coéquipiers se trouvaient dans le même cas.

Quand trois jeunes filles prétendirent presque coup sur coup être enceintes de Deker, Junior fut frappé par le fait que, contrairement à ses camarades, le Russe n'avait jamais acheté ni emprunté de préservatif, n'y ayant pas même fait la moindre allusion. Qu'il s'agît de Wynona de Denver, de Terrianne de Dry River, ou de Lisa de Gormly, le jeune Slave se souvenait seulement avoir vécu quelques minutes d'intense passion dans les toilettes d'un arrêt d'autocar avec une femme qu'il avait connue dans un kiosque à journaux. Ainsi se vit-il contraint de diviser son maigre pécule en trois et de l'envoyer aux trois infortunées. Car telle que l'affaire se présentait, une simple vérification de paternité lui coûterait assez cher en honoraires d'avocat pour le contraindre à renoncer à vivre en appartement, et à s'installer de nouveau au Devil's Blackbone Motel. La seule pensée de devenir père le faisait frémir.

Comme les films pornographiques du motel et le régime alimentaire imposé par ses déplacements lui causaient respectivement constipation et diarrhée, Junior trouva que les possibilités de se distraire les sens étaient quelques peu réduites, sinon inexistantes. À moins que cet état de chose ne tînt qu'à lui, à cette façon qu'il avait de vivre replié sur lui-même pour se tenir à l'abri ; mais à l'abri de quoi, il n'aurait su le dire. Les cours de psychologie qu'il avait suivis à Sowerwine lui permirent néanmoins de comprendre que c'était sa manière à lui de se fustiger. Une fellation rapidement expédiée par une fille en voiture ou dans les toilettes d'un bar ne lui procurait pas plus de plaisir qu'une bière ou deux, ces mêmes bières dont il avait par ailleurs tellement envie. Tout cela n'entamait en rien, bien au contraire, le besoin d'amour que Kissy avait si bien su éveiller en lui. Seulement, il avait l'impression de perdre un peu plus pied chaque jour.

L'autorisation de rentrer chez soi leur fut enfin accordée. Quatre maigres journées à l'occasion des fêtes de Noël, mais quatre journées quand même. Ils n'avaient pas quitté Dry River depuis plus d'une heure qu'une sorte de vertige s'empara de chacun ; mais leurs pensées les plus sombres réapparaîtraient dès leur retour. L'angoisse leur nouait les tripes, comme si l'autocar qui les ramenait avait brusquement été précipité du haut d'une falaise. En leur absence, Dry River semblait avoir sombré dans une morosité plus profonde encore. Chaque mur de brique, chaque pan de béton semblait se dresser devant eux comme des prophètes de malheur ; et le vent qui hurlait à leurs oreilles se faisait l'écho de leur propre désespoir.

Une rafale de vent avait jeté à bas l'enseigne du motel, brisant quelques carreaux, emportant au passage quelques bardeaux du toit. Le long mur de crépi beige était parsemé de boursouflures jaunâtres comme autant de tumeurs purulentes. Junior tenta de dresser le bilan de ses bienfaits, mais la vision du motel lui apparut aussi déprimante qu'une prison ; comme si la route qui l'avait conduit jusque-là s'était effondrée derrière lui. Lui qui avait tant attendu de retrouver le domicile familial, voilà qu'il était à nouveau Gros-Jean comme devant. Cela tenait moins à la désolation de l'endroit qu'au fait de se retrouver encore une fois tout seul, sans personne pour l'attendre.

Le vieux fossile responsable du motel lui avait aimablement livré son courrier, jeté pêle-mêle dans une vieille boîte en carton qu'il avait posée devant sa porte. Mis à part les journaux relatant les exploits de son cher frère et l'admiration qu'il suscitait auprès des admirateurs des Spectres, tout ce qu'elle contenait était bon à mettre à la poubelle : pas une lettre, pas une carte postale, pas la moindre nouvelle de Kissy.

Il se mit à parcourir les journaux, lentement, page par page, étonné par son propre calme. Puis il tomba en arrêt devant une photographie, au-dessous de laquelle était imprimé en petits caractères le nom de Kissy. Une douleur aiguë lui transperça la poitrine, l'empêchant de respirer. Se levant brusquement, il lança un violent coup de pied contre la table.

Un peu plus tard, il se tenait debout au milieu de la chambre, prenant lentement conscience de l'état de déprédation des lieux. Il avait lancé la table par la fenêtre, arraché les portes de leurs gonds, défoncé les cloisons à coups de pied et de poing, réduit le mobilier en miettes. On aurait cru qu'une tornade s'était abattue sur la pièce. Quelques applaudissements l'arrachèrent à sa léthargie, et il reconnut ses camarades, ceux auxquels leurs moyens permettaient de ne pas loger au motel, qui le regardaient par la fenêtre défoncée.

— Vas-y, te gêne pas ! lui cria Moosejaw, encouragé par les sifflements de Deker.

Lek, la bourgeoise et Cette-Diane-ci applaudirent avec ferveur, groupés devant l'élégante silhouette de Rolls-Royce Silver Shadow de la bourgeoise.

Pour les fuir, Junior dut se réfugier dans la salle de bains. Baissant les yeux sur ses mains meurtries, il vit que la plupart de ses ongles étaient arrachés, et comprit alors la raison des striures ensanglantées sur les murs. Le miroir lui renvoya une image qui lui était étrangère ; il le fracassa d'un coup de poing.

15

Rentrer chez soi sans avoir connu de succès équivaut à faire état de ses échecs. Des quatre jours accordés, deux serviraient à faire l'aller et retour par avion. Pour peu qu'il ait disposé d'une semaine, prendre l'autocar ne l'aurait pas gêné, mais l'idée de passer quarante-huit heures dans la même ville que Kissy lui était insupportable. Il en tremblait rien que d'y penser, craignant qu'en se rapprochant d'elle il pût la tuer de ses propres mains. Aujourd'hui, qu'elle eût quelqu'un d'autre dans sa vie lui semblait inévitable ; cet idiot d'aérostier, peut-être, à moins qu'elle n'eût renoué avec son musicien débile. Il aurait dû tuer ce salaud, quand il en avait eu l'occasion.

Trouver une excuse auprès de ses parents fut facile : il voulait faire des économies ; et chargé comme l'était l'emploi du temps de Mark, il comprenait très bien leur incapacité à lui rendre visite. Il annula donc ses réservations et expédia à sa famille les cadeaux qu'il avait achetés en chemin : une bague sertie d'une turquoise pour son père, un collier et des boucles d'oreilles pour Esther et Bernie, et des bottes artisanales pour Mark. Dans la même bijouterie, il avait capitulé devant un autre collier turquoise et argent, ainsi qu'une griffe d'ours d'argent sertie d'une pierre rouge dont il avait oublié le nom. Faisant du tout un paquet, il l'avait expédié à Kissy en espérant qu'elle le porterait avec son nouvel amant en riant bien de ce pauvre imbécile de Junior Clootie.

Ces tâches étant accomplies, il allait devoir réfléchir à ses projets de vacances, autres que celui de remettre sa chambre en état, comme l'en avait sommé le directeur du motel. À part l'obstruction de sa fenêtre avec en panneau de contreplaqué et l'enlèvement des débris de verre, il n'avait rien entrepris jusqu'ici. Ce qu'il souhaitait par-dessus tout, c'était boire, se défoncer, la dernière partie aussitôt achevée, et le rester jusqu'au moment où le bonhomme en costume rouge et ses rennes auraient regagné leur saloperie de pôle Nord.

Mais au-dehors l'attendait la Silver Shadow, moteur au ralenti, la bourgeoise au volant, Lek paresseusement affalé contre elle, pendant que Cette-Diane-ci tendait le cou par la fenêtre ouverte. Tous trois lui souriaient comme des porteurs de bonnes nouvelles.

— Hé, Hoot ! lança Lek. Amène-toi et foutons le camp d'ici !

La bourgeoise actionna la commande du coffre et Junior y déposa son sac. Bien qu'encombré de bagages, le coffre offrait encore une place immense. Au lieu de s'y jeter et d'y rester jusqu'à la saint-glinglin comme il en avait envie, Junior alla prendre place sur la banquette arrière, près de Cette-Diane-ci. Et voilà : c'était parti. Pour Denver, supposa Junior, vu que la bourgeoise y possédait une maison.

La bourgeoise avait soif. D'une glacière posée sur le plancher Cette-Diane-ci s'empressa de faire apparaître une bouteille de champagne et quatre flûtes. Ignorant les résolutions de Lek, elle lui tendit un verre qu'il refusa avec un rire contraint. Comme elle se confondait en excuses, la bourgeoise lui ordonna de se taire. Alors, histoire de détendre l'atmosphère, Cette-Diane-ci vida sa flûte d'une traite en gloussant de plaisir.

Dommage pour Lek, songea Junior, parce que du champagne dans des flûtes givrées, il trouvait cela tout simplement divin. Il lui était déjà arrivé d'en boire, mais celui-ci se révélait d'excellente qualité. D'un verre à l'autre, il en vint à apprécier ce voyage au Colorado, surtout à cause de la Rolls-Royce et du Cristal Rœderer qui éveillait d'agréables gargouillements au creux de son estomac, jusqu'au moment où un regard de la bourgeoise dans le rétroviseur lui fit comprendre combien il avait l'air stupide, avec son sourire béat de crétin satisfait. Elle lui adressa néanmoins un clin d'œil appuyé, ce qui le rassura un peu sur l'idée qu'elle se faisait de lui.

Trois heures plus tard, ils atteignirent Denver ; il était deux heures du matin. Entre-temps, Junior avait découvert la raison pour laquelle les seins de Cette-Diane-ci tenaient si bien en dépit de leur imposant volume. Cette raison, communément appelée silicone, lui procura une étrange sensation, car il crut y retrouver la fermeté un peu molle de son propre membre en érection. Il sut aussi ce qu'était un orgasme

190

quand il était causé par les caresses buccales de Cette-Diane-ci, qui passa la dernière heure du voyage endormie, la tête posée sur ses genoux. Parcourir les rues désertées de la ville donna à Junior l'impression qu'ils en étaient un peu les propriétaires. Sauf au cinéma, il n'avait jamais vu personne commander de champagne à la réception d'un hôtel. L'endroit était par ailleurs si somptueux que tout le monde y parlait avec un accent européen, surtout français. Cela le distinguait du 7-Eleven, où les employés s'exprimaient aussi avec un accent, mais qui rappelait plutôt l'accent pakistanais ou mexicain. Le directeur de l'hôtel les conduisit en personne à un ascenseur donnant exclusivement accès à l'appartement de la bourgeoise, lequel n'occupait pas moins de deux étages. Junior en resta bouche bée.

Suivant les directives de la bourgeoise, le sac de voyage de Lek fut acheminé jusqu'à la chambre principale. Après lui avoir fait les honneurs de la maison, Cette-Diane-ci suggéra à Junior de déposer son sac dans la chambre qu'elle avait coutume d'occuper. Mais, se cantonnant dans une relative prudence, le jeune homme préféra ignorer l'allusion, n'ayant nullement l'intention de partager le lit de la jeune femme, et encore moins de devenir son amant, ne serait-ce que pour une nuit. Après tout, il ne voyait pas pourquoi une malheureuse fellation l'y contraindrait, alors qu'il restait de nombreuses chambres libres.

L'étape suivante consista en la visite de la piscine intérieure, avec, à proximité, un bain tourbillon assez grand pour recevoir une demi-douzaine de personnes, précisément le genre de commodité que Junior rêvait de s'offrir aussitôt que ses moyens le lui permettraient.

Le champagne arriva au moment où Lek et la bourgeoise apparurent, un peu essoufflés, de la chambre à coucher. Mues par un accord tacite, les deux femmes se dévêtirent et, trois minutes plus tard, le quatuor se glissait dans les eaux bouillonnantes du jacuzzi. La façon dont l'eau chaude rend la chair des femmes tendre et rose éveilla en Junior un sentiment proche de l'euphorie. Comme Lek semblait partager cette impression, il se demanda s'ils n'étaient pas embarqués pour ce que l'on appelle communément une « partie carrée ».

Au moment où Cette-Diane-ci vint amoureusement se pelotonner contre lui, Junior se dit qu'en cas de noyade il pourrait toujours se servir de ses seins comme bouées de sauvetage. Devant le maquillage ruisselant de la femme, il réfréna l'envie de lui plonger la tête sous l'eau, histoire de voir enfin son vrai visage. Et si elle avait le même visage que Diane Greenan ? songea-t-il avec un frisson de répulsion. Du coup, il faillit régurgiter les biscuits qu'il avait grignotés pendant le voyage. Mais cela ne se pouvait pas, se rasséréna-t-il ; sinon, Cette-Diane-ci n'éprouverait nul besoin de se maquiller autant.

La bourgeoise laissa courir ses doigts sur l'avant-bras couvert de bleus de son amant.

— Si j'étais éditeur, roucoula-t-elle, je créerais un calendrier avec des photos de hockeyeurs et de footballeurs à poil que j'intitulerais : les hommes et leurs bleus.

Mine de rien, profitant de ce que tout le monde éclatait de rire, Cette-Diane-ci tâtonna en direction du pénis de Junior. Ce dernier resta de marbre. Même ivre mort, il n'était pas question de lui céder ; surtout que c'était sur la riche bourgeoise qu'il avait des vues.

— Et si on mettait un peu de musique ? suggéra-t-il.

Cette-Diane-ci n'ayant d'autre souci que de lui plaire, les hurlements de Madonna emplirent bientôt la piscine. Elle voulait garder son enfant, disait-elle. Lek et la bourgeoise, eux, n'écoutaient pas, étant trop occupés à échanger leur salive. Que faire en la circonstance ? se demandait Junior, s'amuser tout seul dans son coin ? Cette-Diane-ci résolut le problème en réapparaissant munie d'un petit miroir strié de fines lignes bien délimitées de poudre blanche. Doux Jésus... Se bouchant une narine, Junior en inhala une, les filles, deux autres. Lek détourna les yeux comme s'il était confronté à une situation très embarrassante puis, sortant précipitamment du bain, il récupéra ses vêtements et sortit. Junior ferma les yeux, le cœur battant à tout rompre.

— Oh ! la la ! s'exclama la bourgeoise, c'est pas facile de rigoler avec quelqu'un qui se prend pour un grand alcoolique...

— Et si tu allais le chercher ? proposa Cette-Diane-ci.

— Qu'il aille au diable ! lui retourna la bourgeoise. C'est ça, qu'il aille se faire foutre ! ajouta-t-elle en éclatant d'un rire hystérique, aussitôt repris par Cette-Diane-ci.

Junior avait les yeux fermés, et pourtant les mouvements de l'eau lui soulevaient le cœur. C'était comme si l'immeuble entier allait s'écrouler sur lui. Entre deux battements de paupières, il vit Cette-Diane-ci sortir à son tour du jacuzzi et s'éloigner en lui adressant un clin d'œil éloquent.

Toujours d'humeur ludique, la bourgeoise se mit à l'éclabousser, à quoi il répondit par d'autres éclaboussements qui la firent sautiller sur place en poussant des glapissements hystériques, jusqu'au moment où elle se laissa tomber dans ses bras avec un grand soupir. Junior ne la repoussa pas. Pour une grande fille, c'était une grande fille... Cela lui rappela sa mère, quand elle lui reprochait d'avoir les yeux plus grands que le ventre. Pendant ce temps, Madonna faisait état de son matérialisme avec une tristesse presque palpable.

Il aurait dû suivre son instinct, mais, sur le moment, copuler lui parut le remède à tous ses maux. Ce fut presque aussi bien qu'avec Kissy, du moins le crut-il, car une fois l'acte consommé, le relâchement qui l'envahit ne fit qu'ajouter à son abattement.

— Qu'est-ce qui ne va pas, chéri, dis, qu'est-ce qui ne va pas ? s'inquiéta la bourgeoise, implorante.

Junior fut bien forcé d'avouer que, depuis sa rupture avec Kissy, c'était la première fois qu'il avait de véritable relation sexuelle, puisque la fellation, ce n'était pas la même chose, surtout depuis tout récemment. Toujours curieuse, la bourgeoise voulut immédiatement connaître toute l'histoire.

— Kissy, répéta-t-elle, je croyais être la seule à avoir un nom débile...

Assis sur le bord de la baignoire, ils inhalèrent ce qui restait de cocaïne, puis décidèrent d'aller rejoindre Lek et Cette-Diane-ci. Ils les retrouvèrent dans la chambre principale. Allongé auprès d'elle, ce dernier lapait à petits coups de langue la cocaïne dont elle avait saupoudré ses seins. Les yeux injectés de sang, il les accueillit avec un rire bref et rauque, ponctué des gloussements de Cette-Diane-ci. Se penchant sur Lek, la bourgeoise posa ses lèvres sur celles du jeune homme, à quoi il répondit en l'embrassant goulûment.

D'un commun accord, les deux femmes décidèrent alors de l'entreprendre de concert, la bourgeoise s'attaquant au sexe du garçon, pendant que son amie s'installait à califourchon sur son visage. Junior observa la scène avec un détachement à peine affecté, puis décrocha le téléphone pour commander un repas, en demandant aux autres ce qu'ils désiraient. Comme il se faisait rabrouer, il se mit à lire le menu en attribuant une connotation sexuelle à chacun des plats. Le trio dut interrompre ses ébats pour éclater de rire, alors qu'à l'autre bout de la ligne le préposé aux commandes ne paraissait nullement s'émouvoir, cette situation lui étant probablement coutumière.

L'air se faisait lourd et moite, mais lui, pauvre de lui, il avait presque atteint la lune, au point qu'il pouvait en sentir la chaleur ; car même si elle n'en générait pas, comprit-il avec une étrange lucidité, la lune reflétait la lumière et la chaleur du soleil comme une énorme loupe et, partant, elle pouvait également brûler la peau. Il avait l'impression que son esprit n'était plus qu'un immense aéroplane à la voilure éclatante de blancheur.

Il ouvrit un œil et, bien que tamisée, la lumière lui tira un gémissement. À vouloir contenir les éblouissements de ses rêves, sa tête le faisait abominablement souffrir. Il se traîna jusqu'aux toilettes.

Quand il en sortit, la bourgeoise était encore allongée sur son lit, Cette-Diane-ci à ses côtés. Quant à forniquer avec cette dernière, il ne se souvenait pas l'avoir fait. Le sentiment que cela lui attirerait les pires désagréments avait persisté, malgré l'alcool et la drogue qu'il avait absorbés. Faisant main basse sur son caleçon, il partit à la recherche de son ami de débauche.

Lek était assis nu au bar du salon, biberonnant un liquide transparent à même une carafe de cristal. Sur une chaîne accrochée au goulot on pouvait lire vodka. Il en dénombra deux autres : une complètement vide indiquant whisky, et une autre, marquée scotch, qui n'en contenait plus que deux doigts. Prenant place sur un tabouret, Junior avala une bonne gorgée du liquide ambré, puis adressa un clin d'œil à Lek qui lui répondit par un ricanement amer.

Ils restèrent un long moment assis côte à côte sans rien dire, Lek tout à sa vodka, Junior occupé à finir le scotch. Sur les chaînes, ce dernier lisait à présent baisoir, berlingot ou même foutoir. Il pensa en parler à Lek, mais l'expression morose de ce dernier l'en dissuada.

— Putain de joyeux Noël, murmura Lek sans ambages.

Junior dut réfléchir quelques instants avant d'objecter :

— Je ne crois pas que ce soit encore Noël... demain, peut-être...

— Tu as raison, fit Lek en éclatant en sanglots, avant de s'éloigner d'un pas incertain. Mais il n'y a rien qui m'empêche de souhaiter un putain de joyeux Noël si j'en ai envie.

Quelques instants plus tard, une querelle éclatait dans la chambre de la bourgeoise, ponctuée du fracas de verre brisé et de cris, d'abord ceux de la bourgeoise, puis ceux de Lek, finalement des deux ensemble. Cette-Diane-ci sortit précipitamment dans le couloir, enfilant un tee-shirt par-dessus sa culotte. Ses véritables traits commençaient à apparaître à travers le gribouillis de son maquillage, sans que Junior pût encore s'en faire une idée précise. En le voyant, elle ralentit le pas.

194

— Mon Dieu, soupira-t-elle, manifestement heureuse de voir que Junior avait encore tous ses esprits.

Ce dernier se limita à lui tendre la carafe de vodka. Elle l'examina quelques instants, puis en avala une bonne lampée en rejetant la tête très loin en arrière.

Dans la chambre le charivari semblait s'être un peu apaisé. Lek apparut, entièrement vêtu, ses bottes dans une main et son sac de voyage dans l'autre. Il s'engouffra dans l'ascenseur privé sans un regard pour Junior ni pour Cette-Diane-ci.

— Mon Dieu..., geignit cette dernière.

Comme la bourgeoise restait invisible, Junior envisagea d'aller la voir, histoire de s'assurer que Lek ne lui avait pas tordu le cou. Par la porte entrebâillée, il la vit, assise au bord du lit, la cigarette au bec, affichant pleinement son âge et sa gueule de bois.

— Lek s'est tiré, annonça-t-il, avant d'ajouter devant le mutisme de la femme : Je dois partir, moi aussi.

La bourgeoise redressa la tête pour lui adresser un regard fulminant de colère.

— Je pourrais peut-être essayer de le calmer, ajouta Junior en hasardant quelques pas dans la chambre.

D'une pichenette, elle lui expédia son mégot de cigarette au visage pour toute réponse. Junior l'attrapa au vol et l'écrasa posément dans un cendrier.

— À bientôt, dit-il.

Le portier n'avait pas vu dans quelle direction Lek était parti ; mais les craintes de Junior de ne pas le retrouver se révélèrent injustifiées. Il n'eut qu'à regarder par la vitrine du bistrot le plus proche. À quatorze heures trente, l'endroit était désert ; aussi n'eut-il aucun mal à repérer son ami, installé au bar, un verre à la main. Junior alla le rejoindre et commanda une bière.

— Putain de joyeux Noël, murmura-t-il.

Quelques instants s'écoulèrent avant que Lek ne soupirât en essuyant furtivement une larme :

— Putain de joyeux Noël...

À moins que le blizzard ne se mît de la partie, les premiers tournois de basket-ball interscolaires commençaient mi-février et se poursuivaient jusqu'à la première semaine de mars. Un match de classe A venait de prendre fin à l'auditorium du Centre municipal et Kissy remballait son matériel devant les vestiaires où elle avait décidé de prendre ses dernières photos. En plus de son matériel habituel, elle portait un énorme téléobjectif, propriété du journal. L'accessoire était lourd et battait contre sa cuisse. Elle emprunta la sortie de secours et descendit un escalier qui débouchait sur la porte donnant sur l'escalier principal.

La neige que la foule transportait sous ses semelles avait rendu les marches glissantes. Elle se félicitait déjà d'avoir mis ses bottes doublées de mouton, quand une marche parut se dérober sous elle. En temps normal, son premier réflexe aurait été d'écarter les bras pour retrouver l'équilibre, mais son équipement et le précieux objectif l'en empêchèrent. Cherchant un appui, elle se tourna instinctivement vers la main courante. Les muscles tendus, elle voyait déjà la lumière aveuglante des lampadaires, quand une paire de bras vigoureux la retinrent.

Le capuchon de son manteau rabattu sur les yeux, elle s'affala lourdement contre son sauveur. À sa force, elle comprit qu'un homme l'aidait à se redresser. Elle repoussa son capuchon sur sa nuque d'un geste machinal et se rendit compte que c'était Mike Burke dans son uniforme de sergent. Pour la circonstance, on l'avait assigné au service de sécurité, le genre de tâche que la majorité des policiers affectionnaient, puisqu'en plus de faire des heures supplémentaires elle leur permettait d'assister à des événements sportifs sans bourse délier. Le seul à être désavantagé, c'était le policier chargé de la circulation à la sortie des terrains de stationnement, surtout par mauvais temps comme aujourd'hui.

— Ça va ? s'enquit Burke plein de sollicitude, le bras hésitant comme s'il craignait de la voir faire une nouvelle chute.

— Oui, merci, répondit-elle d'une voix éraillée.

— Vous êtes enceinte, bafouilla-t-il, avant de reprendre, un peu déconfit à cause de l'absurdité de sa remarque : Quand vous êtes-vous mariée ?

— Je ne le suis pas.

Le sourire du policier se figea. Elle en fut navrée pour lui, mais, une fois l'effet de surprise passé, elle détesta par-dessus tout l'expression de condescendance apitoyée qui se lisait sur son visage. Elle commençait à y être habituée, mais elle en souffrait plus que si elle avait dû arborer le A infamant des femmes adultères du XVIII siècle.

— Je dois retourner au labo...

— Je pourrais demander à quelqu'un de vous raccompagner...

196

— Non, merci. Je suis encore capable de traverser la rue toute seule, répondit-elle en se fondant dans la foule.

Alors qu'il la regardait partir, la vision du saumon qui lutte désespérément pour remonter le courant s'imposa à l'esprit du policier. Sentir contre son bras la ferme rondeur du ventre de Kissy l'avait, un court instant, décontenancé. Leurs chemins se croisaient souvent, et pourtant il n'avait jamais rien remarqué. À bien y penser, son visage épanoui aurait dû lui mettre la puce à l'oreille. Aujourd'hui, il pouvait se féliciter qu'elle n'eût pas répondu à ses sourires engageants. Se retrouver père d'un enfant qui n'était pas de lui était la dernière chose qu'il souhaitait au monde.

Inévitablement, il ne put s'empêcher de faire toutes sortes de suppositions sur l'identité du père. Le nom de Clootie lui vint immédiatement à l'esprit, en même temps que la dernière nuit, à l'issue passablement mouvementée, que le jeune homme avait passée avec elle avant de quitter Peltry. L'idée que cette dernière fois pût être la bonne amuserait certainement Pearce. Burke, quant à lui, se serait attendu, le cas échéant, à ce qu'elle mît un terme à cette grossesse sans la moindre hésitation. Cela cadrait davantage avec l'image de jeune femme affranchie qu'il s'était faite d'elle. Mais il en va souvent ainsi : alors qu'on s'imagine connaître quelqu'un, on s'aperçoit qu'on s'est complètement fourvoyé sur son compte.

Un message sur son écran d'ordinateur lui apprit que le rédacteur en chef l'attendait dans son bureau. Elle le découvrit, arpentant nerveusement la pièce. Il l'invita à s'asseoir d'un geste, puis alla prendre place derrière son bureau. Au passage, il tapota gentiment l'épaule de Kissy, qui comprit aussitôt les raisons de cette convocation.

— Je crois que nous avons assez tourné autour du pot, commença précautionneusement Earl Fish. Vous êtes enceinte, n'est-ce pas ?

— Le journal ne couvre pas ce genre d'événement, que je sache. Que je sois enceinte ou pas, je ne vois pas où est la différence, répliqua Kissy d'un ton qu'elle voulait détaché.

— Après un an de service, nous avons l'habitude d'accorder à nos employées un congé de maternité sans solde ; mais cela ne s'applique pas à vous, rétorqua Fish. Après avoir mis votre enfant au monde, vous aurez seulement droit à quelques jours de repos, à la suite de quoi vous aurez le choix entre réintégrer votre poste ou rester chez vous ; mais ne croyez surtout pas que c'est par indifférence de notre part.

197

— Indifférence... Moi, j'appellerais plutôt ça de l'hostilité. Mais peu importe, poursuivit-elle, même si elle regrettait déjà ses paroles. Je ne me plains pas et j'accepte la situation telle qu'elle est.

L'homme s'enfonça un peu plus dans son fauteuil qui gémit sous son poids.

— J'ai cru comprendre que vous avez failli faire une chute, l'autre soir, à l'auditorium.

Kissy se demanda comment il l'avait appris ; non pas que cela eût quelque importance, puisque ce prétexte en valait bien un autre.

— Je n'ai rien cassé.

— Grâce à Dieu.

— Il arrive souvent qu'une femme enceinte fasse une chute. Il y en a même qui le font exprès pour faire une fausse couche, sans que cela porte à conséquence.

— Je ne vous le fais pas dire, grimaça l'homme. Il n'en reste pas moins vrai que vous devenez de moins en moins adroite. Vous transportez de l'équipement lourd, fragile et coûteux. Mis à part les dégâts, vous pourriez vous blesser, et ça, c'est bien plus grave. Vous avez le droit de prendre des risques pour vous et votre... enfant, mais, en ce qui me concerne, je ne peux prendre celui de me retrouver avec un procès sur les bras.

— Loin de moi cette idée, monsieur Fish. Tout ce que je veux, c'est continuer mon travail.

— Vous voulez sans doute dire : continuer de travailler, car au lieu de reportages, vous pourriez faire un travail de bureau.

— Je pourrais travailler à plein temps au labo...

— Non, nos avocats affirment que les émanations chimiques pourraient être néfastes pour vous et le bébé.

— C'est aussi le cas dans mon labo personnel...

— Vous pouvez faire ce qui vous plaît dans la mesure où cela ne fait pas partie des tâches inhérentes à vos fonctions dans cette entreprise. Écoutez : je sais que la vente ne vous intéresse pas beaucoup mais...

La vente... Un bureau, un téléphone, et on prospecte à longueur de journée. Avec un peu de chance, les commissions atteignent le salaire minimal, ce qui implique de dîner de *grilled-cheese* un jour sur deux. Elle refoula ses larmes d'un battement de paupières.

— Je préfère encore livrer des pizzas.

— Nous ne fabriquons pas de pizzas, ici, mademoiselle Mellors. J'essaie de trouver le moyen de vous garder parmi nous. Alors, montrez-vous un peu coopérative, voulez-vous ?

— Je vous suis très reconnaissante, monsieur Fish. Mais je ne vois pas pourquoi je ne pourrais pas continuer à prendre des photos. Je peux encore porter mon matériel sans l'aide de personne. Je suis enceinte, monsieur Fish, pas moribonde. Je suis très forte et je pratique encore régulièrement la natation. Tout ce qu'un homme fait, je peux le faire aussi.

La mine hésitante du rédacteur en chef incita Kissy à penser qu'elle avait peut-être trouvé la faille. Si, à juste titre, son employeur craignait d'éventuelles poursuites judiciaires, il devait aussi envisager qu'on pût l'accuser de discrimination sexiste.

— Le mieux que je puisse faire pour vous, soupira Fish, c'est vous autoriser à prendre des photos jusqu'à votre septième mois de grossesse. Cependant, vous devrez vous limiter à des événements moins agités et dans une enceinte close, comme des dîners du Rotary Club ou des fêtes de charité. L'accès du laboratoire vous est dès cet instant interdit ; et si vous souhaitez continuer à travailler jusqu'à la fin de votre grossesse, je vous trouverai un emploi de bureau, avec le salaire approprié.

Kissy n'eut d'autre choix que d'accepter. Après un bref silence, l'homme esquissa un sourire.

— Qu'avez-vous l'intention de faire, Kissy ? demanda-t-il.

Il ne faisait pas allusion à la proposition qu'il venait de lui faire puisque, de toute évidence, elle ne souffrait aucune discussion, mais à son avenir, vu qu'elle n'était pas mariée et qu'elle ne manifestait nullement l'intention de le faire.

— Je ne sais pas, répondit-elle calmement.

— Pour l'amour du ciel ! s'exclama l'homme d'une voix vibrante de colère. Et quand comptez-vous le savoir ?

— J'ai encore trois mois et demi pour y réfléchir.

Trois mois et demi, c'était vite dit... peut-être n'en disposait-elle plus que de trois ou de deux et demi. Mais cela, Earl Fish ne pouvait le savoir avec exactitude. L'homme secoua la tête d'un air navré :

— C'est votre vie, après tout, et quoi que vous décidiez, cela ne me regarde pas. Mais si, à un moment donné, vous éprouvez le besoin de vous confier à quelqu'un, sachez que je serai toujours là pour vous écouter.

Kissy se leva avec plus de difficulté qu'elle ne l'aurait souhaité.

— Tout va très bien, merci.

— Vraiment ?

Elle acquiesça et quitta le bureau, suivie du regard lourd de reproches de son employeur. Mais ce dernier avait raison en tout point : son travail consistant à défendre les intérêts du journal avant toute autre chose, il ne pouvait aller à l'encontre de règles établies depuis des lustres. Le *News* avait toujours réussi à déjouer les tentatives de syndicalisation de son personnel. Dans le cas contraire, ses employés auraient bénéficié d'avantages appréciables, comme les congés de maternité rémunérés ou l'assurance salaire. Mais en réalité, peu de journaux pouvaient se targuer de traiter leur personnel mieux que le *News*, et encore moins quand il s'agissait d'une débutante.

Pendant quelque temps, elle avait cru que ses menstruations allaient revenir normalement. Les seins douloureux, elle se sentait gonflée, le ventre noué de crampes incessantes. Puis, quand les premières nausées étaient apparues, elle avait acheté un test de grossesse : la petite bulle avait immédiatement viré au bleu. Ce n'était qu'un test, s'était-elle alors ressaisie. Inutile de s'affoler.

Mais les symptômes se firent de plus en plus présents. Les nausées, dont elle souffrait ordinairement le matin, commencèrent à apparaître à toute heure de la journée. Son manque d'appétit eut pour conséquence une perte de poids notable, qui la laissa diminuée, désorientée, au point de lui faire perdre tout intérêt pour les choses du sexe et considérer ses frasques passées avec un profond dégoût. La simple notion de relation sexuelle lui répugnait. Elle se sentit très seule à un moment où son besoin de réconfort se faisait le plus sentir.

Son corps s'était progressivement métamorphosé. Ses bras perdirent de leur fermeté. Les nausées disparues, elle se mit à prendre du poids. La taille s'épaissit, le ventre prit des rondeurs qui ne laissaient place à aucune équivoque. Elle s'éveillait le matin, les traits bouffis, particulièrement autour des yeux, avec une pressante envie d'uriner qui se reproduirait souvent dans la journée.

Dès le départ, elle avait commencé à se prendre en photo : si elle décidait de se faire avorter une seconde fois, au moins garderait-elle le souvenir de son image de femme enceinte. Les semaines passèrent jusqu'à ce qu'elle entamât son quatrième mois de grossesse. Se faire avorter devint de plus en plus aléatoire, mais déjà, inconsciemment, elle avait rejeté cette éventualité. Les photographies de sa propre métamorphose la fascinaient au point qu'elle répugnait à en interrompre l'évolution.

Hormis cela, rien n'avait été décidé. S'occuperait-elle elle-même de son enfant ou en confierait-elle la garde à quelqu'un ? Elle

n'aurait su le dire. Pas plus qu'elle n'aurait su affirmer à qui en revenait la paternité. Au début, James Houston s'était naturellement
imposé à son esprit. Mais après consultation, l'obstétricien n'avait
pas écarté la possibilité que l'enfant eût été conçu en août, et non en
septembre, comme elle l'avait d'abord cru. Des saignements au
cours du premier mois de grossesse sont chose fréquente, semblait-il, et ce qu'elle avait pris pour des menstruations ne l'était peut-
être pas. Ainsi, Junior pouvait aussi être le père. Si décevant que ce
fût, sans analyses sanguines il était impossible de le savoir. Cette
question alla rejoindre dans le même placard celle concernant le sort
qu'elle réserverait à l'enfant. Ce placard mental qui enflait comme
son ventre et menaçait de répandre son contenu aux quatre coins de
son esprit.

Mais il lui restait encore trois mois, ou deux et demi, ou deux. Les
yeux baignés de larmes, elle ne put s'empêcher de rire de ses
pitoyables atermoiements.

16

Ruth respirait à nouveau librement, mais même avant cela une décision du tribunal l'avait à nouveau placée sous la garde de sa grand-mère, les mesures extrêmes n'étant prises qu'en cas de besoin. De toutes les heures que Kissy passa à son chevet, pas une ne fut consacrée à prendre des photos d'elle. Remplaçant Mme Cronin, elle lui fit la lecture des journaux, comme si la narration des événements du monde suffisait pour qu'elle y participât de quelque obscure façon. Ruth s'intéressait peu au sport, lui avait appris Mme Cronin, mais cela n'empêcha pas Kissy de lui relater les dernières nouvelles. Cela lui permettait à l'occasion d'avoir des nouvelles de Junior, et les partager avec Ruth la remplissait de nostalgie. Tout comme la mère de Ruth, Kissy prêtait la main à la toilette de la malade, brossant ses cheveux, coupant ses ongles, lui frictionnant le corps. Elle apporta un magnétophone pour lui faire découvrir l'éblouissante musique de Vivaldi ou un reggae, plein de chaleur et de joie de vivre. Elle lui fit également part des derniers potins qui couraient au journal... Par une étrange prise de conscience, elle comprit qu'elle se comportait avec Ruth comme s'il s'était agi de Mary Frances, sa meilleure amie.

C'est un soir, alors qu'elle cadrait Ruth et sa grand-mère, qu'elle connut sa première contraction. La tension de son ventre fut telle qu'elle faillit lâcher son appareil photographique.

— Mais vous avez un malaise ! s'exclama la vieille dame en se précipitant pour la soutenir. Allons, asseyez-vous !

Kissy se laissa docilement installer sur la chaise la plus proche. La douleur était si forte qu'elle en eut le souffle coupé. Tandis que

Mme Cronin la débarrassait de l'appareil, elle posa précautionneusement ses deux mains à plat sur son ventre. Presque aussitôt, elle perçut un frôlement, sorte de réponse à la caresse de ses doigts.

Voilà quelques semaines que le bébé manifestait son existence. Elle en était venue à le considérer comme une sorte de parasite vivant à ses dépens, un prédateur qui la dévorait de l'intérieur. Elle se sentait comme un ballon gonflé autour d'un être qui grandissait en elle et la clouait au sol comme un lest de plomb. Seules ses séances de natation la libéraient de ce sentiment de pesanteur.

— Il se passe quelque chose, observa anxieusement Mme Cronin.

— C'est une simple contraction, mais ça va mieux, maintenant.

Les bras croisés sur sa maigre poitrine, la vieille dame expira brusquement pour exprimer l'impatience qu'elle s'efforçait de contenir.

— Pas du tout, objecta-t-elle, prête à taper du pied. Vous ne m'avez jamais dit que vous étiez enceinte, le saviez-vous ? Vous vous êtes simplement contentée de grossir en vous faisant de moins en moins loquace. J'en étais venue à me demander si vous n'étiez pas du genre à faire comme si de rien n'était, pour ensuite abandonner votre enfant sur les marches d'un perron. Je ne crois pas que ce soit votre cas, mais j'aimerais savoir pourquoi vous vous repliez ainsi sur vous-même. Quelqu'un vous aurait-il fait du mal ? Ou est-ce parce que le père du bébé vous a abandonnée ?

— On ne m'a pas abandonnée, corrigea Kissy en se relevant. Si je ne dis rien, c'est parce que je n'ai encore rien décidé, c'est tout.

— Si, vous avez quand même pris une décision, celle de ne pas interrompre votre grossesse.

— C'est vrai, admit Kissy. Mais je ne comprends pas ce que l'on attend de moi. Annoncer la nouvelle ne m'a pas paru nécessaire ; ce n'est qu'un bébé, Sylvia, un bébé comme il en naît des millions chaque jour, et que je décide de le garder ou de le confier à quelqu'un n'empêchera pas le monde de tourner.

— Allez-vous cesser ? Vous êtes une intoxiquée de la photographie, ma parole ! s'indigna Mme Cronin en voyant Kissy récupérer son appareil. Laissez ça, et venez plutôt vous asseoir près de moi.

Kissy fit ce qu'on lui demandait sans un mot de protestation. Les yeux fixés sur sa petite-fille, l'aïeule reprit :

— Je me souviens quand ma fille était enceinte de Ruth... je me souviens aussi quand Ruth est née – prenant la main inerte de sa petite-fille, elle la posa sur le ventre de Kissy, avant de poursuivre :

204

Écoutez-moi bien, jeune entêtée. Vous êtes là, debout sur vos deux jambes, avec une nouvelle vie en vous. Moi, qui ne suis qu'une vieille personne, je vous dis ceci : vivez la vôtre les yeux grands ouverts ; et quand je vous vois, le visage collé à votre appareil, en train de contempler la vie à travers le petit rectangle de votre viseur, je ne sais pas ce qui me retient de vous botter le derrière.

En entendant ces mots, Kissy ne put s'empêcher d'éclater de rire.

— Vous portez un enfant, lui sourit aimablement Mme Cronin. S'il est vrai que c'est le cas pour des milliers de gens, il est possible que pour vous, ce soit une expérience unique. Essayez donc de la considérer autrement que comme une verrue plantaire.

Les sarcasmes de la vieille dame n'étaient pas pour déplaire à Kissy ; c'était sa façon à elle de lui témoigner de l'affection. Ces paroles, prononcées avec passion, c'était comme un instantané d'elle, pris sous un angle inattendu, et qui la contraignait à examiner sa situation d'un autre point de vue. Mais dans l'état actuel des choses, elle n'aurait su dire si elle aimait les bébés, en quoi elle ne voyait *a priori* que de petites larves baveuses et criardes.

— Et si je suis incapable de faire une bonne mère, si je suis trop maladroite ? avança-t-elle.

À sa grande surprise, la vieille dame lui adressa un sourire plein de commisération.

— C'est la question que se posent toutes les femmes enceintes la première fois, expliqua-t-elle. Trois mois à peine après la naissance de l'enfant, vous aurez acquis toute l'expérience nécessaire. En attendant, prenez soin de vous, le reste viendra tout seul. Pour l'instant, il faut parer au plus pressé : comment vous débrouillez-vous, Kissy ? Avez-vous quelque argent, au moins ?

La brutalité de la question prit Kissy de court ; mais elle ne répondit rien, et l'expression de son visage ne révéla rien non plus.

— Très bien, soupira Mme Cronin, il va falloir que nous ayons une conversation.

Une conversation ? Ne venaient-elles pas d'en avoir une à l'instant même ? Mais Kissy comprenait très bien où voulait en venir la vieille dame. D'une autre génération et ancienne institutrice de surcroît, elle voulait savoir qui était le père de l'enfant et comment il se faisait qu'il ne se manifestât pas. Mme Mellors était-elle au courant de la situation dans laquelle se trouvait sa fille ? Mais à l'inverse d'Earl Fish, elle répondrait à toutes les questions que lui poserait Mme Cronin ; non pas à cause de son grand âge ou de l'affection qu'elles se vouaient mutuellement, mais parce qu'il était temps pour elle d'y songer sérieusement.

La demeure que l'on voyait à l'écran était si lugubre que toute personne tant soit peu sensée aurait pris ses jambes à son cou rien qu'en la voyant. Pourtant, une jeune fille blonde en poussa la porte et, afin de dissiper son inquiétude, articula à haute voix : « Reste calme, Kristen. »

L'assistance, parmi laquelle on reconnaissait Junior, Lek, ainsi que presque toute l'équipe des Dinosaurs, récitait le texte en même temps qu'elle, sans oublier d'y mettre le ton. Il faut dire qu'au Dry River Cineplex, le programme ne changeait pas souvent, et un film comme *Cauchemar à Helm Street, quatrième partie* se révélait une véritable aubaine pour son directeur, puisqu'il faisait salle comble sans discontinuer. Les spectateurs en redemandaient et, à l'instar de Freddy Krueger, n'avaient de cesse que de revenir. La projection de ce film était devenue un événement, une sorte de rituel auquel les spectateurs participaient en récitant en chœur les répliques des acteurs, tant le film leur était familier dans les moindres détails.

Assis près de Junior, Lek tirait sur sa paille plongée dans une canette de 7-Up remplie de vodka. La canette de Junior, elle, contenait vraiment du coca-cola. Après avoir quitté l'appartement de la riche bourgeoise, Lek et lui avaient fait la tournée des bars de Denver, au cours de laquelle un banlieusard les avait invités ou, du moins, le croyaient-ils à passer la soirée autour de l'arbre de Noël. Ils s'étaient fait réveiller à coups de giclées de pistolets à eau par des enfants furieux de voir leurs cadeaux déballés et leurs jouets répandus sur le sol par deux étrangers. Cette aventure leur avait coûté leur sac de voyage, et le retour à Dry River s'était effectué après une longue succession d'attentes sur le bord de la route, le pouce levé.

Au motel, Junior se retrouva confronté au désastre de sa chambre, puisque, naturellement, les dix petits nains s'étaient bien gardés d'y mettre les pieds. Chaque geste pour remettre les lieux en état lui rappela son incommensurable stupidité. Tout était sa faute, uniquement sa faute, et en plus de l'admettre, il devait en assumer la responsabilité.

Si Lek eut des nouvelles de la riche bourgeoise, il n'en parla pas à Junior, mais il se mit à boire avec assiduité à un moment où Junior décida de limiter sa consommation d'alcool à une bière ou deux. Ensemble ils allèrent voir *Le Maître des rêves, quatrième partie* une fois par semaine pendant trois mois, à Dry River ou dans un patelin des environs. Le plus fascinant dans ce film, selon Junior, c'était que l'héroïne s'appelait Kristen, même si elle rappelait davantage Diane Greenan que Kissy.

Sur l'écran un chien nommé Jason pissait des flammes parmi les murmures et les rires des spectateurs.

— J'ai déjà pissé comme ça, moi aussi, lança Junior à la cantonade.

Les rires se muèrent aussitôt en véritable clameur. Il dut courber le dos sous la pluie de pop-corn qui s'abattit soudain sur lui. Cette arlequinade créa un précédent, puisque, désormais, les mêmes débordements ponctuaient cette séquence du film.

Nonobstant, c'est ce même jet de flammes qui permit à Freddy Krueger de sortir du tombeau parmi un amas d'ossements qu'il repoussa brutalement avant de se lancer à la poursuite d'une adolescente en vociférant, en même temps que les spectateurs :

— Vous auriez dû me brûler, je ne suis pas mort !

Satisfait de sa prestation, Lek s'adossa contre son siège en riant sous cape. Outre Lek et Junior, bon nombre d'entre eux passaient de longues heures à disséquer le film, en autocar, dans les vestiaires, aux repas. Lek caressa l'idée de se faire faire un masque à l'effigie de Freddy, l'idée première étant de faire peur à Junior. Que Lek s'adonnât à la boisson ne fut pas une mauvaise chose en soi : l'état semi-comateux qui s'ensuivait lui évita d'apprendre que Junior, avec qui il partageait la chambre lors de leurs déplacements, faisait d'horribles cauchemars. Trop de films d'horreur, estima ce dernier. Freddy s'en prenait aux adolescents, particulièrement aux jeunes filles en chemise de nuit. À ce modèle Junior ne se conformait ni par le sexe ni par l'âge ; il ne possédait pas non plus de chemise de nuit brodée à son nom ; et comme tout bon amateur de films d'horreur qui se respecte, il restait convaincu que, si, par extraordinaire, il était confronté à Freddy ou au Jason des *Vendredi treize*, il ferait partie des survivants.

— Rassure-toi, récita-t-il en même temps que le petit ami de Kristen, tu vois bien qu'il n'y a aucun cadavre ici.

Et comme chaque fois, cette réplique lui donna envie de se lever et de partir. Il ne bougea pas, cependant, se disant que s'il était un de ces jeunes gens, voilà longtemps qu'il aurait pris la poudre d'escampette. Peu importe les « cinquante façons de quitter son amant », comme le soutient Paul Simon ; c'est de cinquante façons de fuir nos démons que nous avons le plus besoin.

Après les vacances les 'Saurs retrouvèrent assez de constance et d'enthousiasme pour remporter les demi-finales, pas assez cependant pour les finales. Malgré la présence de Junior au filet, Moosejaw et le reste de l'équipe se révélèrent incapables de pallier la perte de Deker, rappelé à Denver dix jours plus tôt.

Au moins la saison n'était-elle pas tout à fait perdue, puisque Junior s'était singularisé grâce à de brillantes interventions. En guise de consolation, ce dernier s'octroya beaucoup plus qu'une ou deux bières ; et le lendemain matin, accompagné d'une terrible gueule de bois, il fit péniblement ses paquets pour rejoindre le reste de la troupe, en partance elle aussi pour Denver et tout aussi anéantie. De là, ils empruntèrent un autre autocar en partance pour l'Est. Il attendait devant un café à la gare d'autobus de Chicago, quand il reçut un message émanant du siège social des Drovers. À quelques jours des demi-finales, l'équipe se retrouvait sans gardien de but, ce dernier ayant été rappelé d'urgence au chevet d'une mère mourante, et son remplaçant étant immobilisé à cause d'une mononucléose. C'est ainsi que le meilleur gardien de but en ligue mineure se révélait être un dénommé Junior Clootie.

— Je pars pour Edmonton, apprit-il à son père d'une cabine de l'aéroport O'Hare. J'ai été choisi pour jouer les demi-finales.

— J'y serai, promit Dunny, je suis impatient de te voir.

Deux heures plus tard, Junior arriva en Alberta. Deker l'attendait près du convoyeur à bagages.

— Hoot ! hurla-t-il.

Il se tenait, main dans la main, près de la riche bourgeoise, Cette-Diane-ci à ses côtés telle une demoiselle d'honneur. Junior grimaça un sourire et embrassa la riche bourgeoise qui lui rendit son baiser d'un air enjoué.

— Est-ce que Deker n'est pas un peu jeune pour toi ? murmura-t-il à son oreille.

Rejetant la tête en arrière, la jeune femme émit un rire de gorge presque obscène.

— Tu as gagné, roucoula-t-elle. Il ne manquait que toi pour que la fête soit complète.

— Je suis ici pour travailler, expliqua Junior après avoir échangé un regard avec Deker, ma famille arrive, elle aussi. Peut-être que quand tout sera terminé...

La bourgeoise lui mordilla l'oreille, puis déposa un baiser sur sa joue en minaudant :

— Eh bien, si tu as besoin de distractions, tu n'auras qu'à me téléphoner...

Junior se lança à corps perdu dans la préparation des demi-finales, au cours de laquelle chacun trouva son compte : les entraîneurs ne cachaient pas leur satisfaction, et il était heureux de savoir qu'il n'avait rien perdu de son talent. Cela faisait des semaines qu'il éprouvait les limites de son endurance, de sa force physique et de ses réflexes ; autant de qualités qu'il devait à des parents équilibrés et qui avaient trimé dur toute leur vie. Lui aussi était prêt à trimer dur, à présent ; rien ne le ferait courber sous le harnais. Il concevait une sorte d'extase à être mis à l'épreuve, à découvrir qu'il pouvait ne plus être qu'un gardien de but à l'état pur, et ne pouvait concevoir que la passion qui l'animait pût un jour s'étioler.

Puis le grand moment arriva. Ses débuts en ligue majeure se déroulaient sur la fabuleuse *Big Pond*, devant un vaste public comme il n'en avait jamais connu. Il versa quelques larmes en entendant l'hymne national américain et, d'émotion, faillit régurgiter son repas pour le « Ô Canada ». Sentant la viande fraîche, les Oilers ne le ménagèrent pas. Et alors ? ne cessa-t-il de se répéter, après tout ce n'est que le très célèbre Wayne Gretzky qu'il avait devant lui. Il éprouva un véritable soulagement quand, enveloppant le palet de son bâton, le « Great One » rata son premier tir. Junior se mit bien en place devant ses poteaux et effectua un long dégagement.

Ses parents l'attendaient à l'extérieur. En signe d'affection, Mark lui administra une grande claque dans le dos suivie d'une tape sur la joue. Même Bernie lui donna l'accolade, premier signe d'intérêt depuis la mort d'Ed et sa rupture avec Kissy. Esther se jeta dans ses bras pour l'embrasser sous le regard attendri de son mari. Ce dernier sortit un mouchoir, grâce auquel Esther put sécher ses larmes, Junior éponger la sueur de son visage, et Dunny se moucher bruyamment. Sa période de probation était terminée. Surexcité comme un adolescent, Junior les poussa dans la voiture de location pour les conduire à l'hôtel.

Celui qu'il avait choisi ne ressemblait en rien à un hôtel de luxe, et encore moins à l'appartement attique de la bourgeoise. Néanmoins, il se classait plusieurs crans au-dessus du Devil's Backbone. Junior y avait réservé une chambre pour lui également, par commodité, mais aussi pour se tenir à l'écart des festivités sportives, car il n'avait toujours qu'un désir : être prêt le moment venu.

Mark se montra particulièrement surexcité, à cause du match auquel il venait d'assister et de l'invitation de Deker à se joindre à la fête. Sur ce point, Junior, lui, s'était montré intraitable : sa famille avait fait une longue route pour assister au triomphe qu'elle attendait depuis des années, non pas depuis Peltry, mais depuis Kingston. Eux seuls avaient le droit de partager son plaisir d'avoir enfin accédé à la LNH, la Ligue nationale de hockey, eux et Kissy, naturellement. Pour la première fois depuis des semaines, il eut envie de lui téléphoner, d'entendre sa voix, de savoir si elle partageait tant soit peu son bonheur.

Le départ de Mark fut accueilli par Esther et Dunny avec un visible soulagement. Cela parut d'autant plus compréhensible à Junior que Mark avait toujours été un gamin insupportable. Qui sait ? S'acoquiner avec Deker le ferait peut-être tomber dans les rets de la bourgeoise, laquelle n'en ferait qu'une bouchée et le laisserait raide mort sur le carreau. Il pouvait aussi s'égarer, et ne plus retrouver le chemin de l'hôtel, tomber entre des mains malveillantes et se retrouver au fond d'une mine, à l'autre bout du monde...

Quelques secondes suffirent pour que l'on décidât d'un commun accord de dîner dans la chambre des parents, vu que c'était leur premier repas en famille depuis longtemps et que, partant, mieux valait qu'il se déroulât en privé.

— Tu as l'air en forme, observa Dunny après qu'ils eurent passé la commande.

Affalée sur un lit, Bernie triturait la télécommande pour trouver une chaîne qui retransmettrait les exploits de son frère aîné.

En voyant la moue dubitative de son père, Junior songea à l'inévitable coupe de cheveux qui l'attendait, tout en s'amusant ferme des efforts qu'il déployait pour n'en rien laisser paraître. Il se demandait si, compte tenu des circonstances, il pouvait aspirer à quelque chose de plus original, du genre porc-épic, par exemple. Finalement, apparut à l'écran un extrait du match où l'on voyait Junior en pleine action. N'y tenant plus, Dunny se leva d'un bond et alla fourrager dans sa mallette de coiffeur. Junior et sa mère échangèrent un sourire. Puis, sans dire un mot, le jeune homme installa une chaise en pleine lumière, desserra sa cravate et déboutonna son col de chemise.

— J'allais te le demander, déclara-t-il. Rasé sur le côté avec quelques pointes sur le dessus, s'il te plaît...

Mal à l'aise, Esther s'agita sur son siège.

— J'ai quelque chose à t'annoncer, Junior...

Bernie éteignit aussitôt la télévision. Les yeux mi-clos, les lèvres pincées, elle attendait la suite, sachant d'ores et déjà de quoi il retournait.

— Cette affaire ne nous regarde pas, objecta Dunny, le peigne en arrêt.

À voir les mines confondues de ses parents, Junior comprit que, peu importait de quoi il retournait, l'affaire avait déjà fait l'objet d'une longue discussion, probablement tout le temps qu'avait duré le voyage jusqu'à Edmonton.

— Nous avons vu Kissy, la semaine dernière, annonça Esther.

Dunny soupira, puis le peigne et les ciseaux reprirent leur danse autour du crâne de Junior.

— Au cinéma, claironna Bernie.

Jusqu'à présent, tout cela n'avait rien d'édifiant.

— Elle est enceinte, acheva Esther.

Le mot parut rester en suspens dans l'air comme un phylactère. Durant une courte seconde, Junior fut assommé par la nouvelle. Dunny lui redressa la tête d'un geste impatient.

— Grand Dieu, Esther ! se récria-t-il. Cette histoire va lui faire perdre ses moyens et gâcher son prochain match ! En plus, nous étions convenus de ne pas en parler devant Bernie...

— Bernie sait très bien comment on fait un enfant, l'interrompit sa femme.

Cette dernière pointa un menton accusateur en direction de son fils.

— Je ne peux pas vous obliger à vous marier. Mais si elle garde l'enfant, le moins que tu puisses faire, c'est de le reconnaître et de subvenir à ses besoins. Il est possible que tu n'en veuilles pas, mais si cet enfant est vraiment mon petit-fils ou ma petite-fille, alors, je tiens à en être la grand-mère. Je veux pouvoir le voir et le prendre dans mes bras, et non pas qu'il grandisse en pensant que ses grands-parents ne se soucient pas de lui.

— Tu ne sais même pas si cet enfant est vraiment de Junior, trancha Dunny. Moi je dis qu'il faut attendre, et voir d'abord de quoi il a l'air.

La luminosité de la chambre était à présent devenue trop vive au gré de Junior. Fermant les yeux, il se pinça le nez, puis prit une longue inspiration. N'ayant plus eu de nouvelles de Kissy, il avait pensé que ses parents s'en étaient eux aussi désintéressés. Dans le silence, le cliquetis des ciseaux évoquait les prémices d'une castration.

— Junior, reprit sèchement Esther.

Ce dernier ouvrit les yeux. Elle attendait une réponse, le dos raide, les mains posées sur les genoux.

— Je ne sais pas, répondit-il, elle ne m'en a jamais parlé.

— Elle est pourtant très grosse...

— Je ne l'ai pas trouvée si grosse que ça, intervint Dunny.

— Des femmes enceintes, j'en ai vu beaucoup, Dunny, insista Esther, et je peux affirmer sans trop me tromper qu'elle en est à son septième mois de grossesse. Elle se leva pour brandir un index menaçant sous le nez de son fils : Oserais-tu me dire que cet enfant pourrait ne pas être de toi ?

— Peut-être qu'il n'est vraiment pas de lui, s'immisça encore Dunny. C'est cela que nous devons nous dire jusqu'à preuve du contraire. Junior n'est pas venu nous voir depuis le mois de septembre, et ils avaient rompu bien avant son départ. Je t'avais pourtant prévenue qu'il n'était au courant de rien ; dans le cas contraire, je suis sûr qu'il nous en aurait parlé. Et elle, pourquoi n'a-t-elle rien dit à Junior ? Parce que l'enfant qu'elle porte n'est pas de lui, voilà pourquoi.

— Il pourrait l'être, bredouilla Junior.

— Je le savais, s'exclama Esther d'un air triomphant, sous le regard dépité de son mari.

— En réalité, tu te moques bien de savoir si cet enfant est de Junior ou pas, n'est-ce pas ? regimba ce dernier.

— En effet, admit Esther.

— Fais-moi confiance, maman, je le saurai, promit Junior.

— Figure-toi que ta mère a décidé d'acheter des vêtements de bébé, tempêta Dunny. Il suffit qu'elle voie une de tes anciennes amies enceinte pour qu'elle se mette à courir les grands magasins en brandissant ses cartes de crédit.

— Je fais des cadeaux à qui bon me semble, protesta calmement Esther, avant de rire joyeusement, comme si elle venait de battre son mari à un jeu.

— Tu es tellement dégueulasse, déclara soudain Bernie en s'adressant à Junior. Je comprends que Kissy n'ait plus voulu de toi.

Fort heureusement, l'arrivée du repas détendit un peu l'atmosphère. Distrait par les informations sportives, Junior s'efforça néanmoins de participer à la conversation. Bernie ne lui adressa plus la parole, se limitant à le foudroyer de regards méprisants probablement mis au point devant son miroir.

Que Kissy lui ait tu une telle nouvelle le dépassait. Qu'espérait-elle ? Un meilleur parti ? Elle n'avait quand même pas imaginé pouvoir lui cacher indéfiniment sa grossesse, espéré qu'il ne reviendrait jamais chez lui, qu'il ne chercherait jamais à la revoir ni ne remarquerait qu'elle avait un enfant. Cela ne se passerait pas comme ça, elle lui devait des explications, et il allait en avoir.

Junior n'avait jamais fait grand cas des femmes enceintes. Pourtant, il la voyait déjà, avec un ventre protubérant et des seins démesurément épanouis. Mais pour ce qui était du reste, il ignorait ce qu'il en serait. Ses chevilles si fines enfleraient-elles ? Garderait-elle sa silhouette callipyge ? Brusquement, à son esprit, Kissy emprunta les contours du bonhomme Michelin.

Il quitta la chambre de ses parents dès que la bienséance le lui permit. Une fois seul dans la sienne, il composa le numéro de Kissy. À cause du décalage horaire, il était très tard, mais la réveiller à une heure indue ne le dérangeait pas, bien au contraire. Cette satisfaction lui fut cependant refusée quand il apprit qu'il n'y avait plus d'abonné au numéro qu'il avait demandé. Assis sur le bord du lit, les yeux rivés sur l'appareil, il envisagea d'appeler l'assistance téléphonique et de demander le numéro de Mme Mellors, laquelle pourrait sans doute contacter sa fille. Mais les deux femmes n'entretenaient pas de relations particulièrement étroites, ce qui signifiait qu'il ne serait pas plus avancé pour autant, à moins que Kissy eût tout bonnement décidé d'en épouser un autre...

Après tout, rien ne disait que cet enfant était de lui, même s'ils avaient pris certains risques et que ces risques-là ne réussissaient pas à Kissy. Mais il pouvait néanmoins se flatter de l'avoir persuadée d'en prendre, et peut-être était-ce pour cette raison qu'elle était enceinte aujourd'hui ; parce qu'elle avait voulu lui donner une preuve d'amour... Mais là encore, ne serait-ce que par dépit, elle pouvait très bien aussi avoir couché avec son moustachu, ou avoir renoué avec Kowanek, ou être sortie avec toute la population mâle de Peltry, y compris son frère Mark. Après tout, elle n'avait pas fait sa bégueule, la première fois, ni les fois suivantes, d'ailleurs. Avec toute l'eau qui avait coulé sous les ponts depuis leur rupture, il imaginait mal qu'une fille portée sur la chose comme Kissy Mellors ait pu s'abstenir d'avoir des relations sexuelles pendant si longtemps.

Allongé sur son lit, les mains derrière la nuque, Junior réfléchit quelques instants, puis décida finalement de téléphoner à la bourgeoise. Cette-Diane-ci décrocha et poussa un long soupir en apprenant que ce n'était pas à elle, mais à Mony, que Junior désirait parler.

— Ton frère est ici, lui apprit la bourgeoise. C'est ta copie conforme en plus jeune.

— Viens me voir, lui demanda-t-il.

— Et pourquoi ? l'agaça-t-elle.

— Parce que j'ai envie de toi.

— Oh ! Je vois, s'esclaffa-t-elle sans chercher à cacher sa satisfaction.

Cette manière de lui donner des ordres, cet ascendant qu'il avait sur elle et qui lui permettait de la soustraire à Deker et à son propre frère n'était pas pour déplaire à Junior. Elle arriva peu après qu'il eut commandé du champagne car, malgré un repas copieusement arrosé, ce vin n'était pour lui qu'une sorte de boisson gazeuse pour adulte. Pas question de sniffer, la prévint-il cependant. Mais en apprenant qu'elle en avait apporté, il décida qu'une ligne ou deux ne pouvaient pas lui faire de tort. Peu après, le cœur battant durement dans sa poitrine, il regretta que la bourgeoise ne fût pas plutôt portée sur la marijuana. La cocaïne le rendait bavard. En dépit de ses résolutions, il ne put s'empêcher d'évoquer Kissy.

— Ma copine est enceinte, annonça-t-il.

La bourgeoise éclata d'un grand rire, en lui serrant le pénis pour le féliciter. Quand il voulut savoir s'il était meilleur au lit que Deker, elle s'esclaffa de plus belle en lui expliquant qu'elle attendait justement son appel, car elle était un peu lasse, semblait-l, de fréquenter des gamins. À peu de chose près, c'était précisément ce que Junior avait envie d'entendre.

Plus tard, tandis que Mony allumait sa cigarette postcoïtale, la conversation s'orienta vers la grossesse de Kissy.

— Il se peut très bien que l'enfant ne soit pas de moi, dit-il.

— Qu'est-ce que ça peut bien te faire ? renâcla la bourgeoise. Si elle n'en veut pas, elle n'a qu'à s'en débarrasser, et si elle décide de le garder, c'est parce qu'elle pense pouvoir se débrouiller sans l'aide de qui que ce soit.

Junior regretta de n'avoir pas su garder sa langue. La bourgeoise était venue le voir pour se donner du plaisir, et non pour écouter ses jérémiades. Les effets de la drogue dissipés, une grande lassitude l'envahit sans qu'il eût sommeil pour autant, probablement à cause

214

des spasmes nerveux provoqués par une trop grande absorption de cocaïne. Ce soir encore, pas question de s'endormir en faisant des rêves de gloire. Depuis peu, des personnages de films d'horreur étaient venus hanter ses nuits, jusqu'au moment où Kissy lui était apparue, nue, portant dans ses bras un enfant de sexe indéfinissable possédant les cheveux décolorés de sa mère ; et quand il avait voulu le prendre dans ses bras, l'enfant s'était désagrégé entre ses doigts, un sourire figé sur son visage couleur de lune.

Arrivé trop tard à Boston pour attraper le dernier vol pour Peltry, Junior opta pour la route. De toute manière, cela faisait presque deux jours que le sommeil le fuyait. En respectant les limitations de vitesse et compte tenu de l'heure, il espérait arriver à Peltry quatre ou cinq heures plus tard. Malheureusement, récupérer son sac et louer une voiture prit plus d'une heure, si bien qu'il quitta l'aéroport de Logan aux environs de minuit. Les poids lourds qui le doublaient avaient beau le faire grincer des dents, Junior ne voulait pas risquer une nouvelle suspension du permis de conduire qu'on venait à peine de lui restituer. Une fois encore, ce voyage lui permit de se retrouver seul avec lui-même, ses pensées virevoltant dans sa tête comme une gerboise dans sa cage, le volume de la radio au maximum pour écarter tout risque de somnolence.

Comme il s'y attendait, ni lui ni les Drovers ne participeraient aux finales. Les Oilers remporteraient une fois encore la coupe Stanley, et Gretzky un autre trophée Smythe. Las, distrait, exaspéré par les faiblesses de la défense des Drovers, il avait disputé le pire match de sa vie. Mais quelque prétexte qu'il pût invoquer, il était bien forcé d'admettre que ses soirées avec la bourgeoise en étaient surtout la cause. Il lui téléphonait et elle débarquait, comme si ce principe avait été tacitement établi dès la première fois.

Comprenant qu'il ne parviendrait pas à s'endormir, il avait parcouru la rubrique sportive de tous les quotidiens qu'il avait trouvés à bord de l'avion. Dans le meilleur des cas, on pouvait y lire que, malgré la présence d'un gardien de but talentueux et d'un jeune Russe plein d'avenir, il aurait fallu un miracle pour battre Wayne Gretzky et les Oilers. Quelques semaines auparavant, Junior avait été pressenti par les Pionneers de l'Utah. Ils possédaient un club à Baptistville, dans l'État du Kentucky, État où, à sa connaissance, on pratiquait davantage le culte du serpent, le lynchage et l'inceste que le hockey.

Tout comme les Drovers, les Pionneers étaient une équipe en pleine expansion, mais l'idée d'en faire partie ne séduisait pas Junior pour autant, car il était convaincu que, comparée à Baptistville, Dry River ressemblerait au « Gai Paris ». À l'issue de sa lecture, il se consola de toutes ces déceptions en concluant que, pour ce qui était de sa prestation, les chroniqueurs sportifs écrivaient tout et n'importe quoi, et que les avis étaient largement partagés. De toute façon, il entrait dans une période où sa vie ne lui appartenait plus.

Peltry apparut vers cinq heures du matin, noyée de brouillard, pareille à une ville morte où les silhouettes fantomatiques et confondues des bâtiments de granit, des ormes centenaires, des érables et des pins surplomblaient des eaux plus ténébreuses que jamais. Pour comprendre la vie qu'il avait vécue jusqu'alors, il lui suffirait d'y plonger tête la première. Il se revit marchant dans les rues de la ville, courant dans Valley en respirant à pleins poumons l'air glacial, disputant des matches avec l'équipe de Sowerwine... tout ce qui avait fait son quotidien des années durant. Mais tout cela, il allait le retrouver, et Kissy aussi, qui, à coup sûr, se jetterait dans ses bras et l'embrasserait avec tant de passion, que tout ce qu'il avait cru mort réapparaîtrait, plus vivant que jamais.

En traversant la Mid-Dance, il sentit le pont frémir sous la formidable poussée du courant. C'étaient les crues de printemps, et pourtant il n'avait jamais vu la rivière aussi haute. Le grillage qu'il avait voulu défoncer avait retrouvé sa forme originale, seules quelques traces de rouille témoignaient encore de l'impact. Brusquement, il se sentit submergé de chagrin, autant pour Ed que pour lui-même.

La maison était vide et silencieuse. À la fenêtre, la pluie faisait entendre son crépitement sec et monotone. Junior croyait revivre un jour de son enfance, quand il avait été exempté d'école à cause d'une bronchite. Dix heures du matin, et il venait à peine de se réveiller. Il avait froid et, malgré la fatigue du voyage, n'avait à peu près pas fermé l'œil de la nuit. Mais il était réveillé, à présent, presque dispos, n'eût été une douloureuse pression au fond des yeux.

Une fois douché et rasé, il se mit à la recherche de vêtements propres. Depuis le temps qu'il portait les mêmes, les siens avaient fini par dégager une odeur aigrelette très désagréable. Il se souvint avoir remisé dans sa penderie un vieux blue-jean, mais, ne le trouvant pas, en déduisit que son frère se l'était approprié. Dans les tiroirs il ne trouva qu'un short et des tee-shirts déchirés. Le pantalon kaki de son père se révélant à la fois trop court et trop large, il opta pour le short, même si les conditions climatiques ne se prêtaient pas à ce genre de vêtement. Pour ce qui était des chaussettes, il puisa dans le stock de son père. À la pensée de revoir Kissy, sa fébrilité était telle qu'en quelques instants son front et ses aisselles furent moites de sueur. À tout prendre, il aurait mieux aimé se retrouver face à face avec Gretzky.

Sans tomber à verse, la pluie n'en était pas moins glaciale. Tandis qu'il louvoyait lentement dans la circulation automobile, Junior retrouvait le Peltry qu'il avait toujours connu, un peu comme s'il ne l'avait jamais quitté. Dry River, Denver, Edmonton... toutes les villes qu'il avait visitées lui semblaient comme autant de petites bourgades isolées à des milliers de kilomètres de là et qu'il n'aurait traversées qu'un bref instant. À chaque début du printemps, quand la rivière entraînait dans ses flots tumultueux un amalgame de glace, de neige fondante, de feuilles mortes et d'ordures, et qu'une végétation bourgeonnante attendait impatiemment de remplacer l'ancienne, c'étaient surtout des odeurs de terre qui s'élevaient de Peltry.

En traversant le Hornpipe, le jeune homme aperçut des pompiers en ciré jaune reluisant de pluie qui jaugeaient le niveau des eaux, entourés de policiers auxquels se mêlaient quelques badauds. Des véhicules d'urgence étaient garés un peu partout, au cas où un débordement de la rivière exigerait l'évacuation des maisons environnantes.

Comme il s'y attendait, le tout-terrain de Kissy se trouvait sur le terrain de stationnement du *News*. Il était presque midi, et normalement Kissy n'allait pas tarder à sortir. Dans le cas contraire, c'est lui qui irait la chercher.

Il s'apprêtait à le faire quand elle apparut. D'emblée, elle lui parut très lasse, et indéniablement enceinte. Sous la casquette, son visage aux traits légèrement bouffis laissait voir un regard atone, indifférent aux choses comme aux gens. Même en étant prévenu, Junior fut fortement ébranlé par la vision de ce corps aimé qu'il ne reconnaissait plus. La réalité se révéla plus dure qu'il ne l'avait craint, mais il ne pouvait s'y méprendre : Kissy était bel et bien enceinte. Jusqu'aux yeux.

Il sortit du véhicule comme un somnambule. Il se dirigeait vers elle quand un violent coup de klaxon le fit sursauter. Une voiture avait failli le renverser. Il poursuivit son chemin, ignorant les protestations du chauffeur qui, toutefois, ne manquèrent pas d'attirer l'attention de Kissy.

L'œil agrandi de stupeur, elle fit un pas en arrière. Junior s'empressa de la rejoindre.

— Ça va ? demanda-t-il.

— Qu'est-ce que tu veux ? lui cria-t-elle au visage.

La voir ainsi devant lui, avec son ventre proéminent, lui fit un instant oublier pourquoi il était venu.

— Heu... Te voir... le bébé...

— Il n'est pas de toi.

— Quoi ?

Déjà, elle sortait ses clés de voiture de son sac.

— Kissy...

Se glisser au volant de son tout-terrain ne fut pas chose facile, mais aussitôt qu'elle y parvint elle referma violemment sa portière. Junior eut à peine le temps d'esquisser un geste pour tenter de la retenir qu'elle était déjà partie dans de grandes gerbes d'eau qui le laissèrent trempé de la tête aux pieds. Il resta là un long moment, sans réagir, le regard perdu, la paupière clignotante, dégoulinant de pluie, puis regagna la voiture de location avec, pour compagnon, le bruit de succion de ses chaussures de sport.

Il roula au hasard, malgré son siège à présent détrempé. Kissy venait de lui apprendre que l'enfant n'était pas de lui. Il aurait dû se sentir soulagé et, effectivement, il l'était vraiment, sauf que cela signifiait qu'elle avait couché avec un autre, et cette pensée lui était intolérable. Il avait l'impression de baigner dans une flaque d'urine froide. Ainsi, pendant qu'il pensait à elle, elle prenait son plaisir avec allez savoir qui. Pour un peu, il aurait passé son pied à travers le plancher de l'accélérateur.

Les véhicules d'urgence et les voitures de police interdisant l'accès de Valley contraignirent Junior à faire un détour et à emprunter une bretelle du haut de laquelle il put contempler le Hornpipe. La fureur des eaux semblait à son point culminant, emportant des arbres entiers avec elles. Le meilleur nageur au monde n'y aurait pas résisté plus de cinq minutes. Pas même une nageuse comme Kissy.

Un bref coup de klaxon lui fit comprendre qu'il venait de s'immobiliser en plein milieu de College Avenue. Cela lui apparut comme un signe : il irait soulever quelques haltères, cela laisserait à ses vêtements le temps de sécher. Le remous que provoqua son apparition au gymnase, les manifestations de sympathie dont on l'entoura lui firent du bien. Vêtu d'un short emprunté à un entraîneur, il fit quelques exercices de routine, puis se joignit à des garçons qui lançaient des paniers sur le terrain intérieur de basket-ball. À seize heures, il avait recouvré sa forme physique, ce qui, comme à l'accoutumée, lui laissa croire que tout était encore possible, vu que c'est toujours dans sa propre sueur qu'il trouvait son exutoire.

— J'ai vu Kissy, m'man, annonça-t-il à sa mère, penchée sur ses livres. Elle dit que l'enfant n'est pas de moi.

Un court moment, Esther parut si déçue que, sans le regard furieux qu'elle lui adressa, il l'aurait serrée dans ses bras. La maison sentait le linge propre et repassé. Au pied de l'escalier, il aperçut un panier dans lequel il crut reconnaître ses vêtements.

— Merci d'avoir lavé mon linge, dit-il.

— La prochaine fois, il faudra les apporter chez le blanchisseur, Junior. Tu es assez grand pour t'occuper toi-même de tes vêtements ; tâche de t'en souvenir, ça m'évitera de subir leur puanteur insupportable.

— Excuse-moi, maman, j'ai oublié, marmonna Junior, soudain conscient des nombreux griefs que sa mère nourrissait à son égard.

Tout à coup, il eut très froid. Raflant une bière dans le réfrigérateur, il alla récupérer ses vêtements propres, puis monta à l'étage prendre une douche...

Bien au chaud entre ses draps comme il ne l'avait été depuis longtemps, il commençait à s'endormir, quand des murmures entrecoupés de grincement de ressorts le tirèrent de sa torpeur. Dans la chambre obscure, la voix de sa mère, pleine de colère, lui parvint distinctement :

— Soit, il a un bel avenir qui l'attend et après ? Tout ce travail, tous ces sacrifices, pour nous apercevoir que notre fils est un voyou ; car au bout du compte, c'est bien ce qu'il est, n'est-ce pas ? Un voyou avec un brillant avenir.

L'exaspération de Dunny était également parfaitement audible :

— La fille dit que l'enfant n'est pas de lui.

— Tu n'as donc rien compris ? Il est tellement stupide qu'elle ne veut pas de lui. Que dirais-tu, toi, si ta fille épousait un garçon comme ton fils aîné ?

Le silence qui s'ensuivit se passait de tout commentaire.

Les événements se précipitèrent dès le lendemain matin. Réveillé de bonne heure par ses parents qui se préparaient à se rendre au travail, Junior alla flâner dans les rues de la ville. Le Hornpipe était sorti de son lit durant la nuit, se répandant en immenses flaques dans les rues du centre-ville. Encore très bas, le ciel se confondait à la brume glaciale qui montait de la rivière en lambeaux cotonneux semblables à des ectoplasmes. Cela rappela à Junior ses cauchemars peuplés de sexe et d'abominations. Il imagina Kissy, belle et épanouie, leurs corps entremêlés, sombrant avec lui dans des eaux auxquelles ni elle ni lui ne pourraient résister.

Il retourna chez lui et prépara son petit déjeuner. Kissy habitait James Street, dans la maison de Mme Cronin, la grand-mère de Ruth Prashker, lui avait appris sa mère à son arrivée. Sa surprise avait été d'autant plus grande lorsqu'elle lui avait annoncé qu'en dépit de la gravité de son état les tribunaux avaient décidé que la jeune fille serait confiée à sa grand-mère. Mais ce qui ne laissait d'inquiéter le jeune homme, c'était l'obstination de Kissy à vouloir photographier Ruth Prashker, cette démarche morbide ne lui ayant jamais paru très saine.

Il jeta ses vêtements sales dans la machine à laver, avec les serviettes de toilette, et tout ce qui se trouvait dans le panier de linge sale de ses parents, puis il mit l'appareil en marche en répétant les gestes qu'il savait faire depuis des années.

Le soleil fit une percée vers l'heure du déjeuner, à un moment où, déjà en retard, il préparait le gâteau favori de Bernie. Il envisagea un instant de couper le glaçage au chocolat de laxatif mais, en signe de paix, n'en fit rien. Quand il retourna au *News*, Kissy était déjà partie. Quelqu'un lui suggéra d'aller jeter un coup d'œil du côté du parc sur la rivière.

Situé au confluent du Hornpipe et de la Dance, ce parc n'était en fait qu'un carré de terre. Parce que trop petit pour être constructible, la ville y avait fait installer quelques bancs, disposés avec plus ou moins de bonheur parmi de maigres plantations et une poubelle publique. L'enseigne en était si discrète qu'au nom de Charlie Howard Park s'était naturellement substitué un anonyme « parc sur la rivière ».

En voyant Kissy assise, face à la rivière, Junior se sentit immédiatement désarmé. Il courut se réfugier dans un magasin et se mit à l'épier à travers la vitrine. Il réfléchissait à ce qu'il devait dire pour que la jeune fille acceptât de l'écouter, quand un présentoir contenant des appareils photo bon marché attira son attention.

Si le courant devait l'emporter, dans son ciré jaune et ses bottes assorties, elle ressemblerait à un gros caneton en caoutchouc, se disait-elle devant l'extraordinaire spectacle qui se déroulait sous ses yeux.

Le Hornpipe se jetait dans la Dance avec des grondements sauvages, entraînant dans ses gerbes d'écume des tonnes de boue et de détritus. Les eaux déchaînées allaient se fracasser sur les rochers en emportant tout sur leur passage. Aux branches arrachées s'accrochaient, dérisoires, toutes sortes d'objets faits de la main de l'homme : gants, chapeaux, poubelles et ordures, cageots de plastique multicolores, planches et bardeaux. La rivière charriait aussi d'énormes blocs de glace que venaient heurter des troncs d'arbres à la dérive, semblables à des cadavres calcinés. Au milieu des criaillements d'innombrables mouettes et alors que le ciel commençait timidement à s'ouvrir, se répandait une odeur pestilentielle de décharge publique. Mais malgré l'air glacial, tout était exactement tel qu'il devait être, songea Kissy. Elle se félicita même de ne pas avoir emporté son appareil photo.

Un déclic lui fit tourner la tête, et, histoire de renverser les rôles, elle vit Junior en train de la photographier. Elle se vit à nouveau caneton jaune avec des détritus ballottés par la rivière pour fond de décor. L'image lui parut si drôle qu'elle se leva et se mit à agiter ses bras repliés comme des ailes rognées.

— Coin-coin ! fit-elle en éclatant de rire.

Une contraction soudaine l'obligea à se rasseoir.

— Ça va ? s'inquiéta Junior, en soutenant la jeune fille par les aisselles.

Elle acquiesça d'un signe, et s'abandonna un peu quand il lui prit la main. La sensation était agréable, le moment propice. Ils restèrent ainsi quelques instants, à contempler la rivière en échangeant de temps à autre des regards en biais.

— Tu m'as manqué, dit-il d'une voix enrouée.

Peut-être aurait-elle dû répondre que c'était réciproque, ce qui, au reste, était vrai ; car aujourd'hui, elle avait beau tisonner sa colère, elle ne retournait plus que des cendres à peine tièdes. Au pire, ses souvenirs passés réveillaient en elle une certaine irritation, autant envers elle-même qu'envers Junior ; mais son impression prédominante, c'était surtout une grande confusion d'esprit. Elle sentit Junior prendre une profonde inspiration.

— C'est agréable de respirer un si bon air, ajouta-t-il avec un petit rire nerveux. Cet endroit est vraiment extraordinaire, tu ne trouves pas ?

Les mouettes criaillèrent pour exprimer leur accord.

— Je dois retourner au journal, annonça Kissy en faisant mine de se lever.

Il l'imita en la prenant dans ses bras, comme s'il venait de l'inviter à danser. Elle se mit à rire, ainsi qu'elle le faisait chaque fois qu'elle voulait donner le change et cacher son embarras.

Il l'embrassa. Elle les avait aimés, ses baisers, dès le premier jour. N'empêche que la sensation de ses lèvres contre les siennes s'était perdue avec bien d'autres choses encore. Ironiquement, depuis quelques semaines, le désir la tenaillait. Elle faillit le lui dire, mais préféra se dresser sur la pointe des pieds pour l'embrasser encore, avec un gloussement amusé pour sa rotondité et sa maladresse.

— Je dois vraiment aller travailler, dit-elle, le souffle court à cause du long baiser qu'ils venaient d'échanger.

— Je te raccompagne...

Le *News* était à trois pâtés de maisons de là. Néanmoins, Kissy accepta la main secourable que lui tendait le jeune homme.

— On se voit ce soir ? proposa-t-il alors qu'elle cheminait, accrochée à son bras. On pourrait aller dîner quelque part.

Kissy secoua distraitement la tête.

— Tu crains de succomber à mon charme irrésistible ? ironisa-t-il sans la moindre malice.

— Le moment me semble mal choisi pour en débattre, rétorqua-t-elle. Mais viens me voir à dix-neuf heures, au 22, James Street, lança-t-elle en franchissant la porte qu'il retenait pour lui livrer le passage.

18

Kissy reçut Junior avec un regard lourdement dubitatif quant au bien-fondé de sa présence sur le seuil de Mme Cronin puis, croisant les bras sous sa poitrine, lui sourit machinalement. De son côté, Junior se disait que c'était sans doute la première fois qu'on voyait à Peltry une femme enceinte aux cheveux en broussaille décolorés et aux oreilles percées de clous, sans parler des chaussures à talons aiguilles argentés et du bleu de travail passé par-dessus un chemisier en dentelle turquoise.

Une dame aux cheveux blancs apparut dans le vestibule. Elle lui fut présentée comme étant Mme Cronin, en qui Junior reconnut immédiatement une adversaire et réciproquement. Le personnage possédait toutes les caractéristiques de la vieille institutrice à la vue acérée, à l'ouïe exceptionnellement fine, et au flair de limier, ennemie jurée des vauriens et des chahuteurs, race qu'elle détectait au premier coup d'œil. De son côté, Junior se sentit tout à coup bourrelé de remords pour tout ce qu'il avait fait ou manqué de faire. Le regard froid et vaguement ironique qui le toisait était déjà en alerte, prêt à le prendre en défaut.

Avec son parquet ciré, ses tapis d'Orient et ses antiquités, le vestibule reflétait le charme élégant et discret des demeures anciennes, demeures où les enfants avaient à peine leur place, à moins d'avoir été, au préalable, parfaitement éduqués. Après que Mme Cronin fut allée arranger dans un vase les fleurs qu'il venait d'apporter, une odeur médicinale émanant de derrière une porte close parvint jusqu'à lui. Ruth Prashker se débattait probablement entre la vie et la mort dans une de ces chambres à haut plafond, décorées avec goût.

Cette pensée incita Junior à ne pas pénétrer davantage dans la maison, et c'est avec soulagement qu'il suivit Kissy à l'extérieur et entendit la porte d'entrée se refermer derrière eux.

— Très chouette endroit, lâcha-t-il.

— Sylvia s'est montrée d'une incroyable gentillesse, répondit Kissy. Elle n'accepte aucun argent de moi, puisque je suis censée l'aider à veiller sur Ruth ; mais ce n'est rien comparé à tout ce qu'elle fait pour moi.

Contrairement à lui, songea tristement Junior.

— Tu as l'air en pleine forme, dit-il. Tu vas toujours à tes séances de natation ?

— Oui, pour quelque temps encore.

— Ça doit te faire tout drôle de vivre dans la même maison que Ruth...

— Je me sens très près d'elle, maintenant. Je trouve ce genre de rapprochement extrêmement intéressant.

Avec sa curiosité presque obsessionnelle, Kissy pouvait trouver intéressant à peu près n'importe quoi, se dit-il, n'importe quoi pourvu qu'elle pût le photographier. Par chance, la conversation n'alla pas aussi loin ; d'ailleurs, rien à Peltry ne méritait qu'on allât aussi loin, ce qui leur évita d'épiloguer sur Ruth Prashker et l'intérêt que son cas pouvait offrir.

Junior avait réservé deux couverts au Matty's, le meilleur restaurant de Peltry, ce qu'ils n'avaient jamais pu s'offrir à l'époque où ils fréquentaient Sowerwine. Le maître d'hôtel le reconnut, cependant, à moins qu'il n'eût remarqué son nom sur la liste des réservations. Toujours est-il que Kissy s'amusa beaucoup de l'obséquiosité avec laquelle il les reçut.

Soudain, le jeune homme fut conscient d'être en compagnie d'une femme manifestement enceinte, et des regards appréciatifs qui convergeaient sur eux. Ce n'est pas tant que la chose l'embarrassait, mais au moins lui permit-elle de comprendre à quel point Kissy était devenue un point de mire, un sujet de controverse pour la bonne société de Peltry. Il s'avisa de tout ce qu'elle avait dû supporter par le simple fait qu'elle était seule, sans mari pour elle ni père pour son enfant. Mais, à sa grande surprise, la conduire à leur table en la tenant par la main lui donna l'impression qu'ils formaient un vrai couple, et qu'elle était à présent sous sa protection. Certes, il y avait ce ventre énorme, mais il se considérait moins comme le petit ami de l'heure que le compagnon à part entière de Kissy, pour ainsi dire son jeune mari.

À peine eurent-ils le temps de consulter le menu que Matty, chef cuisinier et propriétaire de l'établissement, émergea de sa cuisine. Bien que Junior ne le connût qu'à cause du soutien qu'il apportait à l'équipe de hockey de Sowerwine, le restaurateur les reçut comme s'ils étaient amis de longue date.

Une poignée de main en entraînant une autre, ils se retrouvèrent très vite entourés de gens qui les félicitaient pour des prétextes plus ou moins fallacieux, parmi lesquels l'irritant Julius Horgan, accompagné de Rex Mortensen, responsable du service des sports au *News*.

— Alors, lança le photographe à Junior, allez-vous finalement faire une honnête femme de notre Kissy ?

— Excusez-nous de vous avoir dérangés, l'interrompit hâtivement Mortensen en entraînant son collègue vers le bar.

— Hé, Julie ! lança Kissy à Horgan.

L'homme se retourna pour voir sa jeune collègue lui adresser un majeur pointé vers le ciel. Un bourdonnement amusé parcourut la salle, en même temps que quelques exclamations émanant de rombières indignées.

— Quel crétin, murmura Kissy.

Junior s'excusa de nouveau, puis, la voyant rire, lui prit la main, conscient des regards qui pesaient sur eux.

Elle le questionna sur son exil forcé et, les hors-d'œuvre à peine entamés, ils devisaient déjà comme ils l'avaient toujours fait, sautant d'un sujet à l'autre, échangeant leurs idées, pendant que Junior la dévorait des yeux. Il ne lui fallut pas longtemps pour comprendre qu'il était à nouveau amoureux d'elle.

— Maintenant que tu sais tout, parle-moi un peu de toi, dit-il.

Kissy lui relata quelques anecdotes sur les événements qu'elle avait photographiés pour le *News*, lui parla de l'évolution de ses cours du soir. Le dîner se déroulait comme s'il s'était agi d'un premier rendez-vous, se dit-il, où tout sujet d'ordre personnel est soigneusement occulté.

— Ç'a dû être très dur pour toi, pas vrai ? hasarda-t-il cependant.

Les yeux baissés, elle se limita à triturer ses pâtes au fond de son assiette.

— Non, dit-elle enfin. Je m'en sors très bien. J'ai des tas d'amis et...

— Je voudrais être ton ami, moi aussi.

— C'est gentil, répondit-elle en reposant sa fourchette. Mais je crois que c'est ce que nous faisons en ce moment, essayer d'être amis...

— Je t'aime.

Elle posa sa serviette près de son assiette. À la table voisine, on n'en perdait pas une miette.

— Nous avons eu des moments extraordinaires, ensemble, ajouta précipitamment le jeune homme, de crainte de la voir partir.

— Je veux rentrer, maintenant, bredouilla-t-elle entre deux battements de paupières.

S'il n'existait pour elle aucun moyen de se lever avec élégance, au moins Junior était-il là, près d'elle, pour la soutenir et rendre les choses différentes.

— Je vais demander l'addition, murmura-t-il.

Elle alla clopin-clopant jusqu'aux toilettes, par nécessité, mais aussi parce que ce bref isolement lui permit de se couper du reste du monde et de remettre un peu d'ordre dans ses pensées. Ils ne s'adressèrent à nouveau la parole qu'une fois dans la voiture.

— De qui est-il ? demanda Junior à brûle-pourpoint, de Hewes, le type à la montgolfière ?

Mais Kissy se souvenait à peine de Garrett Hewes. Quand sa grossesse était devenue trop évidente, l'aérostier ne lui avait plus adressé la parole que de loin en loin, jusqu'à se limiter à un hochement de tête embarrassé chaque fois qu'il la croisait.

— Jésus, non...

— Je ne savais pas que Jésus était aussi candidat, plaisanta Junior. Prise un peu de court, la jeune fille sourit tristement. Sans trop savoir pourquoi, elle ne voulait pas mettre Junior au courant de son aventure avec James Houston, ni lui ni personne, d'ailleurs. C'était son secret, comme l'enfant qu'elle portait était son enfant.

— Je ne sais pas de qui il est.

— Alors, il peut très bien être de moi.

— Non, c'est impossible. Il doit être d'un type que j'ai rencontré un soir. J'étais tellement soûle que je ne me rappelle même pas son nom.

En disant cela, Kissy était rouge de confusion. Au regard qu'il faisait peser sur elle, elle comprit que Junior ne coupait pas à ce mensonge, qu'il était à la fois furieux et chagriné de l'entendre proférer de telles inepties.

— D'ailleurs, je ne sais même pas si je vais le garder, poursuivit-elle d'une voix hésitante.

228

Déjà, ils atteignaient James Street. D'un brusque coup de volant, Junior se gara le long du trottoir.

— Ne crois pas que tu vas te débarrasser de mon enfant comme d'un vieux manteau, menaça-t-il. Quitte à te faire un procès, et même si ça doit me coûter une fortune en avocat, j'exigerai la garde de l'enfant.

— Va te faire foutre ! protesta Kissy, en tentant d'ouvrir sa portière. Ce n'est pas ton enfant, et tu n'as aucun droit, ni sur lui ni sur moi !

— Avec une prise de sang, ce sera facile à savoir, rétorqua froidement Junior.

Ils restèrent quelques instants silencieux, à s'affronter du regard. Phénomène unique dans les annales, songeait Kissy, un père putatif faisant un procès à la mère plutôt que le contraire, un cas qui ferait à coup sûr jurisprudence. Mais l'idée de se voir contrainte de céder la garde de l'enfant à Junior (dans la mesure où il en était le père, bien sûr) la répugnait. Au bout du compte, elle le garderait, ce bébé. Sa seule obligation se bornerait alors aux analyses sanguines, et quand bien même elles se révéleraient positives, Junior n'obtiendrait qu'un droit de visite qu'il aurait bien du mal à exercer, vu ses incessants déplacements. Forte de ces conclusions, le besoin de quitter la voiture se fit moins pressant.

— Et comment comptes-tu t'occuper du bébé ? En le posant sur un banc pendant que tu patineras sur la glace ?

L'argument sembla porter, mais Junior lui retourna la question :

— Et toi, alors ? Comment vas-tu t'y prendre ?

— Je peux très bien m'en occuper moi-même...

— Comme en ce moment, peut-être ? C'est Sylvia Cronin qui s'occupe de toi, mais peu importe. Élever un enfant, ce n'est pas de la rigolade. Tu as besoin d'aide...

— Il y a des tas de femmes qui s'en sortent très bien toutes seules.

— Parce qu'elles n'ont pas le choix, n'empêche qu'il manque toujours un père à ces enfants.

— Il existe aussi des tas d'enfants qui souhaiteraient ne pas avoir de père...

— Uniquement parce que celui qu'ils ont est indigne de ce nom, Kissy. Ce que je veux, moi, c'est être le père de cet enfant, protesta Junior avec une assurance dont il fut le premier surpris, même si, dans son esprit, cette assertion ne souffrait pas qu'on la mît en doute.

— Bien sûr... et comme tu seras absent la moitié du temps, tu m'enverras des cassettes vidéo de tes matches, de sorte que je puisse lui montrer qui est son père.

— C'est comme ça que je gagne ma vie. Tu pourrais m'accompagner avec le bébé...

— Et, bien sûr, je fais une croix sur ma carrière de photographe...

— Non ! Au contraire : en plus de ne plus avoir à travailler pour une misère, tu pourras continuer à prendre toutes les photos qu'il te plaira et les développer jusqu'à deux heures du matin, si ça te chante.

— Je refuse de dépendre de qui que ce soit.

— Quel mal y a-t-il à aider une femme pleine de talent quand le métier qu'elle fait ne lui rapporte presque rien ? As-tu pensé à toutes celles qui aident leurs maris à finir leurs études ?

Ils prirent simultanément conscience qu'ils n'échangeaient plus des paroles, mais des cris. Un silence s'installa entre eux au cours duquel chacun détourna la tête, le temps de recouvrer son sang-froid.

— D'abord tu veux me faire un procès, et ensuite tu déclares que tu veux m'épouser, protesta Kissy en cachant son visage dans ses mains.

— D'accord, d'accord, concéda le garçon en la prenant dans ses bras. Si tu ne veux pas m'épouser, accepte au moins que cet enfant porte mon nom, que je subvienne à ses besoins.

Les yeux fermés, elle ne le repoussa pas. À l'inverse, elle s'abandonna contre la poitrine du jeune homme, et écouta, la gorge serrée, les battements précipités de son cœur. Elle avait mal au ventre. Elle ouvrit les yeux pour voir qu'il la regardait, les yeux brûlants de passion. Il voulut l'embrasser, mais elle se déroba.

— Je dois réfléchir ; je suis très fatiguée.

— Très bien, soupira-t-il. Tu n'es pas obligée de me donner ta réponse ce soir. Je ne suis pas encore reparti ; nous en reparlerons demain, si tu veux bien.

Après qu'il l'eut aidée à sortir de voiture, il l'embrassa gentiment sur la joue et, cette fois, elle ne le repoussa pas. La voiture de la mère de Ruth était garée dans l'allée. Comme à son habitude, la pauvre femme était venue prendre son tour de garde auprès de sa fille. Passant par la cuisine, Kissy alla préparer du thé.

Cette soirée avait été un désastre total, songea-t-elle, et uniquement à cause d'elle. Au fond, peut-être avait-elle tort sur toute la ligne. Et si le bébé était vraiment de Junior ? Quels que soient les droits dont un père peut se prévaloir, un enfant, lui, a-t-il le droit de connaître son père, quand il est obtus comme l'était Junior ? Cela demandait réflexion.

230

Installées au salon, Mme Cronin et sa fille interrogeaient Kissy sur sa soirée. Mme Cronin n'avait apparemment pas soufflé mot à sa fille de la sortie de Kissy, car Mme Prashker semblait convaincue qu'elle rentrait d'un cours du soir. Il est vrai que la présence de Kissy dans la vieille demeure n'avait pas manqué de susciter des remous au sein de la famille Prashker.

Puis, une fois encore, la conversation s'orienta vers Ruth. L'état de la jeune fille restait stationnaire, mais chaque jour qui passait se révélait une épreuve supplémentaire pour les deux femmes. Des exercices longs et fastidieux auxquels elles se prêtaient sur le corps de la malade permettaient aux muscles immobiles de leur garder un minimum de tonus, et aux articulations, leur élasticité. La tête devait être tournée fréquemment, faute de quoi Ruth perdrait ses cheveux par poignées. Pour éviter tout problème dentaire, les dents et les gencives devaient être brossées fréquemment. Le système digestif requérait lui aussi une surveillance de chaque instant. Moins d'urine pouvait signifier un calcul dans les reins, un problème de vessie ou provoquer de l'hypertension. Pour peu que Ruth ne fît pas ses besoins en temps voulu, Mme Cronin et sa fille s'inquiétaient d'une éventuelle constipation. L'immobilité la rendait fragile au point que les deux femmes étaient devenues obsédées par le moindre aspect de son existence végétative.

Alors qu'elle s'apprêtait à partir, Mme Prashker demanda :

— Et vous, Kissy, comment allez-vous ? Travaillez-vous toujours ?

— Oui, sourit la jeune femme.

— Avec tout l'équipement que vous devez transporter, je me demande comment vous vous y prendrez quand vous aurez votre bébé... Oh, pardon ! se reprit la femme, j'oubliais que vous n'aviez pas l'intention de le garder.

— Pas du tout, je veux le garder.

— Mon Dieu, comme je suis sotte ! s'exclama-t-elle. Je vous laisse avec ma mère ; elle est de bien meilleur conseil que moi. Mais je peux vous assurer une chose : tout ira bien. Et tant qu'à me mêler de vos affaires, ajouta la femme en mettant son manteau, je vais dire à tout le monde combien je vous admire pour avoir renoncé à interrompre votre grossesse... Quand je pense que je vais présenter une requête pour interrompre le traitement de Ruth... Mais ce n'est pas tout à fait la même chose, n'est-ce pas ?

— En effet, acquiesça Kissy, ce n'est pas la même chose.

Mais au regard que lui adressa Mme Prashker, Kissy comprit qu'elle n'en était pas tout à fait convaincue.

— Je monte me coucher ; bonne nuit, mon enfant, annonça la vieille dame après le départ de sa fille.

Une fois seule, Kissy alla s'installer près de Ruth. Depuis quelque temps, elle se faisait un devoir de lui parler, avant de la photographier. C'est pourquoi elle l'entretint du temps qu'il faisait et des événements en cours, tout en étant consciente que le responsable de sa grossesse et de l'état grabataire de Ruth était peut-être la même personne.

— Tu as entendu ce qu'a dit ta mère ? demanda-t-elle. Elle n'est pas très enchantée à l'idée de te laisser partir. Elle espère ta guérison ; elle croit encore au miracle, même en sachant que ton état ne s'améliorera pas. C'est une décision difficile. Dans d'autres circonstances, c'est peut-être toi qui aurais dû prendre la même décision à son sujet.

Ruth ne répondit rien, bien sûr, n'eut pas le moindre frémissement de paupières, pas le plus petit spasme, ni ne fit entendre de gémissement dans l'inhalateur. De temps à autre, une infirmière venait lui tourner la tête et, pour l'heure, Kissy ne voyait de Ruth qu'un visage de trois quarts, les contours d'une oreille délicatement ourlée. Translucide comme de la porcelaine, la peau laissait apparaître de fines veines bleutées. La main reposait sur le drap, inerte et décharnée. Kissy posa la sienne dessus.

— Junior est revenu, murmura-t-elle.

Une contraction lui comprima le ventre. L'obstétricien était encore indécis sur la date de la conception. Une semaine plus tôt, une semaine plus tard... Mais cela importait peu : James Houston ne sortirait pas de prison avant longtemps ; et au cas où Junior serait le père, elle devrait quand même élever son enfant toute seule.

Un mariage avec Junior signifierait des départs incessants, des vies séparées, avec la hantise, chaque fois qu'il rentrerait, d'être contaminée par une maladie qu'il aurait contractée avec une prostituée. Et elle se détesterait de lui céder malgré tout. Pourtant, elle voulait encore de lui, car elle redoutait de mettre seule son enfant au monde, au même titre qu'elle trouvait sa grossesse extrêmement éprouvante. Personne mieux qu'elle ne pouvait dire ce que c'est de s'éveiller nauséeuse, les seins douloureux, la vessie en feu, sans parler de la condescendance avec laquelle les gens la toisaient dans la rue, pour lui faire comprendre que son état était la preuve de son inconséquence. Junior était de ceux-là, et peut-être même pire, parce qu'il était probablement responsable de cette grossesse, et que de ce fait il se croyait en droit de lui imposer ses volontés.

Kissy quitta péniblement son siège. La poitrine de Ruth continuait de se soulever régulièrement, accompagnée du sifflement presque imperceptible de l'inhalateur.

Quelle que fût à l'avenir l'existence de Kissy, celle de Ruth semblait devoir se poursuivre indéfiniment, comme si une fée malveillante lui avait jeté un sort. Il était probable que la jeune fille ne ressentait ni désir ni douleur, mais comment en être vraiment sûre ? Personne ne pouvait dire si elle entendait ou voyait ce qui se passait autour d'elle ou si elle était consciente de la situation dans laquelle elle se trouvait. Vivait-elle sa vie en rêve ou évoluait-elle dans une autre dimension ? Peut-être était-elle déjà dans une sorte d'utérus, attendant de renaître dans une autre vie.

Kissy leva son appareil en espérant parvenir à traduire la terrible condition de Ruth.

— Oh, c'est vous !

Mme Cronin accueillit Junior la main sur la poignée, comme si elle s'apprêtait à lui refermer la porte au nez.

— Elle est là-haut, enchaîna-t-elle. Elle éprouve de plus en plus de difficulté à descendre.

— Je vais y aller, elle m'attend, proposa spontanément Junior.

Sans laisser à la vieille dame le temps de réagir, Junior se précipita vers l'escalier qu'il monta quatre à quatre. À l'étage, l'écho d'une musique lui permit de situer la chambre de Kissy. Elle se trouvait au niveau supérieur, dans une sorte de grenier aménagé, découvrit-il quelques secondes plus tard. Une porte entrouverte par laquelle il passa la tête lui permit d'apercevoir Kissy, casquée d'écouteurs, un livre à la main. En le voyant, le visage de la jeune femme s'éclaira d'un sourire. Il se pencha pour l'embrasser.

— Je regrette le temps où on vivait ensemble, murmura-t-il en contemplant la pièce. Je n'ai jamais été aussi heureux.

Kissy émit un petit ricanement de dérision, le regard cependant parcouru d'étranges lueurs. Retirant ses chaussures, il alla s'allonger contre elle en chien de fusil, seule position qui leur fût encore permise. Elle soupira, pendant qu'il hésitait à lui poser la main sur le ventre. Ils restèrent ainsi, l'un contre l'autre, sans se parler. Quand il se redressa pour la regarder, elle somnolait paisiblement.

Une pressante envie d'uriner la réveilla, comme cela se produisait plusieurs fois dans la nuit. Elle fit l'aller et retour en catimini. La fois suivante, il faisait presque nuit. Elle s'adossa contre la poitrine de Junior, comme elle le faisait au moment de s'endormir. Sans lui plaire vraiment, sentir l'érection du garçon contre ses reins la troubla profondément. Une fois encore, sa vessie la contraignit à se lever. Quand elle revint, il était parfaitement réveillé.

— Faisons l'amour, la pressa-t-il.

— Non.

— On n'est pas obligés de...

— J'ai dit non !

Il était huit mois trop tard pour trouver des solutions de remplacement. Avec un soupir, le jeune homme roula sur le côté, puis se leva, remit ses chaussures et s'en alla.

Il descendit l'escalier à pas de loup et, une fois dehors, respira à pleins poumons comme s'il avait failli s'asphyxier. Un jeune livreur de journaux remontait la rue. Junior s'empara du journal qu'il s'apprêtait à déposer sur le seuil de Mme Cronin.

— Hé ! lança le gamin. Tu es Junior Clootie ! Tu veux bien me signer un autographe ?

À l'aide du morceau de crayon mâchonné que lui tendait le garçon, Junior inscrivit son nom sur un coin du journal, qu'il déchira puis tendit à son admirateur.

— Merci, tu habites ici ?

— Non.

— C'est vrai, c'est la maison de la vieille Cronin. Elle a été l'institutrice de mon père, et c'est la grand-mère de celle qui est encore dans le coma. Mais il y a une autre femme qui habite avec elles, ajouta le gamin en mimant une femme enceinte.

— C'est ma fiancée, annonça Junior.

La porte d'entrée s'ouvrit derrière lui pour laisser apparaître une Sylvia Cronin tout étonnée.

— Que faites-vous ici ? Est-ce mon journal ?

Junior le lui tendit.

— Je partais. Je me suis endormi sans m'en rendre compte.

— Va-t'en, dit la vieille dame au gamin, et vous aussi, allez-vous-en, ajouta-t-elle en fermant la porte au nez de Junior.

Mme Cronin lisait son journal parmi des senteurs de café frais moulu. Au menu, il y avait du melon et des flocons d'avoine.

234

— Dieu, que ça sent bon ! s'exclama Kissy en se servant.

La vieille dame referma son journal et le posa près d'elle avec des gestes appliqués.

— Je viens de voir votre ami.

— Oh ! dit Kissy. Je suis navrée. Il a dû s'endormir.

— Je le croyais parti. La prochaine fois, je surveillerai sa voiture.

— Cela ne se reproduira plus.

— Ce n'est pas que cela ait de l'importance, Kissy. Vous êtes une personne adulte et je ne veux pas m'immiscer dans vos affaires... Mais voilà que vous êtes toute bouleversée, poursuivit Mme Cronin, le regard interrogateur.

— Non, pas du tout.

— Je ne pense pas que vous ayez l'intention de le laisser s'installer ici. Mais c'est bien le jeune homme avec qui vous viviez, n'est-ce pas ? Celui-là même qui a écrasé son chien. J'aimerais bien savoir pourquoi il vous tourne autour...

— Il dit qu'il veut m'épouser.

— C'est bien ce que je pensais, fit Mme Cronin d'un air songeur. Votre état n'est guère propice aux rendez-vous galants. Ainsi, il veut réparer.

— Ce n'est pas son enfant, Sylvia.

La vieille dame s'accorda quelques instants de réflexion, avant de déclarer :

— Il semble pourtant vous porter beaucoup d'intérêt, ce que peu d'hommes feraient en pareille circonstance.

— Je le sais.

— Je me plais à vous avoir près de moi, chère enfant, ajouta Mme Cronin, et je ne détesterais pas voir un enfant gambader dans cette maison. Vous faites partie de la famille, à présent ; je voulais que vous le sachiez, quelle que soit votre décision.

19

Une longue journée se passa avant que Junior réapparût à la porte de Mme Cronin. Une fois encore, elle vint ouvrir en personne. Après tout, ce n'était qu'une vieille femme revêche, se rassura le jeune homme, et il n'avait aucune raison de se laisser impressionner par l'acrimonie qu'elle manifestait à son égard.

— Bonsoir, lâcha-t-il.

— Elle est là-haut, répondit Mme Cronin avec un sourire glacial. Vous allez devoir monter.

Junior acquiesça avec toute la dignité dont il était capable. Il monta l'escalier et, sentant le regard que la vieille dame faisait peser sur lui, s'évertua à ne pas faire de faux pas.

— Encore toi, l'accueillit Kissy après qu'il eut poussé la porte de la chambre.

— J'ai acheté une voiture, aujourd'hui, annonça-t-il en glissant une cassette dans le lecteur. Une Saab d'occasion, le vendeur m'a fait cadeau d'un siège pour bébé.

— Vraiment, répliqua-t-elle, amusée.

Reposant son livre et ses écouteurs, Kissy se massa longuement la nuque. Une lotion se trouvait sur la commode. Junior s'en empara et, s'asseyant sur le bord du lit, saisit la jeune femme par les épaules. Quand il entreprit de lui frictionner doucement la nuque, elle ne se déroba pas, mais au contraire se montra coopérative. De la nuque, les mains du garçon montèrent vers les tempes qu'elles massèrent quelques instants du bout des doigts avant de descendre jusqu'au cou. Là, déboutonnant le chemisier, elles glissèrent vers les seins, jusqu'aux aréoles déjà turgescentes.

— Pas ça, Junior, murmura-t-elle.

Mais quand il lui couvrit la bouche d'un baiser, ses lèvres tinrent un tout autre langage, précisément celui qu'il souhaitait entendre.

— Non, hoqueta-t-elle quelques instants plus tard. C'est impossible.

Appuyé sur le coude, le regard enfiévré, Junior n'en croyait pas ses oreilles.

— Pourquoi, ça ne va pas ? s'inquiéta-t-il.

— Je n'ai pas envie d'attraper une autre maladie vénérienne, merci.

Junior sentit soudain un grand découragement l'envahir. Roulant sur le dos, il coupa le son.

— Pour l'amour du ciel, Kissy, tout ça, c'est de l'histoire ancienne, protesta-t-il faiblement.

Elle lui adressa un regard éloquent, de ceux que les femmes lancent aux maris quand elles les soupçonnent d'infidélité. Junior fut un instant tenté de produire une réponse évasive, mais il se ravisa. Des aveux complets le feraient passer pour une personne irrémédiablement volage, mais admettre une unique passade pourrait signifier qu'une autre fille avait réussi à supplanter Kissy, du moins momentanément.

— Je suis sorti avec des copains, et j'ai connu quelques filles ; rien de sérieux.

— C'est le mot juste : rien de sérieux.

— Je n'ai rien fait de mal, j'ai été très prudent, Kissy.

Elle détourna brusquement le visage, fermant les yeux à l'aiguille qui lui transperçait le cœur. On souffre toujours à se heurter aux murs de la vie. Impossible de ne pas l'imaginer, glissant son sexe dans la bouche d'une femme dont il ne savait pas même le nom, ou, s'il le connaissait, qu'il aurait vite oublié une fois son plaisir consommé. En somme, Junior avait fait ce qu'il fallait pour se soulager ou se donner un plaisir qu'il ne pouvait prendre seul, et la femme en avait fait autant, pour le noter dans son journal intime peut-être, ou pour se dire qu'elle avait fait mieux que d'obtenir un simple autographe.

Comment réagirait-il, lui, si, pour se distraire l'esprit, elle s'adonnait à la fellation avec le premier venu ? Ou si elle s'était découvert un irrépressible besoin de cunnilingus ? Car il doit bien exister des gens qui recherchent la chose avec ce même besoin obsessif qu'éprouvent tant d'hommes pour la fellation.

238

— C'est toi qui m'as quitté, protesta-t-il humblement. Tu ne voulais plus de moi ; ne me reproche pas d'être honnête avec toi.

Là n'était pas le problème, mais en faisant la somme ils étaient également coupables d'actes de même nature. Après tout, qui était-elle pour juger les femmes qu'il avait connues ? Elle-même n'en faisait-elle pas partie ? Avec lui, elle avait fait tout ce qu'elle pouvait lui reprocher d'avoir fait avec d'autres femmes, et cela, tout en étant l'un pour l'autre de parfaits étrangers. Restait James Houston. Elle se retourna vers Junior, qui s'empressa d'embrasser son visage mouillé de larmes.

Il ne se détacha d'elle que le temps de remettre de la musique, puis revint se recroqueviller contre elle pour lui caresser longuement le ventre, jusqu'à ce qu'il la sentît parfaitement détendue.

— Non, pas sans protection, murmura-t-elle quand il voulut la pénétrer.

— Je n'en ai pas, soupira-t-il avant d'ajouter, implorant, en déposant des baisers sur sa nuque : Je t'en prie, Kissy, ne me repousse pas ; ça fait une éternité que j'attends. Au moins, cette fois, tu ne risques plus de tomber enceinte. je t'en supplie...

Sous les caresses de Junior, elle se mit à pousser de longs gémissements. Un instant, elle fit une tentative pour se dégager, mais le garçon la tenait fermement contre lui. Le souffle court, elle le sentit entrer en elle, avant qu'il ne la fît mettre à genoux pour plonger en elle avec une lenteur qui lui arracha un cri. Puis il commença à se mouvoir en elle. C'était toujours si facile, si agréable de glisser vers le plaisir avec Junior, écouter son souffle contre son oreille. Elle ferma les yeux.

Elle se sentait si lasse. En s'éveillant, elle se rendit compte qu'il était tôt, trois heures du matin, à en juger par les appels pressants de sa vessie. Se dégageant furtivement de l'étreinte de Junior, elle alla uriner puis, comme elle avait un peu froid, elle enfila une chemise de nuit. Dans le matin naissant, elle s'assit et contempla le jeune homme.

D'emblée, elle espéra que l'enfant fût le sien et qu'il possédât ses oreilles afin de les lécher sans cesse comme le fait une chatte avec ses chatons. Elle rampa à quatre pattes jusqu'à lui et, du bout de la langue, suivit le contour de son oreille. Junior battit des paupières pendant que sa main tâtonnait vers elle pour se poser finalement sur sa nuque et l'attirer contre lui.

Il aima la chemise de nuit, en soulever les pans pour redécouvrir ce qui s'y cachait. Quand ils eurent terminé, il la lui retira pour en faire une boule qu'il posa sur le sol.

— Il n'y a rien de changé, annonça-t-elle en se pelotonnant contre lui.

Junior parut y réfléchir quelques instants puis, se redressant, la saisit par le menton pour l'obliger à le regarder dans les yeux.

— Arrête, Kissy, arrête. Tu m'as assez fait marcher comme ça, et j'en ai ras le bol de m'excuser. Ma punition, je l'ai eue ; c'est fini, maintenant.

Ils s'affrontèrent du regard. S'asseyant à son tour, Kissy aperçut leur reflet dans le miroir.

— Tout ira bien, ajouta Junior. C'est promis.

Chacun observait l'autre en silence dans le miroir. « Tout ira bien, c'est promis », avait-il dit. Ce n'était pas la première fois qu'elle entendait ces paroles, et pas seulement émanant de Junior.

— Je ne peux pas m'engager davantage sans que tu aies d'abord entendu ce que j'ai à dire.

Ces paroles, Kissy les prononça en espérant mettre Junior mal à l'aise, sachant qu'il aurait préféré ne rien savoir ; mais elle semblait décidée à ne pas lui laisser le choix.

— Je n'ai eu aucune aventure d'un soir, mais après ton départ j'ai fréquenté quelqu'un assez régulièrement pendant quelque temps.

S'attendant à bien pire, Junior accueillit la nouvelle avec soulagement. Il s'était suffisamment torturé l'esprit en l'imaginant avec un autre pour souhaiter recommencer.

— Je m'en fous, puisque c'est fini.

— Et si ça ne marche pas entre nous ? objecta Kissy. Et si le genre de vie que tu nous offres ne nous convient pas ?

— Elle te conviendra, la rassura le jeune homme. Tu as toujours su t'accommoder de tout.

Plus facile à dire qu'à faire. Junior la supplia en silence de ne pas en rajouter, de ne pas lui rappeler la manière dont il s'était conduit quand elle l'avait quitté, avec raison d'ailleurs. La fuite en avant à laquelle ils se préparaient les laissait pâles, le visage et les membres moites d'appréhension.

— D'accord.

En disant cela, Kissy crut voir jaillir du fond du miroir un bébé, assis dans un siège d'enfant, émergeant parmi les galets d'une eau claire. Il gazouillait adorablement mais restait lointain, inaccessible comme le visage souriant et diaphane de la lune.

En cette période de l'année, aucun des coéquipiers de Junior n'avait d'engagement qui l'empêcherait d'assister à ses noces ; et cette perspective semblait un bon prétexte pour passer son temps à jouer au golf, manger du homard, et faire des plaisanteries sur son compte. Le futur marié et son frère durent effectuer de nombreux aller et retour à l'aéroport pour aller chercher d'anciens ou de récents coéquipiers. Les derniers à arriver furent Deker et Moosejaw, trimbalant vaillamment sacs de golf et bagages. En présence d'un groupe de lycéens, Deker saisit Junior par le menton et l'embrassa passionnément sur la bouche, déclenchant aussitôt l'hilarité générale.

Moosejaw serra le futur marié dans ses bras, et ne trouva rien de mieux que de planter à son tour un baiser sur la bouche de Junior, accompagné par une salve d'applaudissements et même quelques sifflements.

— Je ne les connais pas ! cria Mark à la cantonade.

Valises et sacs de golf ficelés sur le toit, les visiteurs s'engouffrèrent dans la voiture et, vitres baissées, se mirent à contempler Peltry.

— Qu'est-ce que je te disais, Moose ? lança Deker. Ici, ce n'est pas le Montana, c'est carrément l'Ukraine, à la différence qu'on ne fait pas la queue pour acheter du papier hygiénique.

— Kissy serait bien venue, mais elle avait rendez-vous avec son obstétricien, leur dit Junior.

— Elle s'habitue à l'idée de se marier ? voulut savoir Moosejaw.

— On fera ce qu'il faut pour ça, sourit Junior. Mais peut-être que vous serez encore là pour la naissance du bébé.

— Un préservatif, ça t'aurait coûté beaucoup moins cher...

Deker émit cette opinion d'un air pensif, une certitude acquise suite à de nombreuses complications causées par un nombre toujours croissant de dénonciations en paternité, certaines émanant même de l'ancienne URSS, à l'époque où il était en liberté surveillée, si tant est qu'il existe une liberté non surveillée dans les pays socialistes. Avec le temps, il apparut au jeune homme qu'il ne pouvait en assumer autant, surtout si, parmi toutes ces réclamations, certaines restaient discutables. Mais malgré ces avatars, son enthousiasme à dispenser sa semence à tout venant ne semblait guère entamé.

— Bon Dieu, grommela-t-il, penché à la fenêtre, c'est le parcours de golf, ça ?

Junior acquiesça, à quoi suivit un long silence révérencieux, puis des exclamations de joie ponctuées de grandes claques dans le dos. Il les déposa directement devant le club-house, pour leur permettre de se sustenter un peu et de s'adonner à quelques libations avant de commencer la partie. Les autres étaient déjà là, avec Coach, quelques-uns ayant presque terminé leurs trente-six trous, d'autres touchant au dix-huitième. Une journée sur les green lui était apparue comme un bon moyen de se distraire des préparatifs du mariage qu'organisaient conjointement Esther et cette bonne Mme Cronin. Lui, il avait déjà la coupe de cheveux et le costume appropriés. Les détails de la cérémonie ayant été mis au point la veille à la chapelle, il ne lui restait plus qu'à prendre soin des invités, avoir de l'entregent et espérer que Kissy ne souffrît pas de contractions, ce qui lui arrivait de plus en plus fréquemment.

Dionne s'était proposé d'organiser son enterrement de vie de garçon, mais Junior l'en avait dissuadé en demandant à l'entraîneur Stannick de s'en charger. Ce dernier avait été flatté. Le retour d'anciens joueurs des Spectres à Peltry lui donnait l'occasion de jouir de la compagnie de célébrités, en évoquant les heures de gloire passées. L'événement prit bientôt des allures de banquet d'athlètes. Les propos échangés seraient parfois assez crus, mais au moins n'y participerait aucune strip-teaseuse ni aucune prostituée, et toute absorption de drogue se ferait avec la plus grande discrétion. Pour Junior, il importait peu que Dionne fît étalage de sa stupidité, étant fermement décidé à convoler sans gueule de bois, sans policier pour l'escorter et sans maladie vénérienne.

Alors qu'il attendait le départ de Moosejaw et de Mark, Deker enveloppa de son bras l'épaule de Junior.

— Tu vas rendre une femme heureuse, mais qui sait combien tu vas en rendre malheureuses. Celle qui ne s'en remet pas, c'est Monette. Elle n'arrête pas de téléphoner pour me demander ton numéro de téléphone.

— Tu ne le lui as pas donné, au moins ! s'exclama Junior, horrifié.

— Est-ce j'ai l'air aussi con ? s'esclaffa Deker. En tout cas, si elle t'appelle, ce ne sera pas à cause de moi, ajouta-t-il d'un air enjoué avant de changer de sujet : J'aimerais bien revoir Bernie. Elle a beau être ta sœur, je la trouve vachement mignonne.

— Ma sœur a quinze ans.

— Quinze ans ! Mais c'est le meilleur âge. Une chose que j'ai jamais comprise, c'est pourquoi les Américains sont les seuls à dire que quinze ans, c'est trop tôt pour l'amour.

— Ne cherche pas à comprendre, et contente-toi de garder tes distances, répliqua Junior avec une véhémence qu'il regretta aussitôt.

— C'est que souvent, ce n'est pas moi qui décide, Hoot, sourit Deker.

Junior regarda son ami monter jusqu'au tertre de départ et exécuter un superbe coup de départ, puis il tira de sa poche une balle qu'il examina attentivement. Pensif, Deker s'achemina sur le côté du fairway à la remorque de Mark et de Moosejaw, réfléchissant probablement à son prochain coup. Les trois garçons se retournèrent pour regarder Junior driver. Après un petit geste de la main, ce dernier prit son élan et, une demi-seconde plus tard, Moosejaw poussa un cri. Ce fut cependant Deker qui s'effondra en se tenant le bas-ventre, pendant que Junior le regardait, le visage empreint d'inquiétude.

— Comme ça, tu pourras garder ta bite au chaud pendant quelque temps, murmura-t-il *in petto* en se précipitant vers le blessé.

— Monette a téléphoné, apprit Esther à Junior, alors qu'il rentrait de sa partie de golf.

Elle repassait, avec enthousiasme cette fois. Sur la planche à repasser, Junior reconnut le costume crème, spécialement commandé chez Paul Stuart, à New York, et dont sa mère s'était chargée de faire les retouches.

Comme il enterrait sa vie de garçon, Junior ne verrait pas Kissy, ce soir-là. Par ailleurs, les futurs mariés n'étaient plus censés se voir jusqu'à la noce, coutume qu'il soupçonnait procéder de la volonté des femmes d'écarter toute présence masculine durant les préparatifs.

— Ah, lâcha-t-il, non sans un certain malaise.

— Elle prétend être une vieille amie, continua Esther en laissant tomber lourdement son fer sur la planche. Elle voulait te souhaiter toutes sortes de choses. J'ai dit à cette traînée de ne plus rappeler.

— Merci, m'man, fit Junior d'une voix à peine audible.

— Quelquefois, tu te conduis comme le dernier des idiots, dit encore Esther en ponctuant sa phrase d'un coup de fer à repasser. Kissy le sait, et pourtant elle accepte de t'épouser. Je te préviens que je ne te laisserai pas tout gâcher ; cette fille est ta seule chance de devenir une personne convenable. Tu t'es assez amusé jusqu'ici ; dorénavant, tu vas devoir apprendre à te conduire correctement.

— D'accord, m'man, admit Junior.

En voyant l'expression renfrognée de sa mère, Junior jugea plus prudent de ne pas insister, sinon, Dieu seul sait l'usage qu'elle pouvait faire de son fer la prochaine fois qu'il ouvrirait la bouche. Un court instant, il se vit remontant la nef dans un costume parsemé de traces de fer à repasser.

— Je monte prendre une douche, marmonna-t-il.

Esther renifla brièvement :

— Ce ne sera pas du luxe.

« Un hockeyeur épouse une photographe du *News*. »

La photographie avait été prise sur les marches de la chapelle du campus, juste avant le départ des jeunes mariés. Plutôt que de porter la robe de mariée conventionnelle et son voile de tulle, Kissy était revêtue d'un sari indien blanc par-dessus des collants de même couleur. Avec sa chemise et son veston déboutonnés, de la poche duquel pendait un nœud papillon, Junior Clootie semblait sortir de sa première communion. Chaussures de sport blanches montantes pour le marié comme pour la mariée. Cette dernière s'était rendue seule à l'autel, disait l'article. Outre les membres de la famille, assistaient à la cérémonie des joueurs des Spectres, plusieurs professionnels du hockey parmi lesquels le transfuge russe Evgenny Berymyanny, *alias* Der Kommissar, *alias* Deker. Une réception avait été donnée au domicile de la mariée.

L'article reprenait l'histoire du couple que nul n'ignorait en usant du doux euphémisme d'« amour d'enfance ». C'est à cause d'une brouille, en voulant noyer son chagrin, rappelait le *News* à ceux qui l'auraient oublié, que Clootie avait accidentellement écrasé son chien. En avait résulté une courte chasse à l'homme qui avait conduit à son arrestation. L'article exposait au lecteur que, sans l'indulgence de la justice, la carrière du jeune homme aurait été fortement compromise. « Le couple est sur le point d'avoir son premier enfant », disait-on en conclusion.

Burke émit un grognement et reposa le journal sur son bureau. Il aurait dû être heureux pour Kissy que Clootie eût accepté de reconnaître l'enfant, qu'elle eût eu l'intelligence de s'attacher quelqu'un dont elle pourrait éventuellement divorcer. Pourtant, à son corps défendant, ce mariage l'irritait. Les gens se comportent parfois si déraisonnablement. En fin de compte, le policier décida d'aller retrouver Pearce, voir s'ils pouvaient organiser des paris sur le temps que durerait ce mariage.

Junior se pencha sur le petit visage aux traits à peine plus distincts que ceux d'une figurine de pâte à modeler. La bouche minuscule se tordit en une grimace comme pour en éprouver le fonctionnement, pendant que les bras tentaient de happer le vide. Terriblement réelle et pas tout à fait humaine à la fois, cette vie qui palpitait entre ses mains le subjuguait et le terrifiait aussi. À un moment donné, il eut la nette impression que les lèvres esquissaient un sourire, et ne put réprimer un bref éclat de rire.

— Montrez-la à sa mère, dit quelqu'un.

Inerte, exténuée, ruisselant de sueur et de sang, Kissy se sentait comme une outre vidée de son contenu. Quand le travail avait commencé, elle était restée debout jusqu'à la toute fin, appuyée contre Junior, tambourinant de ses poings la poitrine de son mari pour qui, en cet instant fatidique, son rôle d'homme ne représentait plus rien. C'était Kissy qui avait conçu cet enfant, à partir de sa propre chair ; c'est encore elle qui avait souffert cette naissance, même si, à cet instant, son corps n'était plus qu'un esclave assujetti à un processus irréversible et sur lequel elle n'avait aucun contrôle ; un processus si physique, si violent, si... avilissant, alors que l'enfant frayait son chemin vers la vie avec la brutalité d'un animal sauvage.

Ses paupières clignotèrent par-dessus son regard vitreux, quand une infirmière posa le bébé sur sa poitrine.

— C'est une fille, répéta la femme.

Mais Kissy avait surtout froid ; elle était lasse et grelottante, au point que le petit corps dont elle sentait à peine le poids la laissait presque indifférente. Cette maternité toute nouvelle ne l'intéressait pas outre mesure ; elle ne voulait qu'une chose : dormir. Pourtant, l'enfant reposait là, tranquille, sur son sein, peu de chose en vérité en regard de ce qu'elle venait de subir. Elle contempla le crâne, couronné de fins cheveux bruns, les petits poings serrés, les petites jambes qui s'agitaient convulsivement. La peau était marbrée et cireuse ; l'oreille avait un étrange contour. Il suffit cependant à Kissy de la toucher pour qu'elle se dépliât et prît une position idoine.

Confusément, elle eut l'impression d'avoir été trompée. Personne ne lui avait dit ce qu'il en coûtait d'efforts et de larmes d'avoir un enfant et peu lui importait de n'avoir pas l'instinct maternel. Là encore, elle voulait surtout dormir. Elle ferma les yeux.

La chambre inondée de lumière avait pris des allures d'aquarium. Kissy s'arracha à la somnolence qui l'emprisonnait comme un cercueil de verre. La chaleur pesait lourdement sur ses poumons, et ses pensées lui donnaient l'impression de petits poissons glissant entre ses doigts.

À son premier réveil, Junior était là, endormi sur une chaise. Son visage, à demi effacé par l'intense lumière, se creusait d'ombres lasses que mettait en relief une barbe en broussaille aux reflets dorés. Elle émergea du sommeil un peu déçue de ne pas voir, comme elle s'y était un peu attendue, le visage souriant de son mari penché sur elle dans une auréole de lumière.

Quelqu'un entra sans y avoir été invité. Cela se faisait, semblait-il. On s'employait quelques minutes à diverses tâches, puis on repartait comme on était venu. Mais il arrivait aussi qu'un ami lui rendît visite ou Junior. Ce dernier allait alors directement au berceau, et contemplait béatement le bébé, comme un enfant devant la vitrine d'une animalerie remplie de chatons.

Mais cette fois-là, ce n'était pas Junior qui se penchait sur le berceau, mais sa mère. Kissy se dressa sur ses coudes.

— Maman...

— Elle est adorable, murmura Mme Mellors.

Se glissant hors du lit, Kissy alla voir son enfant endormi. Le visage était indubitablement celui d'une fille ; c'était un de ces rares bébés dont on pouvait dire le sexe sans lui avoir retiré ses couches, même si Esther Clootie soutenait mordicus que c'était le portrait tout craché de son père. Kissy avait pris les premières photos de sa fille, et en avait adressé une à son père, même si le faire-part de mariage qu'elle lui avait envoyé était resté sans réponse.

— Dynah, roucoula Kissy.

— Dynah ? s'étonna Cait, amusée.

— C'est un prénom qui me plaît.

— Elle te ressemble trait pour trait.

Kissy prit le bébé dans ses bras et l'emporta jusqu'à son lit. Elle avait les seins douloureux, et espéra que Dynah s'éveillerait bientôt pour sa tétée, car jusqu'à présent rien ne se passait comme elle l'espérait : sa poitrine lui faisait mal et Dynah était toujours affamée.

— Alors, ça te fait quelle impression d'être grand-mère ? demanda Kissy. Et Noah, comment a-t-il réagi en apprenant qu'il avait une nièce ?

— Il a trouvé ça très drôle, sourit Cait.

À cinq ans, il était normal que Noah trouvât à peu près tout drôle. C'était un de ces enfants intelligents et débrouillards souvent négligés par une mère occupée mais qui, au demeurant, l'adorait.

— Je me sens un peu coupable, poursuivit Cait. Je t'ai laissée livrée à toi-même si jeune... Je ne peux m'empêcher de penser que s'il n'y avait pas eu Noah...

— Tu voulais cet enfant, l'interrompit Kissy, et tu as eu raison, car il est formidable. C'est vrai aussi que le fait que tu l'aies élevé toute seule a eu une certaine influence sur moi. Mais aujourd'hui, je ne suis plus seule, maman, puisque je me suis mariée.

— Juste à temps, sourit Cait.

Kissy observa sa mère à la dérobée. Elle avait eu Noah avec un homme beaucoup plus jeune qu'elle, et dont elle s'était séparée depuis. Il apparut à Kissy que le divorce de ses parents avait permis à sa mère de devenir elle-même, une personne aux antipodes de l'épouse de Ken Mellors, épanouie tant sur le plan personnel que sur le plan artistique.

— Tu ne crois pas beaucoup à ce mariage, n'est-ce pas ?

— Pas plus que toi, sourit Cait. Je crains que cette situation ne soit un peu le résultat de ce qui s'est passé entre ton père et moi. Je sais tout ce que tu attends de ton mari, ma chérie, et je connais tous les problèmes que tu vas devoir surmonter. Mais quoi qu'il arrive, dis-toi bien qu'il te restera toujours cet adorable bébé.

20

Bernie sanglotait dans les bras de Kissy, en qui elle voyait une sorte de grande sœur. En la consolant, la jeune femme avait l'impression de consoler l'adolescente désemparée qu'elle avait été naguère.

— Ce n'est pas la fin du monde, ma chérie, murmura-t-elle en caressant la nuque de sa jeune belle-sœur.

Dehors s'éleva un bruit de moteur hors-bord, aussitôt suivi des cris de gamins qui pratiquaient le ski nautique. De sa balancelle, Kissy pouvait surveiller Dynah gazouillant dans son parc sous le mobile multicolore que lui avait fabriqué grand-mère Cait.

— Si, ça l'est, larmoya Bernie.

Sentant ses seins couler, Kissy tapota gentiment le dos de l'adolescente pour l'inciter à se redresser.

— Tu dois me trouver stupide, renifla encore Bernie.

— Ne t'inquiète pas, j'en ai vu d'autres, ma chérie.

— Regroupez-vous ! cria Junior aux cinq joueurs sur leurs patins.

Le problème venait du fait que Fiona, l'unique fille de l'équipe mais aussi la plus talentueuse, ne possédait pas l'assurance de ses coéquipiers. Pour l'heure, elle tentait de bloquer l'attaque d'un joueur de l'équipe adverse à la carrure impressionnante. D'autres joueurs se portèrent à son secours mais, dans la confusion, la jeune fille fit un faux pas et tomba sur son séant. Le joueur de centre de l'équipe adverse en profita pour intercepter le palet et mener une nouvelle offensive.

— Merde, fit Junior en faisant un T de ses mains, oubliant que son temps d'arrêt de jeu était épuisé.

L'arbitre s'approcha de lui et lui servit un avertissement. De toute manière, avec quatre points à rattraper et dix-huit secondes à jouer, il n'y avait plus rien à espérer. Le palet alla percuter le muret, les dernières secondes s'écoulèrent encore et tout fut dit.

— C'est ma faute, dit Junior à ses coéquipiers.

Soulagés que le match s'achevât avec un score honorable, ces derniers semblaient moins déçus que Junior. Ils croyaient sans doute que sa seule présence avait suffi à les sauver de la catastrophe. Refoulant sa déception, Junior tenta de noyer le poisson en se montrant positif. En réalité, il dit n'importe quoi. Puis il alla au bureau rendre compte des six heures de services communautaires dont il était encore redevable.

Pour la saison d'été, Kissy et lui avaient loué au bord d'un lac un petit chalet de trois pièces, à quarante minutes de Peltry. Cela entraînait de fastidieux aller et retour, mais la quiétude et la fraîcheur de l'endroit en valaient le déplacement. Étendue sur une chaise longue, Kissy faisait la sieste dans la véranda, avec Dynah, réplique exacte de sa mère, allongée sur son ventre. Toutes deux faisaient de fréquents sommes dans la journée, comme si, après une mise au monde laborieuse, elles tentaient de se remettre de leurs efforts respectifs. Sommeil, réveil, tétée, bain... au grand dam de Junior, leur emploi du temps se limitait à peu près à cela. Mais Esther avait rassuré son fils en lui expliquant que la chose était tout à fait normale et qu'elle ne durerait qu'un temps.

Ils avaient invité Caitlin et Noah à passer une semaine au chalet. Caitlin s'était révélée d'un commerce agréable, vision rassurante de ce que serait Kissy plus tard, en dépit d'une personnalité peu conventionnelle. Noah, lui, était tel que Junior s'y était attendu, c'est-à-dire un peu perturbé à force de vivre dans le giron de sa mère. Soucieux de bien faire et de lui apporter un semblant d'équilibre, Junior l'avait emmené à Sowerwine et lui avait inculqué les premières notions de patinage. L'enfant s'était montré si enthousiaste que Junior était confusément convaincu de l'avoir sauvé de penchants malsains.

Il alla chercher une bière dans le réfrigérateur. Pour la soirée, ses ambitions étaient aussi modestes que sédentaires : s'asseoir dans la véranda et écouter le match de base-ball à la radio en berçant Dynah. Mais, coincée entre deux canettes de bière, une note disait :

« Appelle Spencer », à quoi s'ajoutait le numéro de téléphone de son agent, que Junior connaissait de toute façon par cœur.

— Salut, fit Spencer dès la première sonnerie. J'attendais ton appel.

— Que se passe-t-il ?

— Il se passe qu'on vient d'échanger Mickelson. Que dirais-tu de jouer pour Denver ?

Junior prit une profonde inspiration.

— Et ça paie combien ?

— Deux cent vingt-cinq mille, avec possibilité d'augmentation. C'est une proposition alléchante.

Assurément plus alléchante que celle qui lui avait été faite la saison précédente. S'il déclinait cette offre, il pouvait tout au plus espérer se retrouver à Dry River ou peut-être Allentown, le genre de promotion dont il pouvait très bien se passer.

— Je ne voudrais pas paraître ingrat, objecta toutefois Junior, mais j'ai une femme et un enfant.

— Tant mieux, l'interrompit l'agent. La direction aime bien les joueurs mariés et pères de famille ; ce sont toujours les plus motivés. Tout ce qu'on te demande, c'est de montrer ce que tu sais faire, fils.

Kissy apparut, les yeux encore bouffis de sommeil, le bébé somnolant sur sa poitrine. Comme Junior lui tendait la main, elle alla se pelotonner contre lui.

— Denver, annonça-t-il après avoir raccroché, sous le regard ébahi de sa femme. On me propose deux cent vingt-cinq mille dollars.

Ils avaient déjà longuement débattu d'une telle possibilité. Pendant que Junior lui parlait, elle lui tendit le bébé pour sortir une salade de pâtes et un pichet de thé glacé du réfrigérateur.

— Tout ira bien, dit-il en lui tendant une bière.

Kissy hésita. Sa mère soutenait qu'une bière ne pouvait lui faire de mal et, bien qu'Esther y souscrivît, elle restait sceptique. Pour quelqu'un qui avait envisagé de renoncer à son enfant, elle prenait son rôle très au sérieux. Dynah faisait l'objet d'une attention de chaque instant, qui requérait toutes ses énergies, au point qu'elle en oubliait tout le reste, y compris Junior.

— Tu n'es pas obligée de la boire, ajouta ce dernier. C'est simplement pour trinquer.

La perspective de quitter Peltry n'enchantait pas Kissy outre mesure ; mais devant cette occasion inespérée, elle ne put que faire contre mauvaise fortune bon cœur, et porter le toast que Junior attendait d'elle. Il regretta un instant que ce ne fût pas du champagne, puis se ravisa en se disant que c'était mieux comme ça.

— Est-ce la salade de pâtes de ma mère ? s'étonna-t-il, la bouche pleine.

— C'est sa recette. Mais en réalité, c'est Bernie qui l'a préparée. Elle a passé une partie de la journée avec moi, expliqua-t-elle, avant d'ajouter, une lueur ironique au fond du regard : Il faut que tu le saches, elle est enceinte.

Junior fut aussitôt secoué par une violente quinte de toux.

— Qui ça ? fit-il d'une voix étranglée, ma mère ?

— Mais non, voyons, Bernie. Ton coup au golf ne semble pas avoir produit l'effet escompté.

— Tu fais allusion à Deker ? Voyons, c'est impossible. Ses testicules étaient noirs comme des pruneaux, au point qu'il a dû passer le week-end un sac de glace sur le ventre.

— Pas tout le week-end.

— Bernie enceinte ? Je n'arrive pas à y croire ; c'est encore une gamine. Enceinte de quelqu'un d'autre, d'accord, mais pas de Deker.

— Qui que ce soit, elle est bel et bien enceinte.

— Est-ce elle qui dit que c'était Deker ? Voyons, ma chérie, c'est impossible... Je tuerai ce salaud. Mais en attendant, mes parents ne doivent rien savoir. Je prendrai en charge tous les frais d'avortement.

— Elle a l'intention de le garder, Junior.

— Elle est beaucoup trop jeune pour avoir un enfant. Tu vas voir : ma mère va encore me reprocher de lui avoir mis de fausses idées en tête, conclut Junior d'un ton lugubre.

— Elle n'aura peut-être pas tout à fait tort, hasarda Kissy.

— Allons donc, c'est tout à fait différent, protesta le jeune homme. Je ne suis plus un adolescent. Est-ce que Bernie est au courant de ce qui t'est arrivé à quinze ans ?

— Non, bien sûr que non.

Six semaines, avait dit le médecin. Cela en faisait sept que Dynah était née, et jusque-là Junior n'avait pas eu à se plaindre de son sort. Kissy savait le rendre heureux, assouvir ses élans de passion chaque fois que le besoin s'en faisait sentir. En d'autres circonstances, ce nouveau contrat aurait mérité d'être fêté dignement, à l'ancienne, dans la chambre à coucher. Mais Kissy restait là, ruminant de sombres pensées au-dessus de son repas, alors que, de son côté, il se rongeait d'inquiétude pour Bernie, enceinte avant d'avoir fêté ses seize ans.

Il se leva pour aller lui masser les épaules, puis le cou et les tempes. Elle s'abandonna, comme à son habitude, confiante, puis lui adressa un sourire auquel il répondit en déposant un baiser sur ses lèvres et en l'exhortant tout bas à finir son repas. « Pas sans toi », lui répondit-elle avec un rire. Tout irait bien. Ils prendraient soin de Bernie ; mais cela faisait quand même un choc de la savoir enceinte.

Junior débarrassa Kissy de sa bière, et s'en tint là pour la sienne. Entre les matches, il lui arrivait de s'abandonner à ses phantasmes sexuels ; c'était un bon remède contre l'anxiété. Un instant, il avait craint que la maternité pût changer Kissy. Déjà, l'accouchement s'était révélé une rude épreuve, dont il n'avait été qu'un témoin impuissant et plutôt lamentable. Quand Kissy s'était mise à pousser, il avait cru qu'il allait s'évanouir.

Il l'observa quelques instants du coin de l'œil, jusqu'au moment où elle accrocha son regard. Les yeux de la jeune femme étaient comme un lac bercé par une risée, quand l'inclinaison du soleil y jette des poignées de diamants. « L'amour, c'est vraiment formidable », se dit-il, et il s'estima bougrement heureux, même en sachant Bernie enceinte.

— Hé, Eugene ! lança Junior à Deker, que quelques filles entreprenaient déjà, alors qu'il prenait un verre au bar de l'hôtel.

— Salut, Hoot ! lui répondit le Russe.

Junior n'avait encore vu personne. Il était arrivé depuis une demiheure, après trois longs jours de voyage au volant de sa Saab. Jusqu'à ce que Deker apparût dans son champ de vision, il s'était senti presque euphorique, à la fois heureux d'être arrivé à bon port et impatient de commencer sa nouvelle saison. Cette année, les choses se présentaient sous un angle nouveau, en mieux, naturellement, et pas seulement parce que Kissy allait le rejoindre. Il va sans dire qu'il allait devoir justifier son salaire, mais la bagarre ne lui faisait pas peur, et sentir ses lames glisser sur la glace lui donnait chaque fois l'impression de chevaucher une vague, d'en contrôler la puissance selon ses désirs.

— C'est moi qui paie la bière, annonça Deker.

— Et peut-être plus que ça, riposta Junior en laissant lourdement tomber sa main sur l'épaule du Russe. Bernie te passe le bonjour.

Deker se mit à rire d'une façon que Junior connaissait bien : le rire du salaud heureux du bon tour qu'il vient de jouer à celui qui se croyait son ami.

— Accompagne-moi aux toilettes ; il faut que je te dise un secret, dit Junior en faisant mine de renifler de la cocaïne.

Deker ne se fit pas prier. Il quitta son tabouret en promettant aux filles d'être revenu sous peu.

— Mony veut te voir, apprit-il à Junior.

— Moi pas, rétorqua ce dernier.

La porte des toilettes se referma derrière eux avec un grincement. S'y trouvaient déjà deux personnes : l'une devant un urinoir et l'autre dans une cabine.

À nouveau, Junior laissa tomber un bras amical sur l'épaule de son ami, et l'attira contre lui comme pour lui faire une confidence.

— Bernie est enceinte d'un garçon, révéla-t-il.

Un sourire se dessinait déjà sur le visage de Deker quand, le saisissant à la gorge, Junior lui assena un violent coup de poing à la figure. Le Russe ne manquait pas de réflexe, mais à peine avait-il eu le temps d'esquisser un geste de défense que Junior récidivait par deux autres coups au visage, complétés par un coup de genou. Deker s'effondra avec un gargouillement inintelligible. L'incident s'était déroulé avec une telle rapidité que le personnage devant l'urinoir n'eut même pas le temps d'élever un cri de protestation. Junior laissa retomber son coéquipier sur le sol.

— J'ai menti, lâcha-t-il, je ne sais pas encore si c'est un garçon ; mais laisse-moi te dire que cette histoire va te coûter un demi-million de dollars et peut-être une opération pour changer de sexe, pour peu que je me mette à y penser.

Junior sortit, abandonnant Deker, tordu de douleur, sur le sol. Quatre personnes venaient d'entrer, parmi lesquelles Moosejaw. Il commanda une bière au barman, tout en épiant du coin de l'œil la porte des toilettes. Finalement, Deker apparut, tremblant, le teint livide. Les filles qui guettaient son retour se précipitèrent pour lui porter assistance.

— Qu'est-ce qui se passe ? fit Moosejaw, étonné.

Les yeux enflés, saignant du nez et de la bouche, Deker faisait peine à voir. Son regard exprimait un mélange de peur, de douleur et de consternation. En voyant Junior, il s'immobilisa, vacillant.

— Un cognac pour mon ami, commanda Junior au barman pétrifié. On dirait qu'il a marché sur sa queue et qu'il est tombé tête la première contre les pissotières.

Moosejaw se pencha sur les phalanges ensanglantées de Junior pour demander, d'un air ébahi :

— Depuis quand tu t'appelles pissotière ?

Cela ne fit pas rire Junior ni, tout compte fait, Moosejaw, qui préféra aller aider son ami.

Couché sur son lit de douleur, Deker ne daigna pas retirer le sac de glace de son visage, ni même regarder Junior dans les yeux.

— Inutile de chercher à me piéger, Hoot, articula-t-il d'une voix étouffée. Je ferai ce que tu demandes à condition que les analyses de sang prouvent que je suis le responsable. Dorénavant, on n'est plus amis. Alors, fous-moi le camp d'ici.

Junior sentit monter en lui une flambée de colère. S'il était venu voir son coéquipier, c'était uniquement pour lui rappeler qu'ils devaient travailler ensemble et, de ce fait, oublier leur différend.

— Si tu étais vraiment mon ami, tu aurais évité de t'approcher de ma sœur. Je devrais porter plainte pour détournement de mineur, espèce de salaud.

— Hé, du calme ! intervint Moosejaw.

— Nous devons jouer ensemble, continua Junior, et on ne va pas gâcher la saison à cause de problèmes personnels. Fais ton boulot, et je te foutrai la paix.

— Il a raison, renchérit le Canadien, faut laisser les conflits personnels de côté. Souviens-toi de Kiamos ; il a joué trois ans d'affilée avec le type qui lui a piqué sa femme.

— Oui, murmura Deker en se tournant vers Moosejaw. Mais un de ces jours, il faudra que tu m'expliques pourquoi Hoot a le droit de mettre une fille enceinte et pas moi.

— Je viens de te le dire, salaud...

— Allons, allons, s'interposa encore le Canadien en poussant Junior vers la porte. Le mal est fait, maintenant. Va prendre une douche ; il paraît que ça calme les nerfs.

De retour à Peltry, Junior fit monter Kissy, Dynah et Bernie à bord du Blazer et reprit la route par un matin de brume, alors que de la terre s'exhalaient les premières senteurs automnales. Les yeux fixés sur la rivière, Kissy n'était pas moins consciente des regards en biais que lui lançait son mari, soucieux de savoir si elle partageait son enthousiasme.

Une fois de plus, traverser la rivière lui fit penser à Ed, ce brave

Ed qui un jour folâtrait autour d'elle, et le lendemain n'était plus. Mis à part quelques vagues projets de retour à l'occasion des fêtes de Noël, elle ignorait quand elle reviendrait à Peltry, et, fors le rythme des saisons, Dieu sait combien de choses allaient changer durant son absence. Quitter Peltry, la ville où elle avait séjourné le plus longtemps, l'attristait bien plus qu'elle ne l'aurait admis, surtout devant Junior. Aussi, craignant de jouer les rabat-joie, évita-t-elle soigneusement le regard de son mari.

Le temps que Junior assurât sa position auprès des Drovers, elle s'était relancée dans la photographie. Son porte-bébé de poitrine la contraignit toutefois à reconsidérer son équipement. À son gros Hasselblad elle substitua un 35 mm Minolta. Ce changement et le fait de devoir sans cesse changer d'objectif la ramena, non sans bonheur, à ses débuts, et, à sa grande joie, les résultats se révélèrent plus que satisfaisants. Kissy avait l'impression de retrouver ses repères, et Dynah était la récompense des pénibles expériences qu'elle avait vécues durant toute une année.

Lors de sa dernière visite à la maison de Mme Cronin, elle avait appris que Ruth se débattait avec une infection urinaire. Il était difficile d'imaginer qu'elle en eût encore pour bien longtemps, alors que les tribunaux se révélaient toujours incapables de statuer sur son cas. Laisser son projet inachevé irritait un peu Kissy, mais peut-être n'y manquait-il pas grand-chose ou peut-être était-elle allée aussi loin que cela était possible. Mais au fond, cela lui importait peu : elle se sentait d'humeur fataliste ; sans doute sa maternité lui ramollissait-elle l'esprit.

S'arrachant à sa contemplation, elle observa Junior à la dérobée. Depuis son retour, il faisait preuve d'une rare assiduité, si bien qu'elle le soupçonnait de faire du zèle, pour lui prouver qu'il lui était fidèle. Malgré ses efforts, la méfiance qu'elle nourrissait à son égard lui rongeait le cœur, jusqu'à éclipser le bonheur qu'elle éprouvait d'être en sa compagnie. Elle le trouvait drôle, imprévisible ; elle l'aimait et le désirait, ne fût-ce que parce qu'il se montrait adorable envers sa fille ; mais quand il lui déclarait son amour, un sentiment diffus l'empêchait d'y croire vraiment.

La maison que Junior avait louée se trouvait dans la banlieue bourgeoise d'une petite ville au nord-ouest de Denver. Surchargée d'un mobilier victorien abandonné par son propriétaire, un ancien professeur de piano, la demeure recélait quantité de recoins de prime abord insoupçonnés, et aucune des nombreuses pièces qui la composaient ne se trouvait sur le même niveau. La cuisine offrait encore un antique évier de pierre, et la salle de bains était équipée d'une baignoire à pattes de lion. Un vieux matou borgne venait compléter le tout, pour la prise en charge duquel Junior avait obtenu un abattement de loyer de dix dollars.

Ne pouvant se résoudre à vendre la maison familiale et ce qu'elle contenait, la fille du professeur de piano l'avait mise en location entièrement meublée. Pour ce qui était du chat, elle en possédait déjà assez sans que vînt s'y ajouter le vieux Samson. Aussi quel n'avait pas été son soulagement quand, outre de louer la maison pour un an ou deux, un jeune couple avait accepté la prise en charge du vieux chat, pour le peu de temps qu'il lui restait à vivre.

Une chambre à coucher avait été aménagée au rez-de-chaussée pour le vieux professeur, quand son grand âge ne lui avait plus permis de monter l'escalier. Partie la première explorer la maison, Bernie la revendiqua aussitôt.

— Celui qui a construit cette maison devait être ivre, lança Kissy qui allait d'étonnement en étonnement.

Junior, qui la précédait dans l'escalier, se retourna pour lui adresser un sourire quand, filant entre ses jambes, le chat le fit trébucher. Le jeune homme poussa un juron, auquel l'animal répondit par un feulement hostile, avant de détaler avec une surprenante agilité.

De la cave au grenier, l'endroit n'était qu'encoignures, lucarnes et lanterneaux. Quelques vitraux poussiéreux filtraient une lumière diffuse. Après un bon ménage, se dit toutefois Kissy, la maison serait plus qu'habitable, et malgré l'étrangeté de sa conception elle était assurée de pouvoir en tirer le meilleur parti.

Sous le plafond mansardé de la chambre à coucher trônait un immense lit de laiton. Junior en caressa lentement les volutes.

— Alors ? demanda-t-il. Crois-tu que nous serons bien, ici ?

À résidence ou en déplacement, Kissy savait que les fréquentations entre membres d'un même club reposaient surtout sur l'affinité de goûts de certains joueurs. Déjà, à l'époque des Spectres, elle avait compris que sa vie sociale ressemblerait en bien des façons à celle des femmes de militaires. Si tel joueur avait à cœur de garder ses distances vis-à-vis de ses camarades, tel autre, au contraire, semblait vouloir ne jamais s'en séparer. Mais dans tous les cas, qu'il restât sur son quant-à-soi ou qu'il fréquentât assidûment ses amis, ses amitiés restaient toujours éphémères.

Quelques événements mondains permirent à Kissy de faire la connaissance des coéquipiers de son mari et de leurs familles, ainsi que des dirigeants des Drovers ; mais avec Dynah, les prétextes ne lui manquèrent pas pour décliner les invitations. Naturellement, Bernie dut retourner à l'école. À sa demande, son frère l'inscrivit dans une école religieuse privée, ce qui, à la surprise générale, eut l'heur de la rendre aimable. En rentrant de classe, elle n'avait d'autre désir que de se rendre utile et de s'occuper du bébé, pendant que Junior se révélait soudain d'un tempérament étonnamment sédentaire.

— Pourquoi n'inviterais-tu pas tes amis ? proposa un soir Kissy.

— Ça ne te dérangerait pas ? Même Deker ?

Entre Junior et le jeune Russe s'était instauré une sorte de *statu quo*. Il leur arrivait même d'échanger quelques mots. Deker prétendait être amoureux de Bernie, et ne vouloir que son bien, ainsi que celui de l'enfant, dans la mesure où il en était le père.

Avant de décider de l'emmener avec eux, Junior et Kissy avaient longuement interrogé Bernie sur l'attitude qu'elle adopterait vis-à-vis de Deker quand elle le rencontrerait. Reconnaissant volontiers son erreur, l'adolescente avait soutenu que, n'étant pas le moins du monde éprise de lui, elle ne voulait pas le revoir et s'emploierait à l'éviter. Elle refusa également toute aide financière, ainsi que de se soumettre à un contrôle sanguin. Toutefois, le fait que Junior eût sévèrement corrigé son suborneur lui avait fait pousser de hauts cris, et les appels répétés de ce dernier ne la laissaient visiblement pas indifférente.

— Qu'est-ce que tu ferais, toi, à ma place ? avait-elle demandé à Kissy.

— Je ne suis pas à ta place, avait répliqué la jeune femme. Si tu te crois assez forte pour être mère, tu dois pouvoir prendre tes responsabilités.

Ainsi, peu à peu, Bernie n'avait plus répondu aux appels de Deker.

— Vas-y, invite-le, dit-elle à son frère.

— Rien ne nous y oblige, tu sais.

— Ça ne me pose aucun problème. C'est avec toi qu'il fait équipe, pas avec moi.

Malgré des nuits de plus en plus fraîches, les après-midi restaient encore chauds. En contemplant la troupe rassemblée dans le petit jardin, Kissy eut une impression de déjà-vu. Cela lui rappela l'époque des Spectres, sauf qu'aujourd'hui les garçons étaient plus âgés, certains même mariés et pères de famille. Le problème de l'éducation des enfants fut d'ailleurs longuement évoqué. Pendant que Bernie se cantonnait dans une sorte de rôle de jeune fille au pair, tout le monde était, naturellement, au courant de sa grossesse, et de la correction que Junior avait infligée au père présumé. Mais chacun fit comme si de rien n'était ; et si malaise il y eut, quelques bières eurent tôt fait de le dissiper. Déjà sérieusement enivré, Lek, le jeune gardien de but dont Junior avait touché deux mots à Kissy, ne tarda pas à rejoindre les vignes du Seigneur. Chacun parut soulagé de le voir s'endormir sous le piano. Au moins avait-il l'air moins pitoyable, vu que tout le monde s'entendait pour dire que son sort au sein de l'équipe était d'ores et déjà scellé.

Deker arriva au moment où d'autres commençaient à prendre congé, et que, montée coucher sa nièce, Bernie brillait par son absence. Probablement s'était-elle assoupie dans la chambre des parents en veillant sur le bébé. Malgré l'heure avancée, Kissy trouva au jeune Russe l'œil anormalement vif. Il avait inhalé de la cocaïne, en conclut-elle en constatant la brutalité de ses gestes ; les deux folles éperdues d'alcool qui l'accompagnaient ne semblaient pas plus reluisantes. Monette Daniels, annonça Deker en désignant la plus grande ; quant à l'autre, celle qui avait le vin triste, disait-on, c'était Diane Salterton. La plus grande adressa à Kissy un regard de Gorgone avant de se tourner vers Junior qui, plutôt que de la regarder, lança à Deker un coup d'œil lourd de sens, puis tourna les talons.

Kissy réfléchit quelques instants, puis alla puiser deux bières dans la glacière. Alors que les deux femmes se rapprochaient subrepticement de Junior, elle secoua les deux canettes derrière son dos puis les leur tendit.

— Bonsoir, dit-elle en faisant sauter les capsules.

Deker trouva follement amusant de voir les deux filles se faire asperger de bière en poussant des cris de protestation aigus. Kissy goûta moins la plaisanterie car, après avoir tendu les deux canettes à son mari, elle disparut à l'intérieur de la maison. Dynah dormait paisiblement. En entendant entrer sa belle-sœur, Bernie se redressa sur un coude en clignant des yeux.

— Tu as raté Deker, lui annonça Kissy.

— Je préfère ne pas le voir, bâilla la jeune fille.

Kissy lui ébouriffa gentiment les cheveux.

— Je retire ce que j'ai dit, ma chérie. Tu n'as rien perdu, ce garçon est un triste individu.

Bernie leva sur elle un regard repentant. Ses yeux se brouillèrent de larmes, et quand elle éclata en sanglots Kissy s'empressa de la serrer dans ses bras. Cela arrivait une fois par semaine environ, ce qui était normal pour une jeune fille de quinze ans enceinte, et à trois mille kilomètres de ses parents. Finalement, Bernie se moucha, accepta une dernière accolade et descendit dans sa chambre.

Les portières claquaient, les dernières voitures démarraient. Dehors tout était tranquille, assez pour entendre la miction de Junior contre la haie, puis le claquement de la porte moustiquaire, et le miaulement de protestation du chat qu'il venait de jeter dehors.

Junior semblait incapable de traverser la maison sans heurter sa tête, ses épaules ou ses genoux contre les murs, ou trébucher sur Samson, qu'il avait spontanément rebaptisé « saloperie de chat », tant il était vrai qu'ils éprouvaient l'un pour l'autre une haine aussi profonde que réciproque.

Kissy entendit son pas lourd dans l'escalier, jusqu'au moment où il poussa la porte de la chambre, le regard fuyant.

— Charmantes personnes, lâcha-t-elle.

— Je ne les ai pas invitées, répondit Junior en envoyant promener ses chaussures à l'extrémité de la pièce. Elles auront au moins eu l'avantage de nous débarrasser de Lek.

S'asseyant sur son lit, Kissy administra quelques coups de poing à son oreiller.

— Tu as fait la fête avec elles, dit-elle d'un ton sarcastique.

— Je trouve le moment mal choisi pour entamer ce genre de conversation, rétorqua-t-il. Je ne suis pas dans mon assiette, et j'aimerais bien dormir.

— Si tu veux que nous restions ensemble, sache que je n'accepterai jamais que tu me trompes.

— Depuis que je me suis marié, riposta Junior en plongeant son regard dans celui de sa femme, je n'ai strictement rien à me reprocher.

Il ne tenait qu'à elle d'y croire ou pas. Elle tourna le dos à son mari avec un air dégoûté. C'est en ces termes que s'ébauchait sa nouvelle existence de femme mariée. « Il y a des choses qu'on refuse de voir, se dit-elle, jusqu'au moment où elles vous crèvent les yeux. »

21

— Est-ce que Hoot est ici ? minauda la femme au téléphone.

— Non, répondit sèchement Kissy en raccrochant, alors que le rire hystérique de la femme lui parvenait en écho.

Quelques instants plus tard, la sonnerie se fit de nouveau entendre.

— Demandez-lui de me rappeler, ajouta la femme. Il connaît mon numéro de téléphone.

— Je n'y manquerai pas, rétorqua Kissy.

« Une femme a téléphoné, griffonna-t-elle sur une feuille de papier. Elle prétend que tu connais son numéro. » Puis, ouvrant l'annuaire à la rubrique « avocate », elle y inséra la note. En la voyant faire, Bernie ouvrit de grands yeux étonnés.

— Tout va bien ? demanda-t-elle.

— Ne t'inquiète pas ; c'est une ancienne copine de Junior.

La jeune fille ne répondit rien. Prenant Dynah dans ses bras, elle l'emmena jouer dans le jardin.

— Je suis désolé, fit Junior en lisant la note.

Kissy regarda quelques instants par la fenêtre Bernie en train de s'amuser avec le bébé, puis baissa les yeux sur la salade qu'elle était en train de préparer.

— Je vais faire changer notre numéro de téléphone. Dis bien à tes amis de ne pas le lui communiquer. Si elle s'avise encore de téléphoner, je m'en vais.

— Que veux-tu que j'y fasse ? se défendit Junior. Je ne peux quand même pas empêcher les gens de téléphoner.

Pour toute réponse, il n'eut que le martèlement sec du couteau sur la planche à découper.

— Ce n'est pas juste, ajouta-t-il en décapsulant une bière.

— Non, en effet. Ce n'est pas juste que je doive prendre les messages de je ne sais trop quelle salope avec qui tu t'es envoyé en l'air, comme ce n'est pas juste que je doive me faire soigner à cause d'une chaude-pisse que tu m'as refilée.

Le jeune homme tourna les talons et sortit. La portière de la Saab claqua, mais contre toute attente le moteur resta silencieux. Une minute plus tard, il réapparut sur le seuil de la cuisine, sa canette de bière à la main.

— Je suis vraiment désolé, déclara-t-il, et je comprends que tu sois fâchée. Mais je t'ai promis de faire en sorte que tout aille bien, Kissy ; et toi, de ton côté, tu dois apprendre à contrôler tes réactions, sinon, elles finiront par détruire notre couple.

La main légèrement tremblante, Kissy reposa son couteau. Bernie apparut, Dynah calée sur la hanche. En voyant son père, l'enfant tendit les bras en gazouillant, et lui adressa un sourire quand il la prit dans ses bras. Attendrie par ce charmant tableau, Kissy ne résista pas à l'envie de se joindre à eux.

Pour peu que Kissy fît preuve de sang-froid, la riche bourgeoise finirait par se lasser, Junior en était convaincu. Mais ne connaissant aucun moyen de lui faire entendre raison, il décida d'aller en toucher deux mots à Deker. Il le retrouva sur le terrain de stationnement de la patinoire, où le Russe avait garé sa Porsche.

— Mony ne cesse pas de téléphoner à ma femme, annonça-t-il sèchement.

Le sourire quasi permanent de Deker s'effaça ; un nuage d'inquiétude obscurcit son regard. Depuis quelque temps, il avait grand souci de ne pas déplaire à Junior. Non pas que le personnage l'intimidât, mais des contingences professionnelles et, par conséquent, pécuniaires le contraignaient à observer une certaine prudence. Nul, au club, n'ignorait le genre de relations qui le liaient à Junior Clootie.

— Si tu as tant soit peu d'influence sur elle, poursuivit ce dernier, essaie de la convaincre que ce n'est pas drôle, qu'elle doit s'arrêter de...

— Oui, oui, acquiesça hâtivement le Russe. Mais tu sais comment elle est ; elle n'en fait toujours qu'à sa tête.

À court d'arguments, Junior commença à tourner les talons.

— Merci, lâcha-t-il.

— Et comment est Bernie ?

— Enceinte, rétorqua Junior avec un regard lourd de sens, plus enceinte que jamais.

— Je voudrais bien réparer, mais elle refuse de me parler, Hoot. Moose m'a expliqué tout ce que je devais faire. Bernie est ta sœur, et je la respecte, c'est une gentille fille...

— Bon Dieu, Deker ! bafouilla Junior, écumant de colère. Comment t'es-tu arrangé pour me faire un coup pareil, dans l'état où tu étais ?

Deker sourit la paupière clignotante, le visage recouvert d'une fine pellicule de sueur, s'enorgueillissant de ses aptitudes sexuelles même après avoir reçu une balle de golf dans les parties génitales.

— C'est que Bernie est tellement excitante, fit-il modestement. Tu sais, je ne suis pas le seul responsable, dans cette affaire, Hoot.

— Personne ne t'a forcé, répliqua Junior, avec l'impression soudaine de parler comme Kissy.

Le jour suivant, en quittant la patinoire, il aperçut la voiture de la riche salope, garée non loin de la sienne. Cette-Diane-ci s'y trouvait aussi. Les deux femmes bavardaient en fumant, accompagnant leurs propos de petits rires enjoués comme deux épouses légitimes attendant leurs maris. Junior n'en croyait pas ses yeux. Poussant un juron retentissant, il alla frapper à la vitre de la Rolls-Royce.

— Qu'est-ce que vous venez faire ici ? aboya-t-il.

— On t'attendait, proclama la bourgeoise de manière à être clairement entendue des autres membres du club.

— Inutile, répliqua t-il. Je ne veux plus te voir ; et cesse de téléphoner chez moi.

— Ça ne fera pas plaisir à Kissy, fit la femme en lui envoyant un baiser.

Junior s'éloigna et ouvrit la portière de sa voiture d'un geste mal assuré. Un coup d'œil au-dessus du toit lui apprit que la bourgeoise était toujours là, le sourire aguicheur, s'amusant à lui donner des sueurs froides comme à tous ceux qui l'approchaient.

— Elle est complètement folle, expliqua-t-il à Kissy, désemparé. Elle prend du plaisir à nous torturer. Mais tu sais, voulut-il la rassurer, il est très possible qu'elle finisse par se lasser ; qu'elle trouve quelqu'un d'autre à qui s'en prendre.

Kissy écouta calmement. Ils étaient assis sur le perron, dans l'arrière-cour, surveillant Dynah en train de jouer avec le chat. Bernie était à sa leçon de conduite. Tout était parfait, hormis ce problème irritant qu'il ne savait comment résoudre.

— Peut-être, laissa-t-elle tomber avant de changer de sujet.

Mais elle comprit très vite que la bourgeoise ne lâcherait pas prise de sitôt. Les messages commencèrent à affluer, accompagnés de photos suggestives et d'une foule de détails, réels ou inventés, spécialement adressés à Kissy. Il lui parut alors évident que Monette Daniels était une maniaque obsédée qui n'avait nul besoin d'encouragements pour continuer à les harceler. Une cinglée était une cinglée, et Junior ne voyait aucun moyen de s'en débarrasser, sa seule erreur ayant été de l'avoir fréquentée.

— Qui a dit que l'art épistolaire était un art oublié ? lança sarcastiquement Kissy. Il me semble plutôt que, grâce à cette fille, il atteint de nouveaux sommets.

L'avant-centre du Minnesota bouscula Junior dans les filets au moment où l'ailier droit frappait le palet. À l'étonnement général, aucune pénalité ne fut sifflée, et le but fut compté bon. Se propulsant hors de la cage, Junior retira ses gants et empoigna l'avant-centre au collet pour lui expédier un coup de poing sur l'oreille. Très vite, ce fut la mêlée générale au cours de laquelle deux défenseurs des Drovers se mirent à bourrer l'avant-centre de coups avec enthousiasme. En voyant cela, le gardien de but du Minnesota se lança à sa rescousse, très vite intercepté par Junior qui, le saisissant entre les jambes, le catapulta de l'autre côté de la barrière.

Il était rare que Junior fasse l'objet d'une exclusion. Il était encore fou de rage quand il croisa Damien St. Louis, son remplaçant. Cette partie, qui se déroulait à Minneapolis, était la deuxième d'une série de cinq et s'annonçait sous de mauvais auspices. Plus que la nonchalance de l'arbitre, c'était sa colère et sa déception qui étaient responsables de cette empoignade.

Son cœur se serra lorsqu'il vit sur l'écran de télévision des vestiaires l'équipe du Minnesota marquer un nouveau but. Son comportement absurde lui avait valu une exclusion et si la partie s'en allait à vau-l'eau, c'était uniquement de sa faute. Rien que d'y penser, il en avait la migraine. Combien d'erreurs devrait-il encore commettre avant d'être exclu de l'équipe ? La seule pensée d'annoncer à Kissy de faire ses bagages pour Dry River lui chavirait les entrailles.

Que personne ne soufflât mot la partie terminée lui parut très significatif. Les vestiaires ressemblaient à un lieu de veillée funèbre

264

où il jouait le rôle du mort. Tous les joueurs évitaient son regard, lui rappelant la manière dont lui-même détournait les yeux chaque fois qu'un de ses coéquipiers se trouvait en mauvaise posture, comme si regarder un mort pouvait porter malheur.

Deker prit place près de lui dans l'autocar et lui glissa une flasque de mauvais whisky. Junior en avala néanmoins une bonne lampée, si bonne qu'il en eut les yeux mouillés de larmes. À l'arrivée, le jeune Russe était encore à ses côtés. D'un coup de coude, il lui indiqua la direction du bar, alors que les autres joueurs se pressaient derrière eux. « Un verre, se promit-il, un seul, par politesse, pour se sentir moins seul, pour passer une nuit à peu près normale. »

Quelques heures plus tard, il se jurait encore que ce serait le dernier, quand Cette-Diane-ci apparut. Il ignorait qu'elle était là ; il n'avait pas remarqué sa présence et personne n'y avait fait allusion. Déconcerté, il parcourut anxieusement la salle du regard, sachant que, là où était Cette-Diane-ci, la bourgeoise s'y trouvait aussi. Il l'aperçut enfin, perchée sur un tabouret de bar, et qui le dévorait des yeux.

Cette-Diane-ci lui agrippa le bras. Elle était ivre, le visage livide. Sa main droite tenait une canette de bière.

— Tu fais chier ! beugla-t-elle.

Junior avait l'esprit trop engourdi pour réagir autrement qu'en riant. Venant de la part de Cette-Diane-ci, c'était vraiment drôle.

— Tu fais chier, sale pédé, répéta-t-elle cependant, avant de lui cracher au visage et de vider sa bière sur les genoux du jeune homme.

Dans un réflexe de défense, Junior lui lança la sienne au visage, à quoi Cette-Diane-ci réagit en poussant un hurlement outragé. Dans la seconde qui suivit, et pour la seconde fois de la soirée, ce fut une mêlée générale où l'on se bouscula, s'injuria et s'invectiva presque au hasard. Courbant l'échine, Junior tenta de s'éclipser en se frayant un chemin parmi un enchevêtrement de corps, quand un colosse lui barra le passage.

— Hé, attends un peu, connard ! lui cria ce dernier en se jetant sur lui.

Junior se débattit autant que son état d'ébriété le lui permettait, jusqu'au moment où il s'avisa que l'individu était le « videur » de l'endroit. Il sentit une autre paire de bras se refermer sur lui comme un étau, tandis qu'un souffle rauque grondait à ses oreilles. Au lieu d'être jeté sur le pavé, comme il s'y attendait, il se retrouva enfermé dans un placard. De longues minutes plus tard, des policiers vinrent l'en délivrer.

Il dut bien admettre qu'il la connaissait, puisqu'elle était partie après avoir assuré aux policiers qu'elle était sa petite amie. Il aurait dû se taire, attendre l'arrivée de son avocat, s'admonesta-t-il. Il eut cependant la présence d'esprit de téléphoner à Ed Toth, son entraîneur, et de lui demander de venir payer sa caution, mais en attendant son arrivée les policiers insistèrent pour connaître sa version des faits. Junior n'y vit aucune objection. Après tout, il n'avait rien fait de mal, et il lui suffisait de dire la vérité.

— C'est une sorte de groupie que j'ai connue quand j'étais célibataire, déclara-t-il aux policiers qui, bien qu'affectant des airs compatissants, le pressaient de questions de plus en plus embarrassantes.

Puis Ed arriva, accompagné d'un avocat qui somma incontinent Junior de ne plus dire un mot, ce qu'il fit jusqu'au moment où il quitta le poste de police.

Une fois dans sa chambre d'hôtel, il téléphona à Kissy.

— J'ai des problèmes, ma chérie.

— Ah?

Cette simple syllabe suffit à lui glacer les sangs, à le transporter, tout à coup, au cœur d'un univers hostile.

— Ce n'est pas moi qui ai commencé; ne t'inquiète pas, je n'ai rien à me reprocher... Puis, comme il n'obtenait pas de réponse : Kissy, tu es toujours là?

— Ne te tracasse pas, je serai encore là à ton retour, répondit-elle enfin, comme si c'était loin d'être évident. Nous en reparlerons à ce moment-là.

Trois parties à l'extérieur, une à domicile, juste avant les vacances de Noël. Junior reprit le chemin de Denver par un mauvais temps qui affectait le trafic aérien à travers tout le pays. Un verre en entraîna un autre, puis un autre encore, assez pour lui faire oublier ses déboires et le harcèlement incessant des journalistes depuis l'incident du bar. Mais il restait convaincu que tout irait bien, et effectivement, au moment où il emprunta la longue route de Stappleton, toute trace d'ébriété avait pratiquement disparu. Après cela, conduire sous la neige fondante acheva de lui éclaircir les idées, lui faisant éliminer en sueurs froides l'alcool qui lui restait dans le corps. Il dépensa également beaucoup d'énergie à pester contre lui-même de ne pas posséder de tout-terrain, comme tout habitant du Colorado qui se respecte. Dans une station-service, il acheta un gobelet de café dont il jeta la moitié par la fenêtre pour y verser deux comprimés d'aspirine. Cela le soulagea un peu de sa migraine et du poids qui écrasait sa poitrine comme une dalle de béton.

Au moment où il rangea la Saab près du Blazer, le vieux chat sortit de l'ombre pour, la porte à peine entrouverte, se glisser à l'intérieur de la maison. Une faible lumière éclairait le vestibule, plongeant l'escalier dans une semi-obscurité. Surgi de nulle part comme un esprit maléfique, l'animal se lova contre les chevilles de Junior, juste le temps de le faire trébucher, puis se fondit à nouveau dans l'obscurité.

— Junior ?

Bernie se tenait debout à contre-jour sur le seuil de sa chambre, les rondeurs de son corps dissimulées sous une ample chemise de nuit de flanelle.

— Tout va bien, la rassura Junior. Cette saloperie de chat a encore failli me faire casser la figure.

— Est-ce que tu as bu ?

— Retourne te coucher, sœurette, voulut-il la rassurer, en l'embrassant sur la joue.

Les bras croisés sur la poitrine, la jeune fille tourna les talons et regagna sa chambre avec des hochements de tête dubitatifs.

La lampe de chevet était encore allumée. Kissy l'attendait. En le voyant, elle posa près d'elle le livre de poche qu'elle était en train de lire. Dynah s'agita faiblement dans son berceau.

— Désolé, souffla-t-il en se penchant sur l'enfant, c'est encore cette saloperie de chat. Figure-toi que les deux tordues étaient là, l'obsédée et sa copine ; c'est elle qui est venue me provoquer. Cesse de me regarder comme une bête curieuse, ajouta-t-il, irrité par l'absence de réaction de Kissy.

— Comment saurais-je ce qui s'est passé exactement ? murmura-t-elle sans la moindre colère. Il fut un temps, tu aimais bien te trouver en leur compagnie, n'est-ce pas ? À ma connaissance, elles sont TOUJOURS là, et cette fois encore, tu te trouvais dans un bar avec tes copains, et elles y étaient aussi. Comme tu avais bu, ça s'est terminé par une bagarre et tu t'es fait jeter dehors. C'est tout ce que j'en sais.

— Et tu crois que ça vaut la peine d'en faire un plat ? Ça n'arrivera plus jamais, c'est fini, ter-mi-né. Je vais prendre un bain, tu m'accompagnes ?

Il voulut l'entraîner par la main, mais elle la laissa molle dans la sienne.

— Non, dit-elle en fermant les yeux. J'en ai assez qu'on me prenne pour une gourde.

Il fallut une minute à Junior pour comprendre la portée de ces paroles. Subitement, il eut la sensation de tomber de très haut, comme une corde intérieure qui aurait cédé.

— Gourde ? s'écria-t-il. Gourde ? C'est le premier mot qui te vient à l'esprit après « mariage », c'est ça ?

Le jeune homme débarla dans l'escalier et sortit respirer un grand bol d'air glacial. Puis la crête blanche des montagnes parut basculer, et, sans trop savoir comment, il se retrouva, assis sur son séant, abasourdi, les jambes étendues sur le sol froid. S'ébrouant tant bien que mal, il se releva et alla en titubant jusqu'à sa voiture. Une fois le moteur en marche, il écrasa l'accélérateur sans desserrer le frein à main. Les roues patinèrent sur la glace avec un rugissement de protestation. Pendant ce temps, Kissy se tenait pieds nus devant la porte, étreignant sa poitrine à cause du froid, le mince coton de son pyjama laissant apparaître les courbes de son corps qui se découpaient en ombre chinoise dans le rectangle de lumière. Bernie était à ses côtés, livide comme un clair de lune.

— Qu'est-ce que tu vas encore faire ! s'écria la jeune femme. Tu n'es pas en état de conduire !

— Junior ! Ne fais pas l'idiot ! renchérit Bernie.

Desserrant le frein à main, Junior passa la marche arrière dans un craquement de la boîte de vitesses et écrasa la pédale d'accélérateur. Le véhicule dérapa sur le sol verglacé et, un court instant, le jeune homme se sentit emporté par une lame de fond. Puis il y eut un choc. Projeté en avant, sa tête alla heurter le pare-brise. Il entendit nettement le craquement du verre et celui de ses vertèbres cervicales. À demi assommé, il s'extirpa péniblement du véhicule, conscient, néanmoins, de s'être à nouveau conduit comme le dernier des imbéciles. Un voile rouge lui brouilla la vue. Il passa les doigts sur son crâne puis les contempla, le regard empreint d'étonnement en constatant qu'ils étaient maculés de sang.

Pour comble de ridicule, il avait uriné sur lui. À présent, il était allongé sur le sol, la tête reposant dans les bras de Kissy pendant que Bernie le couvrait d'injures. Un petit attroupement s'était formé autour d'eux : des voisins, surtout, attirés par le bruit de l'accident et les vitupérations des deux femmes. Au loin s'élevait déjà le hululement d'une sirène de police.

« Coup du lapin », diagnostiqua le médecin. Ce dernier posa une minerve à Junior et l'entretint de coupures, de points de suture, de contusions, de commotion cérébrale possible, ce qui nécessitait une hospitalisation immédiate. Junior voulut dire aux policiers qu'il s'était déjà blessé bien plus gravement en patinant, mais on persista à le traiter comme un vulgaire ivrogne qui serait tombé sur la tête.

Peut-être parce qu'ils ressemblaient à des cow-boys, Junior eut la nette impression que les policiers sentaient la bouse de vache. Sa commotion cérébrale en était plus vraisemblablement la cause, à moins qu'il ne se fût agi de quelque réminiscence de l'odeur des crottes que la saloperie de chat enterrait dans l'arrière-cour à coups de pattes soigneusement dosés avant de se lécher consciencieusement l'anus. Dire que le bébé s'amusait avec cette saleté d'animal. Quel amusement ce serait si chacun enterrait ses excréments, les vaches, les policiers... Junior, quant à lui, aurait aussi quelque chose à enterrer : cette saloperie de chat, d'abord, la bourgeoise et Cette-Diane-ci, ensuite, très, très profondément...

Un des policiers voulut savoir s'il avait bu.

— Pas assez, grommela Junior.

Ce qui était on ne peut plus vrai, vu que ses idées étaient aussi claires que l'air était froid, au point d'en avoir mal à la tête et aux poumons, comme s'il avait avalé une livre de verre pilé.

La sonnerie du téléphone résonna dans son rêve. Il était trois heures du matin. Kissy reposa le bébé dans son lit et décrocha.

— Kissy, fit Junior d'une voix étranglée. Je suis désolé, Kissy...

Elle reposa l'appareil sur son étrier. Après avoir quitté son mari aux urgences, elle avait évité les journalistes en empruntant une porte dérobée et était rentrée en taxi avec Bernie et Dynah. Elle garda longtemps les yeux grands ouverts, à ruminer sa colère jusqu'au moment où, exténuée, elle sombra dans un profond sommeil.

Dynah ou, du moins, le contact humide des draps mouillés la réveilla. Kissy défit le lit et dévêtit l'enfant qui, malgré la nuit mouvementée qu'elle venait de connaître, se trouva très heureuse de prendre un bain en compagnie de sa maman. Une fois changée, Kissy s'attabla devant un bon café chaud. Son propre calme la surprit.

Bernie se glissa silencieusement hors de sa chambre et alla embrasser sa belle-sœur.

— Qu'est-ce qui va se passer, maintenant ?

— Nous devions passer les fêtes de Noël à Peltry ; mais à bien y penser, je crois que je vais y rester.

Bernie acquiesça, manifestement soulagée de retrouver ses amies qui, depuis son départ, lui manquaient cruellement.

Par la fenêtre de la cuisine, Kissy vit un taxi déposer devant la maison un Junior dépenaillé, la tête bandée, le cou emprisonné dans une minerve. Elle le regarda, sans le plus petit battement de cœur, se diriger d'un pas incertain vers la porte arrière. Assise sur sa chaise haute, Dynah accueillit son père avec des roucoulements de plaisir en frappant le plateau avec sa cuillère. Junior lui adressa un sourire et alla l'embrasser sur le front.

— Je dois aller me préparer, se déroba Bernie alors qu'il s'apprêtait à l'embrasser à son tour.

La jeune fille alla se réfugier dans sa chambre en adressant un coup d'œil éloquent à Kissy. Cette dernière posa sur son mari un regard apitoyé, et ne put retenir un frisson en humant les remugles d'urine qui se dégageaient de sa personne.

— Je vais bien, annonça Junior en prenant place en face de Kissy. C'était un accident, et j'en suis vraiment désolé. Je t'aime, ajouta-t-il en nouant ses doigts autour de ceux de Kissy.

— Moi aussi, Junior, soupira-t-elle. Mais j'ai l'intention de rentrer à Peltry plus tôt que prévu. Et je n'ai pas l'intention de revenir.

— Je ne comprends pas, protesta faiblement le jeune homme, bien que conscient de l'irrévocabilité de cette décision.

— Je ne peux plus vivre avec toi.

— À cause de la nuit dernière ? Mais je viens de te dire que c'était un accident.

— Oui, je sais ; c'est TOUJOURS un accident.

— J'ai toujours reconnu mes torts, se défendit encore le jeune homme, les yeux brouillés de larmes. Tout le monde a des problèmes ; ça peut arriver à n'importe qui !

— Mais chez toi, c'est incessant. Je refuse de vivre la vie que tu as choisie, Junior.

Ce dernier fixa sa femme un long moment, puis déclara d'une voix enrouée :

— J'étais lessivé ; j'ai seulement pris quelques verres. Écoute, Kissy, parlementa-t-il. Ça ne fait que sept mois que nous sommes mariés, et on ne peut pas dire que tu te montres très compréhensive. Tu es très fatiguée, toi aussi ; tu n'es pas en état de prendre des décisions claires... Et Dynah, alors ?

— Quoi, Dynah ? lança Kissy en se levant brusquement pour aller se planter devant la fenêtre.

— Elle a besoin d'un père.

— Tu pourras être son père autant que tu le voudras.

— À des milliers de kilomètres d'elle ? C'est ridicule.

— C'est ton problème, pas le mien.

Junior en restait sans voix. Il se leva à son tour.

— Tu veux que j'arrête de jouer, c'est ça ?

— Oui, dit-elle, sachant toutefois qu'elle ne pouvait lui imposer un tel sacrifice, avant de se reprendre : Non, non... Oui ! s'écria-t-elle finalement, en se disant que, tôt ou tard, il devrait bien mettre un terme à sa carrière.

— Non, protesta-t-il, soudain très calme. Tu n'as pas le droit de me demander ça. J'ai travaillé dur pour arriver là où j'en suis aujourd'hui. C'est la seule chose que je sais faire, c'est ma façon de gagner ma vie. Est-ce que je te demande, moi, de renoncer à la photo ? Pourtant, tu sais bien que ce n'est pas ça qui nous ferait vivre. La carrière de hockeyeur professionnel ne dure qu'un temps. Dès qu'elle sera terminée, nous pourrons mener une vie normale. J'ai fait tellement d'efforts, Kissy, je ne mérite pas que tu me quittes comme ça.

La voix se brisa ; une chaise racla le plancher et Kissy vit Junior s'affaler dessus, la tête entre les mains. Quand elle lui effleura l'épaule, il sursauta et enfouit aussitôt son visage contre le ventre de Kissy. Elle lui caressa quelques instants les cheveux, puis se détacha de lui avec toute la délicatesse dont elle était capable. Tête baissée, bouche close, alors qu'il la fixait d'un regard fiévreux, elle prépara du pain grillé et des pamplemousses et les déposa devant lui.

Le petit déjeuner achevé, elle monta dans sa chambre. Dans son parc, Dynah s'amusait à frapper un trousseau de clés en plastique contre les barreaux. Dans la salle de bains, Junior s'évertuait à se raser, tâche ardue à cause de la minerve qu'on lui avait interdit de retirer. Il vit dans le miroir Kissy se déshabiller et entrer dans la baignoire. Finissant hâtivement son rasage, il l'y suivit et l'enlaça par-derrière, le menton calé contre l'épaule de sa femme. Elle se pencha alors en avant, et s'abandonna avec un soupir résigné.

Sachant que les journaux ne manqueraient pas de relater ce nouvel accident, Kissy eut le souci de téléphoner à Esther pour la rassurer. Oui, elle allait bien, le bébé allait bien et Bernie allait bien aussi. Pour ce qui était de Junior, il survivrait. Alors qu'il jouait sur le lit avec Dynah, ce dernier l'entendit annoncer son retour prochain.

271

Le premier choc passé, il se dit que finalement un séjour de quelques semaines à Peltry ferait le plus grand bien à Kissy et au bébé, sans parler de Bernie qui, de toute évidence, avait le mal du pays. Kissy salua Esther, puis invita Bernie à dire quelques mots à sa mère.

Quelques instants plus tard, Junior la vit faire ses paquets. Il fut très vite frappé par le fait qu'elle vidait systématiquement ses tiroirs. Comment ? Elle s'obstinait à le quitter après ce qui s'était passé entre eux ? Après la baignade et tout ce qui avait suivi ? Dire qu'il croyait qu'elle lui avait pardonné, que tout était rentré dans l'ordre...

— Mais qu'est-ce que tu fais ? demanda-t-il, sans chercher à cacher son irritation.

— Les bagages de Dynah et les miens ; je vais commencer à charger le Blazer, répliqua-t-elle d'un ton parfaitement détaché.

— Ce n'est pas nécessaire de tout emporter, et puis, dans l'accident, j'ai démoli un phare et le pare-chocs de ta voiture, tu le sais bien.

Mais elle ne l'entendait pas, un peu comme si elle était déjà partie. Il sortit en claquant la porte, et réapparut une heure et demie plus tard, l'haleine avinée, la panse lestée d'une demi-douzaine de canettes, pour mendier à genoux son pardon. En réponse, elle le somma de cesser sa comédie, sans cesser de faire ses paquets. Furieux, il décida alors d'y mettre la main en jetant pêle-mêle dans le Blazer tout ce qui lui tombait sous la main. « Tu n'as qu'à tout emporter », répétait-il.

Le téléphone sonna. Quelqu'un du *Denver Post*, sembla-t-il, que Junior invita à aller se faire foutre, tout comme au journaliste du *Rocky Mountains* qui appela quelques instants plus tard. Il repartit faire à nouveau provision de bières qu'il but silencieusement devant la télévision. Il broyait chaque canette vide dans sa main et la lançait sur le tube cathodique, si bien que la moquette en fut bientôt jonchée. La chaîne locale diffusait un vieux dessin animé, mais du diable s'il s'en souciait.

Bernie entra dans le salon en écartant les canettes à coups de pied, se planta devant son frère, les mains sur les hanches, et s'écria :

— Peux-tu me dire pourquoi tu te crois toujours obligé de te conduire comme le dernier des abrutis ?

— Parce que c'est mon karma, rétorqua sarcastiquement Junior avant d'éclater en sanglots.

Les yeux brouillés de larmes, Bernie lui lança une boîte de kleenex et sortit sans plus de commentaires.

Ed Toth téléphona pour intimer à Junior l'ordre de ne plus rabrouer les journalistes comme il l'avait fait, ce que Junior nia avec véhémence, arguant qu'il n'avait reçu aucun appel et qu'il s'agissait probablement d'une erreur. Mais le silence qui s'ensuivit lui signifia clairement que Toth ne croyait pas à son histoire. Cependant, ordre lui fut donné de répondre « sans commentaire » à toutes les questions qu'on lui poserait. Cela dit, avec l'accord préalable des médecins, bien sûr, rien ne s'opposait à ce qu'il reprît sa place devant les filets dès le prochain match qui devait se dérouler le surlendemain.

— À part ça, comment ça se passe ? demanda Toth.

— Le plus mal possible, mais je peux encore jouer. En réalité, c'est la seule chose que je puisse encore faire ; pour le reste, j'ai tout gâché, pas vrai, les filles ? lança Junior en prenant sa femme et sa sœur à témoin.

— Tu as bu ? voulut encore savoir Toth.

— Du coca-cola, c'est ça qui me fait roter.

— Je n'aimerais pas devoir encore payer ta caution, Clootie ; ça commence à bien faire...

— Pas de problème ; ça commence à bien faire pour moi aussi, l'interrompit le jeune homme en raccrochant.

Il contempla pendant quelques secondes l'appareil, puis en arracha le fil d'un coup sec. Une nouvelle canette alla rejoindre les autres sur la moquette.

Il ne s'éveilla que le lendemain midi. Douché et rasé de frais, il entra dans la cuisine et prit Dynah dans ses bras.

— Ce ne sera pas facile de traverser tout le pays en voiture avec Dynah, dit-il à Kissy. Prends plutôt l'avion ; je te ramènerai ta voiture un peu plus tard.

Kissy trouva la pensée délicate, sans toutefois se méprendre sur ses intentions. Junior n'était pas homme à baisser les bras, du moins pas longtemps. Par ce biais, il cherchait un moyen, n'importe lequel pourvu qu'il pût la reconquérir.

— D'accord, concéda-t-elle.

Junior reposa le bébé sur sa chaise haute.

— Vous ne partirez pas avant que je sois revenu, n'est-ce pas ? Elle fit un signe de dénégation.

— Nous restons pour regarder la partie.

Un faible sourire dissipa, un bref instant, la morosité dont le jeune homme ne semblait pas vouloir se départir. C'était la réponse à son offre de ramener le Blazer à Peltry.

22

Kissy laissa retomber le rideau qu'elle avait soulevé maintes fois déjà pour guetter l'arrivée de Junior et, le bébé dans les bras, se précipita vers la porte.

— Papa est arrivé, annonça-t-elle à l'enfant, dont le visage s'éclaira aussitôt d'une adorable risette.

Tout sourire, Junior franchit le seuil de la maison de ses parents, portant sur l'épaule un sac de voyage bourré de cadeaux de Noël. Fermant la porte aux intempéries, il se tourna vers Kissy et Dynah et les serra dans ses bras avec passion.

— J'ai perdu mon tuyau d'échappement, dit-il pour expliquer son retard.

— Tu dois avoir faim, répondit Kissy après lui avoir rendu, non sans quelque hésitation, son baiser.

Tout en avalant son repas, il fit état des problèmes causés par une courroie de ventilateur trop lâche et la perte de son pot d'échappement.

— Désolé d'être en retard, dit-il en évitant le regard de sa femme. Vu l'heure, tu dois avoir envie d'aller te coucher.

L'endroit où il coucherait était un sujet qu'ils n'avait pas abordé. Déjà, Kissy occupait avec Dynah la deuxième chambre à coucher, tandis que Bernie dormait sur le sofa et Mark sur un matelas étendu dans le couloir, les dortoirs de Sowerwine étant fermés pour la période des vacances.

— Tu peux rester ici, proposa-t-elle.

— Tu es sûre ? Je peux m'installer à l'hôtel.

— Certaine, fit-elle en récupérant Dynah sur les genoux de Junior.

Les yeux sur l'enfant, Kissy ne parut pas remarquer l'inspiration saccadée qui agita le torse de son mari. Ce dernier leva les yeux sur la pendule. Il était minuit passé. Le père Noël venait de passer pour lui aussi.

— Kissy nous a fait part de son intention de rester à Peltry, avança Dunny, un peu mal à l'aise. C'est inespéré, nous pourrons voir le bébé plus souvent.

— C'est une séparation temporaire, crut bon de préciser Junior. Kissy et moi, nous n'avons pas du tout l'intention de divorcer.

Dunny et Esther acquiescèrent simultanément d'un air entendu.

— Elle a l'intention de reprendre son travail à mi-temps, dès qu'elle aura trouvé un appartement, ajouta le jeune homme.

Quoi qu'il en fût, en son absence, ils veilleraient sur Kissy et le bébé comme sur la prunelle de leurs yeux, promirent Esther et Dunny. Puis, soucieux de dissiper le malaise qui s'installait entre eux et leur fils, Dunny entraîna ce dernier dans l'arrière-cour pour lui montrer sa dernière acquisition. Il s'agissait d'un jeune retriever noir dont Junior ne manqua pas d'admirer l'élégance. Tout excitée, Dynah s'agitait dans les bras de son père, pendant que le chiot folâtrait autour d'eux, comme s'il attendait qu'on posât l'enfant par terre pour pouvoir jouer avec lui.

— C'est vrai tout ce que les journaux ont raconté ? voulut savoir Dunny. Cette bagarre dans le bar, l'accident... et cette femme... On a dit que c'était une de tes anciennes relations.

— C'est un malentendu.

— Ta mère n'entend pas, objecta Dunny, alors cesse de me raconter des histoires.

— Je te l'ai déjà dit ; c'était un accident. J'avais un peu bu et en rentrant j'ai perdu le contrôle de la voiture, c'est tout.

— Et la femme ?

— Elle était soûle ; c'est elle qui a commencé à me chercher des histoires.

— Tu ne te drogues pas, au moins... J'espère que tu ne prends pas ces saletés de stéroïdes.

— Non, pas du tout.

— Pourtant, tu en as tout l'air. J'ai entendu dire que ça rendait fou ; à moins qu'en ce qui te concerne, ce soit de naissance ou que tu ne sois trop souvent tombé sur la tête en patinant. Pour l'amour du ciel, Junior, fais quelque chose, sinon ta vie va devenir...

— D'accord, d'accord, j'ai compris, papa.

Il était clair qu'à travers ces sarcasmes Dunny voulait exprimer sa colère et son découragement. Son insistance tendait à faire croire à son fils que la situation était pire qu'il ne le pensait, et qu'il n'était pas tout à fait conscient de ses actes et de leurs conséquences.

Dynah émit un gargouillement et lui laboura le nez de son index. Les larmes montèrent aux yeux du jeune homme, qui, pour cacher sa douleur, s'efforça de sourire malgré la goutte de sang qu'il sentit tomber sur sa lèvre supérieure. Décidément, pour ce qui était de lui écorcher les nerfs, cette enfant tenait de sa mère, songea-t-il, les yeux brouillés de larmes.

— Je vais tacher ma chemise et c'est la seule que j'ai, dit-il en tendant hâtivement Dynah à son père, avant de se précipiter à l'intérieur de la maison.

L'état de Ruth semblait inchangé. Ne l'ayant plus vue depuis août, Kissy fut frappée par le fait que la malade se trouvait aujourd'hui dans l'état qui serait désormais le sien jusqu'à la fin de ses jours, que Ruth, la vraie et seule Ruth Prashker n'était plus que ce petit visage à la peau translucide tendue sur les pommettes, cette cage thoracique étrangement proéminente au-dessus du bassin, et ces yeux désespérément clos, cernés d'une auréole jaunâtre.

En septembre, Sylvia Cronin avait eu une légère attaque cardiaque qui, outre un dysfonctionnement visuel, l'avait laissée particllement invalide. Les mots lui venaient mal et elle s'exprimait avec peine. Sa maladie, qu'elle n'avait pas cachée à Kissy au cours de leur correspondance, avait requis l'assistance de plusieurs infirmières, surtout pour s'occuper de Ruth, puisqu'elle n'était plus en état de le faire.

— Faites donc quelques photographies, ricana Mme Cronin, avant que je ne me retrouve entourée de tubes et de perfusions.

Mme Prashker mit Kissy au courant de l'état de santé de sa fille et de l'évolution de sa requête auprès des tribunaux. D'un côté comme de l'autre, rien n'était changé, expliqua-t-elle en substance. Puis elle demanda des nouvelles de la mère et de l'enfant. Kissy exhiba alors une photographie de Dynah, que la femme trouva aussitôt adorable, attestant qu'elle ressemblait trait pour trait à sa mère. Kissy attendit néanmoins son départ pour annoncer à Mme Cronin son intention de s'installer à Peltry.

— Cela vous plairait-il de revenir vivre ici ? proposa aussitôt la vieille dame. Rien ne me ferait plus plaisir.

L'offre parut alléchante, même si l'accepter signifiait un recul aux yeux de Kissy.

— Vous avez déjà tant fait pour moi ; ce serait vous imposer de lourdes contraintes ; vous ne pouvez pas imaginer comme Dynah est...

— Oh, que si ! J'imagine très bien, au contraire. Réfléchissez donc à ma proposition, mon enfant.

Ce que Kissy pouvait espérer du *News*, c'était tout au plus un emploi à la pige pour photographier les Spectres lorsqu'ils joueraient à domicile, car il n'était pas question de courir les routes avec Dynah. Ailleurs, on ne lui proposa que des salaires de misère qui ne lui permettraient même pas de payer son loyer et de vivre décemment, sans parler de s'offrir le luxe d'une gardienne pour pouvoir préparer la maîtrise dont elle avait toujours rêvé. Restait Latham, qui lui proposa un travail d'assistante de laboratoire à Sowerwine. Cependant, après maintes tergiversations, elle s'avisa que préparer sa maîtrise lui permettrait d'obtenir un emploi de professeur suppléant, ce qui était pécuniairement mieux – mais à peine – que l'emploi que laborantine que lui offrait Latham.

Aussi longtemps qu'elle resterait mariée, Dynah et elle seraient couvertes par les assurances de Junior, la question ne revêtant toute son importance qu'au moment où elle serait à nouveau livrée à elle-même. Ce propos fit l'objet d'une violente algarade entre elle et Junior, qui soutint mordicus qu'il ne les ferait jamais manquer de rien. C'était sa manière à lui de prouver à quel point il était une personne aimante et responsable. Mais si louables que fussent ses intentions, Kissy craignait qu'accepter son soutien revînt à entretenir dans l'esprit de son mari un espoir de réconciliation. À la colère et la rancœur de ne pouvoir subvenir à ses besoins et à ceux de sa fille vint s'ajouter l'humiliation de devoir accepter, outre le règlement du loyer de l'appartement qu'elle avait loué, la somme qui lui permettrait de s'inscrire à ses cours. Elle se consola en se disant qu'un jour viendrait où elle rembourserait Junior jusqu'au dernier centime.

En commençant les cours en janvier, elle pourrait, si sa thèse sur Ruth était acceptée, obtenir son diplôme deux ans plus tard. À cela s'ajoutait l'avantage que, contrairement aux studios de photographie et aux laboratoires, Sowerwine accueillait favorablement la présence d'enfants. Elle pourrait donc emmener Dynah avec elle quand elle le voudrait, c'est-à-dire à peu près tout le temps.

Bien que dix-huit mois à peine se fussent écoulés depuis l'obtention de son diplôme, retrouver ce décor familier lui donna l'impression de revenir d'un long voyage. Le campus lui parut plus triste qu'elle ne se le rappelait, mais également plus étriqué, comme lorsqu'on retrouve la maison où l'on a grandi. Les bâtiments et le paysage environnant avaient pourtant gardé leur dignité sereine, et c'est pourquoi elle conçut un réel enchantement à revoir les grands murs de brique et de granit, et aussi les grands arbres qui bordaient les chemins verglacés. En vérité, rien n'avait changé, sauf elle, bien sûr, et à présent qu'elle avait acquis un peu de maturité, qu'elle était sensiblement plus âgée que la majorité des étudiants, tout semblait avoir rétréci.

C'est alors qu'arriva le redoux de janvier ; une semaine au cours de laquelle l'on put respirer un air printanier, même si on était encore en plein cœur de l'hiver. La neige fondante qui collait aux semelles et aux roues des voitures eut tôt fait de se changer en eau, très vite évaporée du fait de la douceur ambiante. Dans le léger brouillard qui noyait toute chose, on distinguait les saules pleureurs.

Saisie d'une impulsion soudaine, Kissy suivit le sentier menant à la stèle érigée à la mémoire de Diane Greenan. Là, s'asseyant sur un banc, elle dégrafa son corsage pour donner le sein à Dynah. Le lait coulait en abondance. À son ineffable plaisir d'allaiter son enfant vint s'ajouter la caresse du vent sur son sein dénudé. Alors que de ses doigts elle frôlait les cheveux de l'enfant, Kissy se dit que ce pur instant de bonheur valait toutes les épreuves passées et à venir.

Quelques témoignages de sympathie subsistaient encore sur la stèle : arrangements de mousse et de baies, bâtonnets d'encens à demi consumés, bouquets de fleurs fanées, mots d'éloge succinctement griffonnés sur un morceau de papier, gommes parfumées à la menthe que l'on pouvait se procurer gratuitement au comptoir des étudiants et que ces derniers avaient baptisées des « Jimmy ».

Dynah repue, Kissy reboutonna son chemisier et alla vider la boîte aux panégyriques. Souvent sous forme de poèmes, certains étaient adressés à Diane, d'autres seulement à Ruth. Quelqu'un y avait glissé un article du *News* relatant la chute d'un étudiant du haut d'une falaise, un autre, un dessin obscène, tout à fait hors de propos.

Imitant les gestes de sa mère, Dynah cherchait à attraper les morceaux de papier. Un sentiment d'abandon envahit alors Kissy, sans qu'elle sût précisément ce qui en était la cause.

Non loin de la faculté de médecine et attenante à un manoir victorien, elle avait finalement déniché une remise réaménagée en appartement qui se composait d'une chambre à coucher, d'une cuisine et d'un salon. Outre un voisinage agréable et une grande quiétude, l'endroit offrait aussi, à quelques pas de là, une place de stationnement. Bien que vivant chez ses parents, Bernie lui rendait souvent visite, pour garder le bébé ou simplement pour lui tenir compagnie.

Presque tous les jours, et parfois même deux fois dans la même journée, Junior téléphonait, sous prétexte de parler à sa fille au cas où elle prononcerait son premier « papa ». Et quand bien même elle ne le prononcerait jamais, au moins se souviendrait-elle du son de sa voix. Il lui arrivait souvent aussi de téléphoner à Kissy en pleine nuit, seulement pour lui faire part de ses succès ou de ses tribulations. À l'issue de ces conversations, la jeune femme éprouvait chaque fois cruellement l'absence de son mari, en se demandant s'il partageait les mêmes sentiments.

Loin de faillir, la réputation de Junior au sein des Drovers se renforça, faisant de lui une vedette, même s'il n'avait, parmi les cinquante-quatre gardiens de but que comptait la Ligue, aucune chance de se classer parmi les « All-Star ». En plus de ne pas être un inconvénient majeur, ne cessait-il de répéter, cet état de fait lui permettrait de rentrer sous peu à Peltry.

Pourtant, Junior attendit encore six semaines, six semaines au cours desquelles il dut, quand il n'était pas sur les routes, partager son gîte avec la saloperie de chat au lieu et place de sa femme et de son enfant. Pour une raison qu'il n'aurait su définir, il avait gardé la maison, et continué à s'occuper du vieux matou, qu'il tolérait à présent, à cause d'une superstition qui l'habitait et selon laquelle nourrir l'animal et changer sa litière apaiserait les dieux qui avaient emporté Kissy et Dynah loin de lui. Il demanda au gamin de la maison voisine de venir s'occuper de l'animal en son absence, ce qui fut fait, sans égard pour la litière, toutefois. Si bien qu'après cinq jours d'absence Junior retrouva une maison semée de crottes de chat et où régnait une intolérable puanteur. « Mauvais comme une crotte de chat », avait coutume de dire Esther et, alors qu'il récurait le plancher, le jeune homme s'avisa de la véracité de cet aphorisme. En regard de cette horreur, les couches de Dynah ressemblaient à des boîtes de chocolat.

Ce gâchis lui en rappela un autre : celui occasionné par Ed dans l'appartement de Peltry, puis celui encore plus grand dont il avait été la cause avec Dionne, et enfin celui de sa chambre dévastée de Dry River. En réalité, songea-t-il tristement, son existence se limitait à cela : une succession de gâchis.

Junior instruisit son père de ce que Kissy irait le chercher à l'aéroport.

— Kissy et moi, nous avons besoin de nous retrouver, répondit-il au soupir exaspéré de Dunny.

— Très bien, renchérit ce dernier. Pendant que vous vous retrouverez, tâche au moins de ne pas oublier le bébé à l'aéroport.

— Merci du conseil, mais j'ai besoin de voir ma fille, aussi.

Dunny s'en trouva fort aise. C'était la conversation la plus mesurée qu'avaient eue père et fils depuis que ce dernier avait annoncé, entre Noël et le jour de l'an, la reprise du contrôle de ses finances.

— En es-tu certain ? avait ergoté Dunny. Tu sais ce qui t'attend, avec un divorce en perspective.

— Nous n'allons pas divorcer ; cette séparation est temporaire, avait corrigé Junior, et j'ai l'intention de continuer à m'occuper de Kissy et de Dynah.

Et pour le prouver, il avait annoncé le montant de ses économies, quoique conscient de leur précarité avec tous les aller et retour qu'il allait devoir faire. Dunny avait prêté une oreille attentive à ses propos, ne résistant cependant pas au besoin de rappeler à son fils qu'il marchait sur des œufs et qu'il pouvait encore s'attendre à des lendemains difficiles. Mais si sages que fussent ces paroles, Junior ne pouvait se résoudre, eu égard à ses émoluments, à continuer de thésauriser, et à laisser Kissy et Dynah croupir dans un galetas de Barnyard.

Alors ? demanda-t-il à Kissy avec une désinvolture affectée, tandis qu'ils revenaient de l'aéroport, tu fréquentes quelqu'un ?

Elle répondit par un éclat de rire amer.

— Moi non plus, voulut-il la rassurer, sans qu'elle parût le remarquer.

L'appartement lui apparut comme un amoncellement de jouets, de livres, de cassettes et de matériel photographique, sans que rien toutefois ne trahît la présence d'un étranger. Sous couleur de satisfaire un besoin naturel, il alla inspecter la salle de bains, afin d'y déceler la présence d'une brosse à dents ou d'un rasoir intrus. Pratique mais dénuée de romantisme, la baignoire encastrée faisait également office de bac à douche. Un coup d'œil subrepticement jeté dans le tiroir de la table de chevet lui apprit l'absence de préservatifs ou de tout autre moyen contraceptif. Cette inspection eut le don de le rassurer un peu ; à moins, songea-t-il un instant, que Kissy ne se consolât auprès d'une femme, auquel cas, déceler sa présence aurait été plus ardu. Mais il repoussa très vite cette idée, tant elle lui parut folle. Des photos récentes lui auraient appris quelque chose, sauf que, les laboratoires de Sowerwine étant à son entière disposition, c'est là-bas que Kissy développait ses photos.

L'odeur de cuisine, mélange d'ail et d'oignon, la douceur de la peau de Dynah s'agitant dans ses bras, et le rire de Kissy, tout cela combiné lui fit un peu tourner la tête. Bien que ces lieux lui fussent étrangers, le repas n'était pas terminé que Junior s'y sentait chez lui. En moins d'une heure, il était redevenu un homme marié.

Ils firent la vaisselle ensemble et ensemble aussi ils baignèrent le bébé et l'installèrent dans son berceau, près du grand lit.

De la salle de bains, Junior entendit Kissy s'agiter, jusqu'à ce que de la chambre à coucher lui parvint la voix rauque de Janis Joplin. Peut-être à cause du titre : « Viens sur moi », au lieu de se reboutonner, il entreprit de délacer ses chaussures. Levant les yeux, il vit alors Kissy qui, après avoir retiré son soutien-gorge, se tenait devant la porte. La chemise béait sur sa gorge, à laquelle l'allaitement avait conféré, outre un affaissement notable, des proportions démesurées. Se penchant devant son mari pour ouvrir le robinet de douche, elle imprima à ses seins un balancement suggestif. Les mains tendues, Junior voulut s'en saisir, mais elle se déroba en affectant un air effarouché. Sans prendre la peine de se dévêtir, il décida alors de l'entraîner avec lui sous la douche. L'eau ruisselait en abondance sur sa tête, et Kissy glissa lentement à genoux pour lui prodiguer la caresse maintes fois promise au téléphone.

Finalement elle se releva, prit un peu de recul puis quitta la baignoire, sans le quitter des yeux, en s'essuyant la bouche du revers de la main. Il la suivit, ne se détournant d'elle que le temps de refermer le robinet. La vision de la chemise détrempée qui collait aux courbes voluptueuses de son corps de femme portait ses sens exacerbés à un degré d'excitation dont il n'avait pas souvenance. Le blue-jean peu malléable parce que saturé d'eau et dont il s'employait à la défaire comme d'une écorce lui donnait l'impression de découvrir une femme nouvelle. Elle fut parcourue d'un long frisson quand, l'allongeant sur le lit, il lui rendit sa caresse. Il lui tendit ensuite sa bouche qu'elle embrassa avec une telle fougue, qu'il se sentit à nouveau au comble de l'excitation. Il se glissait déjà entre ses cuisses frémissantes, quand elle le repoussa brusquement du plat de la main, la poitrine secouée d'un rire bref.

— Tu sembles oublier quelque chose.

— Faisons un enfant, plaida-t-il en tentant de s'insinuer en elle.

En réponse, elle le frappa rudement et se déroba en glissant sur le côté, les jambes ramenées sur la poitrine. Junior reprit son souffle, puis, les yeux embués de larmes, alla chercher un préservatif dans sa mallette. Quelques instants plus tard, déçu, vaguement désabusé, il la regardait se trémousser de plaisir en regrettant de ne pouvoir le partager pleinement.

— Ton semestre est terminé, dit-il quand elle réapparut de la salle de bains. En juin, tu aurais été enceinte de cinq mois.

Mais à la manière dont elle enfila sa chemise de nuit, il était clair qu'elle n'était pas preneuse.

— Qu'y a-t-il de si terrible à vouloir un autre enfant ? plaida-t-il.

La jeune femme se laissa tomber sur le lit et, de colère, enfouit son visage dans son oreiller en le bourrant de coups de poing.

— À croire que tu vis sur une autre planète, Junior. Et tu ne peux pas savoir à quel point ça m'agace.

— Ne te fâche pas. Vois plutôt comme Dynah a grandi. Ce n'est bientôt plus un bébé.

— Junior, reprit Kissy en articulant bien ses mots, comme on le fait pour chapitrer un jeune enfant, nous sommes séparés. Tu te plains d'avoir été absent pendant ma grossesse, et tu me demandes d'avoir un autre enfant, alors que tu ne serais pas plus présent cette fois-ci.

— Je serai de retour pour l'été.

— Bien sûr, entre deux stages. Et comme le bébé arriverait en octobre, je me retrouverais de nouveau seule.

— À moins que nous vivions ensemble...

— Ensemble, cela signifie que tu serais parti la moitié du temps, en me laissant seule, à des milliers de kilomètres de ma famille.

— Très bien, n'en parlons plus, capitula soudain Junior, en roulant sur le dos, le regard lointain.

Quelques instants plus tard, Kissy se leva pour aller tirer le verrou et éteindre les lampes. Quand elle revint, Junior regardait fixement le plafond et semblait en proie à de profondes cogitations.

— Depuis que nous nous sommes réconciliés, énonça-t-il, j'ai toujours utilisé des préservatifs en me disant que j'étais le seul responsable de notre séparation. Après la naissance de Dynah, j'ai continué, par mesure de précaution ; mais à présent que nous sommes mariés et que je te suis fidèle – totalement fidèle – tu m'obliges encore à porter ces trucs. Je ne trouve pas ça très correct, si tu veux mon avis.

— Je prends déjà assez de risques...

— Simplement parce que tu préfères le goût de la chair fraîche à celui du caoutchouc...

— Merci bien, rétorqua Kissy, mais je t'ai déjà fait confiance une fois, et je me suis retrouvée avec une chaude-pisse.

Dynah poussa un cri. Sa mère bondit hors du lit et se précipita vers le berceau. Assise dans un rocking-chair, elle donna le sein à l'enfant, tout en poursuivant sa conversation avec son mari.

— Les trois quarts du temps, tu te trouves à trois mille kilomètres d'ici, à parcourir les routes ; qui me dit que tu ne fais pas les quatre cents coups ?

— Tu t'en rendrais facilement compte si tu acceptais de vivre avec moi. Les choses seraient bien plus faciles, et pour toi, et pour moi. Cette situation est ridicule, Kissy.

Elle eut la même pensée en le voyant enfiler son caleçon et, au lieu d'éclater de rire, elle préféra se pencher sur le bébé.

— Ce n'est pas en me faisant porter des préservatifs que tu pourras t'assurer de ma fidélité, persévéra Junior. Cela ne fait que nous protéger, autant toi que moi, puisque rien ne prouve non plus que tu ne me trompes pas. Je l'ai peut-être mérité une fois, mais j'ai eu ma leçon ; et maintenant, ça suffit comme ça, Kissy.

— Autant que pour faire un autre enfant, riposta-t-elle du tac au tac. Tu en as peut-être assez de porter des préservatifs, mais estime-toi heureux que j'accepte encore de coucher avec toi...

— Allons donc, tu en as envie autant que moi. Ces préservatifs ne changent rien à rien pour toi.

Kissy n'avait plus envie de rire. Elle caressa le front du bébé, observant l'imperceptible pulsation de la fontanelle entre les boucles soyeuses. Junior vint s'accroupir à ses pieds, une main posée sur le genou de sa femme.

— Tout le monde commet des erreurs. Le seul véritable problème, c'est de pouvoir se faire confiance. Tournons la page, repartons de zéro, et oublie les mauvais moments que je t'ai fait connaître.

— Je ne peux pas ! s'écria alors Kissy en éclatant en sanglots.

— Kissy, voyons..., plaida encore Junior.

— Je ne peux pas !

Dynah s'agita contre le sein de sa mère. De ses petits doigts, elle tenta d'agripper le sein auquel sa bouche était accrochée. Junior se leva, presque à contrecœur, et alla préparer du chocolat chaud que Kissy avala en même temps qu'une nouvelle montée de larmes. Dynah rendormie, il la prit dans ses bras pour aller la reposer dans son berceau pendant que Kissy répandait des torrents de larmes qu'aucune parole ne semblait pouvoir tarir. Dans l'intimité de la salle de bains, après avoir soigneusement refermé la porte derrière lui, il s'assit sur la cuvette et tenta de dénouer le nœud qui lui serrait la gorge. Après tout, s'il la rendait aussi malheureuse qu'elle le prétendait, peut-être valait-il mieux que chacun partît de son côté. Peut-être y avait-il quelque chose qu'il ne faisait pas et qu'il aurait dû faire. Il serra et desserra les poings maintes et maintes fois, pour ne pas céder à la tentation et démolir tout ce qui lui tomberait sous la main.

23

Les patins fendaient la patinoire avec un bruit de craie glissant sur un tableau noir. Junior observait les circonvolutions de son frère, prêt à lui expédier le palet entre les deux yeux. Esther se plaisait à faire des plaisanteries sur le plaisir qu'éprouvaient ses deux fils à s'affronter sur la glace. Mark manœuvrait avec aisance, comme si de rien n'était, tandis que, connaissant sa tactique par cœur, Junior l'attendait de pied ferme. Aussi fut-il fin prêt quand Mark lui expédia le premier palet de l'extrême gauche du demi-cercle, aussitôt suivi d'un second, porté haut comme s'y attendait Junior qui, sans la moindre difficulté, bloqua le premier lancer de son gant et le second du bâton.

— Ce sera pour la prochaine fois ! cria-t-il à son frère d'un ton railleur.

À l'autre extrémité de la patinoire, les joueurs, des Spectres, surtout, qui profitaient de ce que la patinoire était encore libre pour s'entraîner, s'esclaffèrent en adressant aux deux frères les quolibets habituels.

Assis dans les vestiaires, Mark se grattait l'aine d'un air songeur.

— Bernie a des contractions, dit-il. Il se peut qu'elle accouche alors que tu seras encore ici. Tu crois vraiment que Deker est le père ?

— Pourquoi ? Tu as quelqu'un d'autre à me proposer ? ricana Junior.

Mark eut un geste dénégatoire.

— Un de ces jours, je vais lui casser la gueule.

— C'est déjà fait.

— Toi, oui, mais pas moi. Ce salaud téléphone presque tous les jours. Bernie et lui se parlent pendant des heures.

— Pas possible ! s'étonna Junior.

— Il dit qu'il veut l'épouser. Elle n'a encore rien annoncé aux parents, mais je crois qu'elle y pense sérieusement.

— Il faudra d'abord me passer sur le corps.

— Je suis bien de ton avis.

Comme à son habitude, Dynah accueillit Junior avec des débordements d'enthousiasme. Ses petits pieds posés sur ceux de son père, ce dernier la promena à travers l'appartement en lui tenant les mains, pour la plus grande joie de l'enfant.

Kissy trempa le bout de son index dans la vinaigrette et invita son mari à la goûter. Ce dernier la trouva si bonne, qu'il suggéra à Kissy de s'en badigeonner tout le corps. Mais, quand ils la firent goûter à Dynah, l'enfant fit une grimace qui déchaîna les rires de ses parents.

— Mark m'a dit que Bernie avait des contractions.

— Je le sais, nous en avons parlé.

— T'a-t-elle dit aussi qu'elle envisageait d'épouser Deker ?

— Non. Comment peut-elle y penser, après ce qui arrive à notre couple ?

— Tout peut très bien s'arranger entre nous, Kissy ; je ne suis pas Deker. Après tout, c'est toi qui as décidé de venir t'installer ici, personne ne t'y a obligée.

— Et après ? Nous sommes quand même séparés presque autant que si nous avions décidé de ne plus vivre ensemble.

— Non, c'est très différent, protesta Junior avec humeur. Et je suis ici pour le prouver. C'est encore moi qui paie les factures, moi qui te supplie au téléphone, et tout ça pourquoi ? Pour coucher avec toi quand tu en as envie et rien de plus.

En entendant ces mots, Kissy sursauta et quitta précipitamment la pièce.

— Merde, pesta Junior, conscient de sa maladresse.

Dynah dans les bras, il la suivit dans la chambre où, comme à son habitude, elle cachait son chagrin dans le creux de son oreiller. S'asseyant au bord du lit, Junior déposa le bébé près d'elle, et du bout de ses doigts suivit lentement la courbe du mollet.

— Je suis désolé. J'aime être avec vous, même quand nous nous disputons.

Ces paroles prirent Kissy par surprise. Elle se retourna brusquement et, un court instant, son regard trahit son profond désarroi. Si ébranlée qu'elle fût, Junior prit néanmoins la mesure de la résistance qu'elle pouvait lui opposer, avec un mélange de jubilation et d'effroi.

En dépit de la tension persistante qui les séparait, de la crainte de dire ou de faire une chose qui entraînerait larmes et récriminations, le temps passé avec Kissy lui semblait agréable, et ses rêves n'étaient pas totalement déçus. Mais c'en était quand même assez, songea-t-il. Sa mère le lui disait souvent : si c'était pour en arriver là, autant mettre tout de suite un terme à cette folie.

Pour parfaire son désenchantement, une tempête figea Peltry sous une épaisse couche de glace. Malgré un ciel clément, les températures se maintinrent très en dessous de zéro pendant plusieurs jours. Kissy se hasarda à photographier les branches des arbres dans leur gangue cristalline, les fils électriques qui parcouraient la ville en rubans scintillants auxquels étaient fragilement accrochées des guirlandes de verre, et les grands prismes glacés qui lançaient à midi des éclairs aveuglants. Puis vint la pluie, et de lourdes plaques verglacées, pourtant si tenaces, se détachèrent du sol. Ce qui était encore de la neige se changea très vite en boue. Un grondement d'avalanche suivi d'un bruit sourd tira brutalement Kissy de son sommeil. C'étaient les blocs de glace qui, glissant sur la pente du toit, allaient s'écraser sur le sol. Puis le téléphone se mit à sonner.

Version rajeunie de celle de Junior, la voix de Mark se fit entendre, qui, trébuchant sur les mots, annonçait fébrilement que Bernie venait d'avoir un garçon.

Mike Burke repéra immédiatement la présence de Kissy, dans le plein exercice de ses fonctions, à l'abri du panneau de plexiglas. Elle avait beau porter son alliance, personne au pays n'ignorait qu'elle s'était séparée de son mari. Sitôt le divorce prononcé, le policier était assuré d'empocher les cent dollars de la cagnotte. Mais la jeune femme n'ayant encore entrepris aucune démarche à cet effet, il devrait s'armer de patience. Au demeurant, il restait convaincu que l'alliance ne servait qu'à donner le change ; c'était une façon comme une autre de ne pas attirer l'attention et d'avoir la paix.

On disait aussi au pays que la jeune sœur de Clootie avait eu un enfant du jeune hockeyeur russe, dont la réputation de coureur de jupons n'était plus à faire. Si c'était le cas, elle serait à peu près la seule fille-mère de la région à ne pas l'avoir poursuivi en recherche de paternité.

L'équipe des Spectres se révéla presque aussi efficace qu'au temps où Junior en était le gardien de but. Tout le monde s'entendait à dire qu'elle atteindrait les finales régionales et comptait fortement sur un autre titre national. À ces allégations Burke ne trouva rien à redire, d'abord parce que Mark Clootie faisait montre d'un talent égal à celui de son grand frère, et ensuite parce que le hockey n'éveillait en lui qu'un intérêt mitigé. Ce qu'il aimait, lui, c'était le basket-ball, et s'il était ici, ce soir, en compagnie de son supérieur et de quelques collègues, c'était uniquement pour répondre à une invitation qu'il n'aurait su décemment refuser. Son attention, déjà moins que soutenue, fut à nouveau détournée par Kissy Mellors, dans son blue-jean et son ample chandail qui dissimulait sa poitrine, objet de toutes les fascinations. Alors qu'elle changeait d'angle de vue, le vêtement remonta sur ses hanches, découvrant une croupe étroite et cambrée, en tout point semblable à celle qu'il lui avait connue avant qu'elle ne fût mère, et infiniment plus digne d'intérêt que l'empoignade qui se déroulait sur la patinoire.

À la fin de la seconde période, il abandonna son siège pour aller glisser quelques pièces de monnaie dans un distributeur de pop-corn et de coca-cola. Étant tous des policiers en civil, les agents de sécurité le reconnurent immédiatement et lui permirent l'accès au couloir réservé aux journalistes sans qu'il eût à exhiber son insigne.

— Comment ça va?

S'installant sur un siège proche, il lui tendit la canette de coca-cola. Kissy lui répondit par un sourire, aussi furtif que distrait.

— Très bien. Pouvez-vous la tenir quelques instants?

— Vous m'accorderez bien une minute.

— Exactement quatorze, répliqua-t-elle en consultant sa montre-bracelet.

— J'ai entendu dire que Junior et vous étiez séparés.

— Momentanément.

À la manière dont elle évitait son regard, le policier comprit que sa question outrepassait un peu les limites de la discrétion.

— Je suis heureux de vous revoir, dit-il.

— Oui, fit-elle sèchement, prenant déjà ses mots comme des travaux d'approche.

Burke s'éclipsa discrètement. Kissy était en plein travail; elle venait à peine de se séparer de son mari. Quant à lui, il était simplement venu aux nouvelles.

L'ordonnancement des jours la consumait : bébé, piscine, bébé, cours, bébé, travail. Elle rendait visite à Ruth une fois par semaine, mais voyait Bernie à peu près tous les jours. Esther initiait sa fille aux joies de la maternité d'une main ferme, persuadée qu'elle en apprendrait toutes les ficelles dans un laps de temps très court, ce qui semblait être le cas. Bien qu'elle reçût favorablement les photographies que Kissy prenait de Deker, elle refusa en bloc tous les cadeaux qu'il lui adressait, ainsi que sa proposition d'assumer tous les frais d'accouchement. Leur badinage, si tant est qu'on puisse le nommer ainsi, se retrouva subitement au point mort.

Dynah avait atteint un poids qui interdisait à Kissy de la porter, et son état d'agitation quasi permanent confinait à l'insupportable. C'est pourquoi, en plus d'une poussette, Kissy décida de se munir d'un harnais et d'une longue laisse, sur laquelle l'enfant n'allait pas tarder à se faire les dents. Autrement, elle ne détestait pas trottiner en donnant la main à sa mère. Entre les couches et les vêtements de rechange, les jouets et les biberons, le bagage du bébé semblait s'accroître quotidiennement, au point qu'à chaque sortie Kissy se sentait comme un porteur lors d'un safari. S'ajoutait à cela la mobilité toujours plus grande de l'enfant qui ne lui laissait de répit que pendant les heures de sommeil. Kissy s'évertuait à trouver du temps et de l'énergie, ne serait-ce que pour recouvrer ses esprits, puisqu'il était hors de question pour elle de s'adonner à la photographie.

Elle mit ses vacances de printemps à profit pour aller rejoindre Junior avec Dynah. Après quelques jours passés dans la demeure biscornue, elle décida qu'elle-même et Dynah prendraient la route avec lui.

Les longues heures que Junior consacra à ses occupations, Kissy les employa à se distraire en compagnie de sa fille, visitant les musées et les jardins zoologiques et toute chose susceptible de captiver le regard. Elle découvrit aussi qu'il était possible de vivre sans se soucier de contingences domestiques ou culinaires, et qu'en attendant d'être servie elle pouvait photographier le panorama du balcon de son hôtel, parfois situé au centre-ville, parfois près d'une autoroute ou dans une banlieue. À cela s'ajoutait l'agréable avantage de jouir à son gré de la piscine de l'hôtel, après avoir confié Dynah à son père, ce dont elle ne se privait pas dès que l'occasion se présentait. Somme toute, elle semblait pouvoir s'accommoder de cette vie, celle-là même pour laquelle elle avait couvert son mari d'opprobre. C'était, somme toute, une expérience « enrichissante », décida-t-elle.

Leur périple ayant eu l'heur de les conduire à Chicago, Kissy en profita pour rendre visite à Mary Frances, dont l'enthousiasme fut passablement éclipsé par sa crainte de la voir rencontrer la femme avec qui elle partageait son existence.

— Inga est extrêmement mal à l'aise avec les femmes normales, particulièrement quand elles sont mariées et mères de famille, expliqua-t-elle, une fois qu'elles furent seules. C'est une personne très engagée. C'est aussi mon cas, depuis quelque temps, ajouta-t-elle en baissant les yeux.

Les retrouvailles sont souvent difficiles, songea Kissy, même avec les vieux amis ; parce que chacun poursuit sa vie de son côté, sans se soucier de l'autre.

Quoique éprouvée par ses décevantes retrouvailles, Kissy persista dans son intention d'aller voir son père. À peine arrivée à Washington, elle loua une voiture et, le siège de bébé installé sur la banquette arrière, prit la route du Maryland.

L'adresse obtenue par l'entremise de l'armée de l'air se révéla être celle d'une vaste demeure retirée au fond d'un parc. Une rutilante Corvette était garée sur le chemin de gravillons. Tant d'opulence surprit Kissy. Si c'était bien là que vivait son père, songea-t-elle en détachant Dynah de son siège, il devait certainement mener grand train. Le bébé calé sur la hanche, elle emprunta le chemin pavé qui menait à la grande porte.

La femme qui vint ouvrir ne devait avoir que quelques années de plus qu'elle. Hormis la rotondité de ses seins, elle montrait une silhouette mince que surmontait une tête au faciès étroit, et au regard intense, brillant d'intelligence. À la vue de Dynah, son visage s'illumina d'un grand sourire.

— Oui ?

— Je voudrais voir Ken Mellors, annonça Kissy.

Le sourire de la jeune femme se fana, alors que son regard allait de Kissy à Dynah.

— Vous devez faire erreur...

Les yeux de Kissy glissèrent jusqu'à l'annulaire de la femme, lequel, outre une alliance, s'enorgueillissait d'un énorme diamant. Captant le regard de l'intruse, celle qui semblait être la maîtresse des lieux décida de dissiper tout malentendu.

— Je suis Mme Angela Mellors, déclara-t-elle d'un ton subitement glacial.

Soupçonneuse, la jeune femme se mit alors à scruter le visage de Dynah, puis celui de Kissy ; et si elle trouva une ressemblance entre Ken Mellors et l'enfant, elle la retrouva également chez Kissy. L'hostilité qu'elle cherchait à peine à dissimuler se changea très vite en désarroi.

— Ma mère aussi s'est appelée Mme Mellors, Ken est mon père, répliqua Kissy. Je m'appelle Kissy, et voici Dynah, ma fille.

La jeune femme semblait confondue. À son air abasourdi, il semblait évident que son mari n'avait jamais soufflé mot de l'existence d'une fille qu'il aurait eue d'un précédent mariage.

— Entrez, je vous en prie, la convia Angela, d'une voix étranglée.

Puis, après avoir invité Kissy à entrer, elle alla appuyer sur le bouton d'un interphone.

— Ken, annonça-t-elle, quelqu'un ici voudrait te voir. Nous sommes dans le salon... Ainsi, je suis votre belle-mère, lâcha-t-elle avec un petit rire nerveux.

— ... Et, par alliance, la grand-mère de Dynah, ajouta sarcastiquement Kissy.

Alors que Dynah commençait à gambader dans la pièce sous le regard attendri des deux femmes, Ken Mellors apparut et, en reconnaissant sa fille, s'immobilisa aussitôt sur le seuil de la grande pièce. La curiosité de son regard se mua très vite en une vive contrariété. Sa fille crut y lire rancœur et colère. Il avait vieilli, bien sûr, même si sa chevelure ne montrait pas l'ombre d'un cheveu gris. Mais il était toujours aussi mince et plein de prestance. C'était surtout sa peau qui révélait son âge, par le mince réseau de rides qui lui quadrillait le visage, et le léger affaissement des chairs autour des yeux et au niveau du cou. Il devait avoir la cinquantaine, songea Kissy, simultanément frappée par sa ressemblance avec Kevin.

Soudain, l'esprit à nouveau chaviré par la crainte que lui avait toujours inspirée cet homme, par la sécheresse de son cœur, et par l'aversion qu'elle lui avait longtemps inspirée, l'adolescente qu'elle avait été réapparut, une adolescente révoltée par un père qui avait épousé une jeune femme sans jamais lui avouer qu'il avait déjà eu femme et enfants. Qui sait combien de femmes il avait épousées après Caitlin ? se demanda Kissy. Qui sait combien elle avait de frères et de sœurs qui ignoraient son existence ?

— Bonjour, papa, dit-elle posément. Comme j'étais en ville, j'ai cru bon de venir te présenter ta petite-fille. Tu as dû recevoir mes photos.

293

— Si tu voulais jouer les trouble-fête, tu as parfaitement réussi. Tu peux partir, maintenant, rétorqua sèchement l'homme.

— Mais enfin, qu'est-ce que j'ai fait ? se défendit Kissy

Bouleversée, Angela se dressa brusquement, le visage cramoisi.

— Reste en dehors de tout ça, la prévint son mari.

La jeune femme rejeta la tête en arrière comme sous l'effet d'un soufflet, puis, en réponse à son mari, se tourna vers Kissy.

— Il est temps que je sache, lança-t-elle.

— J'ai aussi un frère, annonça précipitamment Kissy. Il s'appelle Kevin et ma mère s'appelle Caitlin. C'est une artiste, elle vit à Downeast avec son petit garçon...

— C'est assez, intervint le père, la paupière clignotante de confusion. Je dirai moi-même à Angela tout ce qu'elle doit savoir.

— Je suis mariée à un joueur de hockey professionnel, poursuivit néanmoins Kissy.

Son père s'avança, l'air menaçant. Instinctivement, Kissy prit Dynah dans ses bras.

— Si tu veux assister à la partie de ce soir, je laisserai une paire de billets au guichet à ton intention, bafouilla-t-elle, avec un profond sentiment de ridicule, avant de lui crier au visage : Pourquoi te crois-tu obligé de te conduire comme un salaud ?

— Ma fille a toujours aimé les drames, fit le père à l'adresse de sa femme. Elle tient ça de sa mère. Je me suis marié trop jeune. J'ai gâché quinze ans de ma vie avant de me rendre compte de la terrible erreur que j'avais commise. J'ai préféré oublier...

— Dix-sept ans, corrigea Kissy.

— ... Les enfants étaient grands..., continua Mellors sans écouter sa fille.

— Tu aurais quand même dû m'en parler, s'indigna Angela.

Kissy se leva et commença à se diriger vers la porte.

— Kissy..., tenta de la retenir la jeune femme.

— Elle a eu ce qu'elle voulait, cracha le père.

— Ce que je voulais, répliqua Kissy, c'était te voir, en me disant que ça te ferait peut-être plaisir de faire la connaissance de ta petite-fille.

Tournant brusquement les talons, elle sortit. Angela la rattrapa au moment où elle s'apprêtait à installer Dynah sur son siège.

— Je vous en prie, Kissy, laissez-moi votre numéro de téléphone et votre adresse. Je n'ai pas l'intention d'en rester là.

— C'est sans espoir, la découragea Kissy. Il vaudrait peut-être

mieux que vous ne cherchiez pas à en savoir davantage ; vous risque-
riez d'avoir d'autres mauvaises surprises.

Angela eut un frisson qui ne devait rien à la fraîcheur du temps.

— Vous savez, il est plus dur avec lui-même qu'envers les autres,
plaida-t-elle.

— Je sais, je sais, c'est un vrai héros. C'est nous qui n'étions pas à
la hauteur ; et c'est sans doute pourquoi il n'a jamais donné signe de
vie, pourquoi il ne nous a jamais aidés et pourquoi j'ai dû travailler
pour payer mes études. Ne vous sentez surtout pas stupide ; ma mère,
qui ne l'est pourtant pas, l'a épousé, elle aussi.

Outragée, Angela Mellors eut un mouvement de recul.

— Allez-vous-en, souffla-t-elle.

— Quel gros dégueulasse..., renâcla Junior.

Dynah dormait, et il sortait de son bain à remous. Certes, il avait
dû bourse délier pour occuper cette suite, mais au moins offrait-elle
une chambre séparée pour Dynah et le jacuzzi qu'il affectionnait
tant. Il était presque minuit. Après un match remporté non sans
effort, chacun léchait ses plaies, lui physiques, Kissy morales.

— Je n'arrive pas à croire qu'il soit allé jusqu'à refuser de te parler. Tu me dis que sa femme est à peine plus âgée que toi ? Ça expliquerait bien des choses.

— J'ai été idiote de penser que ça lui ferait plaisir, lâcha Kissy en
appuyant sa joue contre l'épaule de son mari.

— Non, reprit Junior, tu ne pouvais pas savoir. Il va peut-être
réfléchir ; peut-être qu'Angela va le persuader de changer d'attitude.

— Je me demande comment un père peut faire preuve d'autant de
désinvolture, murmura la jeune femme.

À cette question Junior n'aurait su répondre, pas plus qu'il ne pouvait grand-chose pour elle. Avec un soupir, il souleva le menton de
Kissy et frotta doucement son nez contre celui de sa femme avec,
pour toute récompense, un pâle sourire.

À la fin de la saison, Junior avait accompli ce que son agent quali-
fiait de « performance pécuniaire ». Il rentra à Peltry en traînant derrière lui des rumeurs selon lesquelles des clubs disposant de moyens
financiers considérables envisageaient de s'attacher ses services. Le
projet consistant à louer un appartement près du campus partit en
fumée quand, à peine éveillée, Dynah se mit à réclamer son père en
pleurant. La meilleure solution était encore que Kissy et lui
reprissent la vie commune, sans qu'il fût nécessaire de faire chambre

à part, puisque, même en étant séparés, ils avaient continué à avoir ensemble des relations sexuelles.

Le temps de quelques semaines, Junior loua un chalet au bord d'un lac situé, cette fois, à trois heures de voiture de Peltry, dans le seul but de décourager les importuns. Les moments paisibles qu'ils partagèrent sur la plage, les longues soirées en tête à tête que personne ne vint troubler leur firent peu à peu prendre conscience qu'ils n'avaient plus rien d'un couple séparé. Un changement s'était opéré en chacun d'eux, en sorte qu'ils étaient aujourd'hui réconciliés. Un fait restait indéniable : Dynah avait besoin de Junior, et Kissy aussi.

24

— Ce n'est plus possible, déclara Junior.

Cela se passait à Saint Louis, troisième étape de son voyage, en plein mois de janvier. Assis sur la lunette des toilettes, il tendait une serviette à Kissy, en train de laver les cheveux de Dynah.

— Aucune femme de joueur ne suit l'équipe partout, comme tu le fais, expliqua-t-il, et surtout pas armée d'un appareil photo.

— Je vois, répondit Kissy sans interrompre sa tâche. Tes amis craignent que je les surprenne dans une situation compromettante et que les photos tombent entre les mains de leurs femmes.

— Naturellement, et on peut les comprendre, Kissy.

— Je n'ai encore développé aucune de ces photos et il n'est pas question que je les envoie à qui que ce soit.

— Il y en a qui craignent aussi que tu ne les influences et qu'elles décident à leur tour de venir rejoindre leurs maris.

— Ça, ça m'est complètement égal, répliqua la jeune femme en tendant Dynah à son père.

Sachant l'irritation que suscitait sa présence, et tout le mal que certains joueurs disaient à son sujet, elle répondait ainsi aux reproches que l'on adressait à Junior, selon lesquels il ne pouvait se passer de sa femme.

Après avoir séché Dynah, le jeune homme la mit dans son berceau. Puis, alors que Kissy apparaissait nue devant lui, il s'empara de l'appareil photo et le braqua dans sa direction ; mais comme elle se dérobait, il le reposa sur la coiffeuse.

— Je ne veux pas de dispute entre nous, dit-il.

— Dans ce cas, dis à tes amis de faire leurs commissions eux-mêmes. S'ils ont quelque chose à dire, qu'ils s'adressent à moi directement.

— Ils essaient de se montrer diplomates.

— Ah bon ! Je pensais plutôt qu'ils t'avaient demandé de reprendre bobonne en main, qu'ils en avaient assez de se faire photographier.

— À ce propos, si tu as l'intention d'entrer dans les vestiaires, n'y compte pas.

— Pourtant, personne n'y voit d'objection quand il s'agit d'un photographe de *Hockey World* ou de *Sport Illustrated*, et je suis une photographe professionnelle tout autant que ces gens-là.

— Tu as affaire à des hommes, observa Junior, comme si elle était assez sotte pour ne pas l'avoir remarqué. Et toi, tu es ma femme.

— Ce qui veut dire ? Que je suis une laissée-pour-compte ?

— Essaie de te montrer raisonnable. Les autres femmes n'aimeront pas apprendre que tu as photographié leurs maris en petite tenue.

— Oh ! Pour l'amour du ciel...

— Non, pour l'amour de moi. Je ne te demande pas de ne plus prendre de photos, mais seulement de respecter l'intimité des gens. N'oublie pas que tu n'as pas le droit de photographier quelqu'un sans son autorisation.

— Je ne fais que mon travail de journaliste, et ces gens-là sont des personnages publics.

— Mais il y a des limites, et tu les outrepasses.

— *Sport Illustrated* semble intéressé...

— Bon Dieu, Kissy, ne me dis pas que tu leur as déjà vendu l'idée.

— À vrai dire, je compte écrire un livre...

— Avec un texte et des photos ?

— Naturellement. Faisons un marché, je ne te dis pas comment faire ton travail, et tu ne fais aucun commentaire sur le mien.

En entendant ces mots, Junior se mit à arpenter nerveusement la pièce.

— C'est ce que tu dis chaque fois que tu as tort, et que tu t'entêtes à faire quelque chose que je désapprouve.

Kissy se leva à son tour pour lancer d'un ton persifleur :

— Si c'est comme ça, va te faire voir, monsieur je-sais-tout !

S'emparant de l'appareil, Junior ouvrit le boîtier et exposa le film à la lumière.

— Salaud ! Il y avait des photos de Dynah sur ce film !

— C'est ça ! Cache-toi derrière ta fille !

D'une main tremblante, Kissy s'empara de l'appareil et le rangea dans son étui. Puis, sortant un sac de voyage du placard, elle se mit à y entasser pêle-mêle ses vêtements et ceux de Dynah.

— Arrête, dit Junior, c'est ridicule, protesta-t-il en lui arrachant les vêtements des mains, tu n'iras nulle part.

Kissy prit Dynah dans ses bras. Le regard troublé, les lèvres tremblantes, l'enfant observait attentivement ses parents. Saisissant Kissy par les épaules, Junior la contraignit à s'immobiliser, ce qu'elle fit, alors que Dynah gémissait dans ses bras.

— Lâche-moi, grinça-t-elle.

Junior s'exécuta en lui faisant remarquer qu'elle était toute nue. Après s'être sommairement habillée, Kissy reprit sa fille dans ses bras. Elle ouvrait la porte, quand Junior se précipita pour la refermer violemment en poussant le verrou.

— Tu n'iras nulle part, décréta-t-il.

— En effet, pas ce soir, mais demain.

— Je veux que tu restes, implora-t-il. Je suis désolé ; je n'aurais pas dû arracher le film de l'appareil ; mais il y a des moments où tu n'es vraiment pas raisonnable.

Kissy ne répondit pas, se limitant à préparer son bagage, puis à bercer son enfant jusqu'à ce qu'elle s'endormît. Junior les observait, affalé dans un fauteuil, sans que Kissy ne lui adressât un seul regard. Quelques minutes plus tard, il éteignit les lampes et alla s'allonger sur le lit près de Kissy, sans parvenir à trouver le sommeil. La dernière fois qu'il regarda le réveille-matin, il était quatre heures moins dix, et, ce jour-là, il devait disputer un match important.

Des coups répétés l'arrachèrent à son sommeil. Brusquement, Junior se retrouva à son ancien appartement, le soir où Kowanek était venu tambouriner à sa porte, tendu, le cœur battant violemment contre ses côtes, saisi de colère et de peur comme un animal acculé dans sa tanière.

— Clootie ! cria son entraîneur, on n'attend plus que toi.

Le lit était désert. Le sac de voyage et les affaires du bébé avaient également disparu. Sur l'oreiller s'imprimaient encore les contours de la tête de Kissy. N'obtenant pas de réponse, l'entraîneur crut bon d'insister :

— Clootie, tu es là ? Il faut y aller.

— Allez vous faire voir ! lui répondit Junior.

Il finit cependant par se lever en assenant un coup de poing sur l'oreiller de Kissy. Puis, après s'être vêtu à la hâte, il s'empara de son sac et quitta l'hôtel. L'autocar ne l'ayant pas attendu, il héla un taxi et se fit conduire à la patinoire. Chemin faisant, il croisa l'autocar qui transportait ses coéquipiers. Comme ces derniers lui lançaient des quolibets, il baissa sa vitre et leur adressa son majeur levé.

Kissy n'avait pas encore eu le temps d'arriver à la maison qu'ils avaient louée, mais il lui laissa quand même un message d'excuse en la suppliant de donner des nouvelles. Par chance, l'entraînement et le match de la soirée suffirent à lui occuper l'esprit. Les regards que les dirigeants du club braquaient sur lui l'irritèrent. Il semblait évident que, par un moyen détourné, tout le monde avait appris le départ de Kissy. Mais cela ne l'empêcha pas pour autant de se concentrer sur son travail ; cela lui fut même facile : il lui suffit de reporter toute sa colère sur le palet.

Une fois la partie terminée, il téléphona de nouveau, mais là encore, la seule voix qu'il entendit fut celle du répondeur. Il joignit alors sa famille, au cas où on aurait eu vent d'un éventuel retour de Kissy, et tomba sur Bernie.

— Je crois que le répondeur est détraqué, prétexta-t-il. J'ai pensé qu'elle aurait voulu vous parler, à maman ou à toi.

— Non, pas du tout, répliqua froidement Bernie. Tu as encore fait l'idiot, c'est ça ?

— Calme-toi, Bernadette, temporisa Junior en se retenant de raccrocher au nez de sa sœur. Si elle téléphone, veux-tu lui dire que j'attends son appel ?

Mais même après avoir effectué la même démarche auprès de Caitlin, Junior resta sans nouvelle. Ce n'est qu'après avoir téléphoné à la propriétaire, à qui incombait aujourd'hui la tâche de nourrir le chat et d'arroser les plantes, qu'il apprit que Kissy avait effectivement surgi dans la maison, en était ressortie une demi-heure plus tard, lestée de ses bagages et du bébé, et qu'elle avait pris la route à bord du Blazer.

Le premier réflexe de Kissy fut de se rendre à Chicago.

— Tu peux passer la nuit ici, bien sûr, la rassura Mary Frances au téléphone.

Bien qu'elle eût un instant envisagé de s'installer à l'hôtel, Kissy souhaitait partager quelques heures avec son amie, et ce, malgré la présence contraignante d'Inga. Mary Frances avait changé en bien des façons, mais il fallait porter à son crédit qu'elle avait à présent acquis une certaine assurance, et qu'elle savait enfin qui elle était. L'essentiel était sauf, toutefois. L'engouement presque magique qui les rapprochait était encore intact. Mary Frances était indubitablement une amie, plus proche que ne l'avait jamais été sa mère, et sa maison était une vraie maison, pas une chambre d'hôtel.

Quoique sans entrain, Kissy reprit bientôt la route. La colère qui la rongeait se dissipa très vite, pas seulement parce que l'entretenir demandait trop d'énergie, mais aussi en raison de ses nombreux sujets de préoccupation. Naturellement, remuante comme elle l'était, Dynah requérait une attention de chaque instant. Compte tenu de l'emploi du temps de Junior, elle disposait de dix jours avant qu'il ne se lançât à sa recherche. Elle ne ferait pas un mystère de sa destination, mais au moins éviterait-elle de lui adresser la parole pendant quelque temps.

Cette fois, c'en était fini de leur mariage et bien fini. Il ne serait plus question de lui accorder ses faveurs, même occasionnellement. Ce n'était pas faute de n'avoir pas essayé, mais elle ne pouvait partager une existence qui, de tout temps, lui était apparue insupportable. Ce qui comptait le plus aux yeux de Junior, c'étaient ses amis, l'équipe et sa cohésion, quel que soit le nom qu'il voulait lui donner. Cela ne s'appelait pas un club pour rien. Chaque fois qu'elle lui avait exposé ses sentiments, avec quelle désinvolture on la traitait, en lui laissant croire qu'elle n'était qu'une sorte de groupie, Junior s'était récrié en prenant des mines de quelqu'un qui tombe des nues. Elle restait convaincue que si elle n'avait pas été une femme, mais un homme armé d'un appareil photo, son intrusion aurait été beaucoup mieux tolérée.

Un soir, alors qu'elle regardait la télévision dans sa chambre d'hôtel, des images de match de hockey apparurent à l'écran. Ce n'était pas l'équipe de Junior, mais, brusquement surexcitée, Dynah avait frappé l'écran de sa petite main en criant :

— Papa ! Papa !

Kissy s'assit par terre et, Dynah installée sur ses genoux, regarda les silhouettes glisser sur la glace. Elle avait permis que Junior devînt papa, songea-t-elle, et sur ce point elle ne pouvait revenir en arrière.

Ce fut un voyage jalonné de multiples étapes, comme elle avait toujours rêvé d'en faire. Les moments de pauses n'étaient pas seulement dévolus aux repas, mais aussi pour éviter à sa fille de longues heures de claustration à l'intérieur de la voiture. Elle s'abandonna à elle-même, ne faisant des photos que fortuitement, prenant les choses comme elles venaient, refusant d'être malheureuse sous prétexte qu'elle avait quitté son mari. Un jour, se dit-elle, elle regarderait ce voyage avec Dynah comme un moment privilégié, une sorte d'interlude, comme quand l'été prend une pause et que les jours semblent se suffire à eux-mêmes.

Pendant dix jours, Junior ignora où se trouvaient Kissy et Dynah, présumant qu'elles étaient quelque part entre Denver et Peltry, et que, lorsqu'elles arriveraient au terme de leur voyage, quelqu'un – sa mère, peut-être – aurait la gentillesse de l'en informer. Jour après jour, il réfréna son envie de tout abandonner pour se lancer à leur recherche, et tint bon jusqu'au bout.

Ce n'était un secret pour personne que ce départ précipité n'avait rien d'une séparation à l'amiable. Les joueurs que la présence de Kissy irritait voyaient dans le regard rougi de Junior la preuve que leur gardien de but était en effet très attaché à sa femme. D'autres étaient plus enclins à l'empathie, mais se ralliaient au bon sens commun qui dit que la présence d'une femme est toujours source d'ennuis, ce que la situation présente ne contredisait pas. Par ailleurs, la connivence qui devait régner au sein d'une équipe et que la présence de Kissy avait fortement ébranlée se devait d'être rétablie. Pour cela, quelques bières entre amis seraient un bon départ, sauf que Junior se sentait désemparé, paralysé à l'idée que quelque maladresse pût empirer les choses. S'il donnait l'impression de vouloir noyer son chagrin dans l'alcool, il pourrait se retrouver dans une situation qui, outre de conforter Kissy dans sa décision de le quitter, prouverait à ses dirigeants qu'il était incapable de régler ses problèmes personnels. Déjà, au cours de la saison précédente, son humeur égale en avait surpris plus d'un. Il était resté régulier dans son jeu, et sobre dans son comportement. Spencer lui avait même déniché un avocat qui avait réussi à persuader Cette-Diane-ci de se remémorer le nombre de garçons qu'elle pouvait appeler « petit ami » selon le sens qu'elle donnait au terme. Junior avait dû alors s'imposer une discipline de fer pour prouver aux personnes concernées qu'il était digne de confiance, et du diable si, aujourd'hui, il avait tout gâché, ne fût-ce que parce que, financièrement parlant, il ne pouvait se le permettre.

Un trou dans son programme itinérant lui permettrait de rejoindre Kissy à Peltry. Comme personne ne donnait de nouvelles, il mit un terme à ses appels. Junior prétexta des affaires personnelles à régler, afin d'être dispensé de quelques séances d'entraînement, ce à quoi Ed Toth et l'entraîneur Gerrard souscrivirent sans trop barguigner.

Enfin libre de quitter l'équipe, Junior sauta dans le premier avion en partance pour l'Est. À ce moment-là, ses émotions eurent raison de lui, si bien que, lorsque l'hôtesse de l'air lui proposa un verre, il l'accepta volontiers. Quelque temps plus tard, lors d'une correspondance, c'est à peine s'il réussit à trouver son chemin. Ainsi, une fois encore, il allait débarquer chez lui avec l'air ahuri qu'on lui connaissait quand il avait trop bu. Mais que lui importait, après tout ? Kissy ne s'était pas même donné la peine de donner de ses nouvelles. Si ça se trouvait, elle n'était même pas à Peltry. C'est qu'en dix jours on en fait du chemin...

N'ayant prévenu personne de son arrivée, personne ne vint l'attendre à l'aéroport, et quand il voulut louer une voiture le préposé refusa, et son directeur aussi, sous le prétexte fallacieux qu'il était un peu éméché. On tint, cependant, à héler pour lui un taxi, même si l'aéroport était le seul endroit de Peltry où les taxis ne faisaient jamais défaut.

En cours de route, il fit l'acquisition d'un « six-pack », se disant que, tant qu'à être ivre, autant l'être complètement, et plus il aurait l'air stupide, mieux cela vaudrait ; cela lui éviterait d'étrangler Kissy sur place, pour ne pas avoir eu ce qu'il considérait comme la moindre des délicatesses, à savoir lui donner des nouvelles de Dynah, son unique enfant.

Peltry était figé dans les frimas de fin janvier ; il y gelait à pierre fendre, comme dans le cœur de Kissy Mellors.

Le Blazer était garé dans l'allée, sous une épaisse couche de poussière, des mottes de boue encore accrochées aux roues. Génial, vraiment génial. Il n'y avait de meilleur qualificatif pour décrire le fait que personne ne se fût un seul instant donné la peine de le rassurer, en lui disant que sa femme et sa fille étaient en sûreté à Peltry.

Dunny l'accueillit, un journal à la main.

— Tu es ivre.

— Kissy ! beugla Junior en ignorant son père.

Quelque part à l'étage, se firent entendre les trépidations d'une paire de petits pieds, puis le babillage d'un enfant. Dynah apparut sur le palier, suivie de sa mère qui, de crainte de la voir tomber, s'empressa de la prendre dans ses bras.

— Dynah ! cria encore Junior.

L'enfant se débattit et se mit à gémir en tendant les bras en direction de son père.

— Papa !

Esther sortit de sa chambre et Bernie de la sienne, son bébé assis sur sa hanche. Leurs regards convergèrent vers Kissy qui, en retour, lui adressa un coup d'œil où pouvait se lire une grande résignation. Ouais, pour être génial, c'est génial d'être marié à quelqu'un qui ne manque pas une occasion de vous décevoir, aurait dit Junior, pour peu que ses facultés le lui eussent permis.

Le graffiti néonesque du Bird's se révéla infiniment plus accueillant. Non sans effort, Junior s'acquitta du montant de la course, puis contempla le sac contenant ses effets, que le chauffeur de taxi avait placidement laissé tomber sur le trottoir. Il l'y abandonna. Peut-être quelqu'un le lui volerait et porterait sa casquette. En la reconnaissant, ses parents se souviendraient peut-être du jour où ils lui avaient annoncé qu'ils ne pouvaient le recevoir, et qu'il devait se débrouiller tout seul.

À l'intérieur de l'établissement, régnait une atmosphère enfumée et délicieusement surchauffée. Là, au moins, il fut accueilli à bras ouverts, avec la sympathie et les honneurs qui lui étaient dus. Après avoir signé quelques autographes, il insista pour avoir une bière. Si la première fut offerte par la maison, la liste était longue de tous ceux qui aspiraient à abreuver le grand homme. C'était une sorte de tonneau des Danaïdes à l'envers, à vider plutôt qu'à remplir. Finalement, il réussit à se frayer un chemin jusqu'au bar où, voyant son état, une âme charitable s'empressa de lui céder son tabouret. À deux tabourets de là, un officier de police à qui il avait eu souvent affaire le couvrait d'un regard contemplateur. Jugeant son état d'ébriété aussi avancé que le sien, Junior lui sourit. Puis, à son grand étonnement, surgi de quelque obscur recoin de sa mémoire, son nom lui revint à l'esprit.

— Hé ! Burke, lança-t-il d'un ton exagérément amical.

Le policier répondit par un coup de menton qui laissait place à toutes sortes d'interprétations, mais qui conduisit son voisin à conclure que les deux hommes étaient amis, et que de ce fait il serait de bon ton de les laisser bavarder ensemble. Quand, d'un geste, l'homme convia Junior à prendre sa place, ce dernier ne se fit pas prier et s'installa près du policier en lui administrant une légère tape sur l'épaule. Puis il leva sa chope pour porter un toast, et Burke fit de même.

— Bienvenue à la maison, dit ce dernier.

— En effet, acquiesça Junior en laissant tomber sa main à plat sur le comptoir. C'est ici que je couche, ce soir, ma femme...

Le policier l'arrêta d'un geste.

— Qu'elle aille se faire foutre.

— Pas par moi, en tout cas, fit Junior, déclenchant aussitôt l'hilarité.

— Elle t'a encore une fois mis à la porte ?

— Tout à fait. Il ne me reste plus qu'à aller dormir sous un pont.

— Toutes des salopes, déclara gravement Burke. Elles finissent toujours par nous rouler dans la farine.

Après ces quelques considérations, la conversation s'orienta vers le base-ball, chacun y mettant à l'épreuve les connaissances de l'autre, le tout entrecoupé de plaisanteries salaces, jusqu'au moment où le policier décida qu'il était temps pour lui de rentrer.

— Veux-tu que je te dépose quelque part ? bredouilla-t-il en glissant à grand-peine de son tabouret.

— Je trouve que tu es un peu trop soûl pour conduire, zézaya Junior.

— Ça ira, ça ira, le rassura Burke en titubant vers le téléphone.

Il en revint quelques instants plus tard, enfilant tant bien que mal son blouson.

— Allez, on y va.

Les deux hommes titubèrent dans la nuit, aussi froide que le cœur de Kissy, jusqu'au sac que Junior avait abandonné sur le trottoir. Là, ils se mirent à battre la semelle en claquant des dents de concert. Quelques minutes plus tard, apparut une voiture de police, gyrophare allumé. Le sergent Preston en sortit et leur tint la portière, à la manière d'un chauffeur en livrée.

— Votre limousine est avancée, messieurs.

Burke y plongea tête la première, pendant que Junior rangeait son sac de voyage dans le coffre. Le sergent Preston avait un nouvel adjoint, un grand gaillard qui devait garder la tête baissée pour ne pas heurter le plafond de la voiture, et dont le poids considérable faisait donner de la bande au véhicule. Quand il se retourna pour leur adresser un sourire, Junior se dit qu'il ressemblait à Moosejaw, lequel, à l'heure présente, était probablement rentré au Canada pour y faire carrière en ligue mineure.

— Où vous dépose-t-on, les gars ? demanda Preston en s'installant au volant.

— Au Howard Johnson pour Junior, fit Burke. Sa femme l'a foutu à la porte.

Une fois encore, les deux compères trouvèrent la chose fort amusante.

— Et toi ? s'enquit encore Preston.

— Moi ? Pourquoi veux-tu que la femme de Junior me foute à la porte ?

Junior trouva la répartie absolument désopilante, au point d'en avoir les larmes aux yeux.

— Vous vous souvenez de la fois où vous m'avez arrêté sur le pont ? lança-t-il.

Cette seule évocation, empreinte d'une virile nostalgie, suffit à redoubler l'hilarité du petit groupe, et même si le nouvel adjoint n'était pas tout à fait au courant des événements, il s'efforça malgré tout de faire bonne figure.

Ils arrivaient au HoJo, comme ils l'appelaient. Peltry en proposait deux, et le policier avait opté pour celui du centre-ville. Comme il se trouvait tout près du commissariat, Junior se crut en droit de se demander s'il devait y accorder un sens particulier. Il s'extirpa de la voiture et, le sac sur l'épaule, adressa un salut aux policiers. Quelque chose détonnait dans le tableau, se dit-il en s'éloignant. Des policiers qui l'avaient autrefois copieusement matraqué lui témoignaient de l'amitié, quand sa propre femme ne voulait plus entendre parler de lui.

Le lendemain après-midi, la seule voiture visible près de la maison de ses parents était le Blazer de Kissy. Bien qu'il eût préalablement annoncé sa visite, Kissy l'accueillit avec le même enthousiasme qu'à la vue d'une paire d'adventistes du septième jour. Quand elle croisait ses bras sous ses seins, ce n'était jamais bon signe.

— Salut, Junior, dit-elle d'un ton faussement enjoué. Je suis heureuse de te voir. Désolée de n'avoir pas donné de nouvelles, mais tu sais ce que c'est : on regarde le paysage et on oublie tout dix jours d'affilée.

Comme elle lui tournait le dos, il referma la porte en la poussant du talon.

— Pour une vacherie, c'était une vacherie, poursuivit-il.

Arrivée dans la cuisine, elle lui fit de nouveau face.

— Désolée, mais c'était volontaire.

Du coup, les mots lui manquèrent. Son abominable gueule de bois l'aurait incité à fermer les yeux et à se laisser tomber par terre, sauf que cela l'aurait seulement contraint à se relever. Non sans effort, il décida donc de rester debout.

— Où est Dynah ?

— Elle fait la sieste.

— Oh, lâcha-t-il, déçu. Je me sens comme une merde.

— C'est exactement ce dont tu as l'air.

Tirant une chaise à lui, Junior s'y laissa tomber.

— Très bien, je me suis conduit comme un trou du cul. Je SUIS un trou du cul, et n'en parlons plus.

— Je suis bien d'accord, approuva Kissy. Et je n'ai pas l'intention de revenir.

Le jeune homme se pinça l'arête du nez. Jusqu'à présent tout allait à peu près bien, mais après ces paroles il sentait sa patience s'émousser.

— Tu ne me fais pas confiance, Junior, reprit Kissy de plus belle. Tu ne cherches même pas à savoir en quoi consiste mon travail et l'idée qu'on puisse penser que tu cherches à imposer ta femme dans un club réservé aux hommes te fait frémir. Mais à quoi bon en parler, quand tout est fini et bien fini ? conclut-elle en chassant une mouche imaginaire.

— Non, protesta Junior en repoussant sa chaise. Nous formons une famille ; nous nous appartenons les uns les autres.

— Tu as une idée de l'appartenance qui n'est pas la mienne.

Junior la regarda fixement durant un long moment, des picotements dans les yeux. Il se sentait vidé, à court d'arguments. Puis sa vue se brouilla, et Kissy disparut, il ne la vit plus. Il avait l'impression de se noyer, à moins que ce ne fût elle, ou les deux. Il alla jusqu'à la porte d'un pas traînant et sortit.

Les traits boursouflés, les yeux bouffis, Kissy pleurait sans en savoir la raison. Tout au long du voyage de retour, elle n'avait pourtant pas versé une larme. Peut-être que la présence de Dynah l'en avait distraite. Si elle voulait trouver un emploi, elle allait devoir se résoudre à la sevrer. Mais l'enfant en avait bien profité, se raisonna-t-elle ; peu d'enfants étaient nourris au sein aussi longtemps que sa fille l'avait été.

Esther et Dunny arrivèrent avec Casey, leur petit-fils, qu'ils avaient gardé le temps d'une journée pour permettre à Bernie de partir en excursion. Ils adressèrent à Kissy quelques regards inquiets, mais, cette dernière n'inclinant pas à faire étalage de ses problèmes, ils s'abstinrent de toute question.

Junior réapparut, mais seulement après dîner, au cas où on se serait cru obligé de l'inviter à partager le repas familial. Il évita le regard de Kissy en concentrant son attention sur Dynah qui, dès son apparition, s'était mise à pousser de petits glapissements de joie. La jeune femme mit ces instants à profit pour desservir et faire la vaisselle. Quand elle les rejoignit, Dynah était dans son lit, écoutant avec ferveur l'histoire que lui lisait son père.

Kissy leva son appareil photo et prit quelques clichés, comme elle avait coutume de le faire chaque fois qu'une bonne occasion se présentait. Elle fit un plan rapproché du visage souriant que Dynah levait vers son père, avant de le pencher sur les images qu'il montrait du bout de son index, puis elle photographia celui de Junior, regardant droit au fond de l'objectif comme s'il s'était agi de l'œil de sa femme. Quelques minutes plus tard, voyant que Dynah commençait à donner des signes de fatigue, Kissy la prit dans ses bras et attendit qu'elle fût complètement endormie avant de la coucher dans le berceau dressé dans le salon, près du canapé-lit qui lui avait été assigné.

— J'aimerais te dire deux mots, murmura Junior.

Kissy le suivit jusqu'à la porte d'entrée où ils se firent enfin face, en s'affrontant du regard.

— Demain, je retourne à Denver, déclara-t-il. Je n'ai pas le choix, mais je veux quand même que nous restions ensemble. J'aimerais que tu me suives ou, si tu préfères, que tu me rejoignes dans une semaine ou deux. Nous devons nous réconcilier, autant pour nous que pour Dynah. Consulte un conseiller matrimonial, si tu veux, ça nous permettra peut-être de trouver une solution.

— J'ai l'intention de rester ici.

Junior battit précipitamment des paupières et ses yeux errèrent sur le décor environnant comme s'il le découvrait pour la première fois, en évitant le regard de Kissy.

— Comment t'en sors-tu, question argent ?

— Ça va, dit-elle, bien que totalement démunie.

Tirant un chéquier de sa poche, Junior griffonna quelques chiffres, signa, puis tendit le rectangle de papier à Kissy.

— Pour te dépanner, fit-il. Ouvre un compte-chèques, je l'approvisionnerai tous les mois.

— J'ai l'intention de trouver un emploi.

— Laisse tomber, fit Junior non sans un brin de rancœur. Continue plutôt de prendre des photos, je me charge du reste. Ton salaire ne te permettra pas de t'offrir une gardienne et encore moins de payer un loyer. Profite de Dynah pendant que tu le peux encore, et garde ton énergie pour tes photos. Je suis certain que tu finiras par trouver une maison d'édition qui acceptera de les publier.

Le ton péremptoire de Junior pour lui dire comment organiser sa vie la hérissa.

— Ne me dis surtout pas...

— Prends cet argent, Kissy. Tu t'imagines peut-être que je vais vous laisser manger de la pâtée pour chat et habiter un taudis de Barnyard, quand j'ai de l'argent plein les poches ? Je refuse d'être ton ennemi, conclut le jeune homme, même si j'ai parfois envie de te tordre le cou.

Devant l'état d'abattement de son mari, Kissy se sentit faiblir. Comment se séparer de lui s'ils n'étaient pas ennemis ? Comment parviendrait-elle à se libérer de lui quand il avait toujours le bon réflexe, la bonne réaction, et que sa patience semblait sans limites ? Il la prit dans ses bras et la berça tendrement, en lui murmurant des mots de réconfort, refusant, une fois encore, qu'ils devinssent ennemis. Il lui dit à quel point il l'aimait, et Kissy se dit que l'eau coulerait sous les ponts de Peltry avant qu'un autre sût se montrer aussi caressant.

25

La puanteur l'atteignit sans lui laisser le temps de glisser sa clé dans la serrure. À peine eut-il mis un pied à l'intérieur, que l'odeur nauséabonde lui sauta au visage, répugnante, adipeuse au point d'en être presque palpable. Junior se demanda à quand remontait la dernière visite de la propriétaire. Dans l'entrée, la sansevière que Kissy aimait tant s'affaissait tristement, complètement desséchée. Au fur et à mesure qu'il entrait dans la maison, les miasmes se faisaient si puissants que Junior en eut des picotements dans les yeux. Il les suivit néanmoins jusqu'à la source.

La saloperie de chat gisait inerte sur son grand lit. En même temps que son âme au diable, l'animal avait rendu tripes et boyaux, ainsi qu'une surabondance de matières fécales qui s'étendaient autour de lui comme une mare glauque. Sa langue pendait de sa bouche ouverte, et ses dents pointaient sous ses babines retroussées comme pour une ultime menace.

Dévalant l'escalier, Junior se rua à l'extérieur pour inhaler l'air glacial de la nuit. Puis, le souffle en arrêt, il remonta à l'étage et, rabattant à la hâte les quatre coins de la courtepointe, redescendit dans la cour arrière, ouvrit la poubelle et y jeta son fardeau en refermant brutalement le couvercle.

Il remonta à l'étage et contempla un moment le lit dans lequel il était censé dormir. La literie s'auréolait de taches brunâtres qui s'étaient imprégnées jusqu'au matelas. Il décida alors d'emporter le tout à l'extérieur, matelas compris. Cela fait, il régnait encore dans la maison une insupportable odeur de chat crevé. Junior décrocha le téléphone, grommelant les pires injures à l'endroit de la propriétaire.

Son humeur se radoucit cependant un peu en apprenant que la vieille dame avait été hospitalisée à la suite d'une crise cardiaque.

Assis sur son perron, il se mit à méditer sur son sort. Il n'était pas question de dormir dans la maison, et pourtant il se sentait las. Même si sa montre retardait de trois heures en raison du décalage horaire, il n'était que dix-huit heures. Sous le ciel froid aux nuages chargés de neige, il se demanda de quoi était mort le chat, mais, quelle qu'en fût la raison, la maison restait inhabitable. Après avoir refermé la porte, il partit à la recherche d'un motel.

Le choix était simple : Howard Johnson ou Howard Johnson, mais cela lui importait peu ; tout ce qu'il souhaitait, c'était une chambre avec salle de bains et un téléviseur câblé pour lui tenir compagnie. Par chance, une chaîne diffusait le tout premier *Nightmare on Elm Street*. Revoir le visage boursouflé de cloques de Freddy et son gant griffu lui procura une manière de réconfort.

Junior balança entre boire jusqu'au sommeil ou appeler Kissy, pour lui dire où il était. Mais pour cela, peut-être valait-il mieux attendre un peu, le temps qu'elle prît pleinement conscience de ce qu'il pouvait ressentir. Assis sur le bord du lit, il chercha au plafond un ancrage assez fort pour y fixer la corde qu'il ne possédait pas, mais qu'une ceinture remplacerait efficacement. La chambre n'était pourvue ni de poutre ni de crochet, ce qui importait peu, puisqu'il n'aurait jamais le courage de se pendre.

C'était la troisième fois que Kissy le quittait. Il continua d'y penser en mettant l'emphase sur « troisième ». Au base-ball, au bout de trois lancers ratés, on est éliminé ; mais lui refusait d'y croire. Kissy l'avait en quelque sorte réexpédié en pénitence à Dry River, sans plus. Trois ans avaient passé depuis leur rencontre, après quoi il y avait eu Dynah. Dès lors, il n'était plus question de se pendre ni de se jeter du haut d'un pont. Il allait faire son travail du mieux qu'il pouvait, montrer à quel point il pouvait être bon père en dépit de la distance, et attendre patiemment le retour de Kissy. La veille de son départ, elle l'avait laissé passer la nuit avec elle (après que Bernie eut héroïquement accepté de troquer son lit contre le canapé du salon) sans prendre la moindre précaution, ce qui portait à croire qu'elle voulait encore un enfant. En ce qui le concernait, c'était quand elle voudrait, et où elle voudrait. Il en était là de ses réflexions quand, tout à coup, une idée géniale germa dans son esprit : demain matin, à la première heure, il téléphonerait à son agent et lui demanderait de sonder les clubs de hockey de la côte Est. Ce dernier trouverait sûrement un arrangement qui lui permettrait de se rapprocher de sa famille.

Remarquant le livre oublié dans la pochette du siège qui le précédait, Junior s'en empara distraitement. L'avion avait du retard, et le nettoyage laissait à désirer, mais le jeune homme avait d'autres soucis en tête pour s'en préoccuper. La première partie des séries éliminatoires arrivait à grands pas, et la douleur qu'il ressentait dans le coude droit ne laissait de l'inquiéter. Cela pouvait être une tendinite, et dans ce cas ses réflexes s'en trouveraient considérablement affectés.

Ces femmes qui aiment trop, disait le titre du livre. Junior avait vaguement entendu parler de cet essai au cours d'une entrevue télévisée, sans trop savoir de quoi il traitait.

« Quand on est amoureux et que l'on souffre, déclarait-on en manière d'introduction, c'est que l'on aime trop. »

— Allons donc, murmura le jeune homme entre ses dents.

Pourtant, au moment où l'avion atterrit, il lisait encore l'ouvrage et en soulignait même certains passages importants. C'était surtout le sort des enfants vivant au sein de familles déchirées qui le tracassait le plus, faisant inconsciemment référence à Dynah.

— C'est un bon bouquin, hein, Hoot ? lui lança Jameson, son voisin de siège, en récupérant son sac.

— Oui, acquiesça Junior, tu devrais le lire, toi qui viens à peine de te marier.

— Je me disais que cette situation pouvait faire beaucoup de tort à Dynah, expliquait-il au téléphone.

Kissy eut l'air de réfléchir quelques instants avant de répondre :

— Pourtant, elle me semble tout à fait équilibrée.

— Oui, bien sûr, admit Junior, mais je pense surtout à plus tard, quand elle aura grandi sans la présence d'un père à la maison, Dieu sait les bêtises qu'elle pourra commettre.

— Je ne sais pas, Junior, soupira Kissy. Tes parents ont toujours été très unis, et ça n'a pas empêché Bernie de tomber enceinte.

— Qui te parle de Bernie ? C'est de Dynah qu'il est question.

— Non, il est surtout question de toi, et de ton choix d'être absent six mois par an.

— Je ne suis pas Dieu tout-puissant, Kissy. Je ne peux pas faire en sorte que tous les matches que je dispute se déroulent à Peltry.

— Nous avons déjà eu ce genre de discussion, Junior.

C'était vrai. Cela ne l'empêcha toutefois pas de revenir à la charge la fois suivante.

— Et que se passerait-il, si j'abandonnais tout pour devenir coiffeur ou quincaillier ? Pourrais-tu supporter de m'avoir tout le temps dans les jambes, Kissy ?

— Je te répondrai en temps voulu, rétorqua-t-elle, apparemment peu tentée de le prendre au sérieux.

Tout le problème était là, médita-t-il ; elle ne le prenait jamais au sérieux. Elle s'amusait à le piquer, alors qu'elle aurait pu l'encourager, lui faire des suggestions.

— Ta mère, fit-il lors du troisième appel, a cessé de s'occuper de toi dès l'instant où elle s'est séparée de ton père ; et tout ce qu'on peut craindre d'une séparation s'est réalisé. Elle s'est cloîtrée dans son travail sans même chercher à savoir où était ton frère, s'il est seulement encore en vie. Quant à ton père, mieux vaut ne pas en parler, c'est le zéro absolu. Viendras-tu me dire, après ça, que tu viens d'une famille normale ?

— Pas du tout, répliqua Kissy avec un bref éclat de rire. C'est la raison pour laquelle j'ai contracté une blennorragie avec une prostituée, et que je te l'ai refilée, que je me suis soûlée, que j'ai volé mon Blazer et que j'ai écrasé Ed...

— Décidément, tu ne finiras jamais de ressasser cette histoire, tempêta Junior, furieux au-delà de toute expression. Toi, tu es la fille vertueuse, irréprochable, et moi le moins que rien, le salaud... Dans ce cas, comment se fait-il que tu te sois fait engrosser à l'âge de quinze ans ? Tu aurais dû savoir, pourtant...

— Va te faire foutre, Junior.

— Vas-y toi-même, Kissy. Moi, tout ce que je fais, c'est essayer d'arranger la...

Mais elle avait raccroché.

— Il y a un livre que tu devrais lire, lui dit-il quelques jours plus tard, après quelques échanges sur le mode courtois et distant.

— Lire mon cul, rétorqua-t-elle.

— C'est déjà fait, et je peux te dire que c'est ma lecture préférée. Puis d'ajouter en l'entendant rire : Je te propose un marché, ma chérie...

— Je t'écoute.

— Suivons ensemble une thérapie.

314

Elle resta un instant silencieuse à triturer le fil du téléphone, avant de demander d'un ton incisif :

— Quand ? je n'ai pas le temps. Je te rappelle que je vis seule avec un enfant, Junior.

— Je t'en prie. J'en suivrai une de toute façon.

Un autre silence, puis Kissy concéda :

— Je vais y réfléchir, d'accord ?

— Dis donc, est-ce que tu fréquentes quelqu'un ?

Cette question revenait chaque fois comme une antienne, tôt ou tard, tôt le plus souvent. Junior la lui posait, tous les jours, où qu'il se trouvât, en précisant qu'en ce qui le concernait il ne fréquentait personne et n'était pas près de le faire, c'est dire à quel point il l'aimait. Que dirait-elle de l'épouser à nouveau ?

Il arrivait qu'on interrogeât Kissy à ce sujet, ou même qu'on lui organisât des rendez-vous. Mais à quoi bon ? D'abord, où trouverait-elle le temps et l'énergie ? En dépit de la procédure de divorce qu'elle avait mise en marche, elle restait la femme d'un joueur de hockey, dont les jours se consumaient entre son emploi, son enfant et les différentes contraintes inhérentes aux femmes seules, en attendant un prochain appel ou une visite prochaine de Junior. Bien qu'elle fût transportée de joie à l'idée que ce dernier pût être affecté à une équipe de la côte Est, les rumeurs à ce sujet ne s'étaient jamais concrétisées. Car en faisant montre de trop de disponibilité, Junior s'était piégé lui-même, rendant toute tractation dans ce sens presque impossible.

Elle posa des questions, nota les coordonnées de quelques thérapeutes, mais ne prit aucun rendez-vous. Junior en trouva un à Denver, qu'il alla consulter deux fois par semaine, avec, pour résultat, des affrontements avec Kissy de plus en plus violents. Plutôt que des réponses, une foule de questions s'érigèrent dans son esprit devenant autant de poignards contre Kissy. Il en ressortait en substance que Kissy avait perdu la raison, et qu'avec l'aide de Sarah Rupert, le thérapeute en question, il allait la remettre sur la bonne voie.

Incidemment, elle accepta de se replonger dans le monde de Junior, tantôt en se joignant à ses pérégrinations, tantôt en se rendant à Denver. Lors d'un match dans la capitale du Colorado, elle eut l'heur de faire la connaissance de Sarah Rupert, charmante personne entre deux âges, nantie d'un mari à la carrure de quart arrière à qui la praticienne semblait vouer un amour sans mesure.

Le monde du hockey professionnel est une tribu, semblable à tout autre groupe partageant des intérêts communs – ce que Kissy voulut traduire dans les photos qu'elle ne cessait de prendre – mais dont les individus gardent une personnalité qui leur est propre. Certains coéquipiers lui plaisaient, d'autres pas ; et si certains semblaient l'apprécier, d'autres ne cherchaient pas à lui cacher leur mépris. Deker, pour n'en citer qu'un qu'elle ne pouvait se résoudre à aimer à cause de son aventure avec Bernie et de son obstination à ne s'intéresser à Casey que dans la mesure où l'enfant serait de lui. Par surcroît, un climat de tension non dépourvu de sensualité s'installa entre Kissy et le Russe. Kissy le trouvait plus passionné que Junior, plus égocentrique et plus brutal aussi, finalement trop attirant pour la maîtresse qu'elle aurait pu être. Il l'accueillait toujours en lui demandant si elle était toujours mariée à Junior, ou si elle s'accommodait de sa situation. Il se livra à des confidences qu'elle ne suscitait pas, expliquant à quel point les femmes le sollicitaient pour avoir un enfant de lui, mais qu'il restait follement amoureux de Bernie, à telle enseigne qu'il était prêt à l'épouser sur l'heure, dans la mesure où elle accepterait de soumettre l'enfant à une analyse sanguine. Il la courtisa tant et si bien qu'elle s'avisa enfin que, pour le jeune Russe, elle n'était qu'une femme à prendre. Un jour qu'il se lamentait sur ce que lui en coûtaient ses multiples paternités, elle s'était écriée, excédée :

— Et la masturbation alors ? Tu n'en as jamais entendu parler ?

Kissy et Junior divorcèrent l'automne de la même année, et la cagnotte fut remportée non pas par Burke, mais par la rousse secrétaire qui, après avoir longtemps dactylographié son courrier, se consacrait aujourd'hui exclusivement à celui de son supérieur hiérarchique. Le *News* publia des photographies de Valley à travers les saisons. Dans chacune d'elles, on y voyait la beauté naturelle des gorges spoliées par le vice et la déprédation. Un débat s'ensuivit par l'entremise de lettres, dans lesquelles on pouvait lire que l'artiste au talent controversé se bornait à photographier le contenu de poubelles, avec un penchant marqué pour les préservatifs et les seringues usagées. La réponse de Kissy vint au cours de l'hiver, par l'entremise de nouvelles photos montrant des détenus dans les pénitenciers, des adolescents dealant de la drogue près d'un lycée, des homosexuels œuvrant tard la nuit dans les rues sombres de la ville, des prostituées marchandant leurs faveurs à la portière d'une voiture, un drogué en train de se piquer dans un terrain vague, de jeunes hommes d'affaires en costume et cravate fumant un joint à l'heure du déjeuner, des femmes battues, des travestis, bref tout ce qui constitue le tableau traditionnel de la dépravation humaine.

Burke examina les photos éditées par le *News* avec un intérêt plus que mitigé. Le sujet auquel s'était attelée Kissy Mellors témoignait d'un monde qu'il connaissait bien. Naturellement, bien avant que les photos eussent été éditées, il savait qu'elle y travaillait, quand et comment elle s'y prenait ; l'ignorer eût été difficile, vu sa condition de policier. Il restait néanmoins impressionné par la qualité de l'œuvre. Implacable de justesse et de crudité, superbe dans ses jeux d'ombre et de lumière, elle reflétait un indéniable talent qui, du coup, propulsait la jeune femme au rang des grands photographes. De source bien informée, il savait qu'elle remporterait de nombreux prix, et pas uniquement dans sa région.

Désireux de la rencontrer, Burke alla rôder autour de la maison que Kissy avait acquise, non loin du campus. C'était une modeste demeure de crépi blanc, dont le perron s'encombrait de jouets d'enfant. Par une fin d'après-midi de printemps, il l'aperçut enfin dans sa cour en train de pousser sa petite fille sur une balancelle. Mère et fille étaient vêtues de blue-jeans et d'un chandail qui les protégeait de la fraîcheur du soir. Abandonnant sa jeep sur le bord du trottoir, il lui adressa un signe de la main, auquel elle répondit aussitôt.

— Comment allez-vous ? lança-t-il en s'approchant.

Kissy prit place sur la balançoire que Dynah venait d'abandonner au profit du toboggan, une fois faites les présentations d'usage.

L'escarpolette étant beaucoup trop basse, elle devait soit replier les jambes sous elle, soit les allonger ; elle opta pour la seconde solution. Burke examina furtivement la main gauche de la jeune femme, toujours ornée d'une alliance.

Clootie venait de signer un contrat d'un million de dollars, lisait-on dans *Sport Illustrated.* L'événement y était présenté comme le choix de Salomon, en ce sens que, malgré son désir affiché, le gardien de but avait finalement renoncé à jouer pour une équipe de la côte Est moyennant une somme mirobolante. « Tu parles d'un dilemme », songea Burke ; mais il n'empêche que pour Clootie, entre sa carrière et sa vie de famille, le choix restait difficile. Il était toujours follement épris de sa femme, expliquait l'article, et souhaitait par-dessus tout l'épouser à nouveau. À preuve, il ne fréquentait personne et restait attaché à ses vœux même si le couple était légalement dissous. Kissy s'était refusée à tout commentaire, mais, semblait-il, Clootie continuait à lui rendre visite le plus souvent possible, allant jusqu'à séjourner dans la petite maison qu'il leur avait offerte, et à passer une grande partie de l'été en compagnie de sa fille et de son ex-femme. « Fumisterie », songea Burke. En réalité, le triste sire avait exactement ce qu'il désirait : un compte en banque bien garni, une carrière extrêmement prometteuse, et une femme splendide qui attendait patiemment son retour.

— Quand comptez-vous prendre la photo d'un enfant en train de manger de la barbe à papa ? demanda-t-il.

— C'est déjà fait, sourit Kissy. J'ai photographié Dynah avec son cousin Casey.

Burke prit place sur la balancelle près de Kissy.

— J'ai un problème, avoua-t-il.

Kissy eut un mouvement de sourcils interrogateur.

— Il s'agit de vous.

— Est-ce que j'aurais brûlé un feu rouge sans m'en rendre compte ?

— Non, mais depuis quelque temps, sous prétexte de les photographier, vous côtoyez des gens peu recommandables. Un de ces jours, l'un d'eux risque de s'offusquer de vous voir braquer votre appareil sur lui.

— Je ne fais que mon travail.

Se rappelant le jeune policier qu'elle avait connu le soir de l'accident, Kissy vit combien il avait changé. Son ex-beau-père – par l'échoppe duquel transitaient les derniers potins de la ville – lui avait appris que Burke, déjà promu au grade d'inspecteur en chef par le *district attorney*, avait de grandes chances d'être élevé au rang d'assistant du procureur. Aujourd'hui, son visage enfantin avait fait place au faciès froid et dur d'un carnassier.

— Avez-vous de quoi vous défendre ? demanda-t-il brusquement.

— Vous voulez dire... une arme ? s'étonna-t-elle.

— Et vous n'avez pas pris de cours d'autodéfense non plus. Je veux que vous portiez une arme, décréta le policier. Procurez-vous un 22, je vous apprendrai à vous en servir, et vous procurerai toutes les autorisations nécessaires.

— Vous me faites peur.

— C'est bien mon intention.

— Et que se passera-t-il si je refuse ?

— Je vous ferai protéger par deux policiers et les personnages que vous semblez tant vouloir photographier vous fuiront comme la peste.

— Eh bien, merde alors ! protesta la jeune femme en se levant brusquement.

— Entendons-nous bien, jeune dame, temporisa Burke en la retenant par le poignet, je n'entends pas faire obstacle à vos projets. Tout ce que je veux, c'est que vous ayez les moyens de vous défendre en cas d'ennui. Alors, calmez-vous, je vous en prie.

— Très bien.

— Ce sont les coordonnées d'un casseur de briques un peu moins prétentieux que les autres, ajouta le policier en tendant une carte professionnelle.

— Casseur de briques ?

Burke fit mine de porter un coup du tranchant de la main comme le font les spécialistes en arts martiaux, sous le regard amusé de Kissy.

— Je vais vous conduire chez un armurier.

— Je peux y aller toute seule.

— Allez-y quand même avec quelqu'un qui s'y connaît, sans quoi vous allez vous faire escroquer. Cela fait, venez me voir, nous nous occuperons de votre permis de port d'arme, dit Burke avant de conclure : Je suis très impressionné par votre travail. Vraiment.

Kissy avait bien entendu : Burke ne se moquait pas d'elle. Elle l'avait déjà vu dans l'exercice de ses fonctions, au palais de justice, et il affichait ce même visage attentif et sérieux. De toute évidence, il la tenait pour une personne intelligente, apte à tourner en sa faveur la moindre situation.

Pour ce qui était de Burke, le corps épanoui et voluptueux de Kissy, son allure et sa vitalité exaltaient son désir. Ses facultés sexuelles s'en trouvaient tout à coup rehaussées, car elle produisait sur le policier un effet hautement tonique. Rien ne pressait, cependant. Il se sentait même apte à s'occuper d'elle sans la moindre arrière-pensée. Et quand bien même il en aurait eu, ce qui n'était pas le cas, la présence de la petite fille suffisait à tempérer ses ardeurs. Les mères célibataires font souvent des maîtresses distraites, pour ne pas dire absentes ; mais pour ce qui était de Kissy, c'était visiblement une femme opiniâtre, combative et exigeante ; la conquérir serait autrement difficile que de séduire une femme ordinaire.

L'air était lourd et humide, annonciateur d'orage. Les gens rassemblés autour de la tombe d'Esther Clootie suaient en abondance. Dans les bras de son père, le visage enfoui contre son épaule, Dynah était en proie à une agitation incessante. Sans comprendre exactement ce qui se passait, elle sentait qu'un triste événement avait lieu. Kissy avait pensé lui montrer une dernière fois sa grand-mère ; mais elle s'était ravisée, se disant que la petite fille ne la reconnaîtrait probablement pas, et que cela ne ferait que la troubler davantage. Mais l'idée que Dynah finirait un jour par oublier la grand-mère qui l'avait tant aimée ne faisait qu'ajouter à la tristesse de Kissy.

La cérémonie tirait à sa fin, et Dunny serra très fort la main de sa bru. Le pauvre homme se reprochait encore d'avoir cru que sa femme s'étranglait en mangeant une pomme, au moment où l'attaque était survenue. Pis, en dépit des explications répétées des médecins affirmant qu'Esther avait été terrassée par une embolie coronarienne et que la mort avait été foudroyante, il restait convaincu que ses tentatives pour la ranimer n'avaient fait que précipiter l'échéance.

Dans son tréfonds, Kissy se sentait très calme, pareille à une feuille inerte, suspendue dans la moiteur de l'air. Pour elle, Esther avait été plus qu'une mère. Elle n'avait jamais ménagé sa peine et lui avait offert son concours en toute occasion. Elle avait su, aussi, pallier le manque d'affection dont Kissy souffrait depuis l'enfance.

À l'instar de Mark, Junior se cantonnait dans un mutisme de circonstance. Pour les gens du cru, les fils de Dunny Clootie s'étaient révélés être deux enfants également talentueux. Ils n'avaient pourtant pas toujours été les dignes fils de leur mère, puisque, très tôt, ils avaient su tourner en dérision son autorité. S'il leur arrivait d'obéir, c'était toujours avec une sorte de condescendance teintée de phallocratie. Entre remords et regrets, ils restaient néanmoins profondément éprouvés par la perte de cette mère qu'ils avaient adorée.

Propices à l'introspection, ces circonstances amenèrent Kissy à réfléchir sur sa situation et celle de Junior. Depuis quelque temps, ce dernier semblait avoir beaucoup mûri – l'effet de la paternité, sans doute ; et, chose certaine, l'intérêt qu'il portait à sa famille ne devait rien aux contraintes que lui imposait sa notoriété. Bien que divorcé – ou peut-être en raison de cela, songeait Kissy sans la moindre complaisance envers elle-même, il se montrait un père attentionné et, pour ce qu'elle en savait, un mari fidèle. Junior était devenu le professionnel qu'il avait toujours voulu être, professionnel en bien des manières et notamment par la constance et le sérieux de son comportement.

Une fois Dynah endormie, et après que chacun fut rentré chez soi, Kissy et Junior furent saisis de cet élan de passion qui s'empare immanquablement des couples au détour d'un instant difficile. Ce n'est qu'une fois leur désir assouvi que Junior s'abandonna à son chagrin.

— Ça ira, ça ira, la rassura-t-il en ravalant ses larmes.

Puis, à la lumière de la lampe de chevet, il se recroquevilla sur le lit et tenta une fois encore d'exposer son point de vue :

— J'aime ce que je fais, dit-il. Sans ça, je serais malheureux, et la vie est trop courte pour être malheureux. J'ai le droit d'en tirer satisfaction, d'éprouver un sentiment d'accomplissement. Alors que toi, tu cherches à me faire culpabiliser, Kissy.

— Oh...

Piquée au vif, Kissy éprouva une vive contrariété en comprenant que Junior ne semblait ou ne voulait pas se rendre compte qu'elle aussi était fortement ébranlée par la disparition d'Esther. Pour le coup, elle décida de lui tourner le dos.

— Et en plus, tu me tournes le dos.

Elle s'agita, se mit sur le ventre en cachant son visage dans son oreiller.

— ... Mais ça ne t'empêche pas d'avoir un cul superbe.

En réponse, Kissy émit un ricanement étouffé.

— Ma mère est morte, reprit Junior, et tout ce que tu as à m'offrir en guise de consolation, c'est ton cul, pour ne pas changer. C'est un véritable marché de dupe, tu ne crois pas ?

La jeune femme se dressa un instant sur ses coudes pour déclarer :

— Va te faire foutre, Junior.

— Merci, Kissy, tu ne crois pas si bien dire. Allongé sur le dos, le jeune homme se mit à fixer le plafond : J'ai envisagé d'arrêter les frais, et de ne plus revenir. Dynah pourrait venir avec moi...

— Va te faire foutre ! répéta Kissy avec virulence, en assenant un coup de poing à son oreiller. Tu aurais dû en parler avant de me sauter, espèce de sale égoïste !

Junior roula sur le côté pour la regarder. Bien qu'il l'envisageât depuis quelque temps déjà, c'était la première fois qu'il évoquait cette éventualité, et pourtant Kissy semblait le prendre très au sérieux.

— Tu as quelqu'un, dit-elle.

— Non, répondit-il, autrement, les choses seraient beaucoup plus faciles pour moi.

— Fais ce que tu veux, conclut-elle sèchement en se levant.

Elle alla se réfugier sous la douche, cachant de douloureux sanglots sous le crépitement de l'eau. Une question la taraudait, sans qu'elle l'eût encore posée à Junior : si ses sentiments, si sa volonté de bien-être étaient légitimes, pourquoi les siens à elle ne le seraient-ils pas ? Et s'ils avaient raison tous les deux, où était la solution ? La solution, ils la détenaient déjà. Elle résidait dans le mode de vie qu'ils avaient l'un et l'autre choisi. Comme il l'avait si bien dit, les choses seraient plus faciles s'il avait quelqu'un d'autre.

Ironie du destin, Esther, que rien ne semblait atteindre, était partie, alors que Ruth vivait encore. Pour imperceptibles qu'ils fussent, des changements s'opéraient encore chez la jeune malade. Plus le temps passait, et plus elle ressemblait au personnage du conte voué à vivre éternellement, mais dont la taille, au fil du temps, se réduisait à celle d'un grillon. Tendue sur un crâne aux contours de plus en plus visibles, sa peau, couleur parchemin, semblait se momifier sur un visage figé dans un rictus démentiel. Désorientée par le deuil qui venait de la frapper, Kissy séjourna longuement à son chevet, soudain obnubilée par le grand mystère de la vie et de la mort.

Peu de temps après, les tribunaux consentirent à ce que Ruth fût débranchée de son respirateur. Avec la permission des membres de la famille, Kissy se tenait prête à photographier l'instant où la malade rendrait son dernier souffle. Mais au moment fatidique, on s'aperçut que Ruth respirait par ses propres moyens. Elle refusait de mourir. Après une semaine de débats mouvementés, la famille décida de la remettre sous perfusion. Aussi longtemps que la jeune fille respirerait, on continuerait à l'alimenter. En définitive, chacun parut soulagé de découvrir qu'en dépit des circonstances personne n'avait droit de vie ou de mort sur Ruth Prashker.

26

Kissy aima le tir au pistolet ; c'était un peu comme tirer le portrait de quelqu'un. Mais pour ce qui était de l'autodéfense, elle soupçonnait qu'un bon coup d'appareil photo sur la tête de son agresseur serait autrement plus efficace que les techniques enseignées par le fameux « casseur de briques » de Burke. Faisant fi du permis de port d'arme que lui avait obtenu le policier, elle se cantonna à garder son pistolet sous clé, dans la boîte à gants de sa voiture.

Son nouveau protecteur lui téléphonait de temps à autre pour lui demander de ses nouvelles. Si, au début, elle se montra avare de confidences, la discrétion du jeune homme l'incita à lui faire confiance. Tout bien considéré, l'idée que quelqu'un fût au courant de ses activités n'était pas pour lui déplaire. À plusieurs reprises, il l'invita à participer à des opérations de surveillance, et l'avisa de sujets susceptibles de l'intéresser. Elle finit par se rendre compte qu'il la courtisait avec une opiniâtreté toute policière, ce qui la mettait chaque fois un peu mal à l'aise.

À sa grande surprise, il lui téléphona, un jour, très tard dans la nuit, en lui demandant de le rejoindre à une adresse donnée. Après avoir hâtivement déposé Dynah chez ses grands-parents, elle alla le rejoindre à son poste de commandement où se préparait la plus grande arrestation de trafiquants de drogue jamais effectuée dans la région. Pour lui avoir donné la primeur de l'information, le policier eut la satisfaction de voir sa photographie à la une des journaux, l'arme à la main, son grand manteau flottant au vent, tenant dans ses bras un enfant à demi nu grelottant de peur et de froid.

— Ma mère a adoré cette photo, et mon supérieur encore plus, annonça-t-il à Kissy au téléphone. Je vous dois un dîner au champagne.

— C'est beaucoup trop, protesta-t-elle en riant.

— Que diriez-vous de Matty's ?

— D'accord, fit-elle bien qu'embarrassée à cause des problèmes déontologiques qu'une telle invitation risquait de soulever.

Burke arriva en retard et, quoique manifestement préoccupé, se confondit en excuses. Il dut quitter la table par deux fois pour aller téléphoner. Comme il fallait s'y attendre, sa notoriété soudaine empêcha toute conversation suivie. Les gens dans la salle se firent un devoir de venir le féliciter, et Kissy dut réprimer une violente envie de s'en aller.

— Je suis navré, fit-il en réglant la facture. Ça n'a pas dû être très drôle pour vous, n'est-ce pas ?

— Aucune importance, le dîner était délicieux. J'aurais pourtant bien aimé vous parler de...

Alors qu'elle hésitait, réfléchissant à la meilleure façon d'aborder le délicat problème de leur éthique professionnelle respective, elle s'aperçut que le policier ne l'écoutait pas, mais se limitait à la regarder droit dans les yeux, comme s'il supputait ses chances quant à l'issue de ses manœuvres de séduction. En réaction, l'ébauche d'intérêt qu'elle éprouvait pour le jeune policier s'en trouva aussitôt fortement compromise. Elle lui répondit, avec un sourire mi-figue, mi-raisin :

— ... de mes problèmes de gardiennage.

Il lui adressa un sourire innocent, afin qu'elle ne se méprît pas sur la pureté de ses intentions, et, en galant homme qu'il était, l'aida à quitter son siège.

Rentrée chez elle, elle alla se pencher sur le lit de Dynah, puis souhaita une bonne nuit à Bernie, qui la croyait à un dîner chez Latham. Kissy éprouvait un certain malaise à lui mentir, mais la jeune fille n'en restait pas moins la sœur de Junior et, quoique toujours prompte à prendre le parti de son ex-belle-sœur, elle ne réprouverait pas moins la légèreté de son comportement. Bien que Bernie vécût encore chez ses parents, il lui arrivait souvent de passer la nuit chez Kissy, si bien que celle-ci avait même installé un petit lit pour Casey dans la chambre de Dynah.

— Je vais me faire couler un bain, annonça-t-elle, à moins que le bruit de l'eau ne t'empêche de dormir.

— Pas du tout, je finis de regarder le film à la télé.

Une fois dans la salle de bains, Kissy ouvrit grands les robinets et jeta dans la baignoire une poignée de sels parfumés. Puis elle contempla longuement son corps dévêtu dans le miroir. Qu'en penserait Burke ? Et elle, aimerait-elle vraiment coucher avec lui ? Le frisson d'excitation qui la parcourut lui tira un sourire.

Peut-être était-il temps de rendre à Junior une visite impromptue, songea-t-elle parmi les fragrances de son bain. La dernière fois qu'ils s'étaient vus, c'était pour l'enterrement d'Esther, et il s'était montré d'une humeur exécrable. Cela avait été plus fort que lui, s'était-il excusé ; le chagrin d'avoir perdu sa mère... En lui rendant visite à l'improviste, elle s'exposait, bien sûr, à faire certaines découvertes. Comment elle réagirait en le trouvant avec une autre femme, elle n'aurait su dire ; mais peut-être qu'au bout du compte elle en serait soulagée. D'ailleurs, après la méfiance, s'installe tôt ou tard un sentiment proche de l'indifférence, car ce qui semble un jour insurmontable devient, avec le temps, sinon dérisoire, du moins partie intégrante de notre vie.

Elle entra précautionneusement dans l'eau parfumée et s'y étendit, jouissant pleinement des rares instants de détente qui lui étaient accordés. Junior le lui avait bien dit : elle devait prendre soin de sa personne, non seulement sur le plan physique, mais aussi sur le plan émotionnel ; c'était un élément déterminant de sa thérapie. Et sur ce chapitre-là, elle avait conscience d'être sur la bonne voie.

Kissy annonçait à Burke son intention de se rendre au Skinner's pour prendre des photos de l'ambiance qui y régnait le samedi soir, quand il la prit au dépourvu en décrétant :

— Je vous y rejoins.

Or, elle aimait travailler seule. Dans son esprit, son projet était clairement défini, et elle n'éprouvait nul besoin que quelqu'un se penchât par-dessus son épaule, et surtout pas le chouchou du *district attorney* qui risquait de provoquer un sauve-qui-peut sur son passage.

— Les gens qui traficotent dans les toilettes ne m'intéressent pas, crut-elle bon de préciser. Je recherche avant tout une certaine atmosphère.

— Pas de problème, insista-t-il. J'avais justement l'intention d'aller y jeter un coup d'œil, histoire de me montrer un peu. Ça fait partie de mon travail.

Alors ce serait sans elle, déclara-t-elle, puisque à chacun son métier, et que le sien consistait à prendre des photos. Et qu'il ne s'avisât pas de se trouver sur son chemin, sinon elle ne répondrait plus de rien.

Au début, nombre de personnes crurent avoir affaire à une photographe itinérante et, après avoir pris la pose, voulurent savoir comment faire pour se procurer un exemplaire de leur photo. Mais l'alcool aidant, on finit par ne plus lui prêter attention. Elle commençait à obtenir les résultats escomptés quand elle l'aperçut, installé au comptoir. Au verre qu'il leva à sa santé, elle répondit par un simple hochement de tête, puis repartit vaquer à ses occupations.

Un peu plus tard, dans le couloir des toilettes, alors qu'elle photographiait trois jeunes fumeurs engagés dans une discussion animée, Burke apparut, un peu éméché, lui sembla-t-il au sourire incertain qu'il lui adressa. Il s'assit péniblement sur une chaise, près de la cabine téléphonique et, quand elle passa près de lui, il la retint par le poignet.

— Salut, comment ça va? bafouilla-t-il.

Baissant les yeux, elle vit qu'il lui souriait toujours aussi béatement, puis sentit la main de l'homme remonter le long de sa cuisse.

— J'ai attendu ce moment toute la nuit, ajouta-t-il.

— Je me souviens moi aussi de ma première cuite, répliqua-t-elle.

Alors qu'il éclatait de rire, elle s'éloigna, un léger tressaillement au fond des entrailles.

À la fermeture, il était encore accoudé au bar. Après quelques photos du personnel d'entretien, Kissy entreprit de ranger son matériel, ce qui lui imposa une gymnastique dont l'homme ne semblait rien perdre.

— Hé! lança-t-il en orientant un tabouret dans la direction de la jeune femme. Venez donc prendre un verre, vous l'avez bien mérité!

— Je dois prendre le volant, objecta Kissy.

— Je vous ramènerai chez vous.

— C'est plutôt vous qui avez besoin d'un chauffeur.

— Alors? intervint le barman. Vous le prenez, ce dernier verre avec lui ou pas?

Pour toute réponse, Kissy lui tira la langue. Le barman servit à Burke un verre de brandy que ce dernier poussa en direction de Kissy.

— Alors, vous rentrez avec moi? reprit-il.

— Non, répondit-elle en repoussant le verre après y avoir trempé les lèvres.

— Une fois de plus, c'est la vertu qui triomphe, fit Neil, le barman. Si je me grouille un peu, il y a des chances pour que ma femme soit encore dans de bonnes dispositions. Je vous demanderai donc de bien vouloir lever l'ancre, tous les deux.

Burke éclusa son verre en deux gorgées.

— Holà ! s'exclama Neil, je crois que tu ferais mieux de laisser madame te reconduire, Mike. Je serais peiné de lire demain dans les journaux que tu t'es fait arrêter pour conduite en état d'ivresse.

— D'accord, fit Kissy en se levant.

L'heure était à la mélancolie. Sur le terrain de stationnement, on ne voyait guère plus que le Blazer de Kissy et la jeep de Burke. Une odeur doucereuse de feuilles mortes flottait dans l'air, et sous leurs pas les gravillons semblaient plus durs, comme s'ils commençaient déjà à geler.

Quand Burke lui apprit son adresse, elle fut surprise de constater qu'il vivait tout près de Valley, sans qu'elle s'en fût jamais doutée. Cédant à l'insistance de Burke, elle avait fait installer dans sa voiture un émetteur-récepteur identique à ceux des voitures de police. Burke l'alluma.

— Je ne peux pas croire que vous puissiez encore conduire ce tas de ferraille, murmura-t-il.

En effet, le tout-terrain était aujourd'hui dans un état lamentable. Junior avait à maintes reprises proposé à Kissy de lui offrir une voiture neuve, mais elle avait toujours refusé, sans même chercher à expliquer ce que cela signifierait pour elle.

Rejetant la tête en arrière, Burke ferma les yeux et écouta quelques instants les messages qui émanaient du quartier général.

— Je vous désire, déclara-t-il soudain, en dardant la jeune femme d'un regard dévorant. Je ne plaisante pas, vous savez...

Elle lui répondit par un rapide coup d'œil en biais.

— Vous avez trop bu.

— Je vous désire depuis très longtemps.

Comme si cela changeait quelque chose... Bien que le ton fût empreint de légèreté, il continuait à la fixer intensément, et Kissy n'en fut que plus décontenancée.

La maison du policier se cachait derrière un rideau de verdure, sur une des pentes les plus abruptes de Valley. Kissy se demanda alors quelle vue on pouvait avoir sur le Hornpipe depuis les fenêtres du premier étage.

— Entrez prendre un dernier verre.

Prendre un verre, ç'avait été le leitmotiv de la soirée, et elle n'en voulait toujours pas ; mais comme Burke avait laissé sa porte grande ouverte, elle se crut obligée d'aller la refermer. Ce qu'elle entrevit de l'extérieur annonçait une austérité quasi monacale. La curiosité l'emportant une fois de plus, elle pénétra dans le salon presque inconsciemment. Sobre, dénué de tout artifice, le mobilier était de style Shaker ou contemporain, et les tapis des reproductions d'artisanat indien. Sur les murs blanchis à la chaux, se découpaient peintures et photographies.

— Intéressantes, ces toiles, dit-elle.

— Oui, je les ai eues en échange de cartons de cigarettes. Celui qui les a peintes a tué sa mère, il y a six ans. Il était tellement soûl qu'il ne se souvient de rien, comme c'est souvent le cas. C'est moi qui ai procédé à son arrestation ; il devrait être libéré dans un an.

Après avoir déposé un disque sur la table tournante, Burke s'approcha de Kissy et, la saisissant par la taille, heurta de sa hanche celle de la jeune femme.

— Vous avez passé toute une soirée dans une boîte de nuit sans avoir dansé une seule fois.

— N'allez pas me dire que vous en avez envie.

— Si, à l'horizontale.

Ses mains glissèrent sur les reins de Kissy pour l'attirer contre lui et lui faire éprouver la raideur de son sexe. Puis l'homme commença à se mouvoir, lentement, observant les réactions de Kissy entre ses paupières mi-closes. Quand elle posa sa main sur le torse de l'homme, ce dernier eut une longue inspiration saccadée, et se pressa davantage contre elle. Les yeux fermés, elle sentit les doigts de Burke frôler son mamelon, puis son genou se glisser entre ses jambes. Il n'avait ni les gestes ni l'odeur de Junior, se dit-elle, alors qu'il lui fermait la bouche d'un baiser ; mais c'était quand même agréable, très agréable. Des doigts fiévreux s'évertuèrent avec empressement sur son corsage, jusqu'à en faire jaillir librement les deux seins.

— Doux Jésus, murmura-t-il. Dieu existe vraiment.

Au-dessus du lit les facettes du puits de lumière découpaient des triangles de nuit laiteuse, où le visage de la lune restait invisible. Burke retira ses chaussures sans quitter des yeux le lent déshabillage auquel se livrait Kissy. La lampe de chevet jetait des ombres suggestives sur ses seins épanouis. La femme contemplée lui fit penser à quelque déesse de la fécondité, dont les seins, plutôt que chair issue de la pierre, évoquaient de la pierre issue de la chair. Son érection était si intense qu'il pouvait à peine se contenir.

— Tu ferais mieux de mettre un préservatif, lâcha-t-elle.

Et comment donc ! Dans l'état où il se trouvait, il aurait porté un boa en plumes ou un saxophone pour assouvir son désir. La faisant basculer sur le dos, il lui fit lever les jambes très haut et entra profondément en elle. Elle aimait cela, et il le comprit très vite. Cela se voyait aux gouttes de sueur qui perlaient sur ses paupières fardées, à la manière dont elle tendait son bassin, comme pour en demander toujours plus.

Les pupilles dilatées, une lueur farouche au fond du regard, il la regardait, tandis que, les jambes serrées autour des hanches qui la pilonnaient, elle criait un plaisir qui semblait n'avoir ni fin ni cesse. Elle le vit redresser la tête et sentit aussitôt les pulsations de son orgasme au tréfonds de son corps. Puis il s'effondra, le torse secoué des derniers spasmes, pour finalement se retirer et poser doucement sa joue sur le sein de la jeune femme.

— Je savais que ce serait formidable, murmura-t-il.

Les yeux fermés, l'esprit embrumé de pensées délicieusement chaotiques, elle l'entendit se lever. Le déclic d'un interrupteur, des bruits d'eau parvinrent jusqu'à elle. Et soudain, elle eut froid. Elle tâtonna vers le drap et s'en recouvrit.

À son retour, le contact de son corps chaud eut quelque chose de rassurant qui la remplit d'aise. À cause des fortes doses d'alcool qu'il avait absorbé, elle avait craint un instant qu'il fût sujet à quelque défaillance. Alors qu'il lui tenait la main, elle le sentit triturer nerveusement l'alliance qu'elle portait encore.

— Personne ne comprend ce qui se passe entre vous, dit-il.

— Ce n'est pas nécessaire, répondit-elle en libérant sa main. Cela ne regarde que lui et moi.

— Pourtant, vous n'êtes plus mariés. Est-ce à dire que vous êtes parvenus à certains arrangements ?

Elle lui tourna le dos, histoire de lui faire comprendre qu'il se mêlait de ce qui ne le regardait pas. Mais plutôt que de s'en offusquer, il l'attira contre lui et l'embrassa dans le creux de l'épaule. Elle lui rendit son baiser puis, se dégageant de son étreinte, se glissa hors du lit.

— Tu ne restes pas ? s'étonna-t-il.

— Ma gardienne attend mon retour, répliqua-t-elle.

Enfilant à la hâte un pantalon et des chaussures, Burke la suivit jusqu'au Blazer, où il l'embrassa longuement en lui susurrant des mots pour l'inciter à revenir dans son lit.

Tout en s'éloignant, elle le regarda dans son rétroviseur. Debout dans l'allée nimbée de lumière, il avait un petit sourire amusé au coin de ses lèvres.

Elle regretta de ne s'être pas donné le temps de prendre une douche, ce qu'elle souhaitait ardemment, mais ne pouvait se le permettre de crainte d'éveiller les soupçons de Bernie. Le sommeil fut long à venir, surtout à cause de ce qu'elle devrait répondre la prochaine fois que Junior lui demanderait si elle fréquentait quelqu'un.

Elle revit Burke quelques semaines plus tard, sur les marches du palais de justice, alors qu'une ravissante journaliste pointait un micro dans sa direction. Des rumeurs couraient à son sujet sur ses nombreuses conquêtes. Elle-même avait un temps fait partie du lot. Quand, traversant la rue, il reconnut le Blazer, il lui adressa un petit signe de la tête et poursuivit son chemin.

Après cela, elle n'entendit plus parler de lui. Entre eux, cela s'était passé comme lors d'un accrochage où, reconnaissant ses torts, chaque conducteur repart de son côté. Elle fut heureuse de n'en concevoir aucune souffrance, à peine un vague chagrin pour s'être montrée un peu trop complaisante, mais rien de plus. En vérité, tout était bien ainsi.

— Tu vois quelqu'un ? demanda finalement Junior après plusieurs conversations téléphoniques.

Elle y songea quelques instants, envisageant même de tout lui révéler, mais elle préféra répondre :

— Et toi ?

— Non, répondit le jeune homme avec un petit rire amer. Ce n'est pas toujours facile, mais j'y parviens. À tout prendre, je préfère encore ma situation à celle de Deker. Toutes ces femmes dont il ne sait même plus le nom, et à qui il fait des enfants... je trouve ça épouvantable. Sans compter Bernie et Casey. Je suis plus un père pour cet enfant que ne le sera jamais Deker, et pourtant, tu sais mieux que personne le genre de père que je suis. Il ne se donne jamais la peine de prendre de ses nouvelles et quand il reçoit un message, c'est pour téléphoner à son avocat ou à son agent. Mais il est plus à plaindre qu'à blâmer ; c'est un pauvre type, qui n'a ni famille ni foyer. Dans mon métier, on a l'occasion de rencontrer des tas de gens ; certains sont mariés, d'autres ont une petite amie, ici et là, mais personne n'est bien dans sa peau. Moi je ne suis bien dans la mienne que lorsque je suis avec toi et Dynah. Je ne veux pas vous perdre. Tu comprends pourquoi, si je te dis que je ne pourrai jamais fréquenter qui que ce soit sans avoir l'impression de me conduire comme le dernier des salauds.

À la manière dont il débita son petit laïus, Kissy comprit que Junior s'attendait à cette question depuis longtemps. Ce qu'il s'en dégageait en substance, c'est qu'il avait tout de même *essayé* d'avoir une petite amie, et probablement plus souvent qu'à son tour. Tout était donc pour le mieux : il avait ses petits secrets, et elle avait les siens.

Cette année-là, juste avant les premiers gels de décembre, la décrue des eaux fit apparaître le corps d'une femme, qu'une dépression profonde avait poussée à se jeter dans le Hornpipe.

Junior revint à Peltry au moment où une grande demeure victorienne fut mise en vente. Après les démarches pour en faire l'acquisition commencèrent les travaux de restauration. Junior insista pour qu'on y aménageât une chambre noire, et une grande verrière abritant une piscine intérieure pour Kissy, tandis qu'à l'autre extrémité de la bâtisse serait installée une patinoire pour son usage personnel.

Ils louèrent de nouveau le chalet d'été et envisagèrent même d'en devenir propriétaires l'année suivante. Les travaux de restauration n'étaient pas terminés que Junior dut partir pour son camp d'entraînement.

N'étant plus admissible à Sowerwine, Mark l'y suivit. De son côté, Dunny se mit à fréquenter une infirmière divorcée du nom d'Ida Damrosch, ancienne camarade de classe d'Esther, ce qui eut pour effet d'embarrasser Bernie, surtout quand leurs rencontres se firent plus fréquentes. Tout le monde s'accordant à dire qu'ils manquaient d'espace, Bernie et Casey quittèrent la maison de Dunny pour aller s'installer dans l'appartement situé au-dessus du garage de la grande demeure.

Ses études secondaires achevées, Bernie se lança dans des études de physiothérapie. Comme au lycée, déjà, elle souffrit immédiatement d'ostracisme, son manque de disponibilité et sa maternité la tenant à l'écart de toute fréquentation.

Malgré ses vingt-six ans, Kissy observa l'apparition soudaine de nombreuses pattes-d'oie au coin de ses yeux. Peut-être était-ce dû au fait de cligner des yeux devant le viseur. Un jour, se dit-elle, elle aurait le visage plissé comme celui d'une tortue, et ses paupières seraient affaissées comme deux vieilles valises. Nul doute que Junior manquait là les meilleures années de sa vie. Elle ricana en pensant que, de son côté, elle vouait ses meilleures années à une personne le plus souvent absente, une personne qui lui préférait le hockey. Pourtant, grand Dieu, ne dit-on pas qu'aucune fortune au monde ne peut racheter le temps perdu...

Bernie s'occupa des enfants pendant que Kissy exposait sa thèse – une série de photos à caractère élégiaque de différents coins de Peltry – dans la galerie de l'École des beaux-arts. Le fait qu'on eût permis une telle exposition préfigurait l'obtention de sa maîtrise pour le mois de juin suivant.

Profitant de ces instants de loisir, elle s'octroya un arrêt au Denny's pour y prendre un café en parcourant le magazine *American Photo*. La profusion d'images qui s'y trouvaient la remplit d'un sentiment familier, fait d'un mélange d'exaltation et de répulsion. Le choc des photos était une chose qu'elle pouvait ressentir viscéralement, et ces photographies-là n'étaient pas le simple reflet de la réalité, mais une image altérée par des manipulations technologiques. Elles n'illustraient que de subtiles métaphores de ce qui n'était souvent que des fragments de vérité, voire des mensonges captés au hasard de l'objectif. Il existait pourtant tant de choses que l'image ne pouvait exprimer, et c'est à quoi elle s'évertuait, jour après jour, cherchant à repousser les limites derrière lesquelles se cantonnaient la moyenne des journalistes.

Toute à ses réflexions, elle ne remarqua la présence de Mike Burke qu'après qu'il eut pris place près d'elle au comptoir. Il lui parut recru de fatigue.

— Comment ça va ? s'enquit-elle.

L'homme cligna des yeux, puis se passa la main sur le visage.

— Je suis fourbu. J'ai failli t'appeler, il y a deux jours, fit-il pendant que la serveuse remplissait sa tasse de café. Figure-toi que depuis quelque temps, disons un an, mon père commence à perdre la mémoire. Le mois dernier, il a glissé un paquet de biscuits dans sa poche et a tenté de quitter le supermarché sans le payer. Évidemment, il s'est fait prendre, et on m'a aussitôt prévenu. Mais mon père a piqué une colère, en soutenant que ces biscuits étaient à lui, qu'il les avait déjà en entrant dans le supermarché. Il était clair qu'il avait perdu les pédales, et on n'a pas insisté. Quand ma mère m'a parlé de ses absences de mémoire de plus en plus fréquentes, j'ai décidé de le faire examiner à l'hôpital. Mon père est atteint de la maladie d'Alzheimer, et il sait ce que cela signifie.

La seule chose que Kissy trouva à dire, c'est qu'elle en était navrée.

— Moi aussi. Surtout que j'ai dû lui arracher son arme des mains. Il l'avait déjà dans la bouche, et en la lui prenant je lui ai fendu la lèvre. Il s'est mis alors à hurler comme un dément ; à tel point que je me demande si je n'aurais pas dû le laisser faire.

Kissy observa un silence avant de dire :

— Comment le savoir ? N'importe qui aurait réagi de la même façon que toi.

Le policier acquiesça puis, paraissant noter la présence du café posé devant lui, vida sa tasse d'une seule traite.

— J'ai une faveur à te demander.

— Je t'écoute.

— J'aimerais que tu prennes une photo de lui, tout de suite, avant que son état ne s'aggrave. Je voudrais pouvoir me le rappeler tel qu'il a toujours été, pendant qu'il est encore temps.

— D'accord, je le ferai.

— Je paierai ce qu'il faudra.

— Non. Ce sera pour la bonne cause.

— Merci.

La serveuse servit à Burke le hamburger qu'il avait distraitement commandé, et il le dévora sans ajouter un mot, écrasant de temps à autre une larme au coin des yeux.

27

Les Burke habitaient un bungalow très modeste, situé dans le plus vieux quartier de Peltry. Les maisons y étaient si proches les unes des autres, et les allées mitoyennes si étroites que le soleil ne semblait jamais les éclairer.

Les petites pièces, encombrées d'objets accumulés par quarante années de mariage, se révélèrent tristes et profondément déprimantes ; un éclairage pauvre et parcimonieusement distribué en était surtout la cause, s'avisa Kissy de son œil de photographe. Le contraste entre ce logis et celui de Mike la conduisit d'ailleurs à penser que la sobriété du jeune policier reflétait sa volonté de fuir l'atmosphère oppressante dans laquelle il avait toujours vécu. Mme Burke les convia en chuchotant à entrer dans le salon où, allongé dans un fauteuil inclinable, son mari regardait la télévision.

— Mike est ici ! annonça la femme à voix haute.

M. Burke détourna les yeux du tube cathodique pour répliquer, bougon :

— Je m'en étais aperçu, merci. Je ne suis pas encore réduit à l'état de légume, mais cela ne saurait tarder, ajouta-t-il à l'intention de Kissy.

— Pas du tout, voulut protester Mme Burke.

— Tais-toi, l'interrompit brutalement son mari.

Pour la rassurer, Mike tapota le bras de sa mère avant de poursuivre, ignorant l'hostilité de son père :

— Papa, j'aimerais te présenter une amie : Kissy Mellors.

Les lèvres du vieil homme s'écartèrent, ourlées vers l'intérieur en un étrange sourire dépourvu de toute aménité. Quoique sans conteste pourvues d'un dentier, ses gencives largement découvertes évoquaient le faciès d'une momie. Un court instant, le vieil homme posa sur Kissy un regard atone, puis se replongea dans la contemplation de son écran.

Mme Burke proposa du café, que Kissy accepta d'autant plus volontiers que son arôme embaumait toute la maison.

— Papa, viens montrer tes médailles à Kissy, dit Mike, pendant que sa mère s'éclipsait dans la cuisine.

Burke père tourna de nouveau les yeux vers la jeune femme, puis quitta en grommelant son fauteuil. C'était un homme de très haute taille, près d'un mètre quatre-vingt-dix, que soulignait une maigreur récente, si on en jugeait par l'ampleur des vêtements. Sa mise était nette cependant, les cheveux soigneusement coiffés et le visage rasé de frais. Plutôt que des pantoufles ou des mules, remarqua Kissy, il portait des chaussures de ville parfaitement lustrées.

Ses médailles étaient exposées dans une petite pièce qui lui était manifestement réservée. Dans un décor typiquement masculin des années cinquante, un téléviseur, un canapé recouvert d'un vieux plaid, un petit bureau à cylindre et une bibliothèque d'acajou se disputaient un espace restreint. Parmi les photographies et les médailles, un espadon empaillé pointait son rostre, tandis que, sur un calendrier, Miss Juillet s'exhibait encore en bikini, bien qu'octobre tirât à sa fin. L'endroit dégageait une puissante odeur de cigare froid.

— Tenez, regardez, mademoiselle, tout est là, fit M. Burke.

Kissy se pencha sur les photos. Si pour les traits et le teint Mike tenait de sa mère, de son père il avait hérité le maintien et le tempérament. D'ailleurs, quand père et fils posaient ensemble, c'était toujours avec une visible fierté, que ce fût à l'occasion d'une remise de diplôme pour le fils ou d'une citation pour le père. M. Burke se tenait à ses côtés, respirant bruyamment, son regard allant d'une photo à l'autre en même temps que Kissy.

— J'étais quelqu'un, fit-il d'une voix enrouée, en jetant un coup d'œil en direction de son fils. Mais aujourd'hui, je ne suis plus qu'un vieux débris.

— Kissy est photographe professionnelle, annonça Mike d'un ton apaisant. Elle aimerait bien te prendre en photo.

— Je refuse qu'on me prenne en photo, se rembrunit le vieil homme.

— Ça ne prendra que quelques minutes, insista le jeune homme en tendant une chaise à son père. Je vais aller chercher le matériel.

Une fois son fils parti, M. Burke se laissa pesamment tomber sur le siège de son bureau et s'y balança un peu, le regard absent. Quand Mme Burke entra, portant un plateau garni de tasses et de biscuits, le vieil homme se redressa brusquement et tenta de s'emparer du plateau.

— Tu vas encore salir ta chemise propre ! protesta sa femme en reculant précipitamment.

— Je voulais un biscuit, grommela l'homme en fixant avidement l'objet de sa convoitise, juste un putain de biscuit.

Mike réapparut avec le matériel photographique. Kissy et lui procédèrent de concert à la mise en place de l'éclairage et à l'installation de l'appareil sur son trépied. Kissy fit ensuite quelques essais à l'aide d'un polaroid et, chaque fois, M. Burke ne put s'empêcher de grimacer devant l'objectif.

— Fais-le parler, murmura-t-elle à Mike, visiblement inquiet.

— Dis donc, papa, fit alors le jeune homme, si tu racontais à Kissy la fois où tu as arrêté la bande de vandales qui ont saccagé le lycée. Tu t'en souviens...

— Bien sûr que je m'en souviens, rétorqua le père avec acrimonie, avant de se lancer dans la narration détaillée d'événements qui s'étaient déroulés quelque trente ans plus tôt.

Après avoir débité d'une traite l'intégralité de son histoire, le vieil homme se tourna vers son fils pour lui demander anxieusement :

— C'est bien comme ça que ça s'est passé, hein ?

Entre-temps, Kissy avait pris plusieurs photos qu'elle était sûre de garder. Quand le vieil homme avait posé sa question, elle n'avait pas manqué de capter l'étincelle de désespoir dans le regard, sa confiance en ce que Mike lui répondrait la vérité. Sur un signe d'elle, Mike attira sa mère près de lui, et lui chuchota de se placer derrière M. Burke. Le jeune homme posa sur l'épaule de son père une main rassurante que le vieil homme étreignit aussitôt. L'obturateur s'ouvrit une dernière fois sur un portrait de famille que l'on reverrait probablement, exposé dans un salon, lors des funérailles de M. Burke.

— Et maintenant, est-ce que je peux avoir mon biscuit ? se lamenta-t-il.

Kissy lui tendit le plateau. Faisant claquer ses lèvres, le vieil homme en prit deux, qu'il grignota en soupirant d'aise, sans quitter sa femme des yeux, tout en brossant de la main le plastron de sa chemise.

La jeune femme rangea son matériel, pendant que Burke démontait les appareils d'éclairage. Mme Burke murmura un « merci » puis s'éclipsa dans la cuisine, pendant que son mari retournait s'installer devant la télévision. En passant, Kissy s'arrêta pour le saluer, mais le vieil homme leva un sourcil étonné et lui lança :

— Tiens ! Comment allez-vous, jeune fille ?

Quelques jours plus tard, Burke se rendit chez Kissy ; Dynah était couchée et Bernie avait regagné son appartement. Ils passèrent en revue les photos de ses parents, l'une après l'autre, presque religieusement.

— Elles sont vraiment formidables, dit Burke, les larmes aux yeux. Merci.

— Comment va ton père ?

— Son état se détériore de jour en jour. On ne peut même plus le sortir sous peine de le voir se livrer à des obscénités devant les gens. Mais les médecins disent que ça lui passera. Il a toujours aussi bon appétit, surtout quand il s'agit de biscuits. Ma mère dit qu'elle doit constamment le surveiller. J'ai eu une altercation avec elle à ce sujet. Quand je lui ai dit qu'après tout il n'y avait qu'à le laisser manger tous les biscuits qu'il voulait, elle s'est mise à invoquer son diabète. Comme si ça avait de l'importance, dans l'état où il est. Mon père s'empiffre de biscuits depuis qu'il a cessé de boire. Dans ses moments de lucidité, il me parle de ses funérailles, et des dispositions que je dois prendre pour ma mère.

— Ça doit être très difficile.

— J'appréhende le moment où il sera cloué au lit, quand il faudra le baigner et le changer comme un enfant. J'aimerais qu'il puisse partir d'un seul coup, comme ta belle-mère. Je te suis vraiment reconnaissant pour ce que tu as fait, Kissy.

Comme le jeune homme faisait mine de vouloir l'embrasser, Kissy recula brusquement, les mains levées. Puis, voyant qu'il n'insistait pas, elle se mit à ranger les photos dans une grande enveloppe.

— Tu as sans doute raison : nous ferions mieux de rester bons amis, décida-t-il.

— Naturellement, acquiesça-t-elle en souriant.

Et ils en restèrent là.

Elle ne le revit qu'un mois plus tard, lors de la veillée funèbre de

M. Burke. Ce dernier s'était souvenu avoir dissimulé une seconde arme, dans les rayonnages de sa bibliothèque.

— Tous les livres étaient répandus par terre, expliqua Mike en attirant Kissy dans un coin du salon mortuaire. Ça devait faire long-temps qu'il le cherchait. Et puis il s'en est souvenu, en pleine nuit. Après avoir retrouvé le revolver, il s'est installé dans la cuisine et a dévoré trois paquets de biscuits. Puis il est allé dans la salle de bains et s'est allongé dans la baignoire. Tu te rappelles la photo que tu as faite de lui, entouré de ses décorations, il la gardait toujours sur lui. Elle était posée sur sa poitrine, quand ma mère l'a découvert.

Mike semblait calme. Seuls les battements précipités de ses pau-pières trahissaient son profond désarroi. S'emparant de la main de Kissy, il la garda entre les siennes.

— Tout ce que j'ai fait, je l'ai fait pour lui, continua-t-il. Et à présent qu'il est parti, à quoi bon continuer ? Et pour qui ?

— Pour toi-même. Pour le plaisir du travail bien fait, même si je comprends très bien ce que tu ressens.

— Mon père représentait tout pour moi, poursuivit le jeune homme, et je voulais surtout lui ressembler. J'envisageais même de faire comme lui, et d'entraîner une jeune équipe de base-ball, l'été prochain...

Pour dissiper toute ambiguïté, autant vis-à-vis de Mike que vis-à-vis des gens qui les regardaient, Kissy le laissa donner libre cours à son chagrin quelques minutes encore, puis s'écarta de lui. Un sourire teinté d'ironie se dessina alors sur les lèvres du jeune homme, qui voulait laisser entendre qu'il avait deviné ses pensées.

— Merci d'être venue, Kissy, dit-il, et merci pour tout ce que tu as fait pour moi ; je te dois beaucoup.

— Pas du tout, murmura-t-elle.

Sans ajouter un mot, il la regarda se mêler à l'assistance qui se pressait dans la grande salle.

Les biens que M. Burke laissa à sa femme représentaient à peine de quoi acheter une voiture neuve. Malgré le souci de Mme Burke de garder son emploi, ses modestes revenus, même augmentés de sa pension de veuve, lui permettaient à peine de subvenir à ses besoins. Pourtant, Mike insista pour qu'elle vécût encore dans sa maison, par souci d'indépendance, prétexta-t-il, alors que leur incompatibilité de caractère leur interdisait de partager le même toit. C'est ainsi que Mme Burke changea ses ampoules de quarante watts pour des soixante et qu'elle se débarrassa du vieux fauteuil de son mari en même temps que de ses effets, tandis que son fils récupérait les photographies, les médailles et les diplômes qui avaient orné le bureau de son père. La femme était encore robuste et avait encore de longues années devant elle. Quand elle aurait dépensé son maigre héritage, il ne lui resterait plus que sa maison, c'est-à-dire peu de chose.

Non. sans une certaine répulsion, Mike découvrit que sa mère « fréquentait ». À soixante-trois ans... imaginez donc. Refoulant sa répulsion, il dut feindre l'enthousiasme au vu de cette manière qu'elle avait de se pomponner pour partir à la chasse au mâle, avec son rouge à lèvres écarlate, ses cheveux noirs comme un corbeau et ses seins qui dégringolaient jusqu'à la taille.

Il envisagea de téléphoner à Kissy. Ses photos l'obsédaient à tel point qu'il ne pouvait se rappeler le nombre de fois qu'il s'était rendu à son exposition. Sans doute était-ce un effet de son talent de photographe, la manifestation de son habileté à forcer le profane à voir à travers son regard à elle. À cela s'ajoutait le violent désir qu'elle éveillait en lui depuis toujours.

Il devait perdre la tête, se dit-il, à cause de ce temps qu'il avait dû partager entre son travail et ses parents, mais aussi en raison de la fin tragique de son père. Sur le rayonnage de la bibliothèque il avait choisi un livre, dans les pages duquel il avait pratiqué une découpe avant de le remettre en place, non sans avoir montré à son père ce qu'il recelait, durant une période de lucidité. Il n'en avait parlé à personne, cependant, et son père pas davantage. Il s'était limité à ouvrir le livre sous les yeux du vieil homme, puis à le refermer et à le ranger sur l'étagère. La reconnaissance qu'il avait lue dans les yeux de son père l'avait libéré de ses remords d'avoir fait échouer sa première tentative.

Mike avait toujours possédé une clé de la maison de ses parents, aussi sa mère ne s'était-elle jamais étonnée de ses allées et venues à toute heure du jour et de la nuit, que ce fût pour s'assurer de l'état de santé de son père ou du bon fonctionnement de la chaudière. Elle faisait sa part, bien sûr, mais comme il fallait bien qu'elle dormît de temps à autre, elle semblait comprendre les intrusions de son fils.

Mike Burke n'avait été nullement surpris de découvrir son père dans la cuisine, en train de s'emplir la panse de biscuits. Il lui en avait même déniché deux autres paquets. Le vieil homme avait compris. Une fois repu, il s'était laissé conduire jusqu'à sa bibliothèque, puis jusqu'à la salle de bains. Mike lui avait donné la photo qu'il gardait toujours près de lui, lui avait laissé quelques minutes pour la contempler puis avait murmuré : « Ça y est, papa, c'est l'heure », et le vieil homme avait acquiescé gravement. Mike l'avait embrassé, et lui avait tendu l'arme, allant même jusqu'à l'aider à placer son doigt sur la détente. S'emparant d'une serviette, il l'avait ensuite ouverte devant lui pour ne pas être éclaboussé par le sang, et avait contemplé le bref sursaut du corps de son père, le gonflement soudain de son visage. Il s'était enfin éclipsé par la porte arrière avant que sa mère ne le vît, et avait regagné sa maison, attendant les premiers appels. La serviette maculée de sang, il l'avait emportée avec lui et jetée dans la machine à laver. Il la possédait toujours, d'ailleurs, soigneusement pliée au fond de son armoire.

Ainsi c'en était fini de son père et des ordonnances médicales qui grevaient le budget familial. Les cauchemars qui le poursuivaient, le poids qu'il avait perdu, ses premiers cheveux grisonnants et son penchant pour l'alcool, tout cela était compréhensible, puisqu'il venait de perdre son père ; mais il n'éprouva pas pour autant le besoin de s'accorder le moindre répit. À l'inverse, il redoubla d'ardeur au travail, et, s'il n'avait pas le cœur à la fête, tout le monde comprenait pourquoi.

Narcissa, la femme de Butch, se présenta chez lui pour lui présenter personnellement ses condoléances, ce qu'il accepta. C'était une femme osseuse, dont les implants mammaires saillaient de son torse comme des boutons de porte. Au demeurant, il eut l'impression de copuler avec une planche à repasser, au point d'avoir du mal à maintenir une érection présentable. Pour le stimuler, elle lui pinça douloureusement les seins et de ses ongles lui lacéra le dos. Il la paya en retour en la malmenant un peu, ce qui eut l'heur de ne pas déplaire à la dame. Tout prudents qu'ils fussent, ce n'était pas convenable, se disait-il, de forniquer ainsi avec la femme de son patron. Mais refuser de lui rendre hommage reviendrait à s'en faire une ennemie redoutable, et cela, il ne le voulait pas. Cela lui fit penser à sa mère, pour qui la sexualité avait pris un éclairage nouveau, à ses yeux aussi ridicule que répugnant. Reste qu'il détestait être tenu par les parties intimes de son anatomie, ce à quoi l'astreignaient les manigances hystériques de Narcissa.

Pour commencer, il allait cesser de boire, même si cela ne l'avait jamais gêné dans sa tâche et que boire, pour lui, n'était qu'un moyen comme un autre d'oublier. Ensuite, il ferait de la gymnastique et s'alimenterait de façon régulière. En réalité, il lui suffirait de prendre un peu plus soin de lui-même pour que tout aille bien. Éprouver du chagrin, c'est bien naturel, tout le monde s'entend pour le dire, il faut simplement attendre que cela passe et, jusque-là, on lui pardonnerait tout.

Kissy continua de rendre visite à Ruth tous les quinze jours, et les images qu'elle captait d'elle ne laissaient de la fasciner. Peut-être en raison de son manque d'expérience en la matière, elle ne s'était pas attendue à ce que Ruth vieillît. Or, Ruth vieillissait. Elle n'avait plus vingt, mais vingt-cinq ans, et les paraissait largement. Son visage était celui d'une femme qui se serait mariée, disons, à seize ans, pour divorcer à dix-neuf après avoir eu trois enfants. C'était sa bouche qui vieillissait le plus, à cause, sans doute, des dents qu'elle avait perdues pendant et même après l'accident. Les soins incessants dont elle faisait l'objet n'avaient malheureusement pas empêché les gencives de rétrécir et les dents de se déchausser.

Ce changement parmi tant d'autres s'était peu à peu révélé insupportable aux yeux de sa mère. Cette dernière avait en effet connu de terribles moments de dépression qui l'avaient conduite à renoncer à s'occuper de sa fille. Suivant les recommandations de son psychologue, elle tentait aujourd'hui de se tourner vers d'autres aspects de son existence, et projetait de faire un long voyage à travers le pays en compagnie des siens.

Sylvia Cronin avait inculqué à Dynah le concept du goûter de seize heures, ce qui les amena à se voir fréquemment. Alors que la vieille dame trônait dans son antique salle à manger victorienne, on put voir l'enfant la servir dans les tasses d'argent miniatures que Sylvia lui avait offertes. L'enfant contemplant son uniforme de hockey au chiffre de son père fut prétexte à des photos amusantes.

Si, pour Kissy et Junior, elle était restée « Sylvia », Mme Cronin était devenue « Nana » pour Dynah. Intriguée, Kissy découvrit que, par un processus mental où se mêlaient confusion d'esprit et imagination débordante, Dynah avait décrété que Mme Cronin serait la grand-mère de Kissy et Ruth la mère de Junior.

Entre Dynah et son travail de photographe, entre Bernie et Casey qu'elle devait materner et Dunny dont elle se sentait responsable, entre l'entretien de la maison et les finances de Junior dont elle avait la responsabilité, Kissy parvenait à peine à garder la tête hors de l'eau. Elle se consolait en se disant que Dunny, Bernie et Casey étaient sa famille, avec Mme Cronin pour grand-mère honoraire.

Chaque fois qu'une occasion de voyager se présentait, qu'elle avait le loisir de faire ses valises et de rejoindre Junior, elle ne s'en privait pas. Ces voyages lui permettaient de visiter des galeries d'art et des musées, de rafraîchir son regard grâce aux nouvelles tendances. Elle s'entoura d'un agent qui, bien que local, jouissait d'excellentes relations auprès des galeries d'art de New York et de Boston.

Pour débordante d'activité qu'elle fût, son existence n'était pas moins empreinte de solitude ; une solitude intensément ressentie après un appel de Junior, tard dans la nuit, alors que la demeure ne retentissait plus de cris d'enfants. Elle tentait parfois de s'en distraire en travaillant dans son laboratoire jusqu'à l'aube, mais le plus souvent en vain, et que Junior leur rendît visite ou qu'elle allât le rejoindre n'arrangeait rien à l'affaire. L'attente, l'excitation du moment étaient beaucoup trop grandes pour être véritablement comblées, pour la petite fille, mais aussi pour son père. Ce dernier avait trop d'occasions de donner libre cours à son imagination, de penser à la chance qu'il avait d'avoir une petite fille pour ainsi dire parfaite, ou sur l'incomparable maîtresse qu'était Kissy, pour se rendre compte que Dynah était une enfant atrabilaire, et qu'en règle générale Kissy était trop lasse, ou distraite, ou indisposée, ou préoccupée, entre autres, par le tempérament capricieux de Dynah, pour jouir pleinement des instants qui leur étaient donnés. En ce qui concernait Kissy, ses attentes à elle se limitaient au repas du dimanche midi en compagnie de Dunny, d'Ida, de Bernie et de Casey, à une visite à Ruth ou à la perspective d'une nouvelle exposition, autant de choses pour lui rappeler sa propre ingratitude devant tout ce qui lui était donné.

Le printemps revint. Le temps d'un clair de lune la cime des arbres se couvrit de minuscules feuilles. Une fois encore, les vieux marronniers firent pointer leurs bourgeons blancs, pendant que des pousses vert pâle apparaissaient aux branches sombres des résineux.

Revint aussi Junior, et les semaines au chalet avec du sable entre les draps, et une petite fille claquant des dents pour être trop longtemps restée dans l'eau. Mark progressait à Portland, allant même, le temps de quelques semaines, jusqu'à accéder à la ligue majeure auprès des Caps, avec la possibilité d'en faire très bientôt partie. Soucieux d'investir, le garçon se porta acquéreur d'une maison à Peltry, et demanda à Bernie de l'occuper. Cette dernière s'y installa en août, laissant Dynah inconsolable du départ de son cousin.

Casey souffrit également beaucoup de l'absence de sa cousine, à telle enseigne que lors de sa première visite, alors que Dynah tentait de rétablir sa vieille autorité, il lui administra un coup de poing sur le nez. Puis, dans une crise de larmes, il demanda à rester, puisqu'il détestait sa mère et n'aimait que Dynah, Kissy, son grand-père, et aussi cette maison, et non pas l'autre, qui ne possédait pas de piscine.

Junior parti, Kissy éprouva un peu plus le poids de la solitude sans Bernie et Casey. Aussi invita-t-elle souvent sa belle-sœur à séjourner chez elle, autant pour avoir une compagnie que pour profiter de son aide. Casey devenant intenable, les deux femmes décidèrent de se partager la tâche, l'une ferait les courses pendant que l'autre – le plus souvent Bernie – garderait les enfants.

Ainsi, un soir, vers vingt et une heures trente, alors qu'une tempête était imminente, Kissy confia les enfants à sa belle-sœur et se rendit au supermarché. Il y faisait presque aussi froid qu'à l'extérieur. Elle s'arrêta devant un étal de poires, dont la senteur lui remit en mémoire la recette de la tarte Tatin qu'elle ne faisait plus depuis des lustres. Elle choisissait quelques fruits pas trop mûrs quand Mike Burke apparut, plus grisonnant que jamais, poussant son chariot. Cela lui fit penser à la fois où Junior lui avait demandé à quel moment les poils du pubis commençaient à blanchir. Comment l'aurait-elle su ? avait-elle rétorqué, il était plus âgé qu'elle et n'avait pas le moindre cheveu blanc. Il allait quand même regarder, avait-il assuré, car depuis quelque temps il avait l'impression de prendre un sacré coup de vieux.

Toute à ses pensées, elle vit à peine Burke ranger son chariot près du sien.

— Comment vas-tu ? demanda-t-elle.

— Très bien, répondit-il en rosissant un peu. Mais dommage que nous ne soyons plus amis.

— Aimes-tu la tarte tatin aux poires ?

— Je n'en ai goûté qu'aux pommes.

— Eh bien, dans ce cas, viens dîner à la maison, après-demain soir, le convia-t-elle, en prenant un air détaché afin de dissiper tout malentendu.

— D'accord. que dois-je apporter ?

— Du vin, si tu veux bien. Tant qu'à faire, nous allons décider ensemble si nous aurons de la viande ou du poisson ; ça simplifiera ton choix.

Ils optèrent pour des côtelettes d'agneau.

— Dynah adore ça, sourit Kissy. Dynah les noie sous une couche de gelée à la menthe.

— Miam-miam, acquiesça Burke.

— Tu ne vas quand même pas t'enticher de ce gros cochon, la taquina Bernie.

— Où en trouverais-je l'énergie, ma pauvre Bernie ? Que penses-tu de ces poires ? Ne les trouves-tu pas magnifiques ?

— Elles ont l'air succulentes, en effet. Mais ne détourne pas la conversation ; tu sais comme moi qu'il ne faut pas beaucoup d'énergie pour s'allonger sur le dos...

— Parce que c'est comme ça que tu conçois ta vie sexuelle ? En ce qui me concerne, je ne te répondrai pas.

Bernie ricana. Levant une poire par la queue, elle la fit tournoyer devant ses yeux.

— De quelle vie sexuelle veux-tu parler ?

— Repose cette poire, fit Kissy. J'ai l'intention de faire une tarte tatin.

Dans son esprit, Kissy n'était pas certaine d'éprouver quelque sentiment que ce soit pour « ce gros cochon » comme disait si bien Bernie. Une seule expérience, motivée par toutes sortes de raisons : curiosité, lassitude, etc., l'avait vaccinée à tout jamais de Burke, et l'inviter à dîner pourrait tout au plus raviver des souvenirs, mais certainement pas des besoins. L'un et l'autre étaient trop accaparés par leur propre existence. Comme il s'y était engagé, Burke entraînait une équipe et n'était plus le bourreau des cœurs d'autrefois. Au moindre signe suspect de sa part, se promit-elle, elle le mettrait à la porte sans ménagement.

Elle se tenait en bout de table, son genou frôlant celui de Burke, Latham assis en face de lui. Dix ans plus tôt, Burke avait suivi un de ses cours dont il était sorti premier, ce qui permettait une conversation d'égal à égal. Il est vrai que le charmant professeur était pétri de gratitude envers les policiers comme Burke, qui ne lui chercheraient pas noise aussi longtemps qu'il se montrerait discret, et qu'il limiterait son besoin de chair fraîche à sa coterie d'étudiants, lesquels, au surplus, se chargeaient de lui procurer la drogue dont il avait besoin. Non, c'est plutôt à Bernie Clootie que s'intéressait Burke ; elle lui donnait l'impression d'être un sacré pistolet. Mais elle était un peu trop jeune pour lui. Malheureusement.

Et lui était là, attablé devant un professeur d'art homosexuel, parmi une pléiade de gens plus ou moins apparentés à Kissy Mellors. N'était-elle donc pas divorcée de Clootie, sacrebleu ? En quoi se sentait-elle proche de la petite amie de son ex-beau-père ? Burke avait le sentiment d'être coincé dans une sorte d'imbroglio familial, quand il n'avait souhaité que passer quelques instants en compagnie de Kissy.

Pourtant, cette dernière éveillait en lui un sentiment de frustration qu'il n'avait jamais éprouvé avec une autre femme, car l'avoir possédée une seule fois pour se faire rabrouer ensuite n'avait assurément rien de flatteur. Mais elle avait été très claire sur ce point : elle n'accepterait sa présence que dans la mesure où il ne ferait aucune allusion à leur aventure. Ils n'étaient qu'amis. Tout dans son attitude le laissait entendre, et c'est à ce titre qu'elle l'avait aimablement invité à sa table, parmi les membres de sa famille. Voilà : il n'était qu'« un ami de la famille », un point c'est tout. Un peu plus, elle en aurait été navrée pour lui.

Bien qu'il n'eût guère de temps à lui consacrer, Burke s'efforça quand même de ne pas rompre le contact. Les « comment ça va ? » téléphoniques revenaient régulièrement, alternés de « si on déjeunait ensemble ? ». Dès qu'on lui offrait un billet pour un quelconque événement – jeux, spectacles, kermesses, c'est elle qu'il appelait en premier. Elle le laissa ainsi l'emmener aux Ice Capades avec Dynah, et quand il vint les chercher il s'était également procuré un billet pour Casey. Comble de malchance, ce jour-là Bernie passait un examen. D'emblée, le petit garçon s'accrocha à ses basques, en levant à tout bout de champ sur lui des regards éperdus, comme tout petit bâtard à qui un père fait cruellement défaut. Apparemment, il connut le même succès auprès de Dynah, car la petite fille l'invita tout à trac à son goûter de seize heures. Mais à son grand regret, il dut décliner l'invitation. En contrepartie, il lui fit envoyer un bouton de rose, ce dont l'enfant fut vivement impressionnée, devait lui apprendre Kissy.

Les autres invitations restèrent, à peu de chose près, lettre morte. Pour éveiller en Kissy un semblant de jalousie, il fréquenta une autre femme en s'arrangeant pour qu'elle le sût. Et, mon Dieu, déshabiller une autre femme lui fit du bien, n'importe quelle autre femme dont il ne prenait que ce qu'elle avait à offrir, et non ce qu'il aurait pu en attendre.

Puis la saison s'acheva, la seule qui comptât vraiment chez les

Clootie, et Junior réapparut en ville. Burke décida alors de prendre son golf très au sérieux. Il remit le couvert avec Narcissa, jusqu'au moment où une jeune fille, maître nageur de dix-huit ans, attira son attention. Il lui fit un brin de cour pour, fin août, à l'issue d'une noce où elle officiait comme serveuse, la culbuter dans les vestiaires.

L'été n'était pas fini qu'il avait déjà renoncé à téléphoner à Kissy. Mais, fatalement, il allait se heurter de nouveau à elle au... Denny's. L'enfant était avec elle. Elle poussait « comme de la mauvaise herbe », déclara-t-il le plus sérieusement du monde, et Burke comprit ainsi que le temps lui filait entre les doigts. Aujourd'hui, il aurait dû être marié et père de famille ; et cela ne lui procura aucune consolation de se dire que, quand bien même ç'aurait été le cas, à l'heure qu'il est, il serait probablement divorcé, comme la plupart des policiers et des avocats qu'il connaissait. Dans un avenir proche, les nymphettes de dix-huit ans deviendraient une denrée de plus en plus rare, et les Narcissa ne l'intéresseraient pas davantage. Et puis il y avait les électeurs, qui nourrissent toujours une certaine méfiance à l'égard des politiciens de quarante ans célibataires, dont il serait bientôt du nombre. Mais en dépit de ce constat, ses obligations professionnelles lui laissèrent de moins en moins de temps pour prendre femme.

Il renonça à la page des sports et à la rubrique sportive du journal télévisé dans le seul but de ne plus entendre parler de Junior Clootie, ne plus voir sa sale petite gueule de parvenu à qui tout réussissait, qui avait une adorable petite fille et, à sa disposition, une femme belle et ô combien désirable nommée Kissy. Par temps clair, il arrivait à Burke de contempler la lune, en songeant à l'ineffable plaisir qu'il concevrait à décrocher son téléphone pour annoncer à Clootie : « J'ai baisé ta femme, mon salaud. Je l'ai baisée et elle a aimé ça ! » Sauf qu'elle n'avait pas suffisamment aimé pour recommencer. Une fois, ce n'est pas assez, c'est très peu, en tout cas, et pour peu que l'esprit se relâche, c'est comme si cette fois-là n'était jamais arrivée. Mais que Kissy eût décidé du contraire hérissait Burke au plus haut point.

28

— Épouse-moi, bafouilla Burke.

Des gens en tenue de soirée se pressaient dans la salle d'exposition de l'École des beaux-arts à l'occasion d'un gala organisé au profit de l'hôpital de Peltry. Kissy n'avait pas l'habitude de courir ce genre d'événement, et c'est uniquement à cause de l'endroit où il se déroulait qu'elle avait été invitée. Burke et elle étaient venus séparément, mais il l'avait suivie de loin en loin, attendant le moment propice pour faire sa déclaration.

Elle se mit à rire, non pas méchamment mais tristement, en faisant une fois encore comme si de rien n'était, comme s'il n'y avait jamais eu de demande en mariage.

Burke réitéra sa demande six semaines plus tard, dans son bureau, alors que Kissy lui présentait la photographie du palais de justice qu'il avait l'intention d'offrir à son patron pour son anniversaire.

— Un encadrement ancien conviendrait parfaitement, commenta Kissy.

Le policier opina du chef, puis les mots s'échappèrent presque malgré lui de sa bouche :

— Marions-nous, implora-t-il.

Comme elle levait les yeux vers lui, il la saisit par le bras et l'embrassa avec fougue. Kissy se débattit quelques instants, puis s'abandonna, allant jusqu'à lui rendre son baiser, quand Butch fit irruption dans le bureau.

— Oh, pardon ! bredouilla ce dernier en refermant précipitamment la porte derrière lui.

Écarlate, Kissy fit un pas en arrière.

— C'est très sérieux, Kissy, plaida Burke. Je veux vraiment t'épouser.

Pour toute réponse, elle lui lança un regard glacial et sortit.

Burke la regarda partir, doublement contrarié à cause des réprimandes dont il n'allait pas tarder à faire l'objet.

Accroupi dans sa tenue de samouraï, le gardien de but attendait. Derrière lui, les filets formaient une caverne dont il devait interdire l'accès. Bras et jambes déployés, il attendait, attendait le palet, attendait les sombres périodes qui ponctuaient chaque pénalité. Pendant un instant, il eut l'impression de n'exister que pour cela : être seul sur la patinoire pendant que le palet passait d'un joueur à l'autre sans jamais venir à sa portée. Mais voilà que, faisant une percée, la ligne d'attaque adverse se précipitait sur lui. Le gardien de but eut un frisson, et se prépara à bondir ou se regrouper, à se laisser choir ou à se redresser, selon ce qu'imposerait la trajectoire du palet. Un ailier droit rompit, fit une passe, et surgit derrière la ligne de défense. Sans même regarder, il récupéra la rondelle que lui expédiait l'ailier gauche et se rua vers le filet. Mais un défenseur se trouvait déjà là, prêt à l'intercepter. Le gardien de but plia les genoux et réussit brièvement à bloquer le palet du bout de son bâton. L'ailier, qui chargeait, tomba de tout son poids sur lui, aussitôt suivi du défenseur, lancé à sa rescousse. Les trois hommes roulèrent sur la glace et, un court instant, une lame de patin accrocha un rai de lumière.

Alors que les deux hommes se relevaient à la hâte, le gardien de but marqua un temps de pause : quelque chose avait heurté son cou en produisant un léger craquement malgré le collet protecteur. Soudain, la patinoire venait de prendre une autre dimension, tel un grand champ tout blanc, en même temps qu'il éprouvait une nouvelle et indicible sensation. Lâchant son bâton, le gardien de but tomba lentement à genoux comme pour une prière. Il leva bien haut les bras, retira son gant, mais ses mains ne firent aucun signe. Elles tâtonnèrent vers le masque protecteur et le relevèrent, alors qu'il s'affaissait lentement sur le sol, jusqu'au flot sombre qui s'échappait de sa gorge.

Sept minutes, songea-t-il avec un sentiment de dérision, il disposait de sept minutes avant que son cerveau ne subît une lésion irréparable. Le gardien de but leva les yeux vers la pendule, pour surveiller le compte à rebours de la période qui venait à peine de commencer.

Il venait de se passer quelque chose, quelque chose d'anormal, une catastrophe. Pour Kissy, ce fut comme revoir la navette Challenger exploser dans le ciel pendant qu'un responsable annonçait avec un calme terrifiant : « Nous avons un problème majeur. » Ah, bon Dieu, oui, il était majeur, le problème ! Elle vit Junior retirer son casque et regarder un peu stupidement le sang dégouliner de son artère jugulaire sectionnée. Elle attendit que la voix du responsable lui confirmât ce qu'elle avait vu : Junior se vidait de son sang. Profondément ébranlée, le cœur cognant douloureusement contre ses côtes, elle tomba à son tour à genoux, et porta ses mains à sa gorge.

Dynah avait été autorisée à regarder la première période avec la promesse qu'elle regarderait la fin de la partie le lendemain, sur le magnétoscope. Encore heureux qu'elle ne fût pas là pour voir son père baigner dans son propre sang, quoique cela arriverait peut-être un jour, accidentellement, quand elle serait plus grande...

Tout se déroula très vite, et Junior sombra dans l'inconscience plus vite encore, alors qu'elle était là, spectatrice impuissante. Encore quelques minutes, et c'en serait fini de lui. Une fois encore, voilà qu'il la quittait.

À genoux, tel un pèlerin gravissant les marches de la cathédrale de Sainte-Anne-de-Beaupré, elle traversa le salon et éteignit l'appareil.

Quelques pièces du rez-de-chaussée étaient encore éclairées. Garée de guingois dans l'allée, la voiture de Dunny tournait au ralenti. S'en approchant, Burke coupa le contact et referma la portière du conducteur.

Par la porte de service entrouverte ne s'échappait aucun bruit, pas même les échos assourdis de la télévision. Tendant l'oreille, il put néanmoins percevoir des sanglots étouffés en provenance du salon. Traversant la cuisine à grandes enjambées, il s'y rendit.

Recroquevillée sur le sol, Kissy se balançait d'avant en arrière, le visage inondé de larmes, soutenue par Dunny, les cheveux hirsutes et la mise débraillée.

— Mon Dieu, mon Dieu, mon Dieu..., balbutiait-il sans cesse.

La soutenant par les aisselles, Burke aida Kissy à se relever.

— Allons, allons, tout ira bien, murmura-t-il pour la calmer.

Dunny se leva à son tour, avec l'air de ne pouvoir se détacher de Kissy.

— Vous avez vu ? sanglota-t-il. Vous avez vu ?

Tremblante, le visage livide, la jeune femme leva les yeux vers le policier. Ce dernier avait déjà vu Kissy en état de choc en maintes occasions, sans s'en émouvoir outre mesure – il y avait d'abord eu l'accident qui avait coûté la vie à Diane Greenan, puis le pugilat entre Clootie et le musicien – mais cette fois-ci, c'était différent : sans qu'il fût prêt à la partager, la détresse de Kissy éveillait aujourd'hui en lui un sentiment particulier, sans doute parce qu'ils se connaissaient, et qu'ils avaient certaines choses en commun. Dans ses yeux éplorés, il put lire une grande vulnérabilité, et tout à coup, la sentit totalement en son pouvoir.

— Y a-t-il quelque chose à boire dans la maison ? demanda-t-il à Dunny pour l'arracher à son état de prostration.

L'homme s'éloigna à pas lents et réapparut quelques instants plus tard, une bouteille de Courvoisier à la main. Après en avoir fait avaler quelques gorgées à Kissy, Burke la fit allonger sur le sofa et l'emmitoufla dans une couverture. Puis il téléphona au commissariat, afin que l'on expédiât quelques policiers qui se chargeraient d'écarter les curieux qui ne manqueraient pas de se manifester. Se sentant responsable de la suite des événements, il reçut les appels de Bernie, de Mark, et d'Ida, la compagne de Dunny.

L'agent de Junior se manifesta aussi, éploré, désemparé, suivi quelques minutes plus tard de l'entraîneur, annonçant qu'aux dernières nouvelles Junior était toujours en vie. Burke décida alors de prendre les dispositions qui s'imposaient.

En premier lieu, il affréta un avion privé et une voiture pour conduire Kissy à l'aéroport. La compagne de Dunny à peine arrivée, il l'envoya rejoindre Kissy pour l'aider à faire ses bagages ainsi que ceux de Dynah. Une voiture de police les escorterait jusqu'à l'aéroport. Il reçut en personne le premier journaliste qui se présenta, et lui apprit ce qu'il savait, en promettant de le tenir au courant de la suite des événements. Kissy, Dynah et Dunny montés dans la limousine, il prit la route de l'aéroport, toute sirène hurlante, et, histoire de donner aux médias de quoi se mettre sous la dent pour le journal de vingt-trois heures, déposa la famille au pied de l'appareil. Burke envisagea un court instant de les accompagner, mais, comme Dunny semblait avoir recouvré ses esprits, il jugea préférable de lui laisser la responsabilité des opérations. Au moment du départ, il effleura de ses lèvres celles de Kissy. La jeune femme le regarda de ses yeux gonflés de pleurs, et le regardait encore au moment où le pilote refermait la portière du Learjet, comme si, ainsi qu'il l'avait promis, tout irait bien, et que, confiante, elle était entièrement soumise à ses décisions.

352

Au chevet de Junior, Kissy était toujours aussi inquiète, alors qu'elle attendait son réveil avec le reste de la famille. L'entaille, lui avait-on dit, ne faisait pas moins de vingt-cinq centimètres, et voir Junior inanimé lui rappelait irrésistiblement Ruth. Le cœur de Junior avait cessé de battre, et, tout comme elle, le moniteur cardiaque avait quelques instants affiché un tracé plat. Qui sait ? Peut-être même avait-il aperçu les feux de l'enfer, avant que les médecins ne l'eussent ramené à la vie. À présent, il gisait immobile, le visage blafard, mais les médecins étaient presque certains que son cerveau ne garderait aucune lésion, du moins une lésion visible. Pour contenir le violent tremblement qui s'emparait d'elle, Kissy se tordit les mains. Un nœud lui serrait douloureusement la gorge. Pourtant, elle devait garder son calme. Ne serait-ce que pour Dynah. En plus d'avoir un papa à la gorge tranchée, entendre sa maman hurler comme une démente serait plus qu'elle ne pourrait supporter.

Quand elle ramena Junior au bercail, Burke fut encore là pour les accueillir. Kissy lui serra la main, puis l'embrassa distraitement sur la joue. Comme à son habitude, Dynah se révéla d'humeur maussade, alors que, assommé de médicaments, Junior semblait à peine se rendre compte de l'endroit où il se trouvait. Autour d'eux, les journalistes piétinaient, se bousculaient, hésitant sur l'attitude à adopter devant la star blessée.

Quelques jours se passèrent, puis Burke réapparut, vers vingt-deux heures trente, alors que la maison était presque endormie. C'est en apercevant Kissy, lisant dans sa cuisine, qu'il eut envie d'entrer. Ils s'embrassèrent comme de vieux amis (au passage, il remarqua qu'elle avait beaucoup maigri) et elle lui proposa une tasse de café.

— J'aimerais mieux une bière, dit-il.

Elle lui en apporta une, en même temps qu'un verre, qu'il refusa d'un geste.

— Comment vas-tu ?

— Bien, répondit-elle avec un geste de dérision. Dynah est tout excitée d'avoir son père à la maison. L'état de Junior s'améliore de jour en jour.

La maigreur de Kissy ajoutait à l'état de tension qui semblait l'habiter en permanence. Elle arpentait nerveusement la cuisine, s'emparant d'objets pour les reposer l'instant d'après.

— Je n'aurais jamais cru qu'il pouvait en mourir, ajouta-t-elle. Depuis le temps qu'il pratique ce sport, j'avais oublié à quel point cela pouvait être dangereux. J'en suis d'ailleurs venue à détester le hockey, alors que Junior n'a qu'une hâte : recommencer à jouer.

Perché sur son tabouret, Burke écoutait d'un air songeur.

— Ce genre de risque fait partie de la vie, commenta-t-il d'un ton neutre.

— Je déteste l'existence qu'il mène ; je ne l'ai jamais voulue ! Il n'a pas le droit de me laisser dans l'inquiétude, sous prétexte qu'il pratique ce sport idiot ! Et si Dynah avait vu l'accident ? Et si elle avait dû vivre avec ce souvenir pour le restant de ses jours ?

— Je pratique moi aussi un métier dangereux.

— Dangereux mais nécessaire.

— Oui, mais...

— Ça ne se compare pas.

Concédant implicitement qu'elle avait raison, Burke ne lui disputa pas ce point.

— Tu es encore sous le choc, argua-t-il cependant, avant de demander : Mais toi, où en seras-tu dans dix ou vingt ans, Kissy ? Tu dois penser à ton avenir, toi aussi ; et sur ce point, ça n'a pas l'air de s'arranger.

— J'ai un enfant, balbutia-t-elle. Je ne peux pas tirer un trait sur ma vie, comme l'a fait mon père. De plus, j'aime ma fille et je tiens à l'élever moi-même, je ne veux pas la confier à je ne sais trop qui.

— Bien sûr, bien sûr, temporisa le policier. Écoute, quoi que tu décides, je serai toujours là pour t'aider.

Kissy acquiesça, l'œil humide. Bien que se cantonnant au rôle d'ami fidèle, Burke se sentit intérieurement transporté de joie. Kissy s'appuyait sur lui, à présent, et il savait qu'il ne tenait qu'à lui de la remettre sur pied.

Rarement chez lui en cette période de l'année, Junior assistait au changement de saison par la fenêtre de sa chambre, comme si le spectacle lui était particulièrement dédié. Jamais il n'avait été aussi en paix avec lui-même. Non seulement le fait d'avoir frôlé la mort lui procurait une merveilleuse concentration d'esprit, mais il révélait chaque chose sous un jour nouveau. Avant que tout devînt gris, tandis que son corps se vidait de son sang, il avait eu conscience de mourir, et, à sa grande surprise, ne s'était jamais senti plus heureux. Il était reconnaissant de l'existence qui lui avait été donnée, et de l'amour qu'il éprouvait pour Kissy et Dynah, pour Bernie, Casey et Mark. En définitive, il avait eu beaucoup de chance, s'était-il dit, même s'il ne voyait aucun tunnel auréolé de lumière, ni ne flottait au-dessus de son propre corps, ni même n'entrevoyait la silhouette éthérée de Diane, lui disant que son heure n'était pas encore venue. C'est au son de la voix de Kissy qu'il avait émergé de son inconscience. Elle lui murmurait à l'oreille qu'elle était là, avec Dynah, et que tout le monde pensait à lui.

C'était somme toute bien agréable d'être allongé dans son lit, à lire des vœux de bon rétablissement, d'être entouré de fleurs qui, pour un peu, auraient orné son cercueil. Comme il se sentait perpétuellement affamé, Kissy lui mitonnait des petits plats, que Dynah se plaisait à lui faire manger dans son service de porcelaine miniature. Pelotonnée contre son père, elle regardait avec lui la retransmission par satellite de grands événements sportifs en prenant des paris sur les vainqueurs.

Qu'il fît des cauchemars n'avait cependant rien de surprenant. En maintes occasions, il se réveilla en sueur au milieu de la nuit, parfois après avoir mouillé son lit. Ses rêves récurrents de gorge tranchée, les médecins les attribuèrent à un syndrome post-traumatique provoqué par les effets rémanents d'une brusque montée d'adrénaline. Pour pallier cet état, il devait absorber des doses d'antidépresseurs qui, bien que lui laissant la bouche un peu sèche, le faisaient dormir d'un sommeil de plomb.

Les jours passèrent, s'éternisèrent à mesure qu'il recouvrait ses forces.

La nuit, Kissy passait de nombreuses heures dans son laboratoire pour ne prendre du repos qu'aux premières heures du matin, dans la chambre d'amis. Un soir, Junior resta éveillé bien après que Dynah s'était endormie. Par la porte ouverte, il entendit Kissy pousser les verrous puis, entendant son pas dans l'escalier, lui lança, dressé sur un coude :

— Viens me voir, ma chérie, j'aimerais te parler.

— J'arrive, répondit-elle. Je vais d'abord jeter un coup d'œil sur Dynah.

Junior s'abandonna de nouveau contre ses oreillers. À en juger par l'état de lassitude de Kissy, le moment était probablement mal choisi ; mais lui, il se sentait bien, particulièrement inspiré. Il l'encouragea à venir s'asseoir près de lui par de petites tapes sur le lit. Elle accéda à sa requête sans se faire prier et le laissa même lui frôler les lèvres du bout de ses doigts. Ce n'est que lorsqu'il se redressa pour l'embrasser qu'elle détourna la tête.

— Comment ? demanda-t-il sans comprendre. Est-ce que j'aurais mauvaise haleine, par hasard ?

Kissy alla chercher une chaise, et s'installa près du lit. Les mains posées sur ses genoux, elle s'efforça de regarder Junior droit dans les yeux.

— Je n'y arrive pas, annonça-t-elle.

Junior sentit son cœur bondir dans sa poitrine, cependant qu'un long frisson parcourait son échine.

— Il y a quelqu'un dans ma vie, avança-t-elle prudemment, craignant de le blesser. Et j'ai décidé de l'épouser.

Pour Junior, ce fut comme recevoir un grand coup de poing dans la poitrine. Sous le choc, il ne put qu'éclater de rire.

— Oui, fit-il avec des trémolos dans la voix, je conçois que je ne dois plus te paraître très excitant.

Il n'osait y croire. L'aveu de Kissy lui semblait si cruel, qu'il ne pouvait songer qu'à une plaisanterie. Pourtant, les mots étaient bel et bien sortis de la bouche de cette femme, assise là, qui fuyait son regard, cette même Kissy qu'il aimait tant et vers qui étaient allées ses dernières pensées quand il s'était senti mourir.

La question sortit de ses lèvres, dure et râpeuse comme de la pierre ponce :

— Qui est-ce ?

— Mike Burke.

— Nom de Dieu, souffla Junior en retombant sur ses oreillers.

— J'ai commencé à transférer tes avoirs à ton nom.

— Je me fous de mes avoirs ! protesta le jeune homme en se redressant. Pourquoi ne me tranches-tu pas la gorge pour de bon, qu'on en finisse une fois pour toutes ? !

Kissy se recroquevilla sur elle-même, la main sur la bouche, les yeux brouillés de larmes.

— Je me fous de mes avoirs, reprit-il d'une voix éraillée, en s'efforçant de ne pas pleurer.

— Je vais partir, continua Kissy, dans quelques jours...

— Sans Dynah.

— Si, avec elle, corrigea Kissy, mais tu pourras la voir aussi souvent que tu voudras.

— Ce que je veux, c'est qu'elle vive dans ma maison.

— Je crains que ce ne soit pas possible.

— Mais pourquoi cette décision ? Ne me dis surtout pas que tu es amoureuse de cet abruti.

— Si.

Elle mentait, mentait surtout à elle-même, attendu qu'elle ne pourrait jamais, en effet, être amoureuse de cet abruti.

— C'est impossible, je ne te crois pas. Tu ne peux pas aimer ce petit flic de rien du tout. Mais tu couches avec lui, c'est ça?

Kissy resta silencieuse, se limitant à fixer Junior de son regard trouble, comme Dynah quand elle était surprise en flagrant délit de sottise. Il prit une profonde inspiration.

— Je t'ai laissée seule trop longtemps, et lui, c'est le genre d'individu capable de repérer une femme vulnérable à dix kilomètres à la ronde. Très bien, je comprends tout ça, et je suis prêt à pardonner, Kissy. Je crois que tu mérites d'avoir une chance de réparer, ne serait-ce que pour Dynah.

Junior pleurait abondamment, malgré ses efforts, quand sa colère explosa :

— Dynah est ma fille, et tu n'as pas le droit de me l'enlever en faisant de cet abruti son beau-père !

Mais Kissy s'était déjà levée.

— Au moins, lui, je n'aurai pas à le voir la gorge tranchée, dit-elle d'une voix à peine audible.

Puis elle quitta la pièce, quitta l'existence qu'ils partageaient. Ce dernier porta la main à son cou, tritura machinalement son bandage, les paroles de Kissy résonnant encore à son oreille.

— Je ne l'ai pas fait exprès, dit-il à haute voix. C'était un accident, et ça n'arrivera plus.

Kissy tenait des propos complètement fous, songea-t-il ; elle avait perdu la tête. Son accident en était sûrement la cause. Burke n'en était que plus méprisable, puisqu'il abusait d'une femme qui n'était plus tout à fait en possession de ses moyens. Repoussant les draps, Junior tenta de se lever. Sa poitrine le faisait souffrir, il avait du mal à respirer, et pouvait entendre les battements désordonnés de son cœur. N'ayant pour tout vêtement qu'un pantalon de pyjama, il eut soudain très froid. La douleur de sa poitrine redoubla, si bien qu'il se vit un instant au bord de la crise cardiaque. Après avoir passé une robe de chambre, il partit néanmoins à la recherche de Kissy.

Elle était assise à même le sol de la chambre d'amis, adossée contre le mur, la tête entre les mains. Prenant place au bord du lit, il l'observa, la tête inclinée, les épaules affaissées par le découragement.

— Ce sont des choses qui arrivent à tout le monde, Kissy, je ne suis pas mort.

— Si, tu l'as été !

— Bon, d'accord, concéda Junior, pendant quelques secondes,

mon cœur a cessé de battre, mais je suis encore vivant, et pour long-temps. Quand comprendras-tu que rien ne nous est donné, dans la vie ? Burke peut très bien se faire tuer demain matin, et d'ailleurs, j'y compte bien. Je pourrais même m'en charger moi-même.

Tombant à genoux, il voulut la prendre dans ses bras. Elle tenta un instant de se dérober, puis s'abandonna.

— Ma chérie, murmurait-il, ma chérie...

La robe de chambre glissa des épaules de Junior, dénudant son torse contre lequel Kissy s'abandonna en répandant ses larmes, pen-dant qu'il lui couvrait le visage de baisers éperdus.

— Est-ce que cela change quelque chose entre nous ? hasarda-t-il, une jambe confortablement glissée entre celles de Kissy.

Au regard qu'elle lui adressa, il put constater que non. À regret, il se détacha alors d'elle et se mit sur le dos.

— Est-ce que tu vas lui raconter ce qui vient de se passer entre nous ?

Elle alla s'agenouiller près de lui, les yeux hagards semblables à ceux d'une démente, mais ne répondit pas. Il la vit ensuite passer son tricot de coton, sans remettre ni culotte ni pantalon. Cette vision fit monter en lui une nouvelle bouffée de désir.

— J'ai demandé à un vérificateur de jeter un coup d'œil aux livres de comptes ; tu verras que rien n'y manque, murmura-t-elle.

Retour à la case départ...

— Je t'ai dit que je n'avais que faire de...

— La maison sera mise à ton nom.

— Cette maison, je t'en ai fait cadeau, tout comme l'argent et les bijoux. On ne rend pas des cadeaux, Kissy, c'est insultant pour celui qui les offre.

— En gardant cette maison, tu faciliteras la vie à Dynah ; elle pourra venir te voir...

— Ça, c'est vraiment pensé ; je suis tellement heureux que tu t'inquiètes pour Dynah... Tu as perdu la tête, ma pauvre Kissy ; tu dois te faire soigner. Ça fait des années que je te dis de consulter un psychologue.

— Je ne veux pas qu'elle ait la vie gâchée à cause de nos dis-putes...

— Parce que tu crois sans doute que ta décision n'aura aucun effet sur Dynah ? Je te rappelle que c'est ma fille, et pas celle de Burke.

— Il l'a très bien compris.

— Je me fous de ce qu'il a compris ou pas !

— Je ne suis pas ton ennemie, je ne te veux aucun mal, ni Mike, d'ailleurs.

— Désolé, mais sur ce point tu as tout faux : il est mon ennemi, et toi tu couches avec lui.

— Cela n'a rien à voir avec toi ; Mike et moi...

— Rien à voir avec moi ? Mais ma parole, je n'en crois pas mes oreilles !

— Baisse le ton, je te prie, tu vas réveiller Dynah.

Saisissant rageusement son pantalon de pyjama, Junior l'enfila.

— J'aimerais bien savoir comment tu vas t'y prendre pour expliquer tout ça à Dynah ; sans doute en lui disant (il emprunta une voix de fausset) : C'est plus papa, mais M. Burke que maman aime, maintenant. Elle va vivre avec lui, et toi, naturellement, tu n'as rien à dire – plus cette idée faisait son chemin, et plus Junior sentait monter sa colère : Je te préviens, je vais demander la garde complète de Dynah. Je vais l'élever tout seul, et je suis prêt à te faire un procès pour ça, Kissy. Tu n'auras qu'à continuer de t'envoyer en l'air avec ton flic.

— Et comment comptes-tu t'y prendre ? En embauchant une gardienne qui la trimballera d'un hôtel à l'autre ?

Junior s'assit sur le bord du lit, et se prit la tête entre les mains.

— Je te déteste, dit-il, soudain conscient de son impuissance.

Kissy quitta la chambre. Junior la rejoignit quelques instants plus tard dans la salle de bains.

— Ce serait amusant si tu tombais enceinte de moi ; et j'espère que ça t'arrivera.

Se gardant bien de répondre, Kissy ouvrit la porte de la cabine de douche et tourna les robinets sans un regard pour Junior.

— Je ne te déteste pas, se reprit ce dernier. Je t'aime et tu le sais bien.

Junior pensa à ses spermatozoïdes, en souhaitant de toutes ses forces que l'un d'eux se frayerait un chemin jusqu'à un ovule. Pour peu que Kissy attendît un enfant de lui, elle renoncerait à le quitter, il en était persuadé. Et à présent qu'il y songeait, rien n'était plus plausible, vu le peu de précautions qu'ils prenaient depuis déjà longtemps, à moins que, pour des raisons connues d'elle seule, elle ne prît la pilule à son insu, et que, tout au long de ces années, elle n'eût cessé de batifoler... Mais Junior ne pouvait se résoudre à cette idée ; il ne pouvait croire que Kissy pût faire preuve d'autant de légèreté, surtout avec cet abruti de Burke.

Il regagna son lit et, comme il avait froid et se sentait très las, ajouta quelques couvertures. Fermant les yeux, il se recroquevilla en chien de fusil. Pour l'heure, sa colère et ses larmes avaient eu raison de ses dernières énergies, mais il ne renoncerait pas pour autant. Ce n'était que partie remise. Sarah, sa psychologue, avait déjà tenté de lui faire admettre que son mariage était un échec, mais il s'était rebiffé, car son instinct lui dictait de ne pas abandonner. Par la suite, Sarah lui avait rendu de brèves visites à l'hôpital, et Junior lui avait téléphoné pour lui annoncer que tout allait bien et qu'il prenait les antidépresseurs qu'elle lui avait prescrits. Il devrait la contacter, mais à quoi bon ? Comme à son habitude, elle ne ferait que semer les petits cailloux qui lui permettraient de sortir de ce mauvais pas, en d'autres mots, lui conseiller de quitter définitivement Kissy. Mais Junior était résolu à se battre jusqu'à son dernier souffle, et quand bien même Kissy épouserait cet idiot de Burke, il se battrait encore. Kissy vivait une crise, et il s'en voulait de n'avoir pas insisté davantage pour qu'elle suivît une thérapie, qu'elle renonçât aux préceptes que lui avaient inculqués ses parents, car c'était moins son accident qui l'avait déstabilisée que son refus d'accepter que l'amour induit un certain nombre de risques, entre autres celui de devoir y renoncer un jour.

Junior s'imagina empoignant Burke par la gorge pour lui cracher au visage : « La nuit dernière, Kissy et moi, on s'est envoyés en l'air sur un tapis de vingt mille dollars, et elle a joui quatre fois. Tu devrais peut-être réfléchir avant de l'épouser. »

Il le ferait volontiers, sauf que ce serait s'aliéner définitivement Kissy et ce n'était pas ce qu'il voulait. Non, s'en prendre à Burke ne résoudrait rien, au contraire, la situation ne ferait qu'empirer. Après tout, Kissy était la seule responsable, c'était elle qui avait délibérément choisi de vivre avec Burke. Beaucoup d'amour et une attitude responsable étaient venus à bout de leur divorce... et Junior voulait croire qu'ils viendraient à bout de ce crétin de Burke aussi.

29

Se montrer aimable, rationnel et raisonnable se révéla beaucoup plus ardu qu'il se l'était promis. En la voyant ranger son matériel et ses dossiers, Junior crut qu'il allait exploser. Il ne pouvait s'empêcher de penser au gaspillage d'énergie que cela représenterait, au moment où elle lui reviendrait. Il la suivit dans ses allées et venues, observant ses moindres gestes.

— Tu ne comptes tout de même pas transporter ce matériel toute seule ? Fais-toi donc aider par quelqu'un, je ne sais pas, ton petit copain, peut-être ?

Kissy lui adressa un regard furieux.

— Va te faire voir, Junior.

Ce dernier alla clopin-clopant jusqu'à la cuisine où il fit du thé et des toasts qu'il dévora, malgré leur goût de carton, avant de tout régurgiter. C'était comme ça, depuis que Kissy lui avait fait part de ses intentions ; et si ses vomissements persistaient, il ne pourrait plus prendre ses antidépresseurs, et que se passerait-il, à ce moment-là ? Tout ce qu'il se rappelait des recommandations du médecin, c'est qu'une brusque interruption du traitement pourrait aussi bien le faire sombrer dans un état catatonique que dans une crise de folie meurtrière. Pourtant, il ne pouvait se résoudre à téléphoner à Sarah, admettre qu'elle avait raison depuis le commencement.

Il en parlerait plutôt à son père. Kissy ayant organisé un rendez-vous avec un comptable pour le lendemain afin de mettre un point final à la gestion de ses finances, il allait donc avoir besoin de quelqu'un en qui il aurait totalement confiance, et seul Dunny pourrait remplir ce rôle. Reste cependant qu'il trouvait humiliant d'annoncer à son père que Kissy le quittait pour quelqu'un d'autre.

— Quoi ! s'exclama ce dernier, abasourdi, et qui est-ce ?

— Mike Burke, éructa Junior.

— L'assistant du *district attorney* ?

C'est en effet l'assistant du *district attorney* en personne qui débarqua en début de soirée, au volant d'une camionnette de location, pour lui enlever sa femme, et emporter ses biens les plus précieux. Elle allait habiter une maison retirée, à mi-chemin de Valley, lui apprit Kissy devant la porte du garage, alors que le policier amorçait une marche arrière.

Pas question de lui serrer la main, l'avait-il prévenue. Elle dut en toucher deux mots à Burke car ce dernier ne la lui tendit pas.

— Je sors à peine du lit, lui lança Junior, pour découvrir que ma femme me quitte pour un saligaud.

— Assez ! grinça Kissy avant de s'éloigner.

Burke la regarda partir puis s'adressa à Junior.

— Tu dors sur un tas de fric, Clootie, et il est probable que tu vas faire appel à un ténor du barreau. Mais n'oublie jamais que tu vis dans ma ville. Avise-toi de faire l'idiot encore une fois, et je te garantis que tu le regretteras toute ta vie.

— Tu peux toujours crever, rétorqua Junior. Tu ne crois tout de même pas que des gens signent des contrats d'un million de dollars sans assurances, et s'il existe une chose que détestent les assurances, c'est bien perdre de l'argent. Je peux faire n'importe quoi, il y aura toujours quelqu'un pour me couvrir. C'est comme ça que ça se passe, ducon ; et que ça te plaise ou non, tu ne peux rien contre moi.

Le policier considéra Junior d'un regard froid, puis suivit Kissy dans la maison. *Sa* maison. Combien de fois cette ordure y était-il venu en son absence ? Kissy et lui avaient-ils copulé dans *son* lit, dans *sa* baignoire ou peut-être même sur un de ces tapis de soie qu'ils avaient choisis ensemble ?

Dynah se trouvant chez Mark, avec Bernie et Casey, Junior alla les rejoindre. Mark était au courant pour Kissy, et il ne manqua pas d'exprimer ses regrets ; ce qui fit à Junior l'effet d'un cataplasme sur une jambe de bois. Bernie était si furieuse contre Kissy que les mots lui manquaient pour le dire.

— Et si on faisait un dix-huit trous, demain ? proposa Mark. Tu pourras louer une voiturette.

Junior se toucha la gorge. Pour éviter d'émouvoir Dynah, un bandage en cachait encore la balafre. Une voiturette... Comme pour un invalide ou un de ces vieillards avec sur la poitrine la monstrueuse cicatrice laissée par un pontage coronarien. Au train où allaient les choses, qui sait, sous peu, s'il n'en subirait pas un, lui aussi ? Se levant en catastrophe, il alla régurgiter les deux bières qu'il venait d'avaler.

Rentré chez lui, Junior lut un conte à sa fille, puis la mit au lit. Toutes lampes éteintes, il s'installa devant son téléviseur et donna libre cours à son chagrin. Quelque temps plus tard, un faisceau de lumières balaya brièvement le mur de son salon : Kissy était de retour.

— Ça dure depuis longtemps ? lui demanda-t-il dans l'obscurité.
— Quelle importance ?
— Ça en a pour moi.

Sans lui laisser le temps de s'approcher d'elle, elle s'éclipsa à l'étage et s'enferma dans la salle de bains pour prendre une douche, pour chasser l'odeur de sueur et de stupre qu'elle portait sur elle, se débarrasser des senteurs masculines dont était imprégné son corps. Junior résolut alors de ne jamais plus poser la main sur elle, pas même l'effleurer. Il aurait aimé casser quelque chose, tuer quelqu'un, quitte à ce que ce fût lui-même.

Il se surprit à entrer dans la chambre de Dynah, à se demander si elle y était encore. La pauvre enfant n'avait pas la moindre idée de ce qui l'attendait, puisque Kissy n'avait prévu de lui annoncer la grande nouvelle que le lendemain. Aussi l'enfant dormait-elle profondément, et n'eut aucune réaction quand il s'allongea près d'elle. Voulant imiter Kissy, Dynah s'était elle-même coupé les cheveux à l'aide de ciseaux à ongles. Comme ils étaient très bouclés, il avait fallu beaucoup de laque pour qu'ils fussent hérissés comme ceux de sa mère. Tout cela donnait un adorable gâchis. Ému par tant de beauté, Junior sentit monter en lui une bouffée de gratitude : Kissy lui avait donné un enfant, et cela, elle ne pourrait jamais le lui reprendre. Quand sa main se posa sur celle de Dynah, l'enfant sourit dans son sommeil et ses doigts se mêlèrent à ceux de son père.

Butch eut la poignée de main franche, et sa claque dans le dos fut indéniablement chaleureuse ; et si, comme pour n'importe lequel de ses collaborateurs, ses paroles de félicitations furent sans réserve, Burke crut néanmoins y déceler une trace d'ironie.

— Bien, lui dit le *district attorney*, quelques jours plus tard, après une séance de travail qui s'était prolongée tard dans la nuit.

Ses dossiers rangés, son écran d'ordinateur éteint, il pointa du menton un bahut ancien qui recelait une sélection d'alcools de prix et les verres appropriés, puis se racla discrètement la gorge.

— Un double double ? proposa Burke avec un sourire.

En réponse, Butch agita ses sourcils de manière éloquente. Quittant son bureau, Burke emplit deux verres de whisky pur malt.

— Ah, quel homme subtil vous êtes ! s'exclama le juriste d'un ton moqueur en levant son verre en direction de Burke, avant d'ajouter, certain que Burke saisirait l'allusion : Vous êtes bien sûr de savoir dans quoi vous vous embarquez, au moins ?

— Le moment me semble bien choisi, et la personne aussi, rétorqua Burke.

Butch eut un rire sans joie et opina de la tête, les yeux baissés sur le verre qu'étreignaient ses gros doigts.

— Je dois admettre que vous avez su rester discret. Je n'ai jamais rien soupçonné. Et même après que je vous ai surpris, l'autre jour, dans ce bureau, je n'aurais jamais cru que c'était à ce point sérieux.

— Nous ne le croyions pas non plus, fit humblement Burke.

— N'allez pas me dire qu'elle est enceinte de vous, au moins..., dit sentencieusement le *district attorney*, avant de poursuivre devant la mine enjouée de son collaborateur : Elle vous intimide, n'est-ce pas ? Il faut dire que cette jeune personne ne manque ni de caractère ni d'originalité, mariée à la sauvette, divorcée sans l'être vraiment, un peu artiste sur les bords, un drôle de personnage, en vérité.

— Oh, vous savez, Butch, ce n'est pas le genre de femme à poser des problèmes, tout ce qu'elle demande, c'est pouvoir faire son boulot en gardant la tête hors de l'eau. Pour ce qui est de son divorce, ça ne m'inquiète pas outre mesure. Une grande partie de nos électeurs sont dans le même cas. Tout le monde est contre, mais quand il s'agit de soi, on a toujours de bonnes excuses pour divorcer. Bon nombre de nos électeurs sont remariés et élèvent des enfants qui ne sont pas les leurs. De nos jours, personne ne voit plus de mal à ça...

— En effet, acquiesça Butch en agitant la main, les temps ont changé, et je n'ai aucune inquiétude à votre sujet. Vous voilà donc casé, pour quelque temps du moins.

— Peut-être pour toujours, qui sait ? J'ai attendu longtemps avant de me décider, Butch, et je crois que cette femme est la bonne. De plus, je l'aime sincèrement, et je suis prêt à l'épouser quel qu'en soit le prix.

L'œil humide, Butch se leva pour serrer la main de son principal collaborateur.

— Fabuleux, dit-il avant de se rasseoir. Mais laissez-moi vous donner un conseil, cher ami : contrairement à la croyance populaire, le mariage est une rue à sens unique. Pour que ça marche, il est moins question de faire des compromis que d'accomplir entièrement la tâche qui nous est impartie.

Butch s'entraînait pour le discours de mariage, songea Burke. Avec un rire, le *district attorney* se leva et s'empara de la bouteille.

Des arrangements furent pris en vertu desquels Junior confierait Dynah à Bernie au moment où Kissy viendrait la chercher. Pourtant, c'est Junior qui apparut sur le seuil de la maison, avec, sur les épaules, Dynah cachant de ses mains les yeux de son père avec de petits rires joyeux.

— Mais qu'est-ce qu'il fait là ? s'étonna Burke.

Kissy ne fut pas moins irritée de voir Junior à un endroit où elle ne l'attendait pas. Mais plutôt que de répondre au policier, elle tendit les bras à sa fille, laquelle s'y précipita sans hésiter. Laissant à Burke le soin de porter le bagage de Dynah dans la voiture en ignorant sa présence comme on l'aurait fait d'un domestique, Junior concentra son attention sur sa fille en lui prodiguant caresses et baisers. Il tint ensuite la portière de Kissy, pendant qu'elle prenait place à bord de la BMW qu'elle avait offerte à Burke comme cadeau de mariage, à la différence qu'il ne souriait plus. Kissy s'attendit un instant à ce qu'il lui servît une remarque bien sentie, mais Junior prit son air le plus solennel pour déclarer :

— J'ai une mauvaise nouvelle à t'annoncer ; du moins, je pense que c'est une mauvaise nouvelle.

— Accouche, fit Kissy.

— Ruth Prashker est morte depuis quelques heures.

Kissy absente, Mme Cronin avait téléphoné à Bernie, laquelle s'était empressée d'avertir Junior. Savoir qui allait annoncer la nouvelle à Kissy avait fait l'objet d'un débat dont Junior était sorti vainqueur.

L'événement tant attendu semblait à présent irréel au point que Kissy ne sut comment réagir. Distraitement, elle entendit Junior lui présenter ses condoléances, et le remercia tout aussi distraitement.

Au moment où Junior lui tendit la main, Burke, derrière son volant, en fit autant, si bien que les mains des deux hommes se retrouvèrent, pour ainsi dire, face à face. Il y eut un moment d'hésitation à l'issue duquel chacun se rétracta rapidement avec une moue de dégoût à peine réprimée. Faisant un pas en arrière, Junior regarda s'éloigner la BMW.

Les détails arrivèrent peu avant midi par le biais de Mme Cronin. Une domestique en train d'astiquer les meubles de la chambre avait, semblait-il, entendu Ruth prendre une inspiration, suivie d'un long soupir. Ce n'est que quelques secondes plus tard que la femme s'était rendu compte que la malade avait cessé de vivre. Il n'y avait plus eu que le frottement de son linge sur la patine du mobilier, le couinement de ses espadrilles sur le parquet ciré et son propre souffle derrière le masque de chirurgien qu'elle était tenue de porter dans la chambre de la malade. Penchée sur le lit, elle avait ensuite observé quelques instants la jeune fille, puis était allée prévenir Mme Cronin.

Avant de se rendre chez la vieille dame, Kissy avait pris soin d'embarquer son matériel à bord du Blazer. Elle avait même emmené Dynah avec elle, trop troublée pour s'aviser que l'endroit et l'heure n'étaient pas appropriés pour une enfant. Les Prashker et Mme Cronin prenaient les dispositions nécessaires et recevaient leurs rares amis venus présenter leurs condoléances. Mme Cronin parut heureuse de revoir Dynah. L'installant sur ses genoux, elles firent du coloriage, pendant que Kissy allait rendre une dernière visite à la morte.

Ruth ne semblait guère avoir changé depuis la dernière fois qu'elle l'avait vue, une dizaine de jours plus tôt. Ses articulations semblaient tout aussi noueuses, et ses membres aussi raides. Kissy lui retrouva le même masque blafard, la même expression figée. Le plus extraordinaire, lors de sa dernière visite, avait été le lent mouvement du torse, comme une statue prête à s'animer. En cette dernière séance de photographie autorisée par les Prashker, Kissy tenta de contenir ses émotions, même si, hormis un sentiment de soulagement, elle n'éprouvait que de la simple curiosité. C'est cette profonde indifférence devant la mort qu'elle s'efforcerait de traduire dans ses dernières photographies, décida-t-elle, ne se sentant nullement obligée de traduire des sentiments autres que ceux qu'elle ressentait.

Sur le chemin du retour, Kissy répéta à Dynah ce qu'elle lui avait déjà dit chaque fois que cette dernière s'étonnait de son attachement à Ruth. Si, aujourd'hui, Dynah était en âge de comprendre bien des choses, l'évocation de cette disparition soudaine après de longues années entre la vie et la mort la perturbait visiblement. Cela lui rappelait confusément la mort de sa grand-mère, et l'accident qui avait failli coûter la vie à son père. Les gens disaient bien – et Casey était catégorique à ce sujet – que son papa était bel et bien mort, avant qu'on le ramenât à la vie. Dynah se débattait avec le concept de mort, et se demandait comment une personne endormie depuis des années pouvait brusquement décéder, et comment on pouvait à la fois mourir et revivre quelques instants plus tard.

— Ruth, c'était comme la Belle au bois dormant, expliqua Kissy. Tu sais, celle qui s'est piqué le doigt et qui est restée endormie pendant cent ans.

— Seulement elle, elle ne s'est pas réveillée, conclut Dynah.

— C'est vrai ; elle ne s'est pas réveillée.

— Est-ce qu'elle reviendra un jour ?

— Je ne sais pas. Des tas de gens dans le monde croient que nous revenons revivre d'autres vies.

— Moi aussi, je vais y croire, comme ça, tu reviendras pour être encore une fois ma maman, et papa reviendra pour être encore mon papa.

Émue, Kissy n'eut pas le cœur de la contredire.

Mike était encore au bureau. Après que Kissy lui eut fait un peu de lecture, Dynah refusa d'aller dormir et se montra particulièrement collante, état de chose compréhensible puisqu'elles n'avaient emménagé chez Burke que depuis une semaine. Sur le mur de son laboratoire nouvellement installé, Kissy épingla les photos de Ruth, incluant l'instantané de Ruth en bas âge que lui avait remis Mme Cronin. Inversant la chronologie, elle les classa en remontant dans le temps, à partir des premiers jours de coma de Ruth, jusqu'à sa prime enfance où on la voyait ouvrant de grands yeux étonnés sur la vie. Du bout des doigts, Kissy effleura les lèvres de l'enfant et, finalement, s'abandonna à son chagrin.

« Ruth Prashker succombe après un long coma », titraient les journaux du matin, pour ajouter, en gros caractères : Nouvelles accusations portées contre le chauffard, attendu que le décès de Ruth induisait automatiquement un nouveau procès à l'issue duquel James Houston risquait d'être condamné à une sentence au moins aussi lourde que la première.

Le temps pour Kissy d'achever sa lecture, Burke était parti pour sa séance de gymnastique. La journée s'annonçait particulièrement difficile. Effectivement, il ne réapparut que vers vingt-trois heures. Traversant le salon, il alla directement au meuble contenant les alcools.

— As-tu vraiment l'intention de porter de nouvelles accusations contre James Houston ? demanda Kissy.

— Pas moi, mais le grand jury. Je suis néanmoins chargé de l'affaire, répliqua-t-il évasivement en remplissant un verre.

— N'y a-t-il pas conflit d'intérêts ? Tu es déjà intervenu en tant que témoin.

— En tant que policier, mais rien n'est changé ; je suis quand même resté au service de la loi. Butch est tout à fait d'accord avec ça.

— Que va-t-il se passer ? Un autre procès ?

Burke éclusa la moitié de son verre, puis, fermant les yeux, il roula des épaules comme pour se décharger d'un fardeau invisible.

— Cela me surprendrait. Et tu n'auras pas à témoigner encore une fois.

— Ce n'est pas à quoi je pensais. Que va-t-il arriver à ce garçon ?

Avec un tintement irrité contre le bord de son verre, Burke se servit à nouveau.

— Il va probablement écoper de dix ans de plus, mais même après avoir purgé sa peine il sera encore vivant, ce qui est encore un sort plus enviable que celui de Ruth Prashker... Burke poussa un long soupir excédé avant de poursuivre : Écoute, Kissy, je me passerais vraiment de toutes tes questions. Ce que je veux, c'est pouvoir te parler de mon travail et te dire tout ce que j'ai sur le cœur, sans devoir écouter tes impressions à propos de telle ou telle affaire. Et ne me demande surtout pas de faire preuve de compassion envers ce triste personnage ou qui que ce soit de son acabit ; ça ne fera que semer la discorde entre nous ; me suis-je bien fait comprendre ?

Burke n'y était pas allé avec le dos de la cuillère et il en était conscient. Kissy pouvait le constater à la crispation de son visage et à la sueur qui perlait sur sa lèvre supérieure. Après avoir acquiescé d'un mouvement sec du menton, elle monta à l'étage. Dynah s'était endormie sur le grand lit ; elle la porta jusqu'à sa chambre.

Quelques instants plus tard, Burke la rejoignit et lui fit des excuses. Il était très fatigué. Au bureau, on avait profité de son absence pour lui confier les dossiers les plus difficiles. Quand il se mit à l'embrasser et à la caresser, elle resta sans réaction. Bien que ce ne fût pas son genre, il persévéra, même si cela le rendait souvent furieux, et furieux, ça, il savait l'être.

Il accompagna Kissy au service funèbre. Junior y était aussi. Ce dernier vint à elle, lui prit la main, et lui effleura les lèvres d'un baiser en lui renouvelant ses condoléances, pendant que Burke agrippait Kissy par le bras comme s'il craignait qu'on la lui dérobât. Kissy en conçut du ressentiment, non seulement à cause de la possessivité et de la méfiance dont Burke faisait preuve à son égard, mais aussi parce que cela minait ses énergies. Cette sensation lui donnait la nausée, lui soulevait le cœur au point de se demander si elle n'avait pas contracté un virus.

Quelques jours plus tard, il devait l'appeler du bureau pour lui annoncer qu'il n'y aurait pas de procès, car Houston avait décidé de s'en remettre à la clémence du jury. La comparution de prévenu fut retransmise aux actualités télévisées. Le cheveu presque ras, vêtu d'un costume trop grand pour lui, il apparut, encadré de deux policiers, pour entendre sa sentence. Ne l'ayant plus revu depuis le jour de son incarcération, Kissy le trouva vieilli, bien sûr, mais toujours l'air aussi écervelé. Elle eut l'impression de revoir la photographie d'un ancêtre oublié, et dans les traits du jeune homme reconnut ceux de Dynah.

Le juge le condamna à dix ans de réclusion supplémentaires, mais non cumulatifs, ce qui signifiait que le temps déjà accompli comptait dans l'application de la sentence.

— Y a-t-il eu un arrangement ? demanda-t-elle à Mike, pendant que ce dernier se servait un verre.

— Non, il a plaidé coupable, et s'en est remis à la clémence de la cour ; mais le juge a été visiblement impressionné par sa conduite en prison, sourit le policier en ajoutant, devant le regard intrigué de Kissy, une lueur malicieuse au fond des yeux : Ce garçon n'est pas stupide. Tu te souviens qu'il faisait des études de médecine ? Eh bien, il a consacré ces trois dernières années à soigner bénévolement des détenus atteints du sida. Le juge Durand y a vu une preuve irréfutable de sa volonté de réhabilitation. Cela va probablement lui permettre d'être remis en liberté surveillée dans six ou neuf mois.

Comme Kissy ne répondait rien, Burke l'attira sur ses genoux pour l'embrasser.

— En définitive, beaucoup de bruit pour peu de chose, conclut-il.

Selon Dynah, la maison de Burke comportait de sérieuses lacunes quant aux commodités. Non seulement il y manquait un écran de télévision géant, avec un relais satellite, mais aussi une piscine, une salle de gymnastique et une patinoire. Elle avait dû également renoncer à sa maison de poupées, trop grande pour la minuscule chambre sous les combles qui lui avait été attribuée. Les voisins lui semblaient étranges, pas de vrais voisins vu que leurs demeures étaient disséminées çà et là sur le versant boisé de la colline. Les gravillons du chemin rendaient toute pratique du skateboard impossible, et les voisins de son âge les plus proches étaient deux garçons qui détestaient les filles, deux tapettes, leur avait-elle lancé, avant de le répéter à Kissy.

— C'est un très vilain mot, la réprimanda cette dernière. Qui te l'a appris ?

— Papa a dit que M. Latham était une tapette, et quand je lui ai demandé ce que c'était, il m'a répondu que c'était quelqu'un qui n'aimait pas les filles.

— Beaucoup de garçons connaissent une période où ils n'aiment pas les filles, expliqua Kissy. M. Latham est mon ami, et c'est très grossier de parler de lui de cette façon, tu as compris ?

— Oui, bredouilla l'enfant, la mine basse.

— Tu me promets de ne jamais plus traiter personne de tapette ?

— D'accord, je dirai à Daren et Sharen qu'ils sont juste des petits trous du cul...

— Dynah ! s'éleva Kissy en se promettant intérieurement de chapitrer Junior sur ses écarts de langage.

Mais cela ne fut qu'une partie du problème. Au moment de se coucher, Dynah tempêta et piqua une crise de nerfs comme elle n'en avait plus connu depuis l'âge de deux ans. Dans un accès de colère incontrôlable, elle déclara qu'elle détestait la maison de Mike et qu'elle voulait retourner chez son père. Au cours de la nuit, elle fit irruption en pleurant dans la chambre de sa mère et s'installa dans son lit, entre elle et Mike.

Ce dernier suggéra de fermer la porte à clé, et comme Kissy s'y opposait catégoriquement il fit rapidement marche arrière et proposa d'enfermer Dynah dans sa chambre.

— Ne dis pas de bêtises, le tança Kissy, des accents désespérés dans la voix.

Au plus profond d'elle-même, elle devait admettre que, plutôt qu'une contrainte, la présence de Dynah dans leur lit était pour elle un soulagement. User de sa fille à des fins personnelles l'aurait embarrassée, mais ses relations sexuelles avec Burke n'étaient plus aujourd'hui qu'une épreuve, une douloureuse expiation de ses erreurs. Elle trouva toutes sortes d'excuses : sa séparation définitive d'avec Junior, ses espoirs déçus de vivre une véritable lune de miel, son adaptation à sa nouvelle vie, alors qu'en réalité, et plus souvent qu'à son tour, Burke se révélait incapable d'avoir une érection soutenue. Se rappelant leur première rencontre, elle s'était pourtant attendue à mieux. Mais il buvait plus encore plus qu'elle ne pouvait l'imaginer, et cela en était probablement la cause. Quelque chose la taraudait ; peut-être ce sentiment de culpabilité qui ne la quittait pas, au point de troubler son sommeil et de lui infliger de violentes migraines. Burke leva les deux mains en signe d'impuissance.

— Dans ce cas, débrouille-toi avec elle.

Junior récupérait sa fille tous les week-ends, et trois fois par semaine après l'école pour ses séances de natation, à l'issue desquelles il la faisait dîner et la ramenait ensuite à sa mère. Sur les instances de Dynah, il s'attarda, la petite fille n'acceptant d'aller au lit qu'à condition que son père fût présent. Kissy trouva naturel – peut-être un peu trop – de voir Junior border sa fille. Mais ce qui la troublait le plus, c'était de voir Mike réduit à l'état d'intrus, de cinquième roue du carrosse, dans sa propre maison.

Bien que souvent absent en de telles circonstances, Mike Burke était éminemment au fait de la présence de Junior sous son propre toit, et comme fait exprès, il téléphonait toujours à cette heure-là pour soi-disant annoncer qu'il rentrerait tard. Il fulminait de colère, sans chercher à cacher sa jalousie. Peut-être était-ce une situation à laquelle il aurait dû s'attendre, sachant depuis toujours que Kissy avait un enfant et qu'il était dans l'intérêt de Dynah que sa mère entretînt de bonnes relations avec Junior. Le temps viendrait où Junior devrait repartir, se raisonna Kissy, et à ce moment-là la situation serait tout autre. Tout cela faisait partie du processus d'adaptation.

Un soir, alors que Junior bordait Dynah, Mike Burke téléphona pour annoncer qu'il rentrerait tard.

— Mike te souhaite une bonne nuit, dit Kissy à sa fille en l'embrassant.

Dynah fit la grimace, pour le plus grand plaisir de Junior.

— Alors, cette chère tête de nœud travaille tard, ce soir ? dit-il en descendant l'escalier. Je me sens déjà mieux.

— Ne l'appelle pas comme ça, s'il te plaît.

— Je prendrais bien une petite bière, si tu en as...

Elle alla dans la cuisine, et en sortit une du réfrigérateur. Au moment où elle la lui tendait, Junior se trouva tout contre elle.

— ... et une petite douceur, aussi.

— Tu peux rentrer chez toi, Junior. Des douceurs, il n'y en a plus ; le stock est épuisé.

En effet, la dernière fois qu'elle avait éprouvé quelque chose qui ressemblât à une pulsion sexuelle, c'était le soir où elle avait annoncé son départ, et là encore, le désespoir y était sans doute pour beaucoup. Des périodes comme celle-là, teintées d'indifférence et même de dégoût, elle en avait connu avant : juste après son avortement, et au cours des six mois qui avaient suivi la naissance de Dynah.

— Dynah nage comme un poisson, annonça Junior, en s'appuyant nonchalamment au comptoir de la cuisine. On devrait peut-être l'inscrire dans une école privée, où elle pourrait perfectionner son style ; surtout qu'elle déteste sa nouvelle école.

— À ce sujet, j'ai remarqué que son langage s'était drôlement détérioré. Je ne veux plus l'entendre dire des grossièretés sur les gens.

— Ces grossièretés, elle les apprend de toute manière à l'école.

— Ce n'est pas une raison pour en rajouter.

— Très bien, je n'en dirai plus, concéda Junior en haussant les épaules. Mais je me réserve le droit de traiter de trou du cul qui bon me semble.

— Trou du cul toi-même, rétorqua Kissy, sans que cela entamât un instant la bonne humeur de Junior.

— J'aime t'entendre parler comme ça, sourit ce dernier en prenant la jeune femme dans ses bras. Figure-toi que j'ai failli t'appeler l'autre soir. J'avais bu quelques bières et j'avais envie de t'entendre me dire des choses au téléphone, mais je ne savais pas si M. tête de... pardon, M. Burke était en train de sauver le monde ou s'il était au lit avec ma femme.

— Fiche le camp, Junior, ordonna Kissy en allant ouvrir la porte, et bonne nuit.

Junior lui tendit la bouteille vide et l'embrassa furtivement dans le cou.

— Si tu as besoin de moi, tu sais où me trouver.

30

Pour son dernier jour d'école, Dynah s'éveilla d'un sommeil profond entre Kissy et Mike. Elle chanta à tue-tête en faisant sa toilette et se vêtit d'une robe aux couleurs éclatantes.

En la voyant entrer dans la cuisine sur son skateboard, Mike le lui confisqua aussitôt et le posa sur le dessus du réfrigérateur en la sermonnant gentiment :

— Ces engins sont faits pour l'extérieur, ma chérie.

Tout en s'installant sur une chaise, l'enfant lui décocha un regard venimeux, tandis que Kissy se cantonnait dans une superbe indifférence. Burke déplia bruyamment son journal et, avec un soupir exaspéré, se mit à parcourir les gros titres. La cafetière émit un sifflement, signalant que le café était prêt. Dynah se leva brusquement.

— C'est moi qui vais te servir ton café, Mike.

Elle revint quelques instants plus tard, tenant à deux mains un gobelet à ras bord. Mais, au moment de le déposer sur la table, elle heurta le coude de Mike et, avec un petit cri théâtral, renversa le café sur les genoux de son beau-père.

Burke se redressa brusquement en poussant un juron, pendant que la gamine s'écriait d'une voix suraiguë :

— Tu as entendu, maman, tu as entendu ! Mike a dit un gros mot !

— Très bien, Dynah, très bien, je ne suis pas sourde, répondit Kissy en s'empressant de porter secours à son mari.

Mais la gamine ne semblait pas décidée à en rester là. Profitant de l'absence de Burke, parti changer de costume, elle ouvrit sa mallette et, après en avoir répandu le contenu sur le sol, le piétina rageusement.

— Kissy ! rugit Mike en la voyant.

Sortant de la buanderie, la jeune femme regardait son mari ramasser ses dossiers à quatre pattes sur le sol de la cuisine, quand un bruit de verre brisé lui parvint de l'extérieur. Ensemble, ils coururent jusqu'à la porte d'entrée. Dynah se hâtait de monter dans son autobus, tandis que le pare-brise de la BMW s'étoilait autour d'un gros caillou encastré dans les éclats de verre. Dynah les observait de la lunette arrière, le visage impassible, le majeur dressé vers le ciel.

Ce n'était pas la première fois qu'un tel incident se produisait ; et Kissy se demanda si, finalement, Dynah n'était pas vraiment la fille de Junior, si, par quelque obscur caprice de la nature, son ADN ne s'était pas mêlé à celui de James Houston.

— Grand Dieu, murmura Burke, effondré.

— Tu es en retard, lui fit observer Kissy pour couper court à toute discussion, en lui tendant les clés du Blazer.

Pour Junior, ce fut la chose la plus cocasse qu'il eût jamais entendue.

— Tiens, c'est tellement drôle, que je vais vous l'offrir, ce pare-brise.

— Sois sérieux une minute, et dis-moi que tu n'es pas en train de monter Dynah contre Mike.

— Je ne fais jamais allusion à lui, ma pauvre chérie ; mais si elle lui en veut à ce point, c'est peut-être parce qu'il a détruit sa famille.

— Si tu as des reproches à faire, c'est à moi que tu dois les adresser et non à Mike. Ce qui compte avant tout, c'est Dynah.

— C'est ce que je ne cesse de te répéter, mais tu continues de t'en prendre à moi.

— Il va pourtant bien falloir qu'elle s'habitue à sa nouvelle vie.

— Tu n'as qu'à me la laisser. Je ne bougerai pas d'ici avant les camps d'été. Je pourrai m'occuper d'elle jusque-là.

— Tu me demandes de me séparer d'elle jusqu'au mois d'août ?

— À moins que tu décides de revenir, et dans ce cas je te promets qu'elle ne fera plus de bêtises.

Kissy raccrocha et s'adossa au mur, les poings serrés. Junior ne l'aiderait pas. Il avait été très clair : en cas de difficulté, elle ne devrait pas compter sur lui. Qu'il aille au diable, songea-t-elle en refoulant ses larmes. Après tout, il suffirait d'un peu de patience pour que tout rentre dans l'ordre. De la patience et de la constance. En attendant, Dynah devrait présenter des excuses à Mike, et pas question de refaire du skateboard avant un mois.

— Tant qu'à faire, ne pourrais-tu pas faire en sorte qu'elle ne vienne plus coucher dans notre lit ? s'emporta Mike après qu'elle lui eut fait part de ses résolutions. J'aimerais bien pouvoir passer quelques heures tranquilles avec ma femme.

— Très bien, nous fermerons notre porte à clé quand ce sera vraiment nécessaire ; le reste du temps, elle restera ouverte. La pire chose, en ce moment, serait de lui donner l'impression d'être rejetée.

— Je croyais pourtant qu'elle m'aimait bien ; que s'est-il passé ?

— Tu le sais très bien : tu as usurpé la place de son père.

Burke acquiesça tristement. La dernière fois qu'il avait trouvé Dynah endormie auprès de sa mère, il était allé coucher dans la chambre d'amis.

Le jour suivant, il revint portant un bocal et un sachet en plastique rempli d'eau où nageaient deux poissons rouges. Dynah accueillit ce cadeau avec de petits reniflements méprisants. Le soir, quand Kissy entra dans sa chambre pour la border, elle était assise devant le bocal, observant attentivement ses poissons.

— Ils sont complètement idiots, fit-elle, d'un air désabusé. Tout ce qu'ils savent faire, c'est tourner en rond.

— Ce que tu dis n'est pas très gentil, répondit Kissy. Mike t'a fait un cadeau, et tu dois le remercier, par politesse, même si ce cadeau ne te plaît pas.

— Je n'ai rien demandé, rétorqua la gamine. Et je ne lui dirai pas merci. S'il n'est pas content, qu'il le reprenne, son stupide cadeau ; et qu'il aille se faire foutre.

— Je t'interdis de..., s'insurgea Kissy.

— Je veux mon papa ! l'interrompit l'enfant, d'une voix vibrante d'émotion en tombant aux pieds de sa mère pour lui étreindre les mollets. Je veux mon papa !

Depuis le mois de juin, Junior n'avait cessé de s'entraîner, allant jusqu'à la limite de ses forces, si bien qu'aujourd'hui il se sentait dans une forme exceptionnelle. En outre, cet entraînement intensif lui permettait de dormir sans faire de cauchemars. Dans son esprit tout était clair : il ne s'imposerait à nouveau parmi ses pairs qu'au prix d'efforts constants. Bien que persuadé que les antidépresseurs étaient la cause de son profond sommeil, il se demandait à quel point ce médicament n'altérait pas le registre de ses émotions. Du gouffre noir dans lequel il avait souvent l'impression de sombrer, il émergeait aujourd'hui sans peine, le bref cri qu'il poussait alors lui apparaissant comme une réaction normale aux chocs qu'il avait subis durant les derniers mois. L'alcool lui était interdit et, d'une manière générale, il observait cette règle d'autant plus aisément que l'alcool était incompatible avec l'entraînement intensif qu'il s'était imposé. D'ailleurs, le médicament avait notablement réduit son degré de tolérance : deux bières, et il roulait sous la table. Chaque fois qu'il ramenait Dynah à sa mère, il se faisait violence pour ne pas lui intenter de procès afin d'en avoir la garde permanente. Pour peu que cela suffît à persuader les juges qu'il en avait la compétence, il se serait fait moine, songeait-il les dents serrées.

Ramener sa fille dans la maison que Kissy partageait avec Burke le plongeait chaque fois dans des états de fureur qui confinaient à la folie. C'est pourquoi il insista pour qu'elles allassent s'installer dans le chalet d'été les deux dernières semaines de juin et tout le mois de juillet ; il l'occuperait avec Dynah les trois premières semaines d'août. Kissy se laissa fléchir. Pour Dynah, parce que c'est là qu'elle avait coutume de passer ses vacances d'été. Ce qui plaisait le plus à Junior dans cette affaire, c'est que l'endroit était beaucoup trop éloigné pour permettre à Burke des aller et retour. En outre, ce dernier pourrait tout au plus prendre deux semaines de vacances pour aller les rejoindre, vu qu'il s'en était déjà octroyé une pour sa lune de miel. Aux yeux de Burke et de ses fréquentations, se dit Junior, un chalet d'été était un signe de réussite sociale, quand bien même le pauvre bougre était surchargé de travail et ne pouvait en profiter. Ainsi, pendant que sa famille se prélassait au bord d'un lac, le bourreau de travail qu'il était resterait en ville et retrouverait ses habitudes d'étudiant : les parties de base-ball de fin de soirée qui se termineraient par quelques verres dans un bar, avec la possibilité toujours alléchante de quelque aventure extraconjugale. Junior était persuadé que six semaines sans voir Dynah ne déplairaient pas à cette chère tête de nœud. Ce dernier regimberait, bien sûr, inquiet de savoir si, pendant ce temps-là, Junior resterait à Peltry ou irait rejoindre Kissy au chalet.

À l'occasion du 4 juillet, Butch McDonough allait cependant organiser un barbecue auquel Kissy serait tenue d'assister, avant de partir avec Dynah pour le chalet.

— Toi aussi tu me manques, papa, dit l'enfant au téléphone, avant de s'adresser à sa mère, les yeux pétillants d'excitation : Papa vient passer la journée avec nous !

Kissy s'empara du combiné.

— J'ai pensé venir samedi, ça te laisserait ta liberté pour la journée, et moi je pourrais m'occuper de Dynah, expliqua Junior.

— S'il te plaît, maman, s'il te plaît, insistait Dynah.

— D'accord, concéda Kissy, mais pour la journée seulement.

À six heures du matin, les gravillons du chemin crissèrent sous les roues de la Mercedes de Junior. Il avait coupé le moteur et, soucieux de ne pas les réveiller, s'était laissé descendre en roue libre. Mais plus matinales qu'il ne s'y attendait, elles étaient déjà debout, en maillot de bain, prêtes pour une baignade matinale.

— Papa ! s'écria Dynah en se jetant dans ses bras.

Prudente, Kissy prit le temps d'enfiler un tee-shirt par-dessus sa généreuse poitrine. À califourchon sur les épaules de son père, Dynah s'en donnait à cœur joie et poussait de petits cris aigus pendant que Junior galopait sur la pelouse. Après s'être laissé effleurer les lèvres d'un baiser, la jeune femme retourna dans le chalet pour préparer du café.

— Puis-je me joindre à vous pour la baignade ? lança Junior par la fenêtre de la cuisine.

— Naturellement.

Une fois débarrassé de son tricot, Junior était fin prêt, puisqu'il était déjà en short. Quoique très visible, la cicatrice de son cou restait présentable.

— Tu as l'air en pleine forme, lâcha Kissy, regrettant aussitôt qu'il le fût, autant que de l'avoir dit.

— Ça m'a pris du temps, répliqua Junior d'une voix tonitruante en levant Dynah à bout de bras. Mais je suis très fooort !

Dynah s'ébattant joyeusement avec son père, Kissy en profita pour savourer pleinement ces précieux instants de solitude. Leur tournant le dos, elle offrit son visage à la caresse du soleil. Quelques instants plus tard, un frôlement contre ses jambes la fit sursauter. Se retournant brusquement, elle vit Junior crever la surface de l'eau. Ce dernier l'agrippa par les hanches et, sans la quitter du regard, l'entraîna lentement sous l'eau. Au moment où leurs jambes se mêlaient, elle se libéra d'un vigoureux coup de talon et remonta à la surface. Mais, toujours retenue par les hanches, elle sentit le visage de Junior se plaquer contre son ventre. Elle se déroba avec un hoquet de protestation, alors que lui réapparaissait, souriant. Décidément, il ne renoncerait jamais.

Une fois hors de l'eau, il proposa de préparer le petit déjeuner.

Dynah voulut un œuf au plat sur une tranche de pain ronde, son principal plaisir consistant à découper le pain à l'aide d'un verre. Quand Kissy réapparut, séchée et vêtue, Junior voulut savoir quels étaient ses projets pour la journée.

— Je pensais prendre des photos de Dynah et toi.

— Depuis le temps, ça me ferait plaisir. Oh, à propos, j'ai un chèque pour toi, se souvint le jeune homme.

Junior avait l'habitude de verser la pension alimentaire de Dynah directement sur un compte en banque. Après le divorce, les dispositions financières étaient restées les mêmes que lors de leur séparation. S'étant montré d'une très grande prodigalité à l'égard de Kissy, il éprouvait quelque réticence à se faire dicter sa conduite par des avocats, comme s'il ne pouvait se fier à son seul jugement. Attendu que Kissy ne garderait ni la maison ni le chalet d'été, Junior avait mis la moitié de leurs biens à son nom, biens qui, pour une très large part, provenaient de ses fabuleux contrats de joueur de hockey. Pour ce qui était des fructueux placements effectués quelques années plus tôt par Kissy, Junior avait eu recours à la menace pour qu'elle en acceptât la moitié. Le chèque qu'elle avait maintenant entre les mains représentait la moitié des dividendes d'un fonds mutuel. Kissy le glissa dans son portefeuille sans un mot. Leurs finances se mêlaient étroitement en vue d'un futur prévisible, et c'était ce que Junior souhaitait.

— J'ai retenu une chambre à l'auberge pour ce soir, annonça-t-il. Je voudrais vous inviter à dîner, ainsi que pour le brunch, demain midi.

Devant l'enthousiasme de Dynah, la proposition ne souleva aucune controverse. Consciente de s'engager sur un terrain dangereux, Kissy constata avec stupéfaction qu'elle y prenait plaisir. Junior semblait rayonnant, plus en forme que jamais. Confuse, elle se tourna vers ses occupations photographiques.

Elle le tint ainsi au bout de son objectif une grande partie de la matinée, alors qu'il s'ébattait sur la plage avec Dynah. Après un pique-nique improvisé, elle battit en retraite à l'ombre, la combinaison de la nourriture et de la chaleur produisant ses habituels effets soporifiques. Elle était à moitié endormie quand Junior se pencha sur elle pour l'embrasser. L'impression fut si légère qu'elle crut d'abord rêver. Ce n'est qu'au moment où la chose prit un tour plus sérieux qu'elle ouvrit les yeux et détourna brusquement la tête. Mais, s'enhardissant, le jeune homme lui titilla l'oreille du bout de la langue.

378

— Arrête, murmura-t-elle.

Occupée à bâtir un château de sable, Dynah ne parut rien remarquer.

— Je ne peux pas m'en empêcher, sourit Junior avant d'ajouter, l'air grave : Il m'arrive d'être furieux contre toi, mais je sais que tout est de ma faute.

— Non, répliqua Kissy avec effort, non...

Harassée de fatigue après une journée passée au soleil, Dynah dormait sur le siège arrière de la Mercedes. Sa peau semblait saupoudrée d'or, comme du pollen sur des pétales de fleurs.

— Merci, dit Kissy à Junior, j'ai passé une merveilleuse journée.

Le téléphone sonna alors que Junior portait Dynah jusqu'à sa chambre. Kissy décrocha. Quand le jeune homme redescendit, quelques instants plus tard, Kissy s'affairait à mettre de l'ordre dans sa cuisine.

— C'était lui ? demanda-t-il.

Kissy acquiesça d'un air distrait. Instinctivement, ils se rapprochèrent l'un de l'autre et, fermant les yeux, elle s'abandonna dans les bras qui, déjà, la soulevaient pour la porter jusqu'à l'étage. Une à une, Junior lui retira les bagues que Burke lui avait offertes pendant que, le front appuyé contre la cicatrice du cou, elle écoutait les battements de son cœur. C'était pour elle une sorte de retour vers ce à quoi elle avait toujours appartenu, comme si elle s'était échappée d'une étrange demeure où rien n'était à sa place, dans laquelle elle se sentait frileuse, incomprise, esseulée. Junior ne se comparait en rien à Mike, et c'était très bien comme ça. À son sentiment de culpabilité elle opposait la rancune qu'elle éprouvait envers Mike de l'avoir laissée dans le désir de son ancien mari. Sachant qu'elle n'était pas amoureuse de Mike, elle avait néanmoins cru pouvoir tant soit peu l'apprécier, le comprendre, établir avec lui une manière de complicité, quand bien même l'amour en serait exclu. Mais voilà qu'avec Junior elle retrouvait tout ce qui lui manquait, y compris sa propre personnalité.

— Tu ne peux pas rester toute la nuit, le prévint-elle. Dynah ne comprendrait pas.

— Moi non plus, ironisa le jeune homme. Surtout que ton mari ne se trouve qu'à trois heures de voiture d'ici. Mais il faut que je t'avoue quelque chose, susurra-t-il encore à l'oreille de Kissy.

— Oui, quoi donc ?

— Je suis amoureux d'une femme mariée.

Elle lui lança un coup de coude qui le fit rouler sur le côté en éclatant de rire. Quand elle sortit de la salle de bains, il était allongé sur le dos, les mains croisées derrière la nuque.

— Tu ne m'as jamais rien dit à propos de toi et de ton nouveau mari, dit-il. Tu ne l'as quand même pas choisi comme ça, en consultant l'annuaire téléphonique. À un moment donné, il a dû se passer quelque chose entre vous, mais j'ai beau me creuser les méninges, je ne vois pas quand.

— Pourquoi tiens-tu tant à le savoir ?

— Je ne sais pas. Peut-être pour savoir à quel point j'ai été idiot.

— Tu ne l'as pas été ; c'est plutôt moi qui me suis conduite comme une idiote, ajouta-t-elle, la gorge serrée.

— Non, insista-t-il en se redressant, tout est de ma faute. J'ai fait certainement une erreur quelque part ; mais ne me dis pas que mon accident en est la cause. Je comprends que cela ait failli te rendre folle, mais il s'est certainement produit quelque chose auparavant, entre toi et lui. Je sais que je t'ai laissée seule trop longtemps.

— C'est arrivé, c'est tout. Ce qui est fait est fait, et on ne peut rien y changer. Maintenant, je dois faire en sorte que ça marche, c'est une promesse que je lui ai faite.

Elle lui tourna le dos. Elle l'entendit pousser un long soupir, s'attendant à ce qu'il lui rappelât qu'elle lui avait fait la même promesse. Mais il ne dit rien, préférant se pelotonner contre elle pour lui murmurer à l'oreille combien il l'aimait, qu'il l'aimerait toujours et ne l'abandonnerait jamais. Alors que ses pensées dérivaient lentement vers le sommeil, elle eut conscience que Junior avait toujours obtenu ce qu'il désirait, et que peut-être il avait voulu cela, aussi : pas simplement l'attirer à nouveau dans son lit, mais son mariage avec un autre homme, en sorte qu'elle ne fît plus obstacle à sa carrière, à ce qui lui tenait à cœur le plus au monde, même au prix d'une gorge tranchée.

— Tu as couché avec lui ?

C'était Mike, le lendemain, à cinq heures et demie du matin. En voyant l'heure à son réveille-matin, elle laissa retomber le combiné sur son étrier et enfouit sa tête sous les oreillers. Les draps sentaient le frais. Elle les avait changés sitôt Junior parti. Cette lessive très matinale, c'était le prix de son péché, avait-elle songé avec amertume.

380

Mais Mike rappela cinq minutes plus tard.

— Désolé, mais je n'ai pas pu m'en empêcher. Tu es restée avec lui très longtemps. Ne me dis pas qu'il n'a pas essayé de t'entreprendre.

Elle préféra ne rien répondre.

— Je crois que je pourrai prendre mon vendredi, et être là jeudi soir, poursuivit-il. À moins que je doive aller me faire voir ailleurs... ?

— J'y réfléchis.

Un problème de dernière minute le contraignit à partir le lendemain midi pour réapparaître à seize heures, tendu, les yeux ombrés de larges cernes de lassitude.

— Je n'ai pas fermé l'œil depuis une semaine. C'est sans doute parce que Dynah n'était pas là pour grimper dans notre lit, lâcha-t-il avec un simulacre de sourire.

Puis il sortit sur la plage, deux bouteilles de bière coincées entre les doigts. Après avoir demandé à Dynah de dresser le couvert, Kissy l'y suivit. Alors qu'elle prenait place près de lui, Burke la couvrit d'un regard empreint de lassitude.

— Je n'ai presque pas emporté de travail avec moi. Nous pourrons passer un week-end agréable, dit-il en détournant les yeux vers le lac.

Un silence s'installa. Des odeurs vaguement écœurantes de houblon flottaient dans l'air immobile. Burke était malheureux, par la faute de Kissy.

À certains égards, Junior avait raison de dire qu'elle perdait l'esprit, songea-t-elle. Elle manquait de courage au point de ne pouvoir aimer personne d'autre que sa fille. Pour la première fois, après avoir vu Junior se vider de son sang, elle croyait comprendre le sens occulte du vitrail, dans la chapelle de Sowerwine. Le cheval blanc ne symbolisait pas la Vie, mais la Mort, et le squelette ne représentait pas l'Homme mais l'Amour dans sa substance même, dépouillé de tout artifice. N'empêche que sa vie à elle avait tourné au désastre. Elle avait perturbé la vie de Dynah, bouleversé celle de Mike, sans pouvoir faire machine arrière. Mais au fond, pourquoi le ferait-elle ? Si seulement Junior était là, à l'attendre... mais ce n'était pas le cas.

Elle ne commettrait pas deux fois la même erreur, se promit-elle. Junior allait partir pour ses stages d'entraînement et, l'hiver venant, elle pourrait à loisir consolider les fondements de son mariage et avoir un enfant de Mike. C'était la moindre des choses pour lui prouver son amour. Entre-temps, peut-être Junior aurait-il trouvé la femme qui saurait définitivement la supplanter.

Elle précéda Mike dans la chambre à coucher, et, un peu plus tard, l'entendit trébucher dans l'escalier, ivre de l'alcool qu'il avait absorbé après le dîner. Se laissant lourdement tomber sur le dos, il retint son souffle puis roula sur elle avec la même pesanteur. Elle put voir sa bouche, molle d'alcool et de désespoir, s'approcher de la sienne.

À quoi t'attendais-tu ? Je ne peux m'empêcher de penser à lui, allongé dans ce lit, à tes côtés.

— Il est venu voir Dynah.

— ... et tenter de te reconquérir.

Abandonnant le lit, elle alla se réfugier dans la salle de bains. Elle se gargarisait, quand il apparut dans l'encadrement de la porte.

— Ça n'a pas cessé de me tourmenter pendant toute la semaine. Je suis désolé.

— J'ai accepté de t'épouser, dit-elle en regardant son miroir. Je l'ai quitté pour toi.

Mike acquiesça, indécis quant à la consolation que devaient lui procurer ces paroles. En tant qu'avocat, il savait ce que signifiait la langue de bois ; et pas un instant Kissy n'avait nié avoir couché avec son ex-mari.

De son côté, elle n'en dirait pas davantage. Si elle ne s'était pas sentie coupable, elle aurait réveillé Dynah et s'en serait allée. Elle s'empara de sa brosse à dents avec de légers tremblements. Burke l'observa quelques instants puis retourna se coucher. Après s'être brossé les dents, elle se lava le visage et y appliqua une crème hydratante. Elle avait maigri. La légère flaccidité du menton, la proéminence des pommettes, la profondeur des orbites et la saillie de l'arête du nez trahissaient les premières injures du temps. Ces prémices de décrépitude lui rappelèrent Ruth et la manière dont elle s'était lentement étiolée. Elle devrait prendre soin d'elle, songea-t-elle, comme Junior ne cessait de le lui répéter.

31

Le premier août, Junior s'installa au chalet avec Dynah, alors que Kissy reprenait le chemin de Peltry. Cédant aux pleurs de Dynah, elle y revint toutefois le samedi suivant pour ne regagner le domicile conjugal qu'aux petites heures du matin. Mike l'attendait, silencieux, attentif, torturé de souffrance contenue et plus que passablement éméché, mais il l'attendait tout de même. L'entourant de ses bras, il la serra très fort et, les yeux fermés, inhala profondément son odeur. Sentait-elle trop le propre ? Portait-elle encore sur elle les effluves de la douche qu'elle venait de prendre pour se laver de ses péchés ? Tombant à genoux, il enfouit son visage contre le ventre de sa femme et se mit à pleurer.

Elle l'aurait bien quitté, mais le courage lui manquait. Et puis, elle connaissait assez son homme pour savoir qu'il serait bien plus ardu de le quitter que de vivre avec lui. D'ordinaire, peu lui importait le bourbier dans lequel elle s'enlisait, car seuls Dynah et son travail comptaient à ses yeux. La situation lui semblait d'autant plus ridicule qu'elle ne devait rien attendre qu'elle n'avait déjà. Mais elle était majeure, et c'était à elle et à elle seule de se tirer de ce mauvais pas.

La vision de sa propre silhouette lui apparut soudain dans l'encadrement de la fenêtre de la véranda. Elle pouvait même entendre ses propres grondements de fureur monter du fond de son être. Elle se tenait tendue, translucide et fragile face à la tourmente, à la cassure, à la désintégration. Une lune couleur de cheval blanc nimbait la cime des arbres et la transperçait en un rai de lumière spectrale, projetant, tel un augure, son squelette sur le sol.

Rien n'est jamais tel qu'on l'a imaginé, se disait Mike Burke. Et pour y remédier, il devait tout d'abord cesser de s'abaisser devant elle. Certes, elle admit que c'était irréfléchi, sinon franchement provocateur, de rentrer si tard sous prétexte d'une partie de cartes qu'elle avait dû finir pour ne pas contrarier Dynah. Certes, elle jura ses grands dieux que cela ne se reproduirait plus. Et comme il ne demandait qu'à la croire, il se garda bien de se montrer trop crédule, même si rien ne prouvait qu'elle mentait. Car si ça se trouvait, elle le prenait pour un imbécile ; dans le cas contraire, il passait pour un individu mesquin et jaloux.

Quand il annonça qu'il voulait organiser une soirée en invitant Butch, Narcissa et quelques proches collaborateurs, elle leva un sourcil comme un chien lève la patte.

— Et qui mange-t-on au menu ?

— Très drôle, ricana Burke. Recevoir est une nécessité ; autant le faire comme il se doit.

— Pas pour moi.

— Puisque la cuisine n'est pas ton fort, tout ce que je te demande, c'est de faire appel à un traiteur, de t'habiller correctement et de ne pas te conduire comme une traînée.

— Ton traiteur, tu n'as qu'à t'en occuper toi-même, et, tant qu'à faire, attache un petit ruban jaune à ta queue.

Il y avait des moments où il aurait juré qu'elle l'attendait, le demandait, son œil au beurre noir, et la moindre récompense, pour s'être si héroïquement contenu, c'était de la donner quand même, cette putain de soirée. Et c'est ce qu'il déclara. En fin de compte, elle daigna s'en occuper, exceptionnellement, tous les plats concoctés par ses soins et servis par un jeune éphèbe de l'École des beaux-arts. En voyant le personnage, Mike connut un instant de panique, se demandant si elle ne cherchait pas à déclencher un esclandre, avec un pédéraste pour servir ses invités. Mais tout se déroula dans le plus grand calme, Kissy ayant, dès le départ, décidé de se tenir coite aussi longtemps que durerait la soirée. Elle mit en quelque sorte en pratique le dicton « Sois belle et tais-toi », car en plus d'être éblouissante, elle exhibait de sa poitrine un peu plus que la bienséance l'autorisait. Butch ne pouvait s'en détacher les yeux, au grand dam de Narcissa à la silhouette irrémédiablement chétive.

— La prochaine fois, tâche de porter quelque chose de plus discret, d'accord ? la chapitra Burke.

— La prochaine fois, tu inviteras tes amis au restaurant, rétorqua-t-elle en jetant sa robe à la poubelle.

Avec beaucoup de répugnance, Burke l'en extirpa et l'accrocha à un cintre. Des deux, il fallait bien que l'un se conduisît comme une personne adulte...

Mike Burke découvrit que son mariage avec Kissy l'obligeait à faire beaucoup plus de concessions (en vérité, toujours plus) qu'il ne se l'était imaginé. Tout d'abord, Kissy et lui étaient deux personnes diamétralement opposées. À l'éclectisme exotique et flamboyant de sa femme, il opposait une rigueur et des habitudes dont il avait d'autant plus de mal à se défaire qu'elles résultaient de longues années de célibat. En plus de posséder un esprit fantasque et capricieux, Kissy était une femme indéniablement gâtée, tout d'abord par l'argent, et ensuite par un mari indulgent et trop souvent absent. Elle aimait travailler tard dans son laboratoire, si bien que lorsqu'il rentrait le soir, même après une longue journée de travail, elle n'était pas dans son lit. Très souvent, il se levait le matin sans qu'elle se fût encore couchée. Au lieu de se servir d'un signet, elle cornait les pages des livres ou les abandonnait ouverts, à plat, n'importe où. Ses serviettes hygiéniques traînaient dans la salle de bains, et lorsqu'elle se décolorait les cheveux il flottait dans la maison une odeur pestilentielle, qui piquait les yeux et irritait les sinus.

Bien qu'ayant pris toutes les dispositions pour que chacun disposât d'un espace qui lui fût strictement réservé, il constatait que ni Kissy ni Dynah ne semblaient en tenir compte, comme si elles faisaient fi des limites qu'il avait soigneusement établies. Sans l'intervention quotidienne d'une femme de ménage, la maison n'aurait été qu'un épouvantable capharnaüm constitué d'équipement photographique et de jouets de toutes sortes, certains – il l'aurait juré – abandonnés intentionnellement dans le but de le faire trébucher. D'emblée, Mme Burke et Kissy avaient éprouvé l'une pour l'autre une haine que ni l'une ni l'autre ne cherchait à dissimuler. Aux judicieuses suggestions de sa belle-mère sur la façon de tenir une maison ou d'élever un enfant, Kissy répondait par de longs silences, ou de petits rires amusés, ou, une fois, par un « Vous m'emmerdez, Margarite » lancé d'un ton joyeux.

Devant Butch et ses collaborateurs, elle faisait montre d'une crudité de langage affligeante, ponctuée de « putain de ceci » et de « putain de cela » qui, quoique de bon aloi à l'École des beaux-arts, étaient incompatibles avec son état d'assistant du procureur. On aurait cru entendre une poissarde en mal de boisson.

Tout récemment, elle avait commencé à porter un vif intérêt aux anneaux dans le nez ; d'ailleurs, elle possédait dans sa chambre noire une série de photos d'adolescents au nez percé. Avec sept anneaux dans une oreille et trois dans l'autre, c'était déjà bien assez, avait morigéné Burke, et si jamais elle se hasardait à se faire percer le nez il se ferait une joie de le lui casser. Si elle voulait se faire percer quelque part, il lui connaissait un ou deux endroits sur le corps assez excitants pour qu'il en tirât au moins quelque satisfaction.

Et puis il y avait Dynah, qui interdisait toute intimité. Elle accaparait chaque seconde d'attention que Kissy aurait normalement dû lui consacrer en sa qualité d'épouse aimante et fidèle. Avant que sa mère ne le lui fît remarquer, il ne s'était jamais rendu compte que Dynah était une enfant hyperactive au point de requérir des soins médicaux.

Burke avait présumé que, une fois Kissy devenue sa femme, son ex-mari disparaîtrait du décor ou, tout au moins, limiterait ses interventions à des appels téléphoniques. Mais au lieu de cela, Clootie semblait s'agglutiner à sa famille comme une crotte à ses semelles. Tout l'été n'avait été qu'allées et venues, soit pour déposer Dynah, soit pour venir la chercher. En attendant qu'elle fût prête, le bougre s'installait dans sa cuisine et, devant Burke, tout en sirotant une bière ou un café, faisait effrontément la cour à Kissy.

Clootie avait beau avoir loué une chambre dans un motel, le soir où il était allé rejoindre Kissy et Dynah au chalet, cela ne prouvait rien. Aussi, après avoir annoncé qu'il rentrerait tard, Burke alla rôder du côté de la demeure de Clootie, pour savoir si le Blazer y était, ou dans les environs de son domicile pour tenter d'y repérer la motocyclette ou la voiture du hockeyeur. Ses investigations l'incitèrent à se rendre au complexe athlétique de Sowerwine, au cas où Kissy s'y trouverait en même temps que son ex-mari, puis à renifler sa garde-robe pour y déceler des relents de stupre. Dans la chambre noire, il passa au crible les plus récents négatifs.

Il envisagea un instant de mettre le téléphone sur écoute. Mais sans ordre d'un tribunal, ce serait un acte hautement répréhensible qui mettrait en jeu toute sa carrière. Il se raisonna en se disant qu'il devait rester en bons termes avec Clootie, faute de quoi ce dernier pourrait mener la vie dure à son ex-femme, ne serait-ce que pour la garde de Dynah.

Quelques amis du bureau mirent à profit leur solitude estivale pour se dissiper un peu, ce dont il s'abstint non sans calcul : qui veut d'un hamburger quand on a du filet mignon chez soi ? argua-t-il ; sinon, c'est comme s'il était l'un deux, un pauvre bougre que tenaient en otage sa femme, ses enfants et son hypothèque. Il n'avait pas attendu si longtemps pour, au bout du compte, épouser une bonne petite ménagère. Non, un des attraits de Kissy, c'était son anticonformisme, son opiniâtreté et son tempérament d'artiste. D'une manière ou d'une autre, elle finirait par se calmer. Un autre enfant, peut-être, lui permettrait de canaliser ses énergies, et une fois enceinte, Clootie n'éprouverait plus aucun intérêt pour elle. Un petit frère ou une petite sœur serait aussi une bonne chose pour Dynah. Burke se disait qu'un an après la naissance de l'enfant il lui serait facile de convaincre Kissy de laisser Dynah à son père, lequel pourrait alors, soit la mettre en pension, soit lui trouver une nurse.

Durant les deux semaines passées au chalet, il entreprit Kissy – ou du moins s'y évertua-t-il – avec une rare assiduité, si bien que la jeune femme dut bientôt porter d'amples robes de voile pour dissimuler les bleus de ses cuisses. La ferveur qu'elle mettait dans leurs ébats l'incita à penser qu'elle cherchait à lui prouver quelque chose ; mais quoi, il n'aurait su le dire. Dynah absente, la chose dura encore après qu'ils eurent regagné Peltry. Il rentrait le midi pour la retrouver au lit, et le soir aussi, même quand il arrivait tard dans la nuit.

— Veux-tu que grand-père et moi venions te chercher pour m'accompagner à l'aéroport, ce soir ? demanda Junior à Dynah.

— D'accord, répondit la gamine avec une indifférence affectée en repoussant violemment la porte de la cuisine.

— Elle n'est pas de très bonne humeur, dit-il à Kissy, qui s'apprêtait à lui refermer cette même porte au nez.

— J'avais remarqué, répliqua sèchement la jeune femme.

— Toi non plus, d'ailleurs...

— Fous le camp, Junior, c'est encore ce que tu fais le mieux.

Il tendit la main, mais Kissy se détourna promptement.

— Je ne veux pas partir comme ça... Que se passe-t-il ?

— Fous le camp, répéta-t-elle en suivant sa fille dans les recoins obscurs de la maison.

Junior faisait machinalement ses valises, ruminant de sombres pensées sur le changement d'attitude de Kissy. Il ne comprenait pas pourquoi, après une merveilleuse journée au chalet où, une fois Dynah endormie, ils étaient tombés dans les bras l'un de l'autre,

Kissy lui faisait grise mine sous prétexte qu'il allait partir. Après tout, ne l'avait-elle pas quitté pour épouser ce crétin de Burke ? Et voilà qu'à présent elle lui reprochait implicitement de repartir, comme si c'était un fait nouveau. Qu'était-il censé faire ? Raccrocher ses patins à vingt-sept ans et passer le reste de sa vie accroché aux basques de sa femme ?

Tandis que l'appareil virait au-dessus de Peltry, Junior se délassa contre le dossier de son fauteuil. L'avion, c'était pour lui un moment en dehors du temps, entre deux mondes au milieu desquels il balançait. Il oublia très vite Peltry, se rappelant une histoire qu'il avait lue à propos d'un ours qui, se débarrassant de sa peau, entrait soudain, nu et sanguinolent, dans le monde des humains. Depuis sa résurrection, Junior savourait chaque instant de son existence, et vivait des moments de transition comme celui-ci avec une intensité chaque fois renouvelée. Quoique ses émotions fussent authentiques – il répugnait à quitter Kissy et Dynah, surtout en mauvais termes, comme c'était le cas cette fois-ci, sa vie était ainsi faite, cette même vie qu'il avait failli perdre, et c'eût été faire preuve de grossière ingratitude que de demander plus qu'il n'avait déjà.

Les camps aussi faisaient partie de son continuel retour à la vie. L'odeur de la glace découpée en une rigoureuse topographie, cet appareil en acier nivelant la glace, aussi dur et froid que la lune, l'exaltaient au plus profond de lui-même. Le claquement sec du bâton sur le palet, le long chuintement des patins sur la glace avaient dans sa tête des résonances semblables à celles d'une chanson ; et chaque fois qu'il endossait son équipement, imprégné de sa propre odeur, il le faisait avec la joie de l'ours écorché retrouvant sa vieille peau.

Les journalistes se pressaient comme des asticots sur le cadavre d'un chat. Après un accident qui avait failli lui coûter la vie, son come-back dans le monde du hockey n'en était que plus spectaculaire, aussi était-il l'athlète le plus photographié du moment. Les revues spécialisées l'avaient souvent montré, avec sa cicatrice blanchâtre qui lui traversait la gorge, ainsi que le rabat de plastique protecteur qu'il avait toujours refusé de porter, ne se fiant qu'à sa minerve, qui avait glissé de son cou au moment où il en avait le plus besoin. Sur la couverture du magazine, la cicatrice lui parut plus longue et plus spectaculaire qu'il l'avait d'abord cru. Si, jusqu'à ce jour, il n'avait pas revu le film de l'accident, c'était à présent inévitable, puisque les chaînes de télévision s'en serviraient comme introduction pour annoncer son retour. Cela ne l'empêcha pas de jouer avec brio – comme si mourir avait clarifié les points obscurs de son jeu – et avec plus d'agressivité, toujours prompt à renvoyer le palet ou à déjouer une attaque.

Les Drovers avaient un nouvel entraîneur en la personne de Gunnie Ringgren, lequel avait passé quatorze ans de sa vie dans les ligues mineures. Tout ce qui l'intéressait, c'était le jeu avec un grand J, et il avait toujours été convaincu que son rôle n'était pas de servir de nourrice à des joueurs dans la force de l'âge. Quand un joueur a des problèmes personnels, se plaisait-il à répéter, il incombe à lui seul de les résoudre sans que son jeu en soit affecté. Ringgren avait toujours déclaré à ses joueurs qu'un véritable pro laissait ses problèmes en dehors de la patinoire. Mais en la circonstance, sa première saison en ligue nationale, c'était la première fois qu'il avait affaire à des joueurs dont les émoluments étaient très largement supérieurs aux siens. Bien que le club disposât de joueurs talentueux, la direction s'attendait à beaucoup plus que sa position présente au sein de la LNH, à savoir que l'équipe parvînt en finale. Si la perte de leur gardien de but à un million de dollars s'était révélée désastreuse pour l'accession de l'équipe aux précédentes finales, l'engouement suscité par le retour de Junior et le battage médiatique inhérent compensaient un peu le manque à gagner de la saison passée. Aussi s'attendait-on à découvrir un Clootie plus brillant que jamais. N'empêche que, malgré une prestation d'excellent augure durant le camp d'été, il donna quelques sueurs froides à son entraîneur.

Le Thanksgiving lui amena Dynah accompagnée de Dunny. Comme chacun s'y attendait, elle se mit à bouder et émit quelques récriminations sur l'absence de sa mère. Une fois seul, Junior se mit à réfléchir à un moyen de pallier cette situation. Avec ses allées et venues incessantes, il lui avait été facile d'ignorer le problème. Mais cette fois-ci, Kissy n'avait pas accompagné Dynah, et quand il rentrerait, à Noël, elle ne serait pas là non plus pour l'accueillir à l'aéroport.

Étrange chose que de pratiquer l'adultère avec sa propre femme, sans en parler, sans faire allusion au fait qu'elle était remariée. Loin de se comporter comme des personnes mariées de longue date, ils s'étaient retrouvés, comme ça, au hasard des événements, jusqu'au jour où elle en avait eu assez.

Junior ne croyait pas un instant qu'elle l'avait quitté pour Mike

Burke, ou qu'elle pût éprouver une ébauche d'affection à son endroit. Pourtant, elle l'avait bel et bien quitté, sur un coup de tête, peut-être ; à moins qu'elle n'eût cherché un prétexte pour le quitter définitivement, ce qui était fort possible si l'on considérait le personnage qu'elle avait choisi pour le remplacer. Manifestement, il s'était trompé sur l'idée qu'il s'était faite de leurs arrangements. Avant l'accident, il avait fait en sorte qu'elle ne manquât de rien, pour son bien et celui de Dynah. Mais, à la longue, entre l'absence et l'abstinence, l'épreuve s'était probablement révélée plus rude qu'elle ne se l'était imaginée. Malgré la jalousie qu'il éprouvait à l'idée que Kissy pût l'abandonner pour Burke, il avait la certitude que les attentes de son ex-femme étaient loin d'être comblées, ou, tout au moins pas assez pour l'écarter définitivement. La pensée que Burke ne fût pas le seul avec qui elle l'aurait trompé continuait de le troubler. Ne lui avait-elle pas avoué en avoir connu un autre, l'année où il était passé professionnel ? Peut-être y en avait-il eu d'autres, beaucoup d'autres, peut-être même un chaque saison.

Noël se passa autour de la piscine intérieure de la grande demeure victorienne, en compagnie de Dunny, d'Ida et de Mark qui, pour la circonstance, présenta sa nouvelle petite amie répondant au doux nom de Sandy. Bernie était là, aussi, apparemment entichée de Yuri, un autre Russe que lui avait présenté Mark, sans parler de Casey, de Dynah et de Kissy. Presque un rêve, vu que le cher Burke avait préféré s'abstenir. Pour un peu, sans l'attitude glaciale de Kissy, c'eût été comme s'il n'avait jamais existé.

— Tout va bien ? lui demanda Junior, sous les cris des enfants.

— Oui, répondit-elle en se dérobant à la main qui tentait le l'effleurer.

Dynah passa la nuit chez son père, contraignant Kissy à revenir la chercher le lendemain pour qu'elle fêtât Noël pendant quelques heures avec elle et Mike, à l'issue de quoi elle la ramènerait chez son père. Les plaisanteries de Junior, ses longs regards, ses imperceptibles manœuvres d'approche restèrent sans réponse. Ce n'est que lorsqu'il fut question de l'emploi du temps de Dynah qu'il réussit à capter l'attention de Kissy.

— Je deviens fou, bafouilla-t-il. J'ai tellement envie de toi.

Elle referma son agenda avec un claquement sec, et vissa le capuchon de son stylo.

— Ne commence pas, grinça-t-elle. Ne commence surtout pas.

Voilà longtemps qu'il avait envie de prendre une bonne cuite, de se conduire comme le dernier des idiots et, tant qu'à faire, de démolir quelque chose ; et, tout à coup, il eut très soif, tout à coup, il rêva de fumées enivrantes, tout à coup, il chercha un chien à écraser, un pont du haut duquel se jeter. Mais il avait une petite fille dont il était responsable, une petite fille qui l'attendait à longueur de semaines.

Il ramena Dynah à sa mère le jour de son départ. Cette chère tête de nœud était devant l'entrée, un petit sourire au coin des lèvres, le bras posé sur l'épaule d'une Kissy raide comme un piquet, comme si ce bras pesait une tonne.

Les photographies de Ruth eurent bientôt raison des énergies de Kissy. Sitôt Dynah couchée, elle se mettait au travail. Mike, lui, avait pris l'habitude de retourner au bureau après dîner et quand il rentrait, tard dans la nuit, elle n'était pas encore couchée. Elle finissait souvent quand Dynah se réveillait. Parfois, les résultats de sa nuit de travail étaient bons, parfois, ils étaient à chier et elle en sortait complètement découragée. Après le départ de Mike, elle allait se coucher tout habillée dans le lit de sa fille, pour n'en sortir qu'à son retour de l'école. Elle la conduisait alors chez Junior, où elle pouvait s'adonner à la natation, pendant que Dynah allait patiner avec son grand-père. S'étant porté volontaire pour l'entretien de la demeure, ce dernier avait emménagé dans l'appartement, au-dessus du garage. Il lui arrivait quelquefois de ramener sa petite-fille chez sa mère et de partager leur repas.

Mike n'émit aucune objection, probablement pour avoir la paix. Et c'est sans doute pour la même raison qu'il se mit à pratiquer le golf tous les week-ends, jusqu'aux derniers jours de l'automne. En hiver, il jouait au basket-ball, dans l'équipe que dirigeait Butch McDonough. Quand il rentrait, Kissy aurait pu dire sans se tromper qu'il était à moitié ivre. Souvent, il le devenait complètement en sa présence. Avec un peu de chance, il s'endormait sans avoir eu l'envie de l'entreprendre, dans le cas contraire, elle calmait ses ardeurs par une fellation, avant qu'il devînt trop soûl et se fît trop exigeant. Cela permit à Kissy de découvrir la distance qu'elle pouvait mettre entre elle-même et son propre corps, combien peu de choses transparaissaient d'elle et de leur couple. À les voir se comporter, personne n'aurait jamais pu deviner tout ce qui pouvait les séparer.

Il arrivait que, déjouant les barrières de sa lassitude, Junior s'insinuât dans ses rêves. Elle était de nouveau avec lui, dans leur vieux lit surplombé de photos de famille, et pouvait alors repasser leur histoire. Parmi ses photos, se trouvait aussi celle de Ruth, la toute première qu'elle eût jamais vue, celle qui était parue dans le journal, une photo qui aurait dû lui faire comprendre qu'elle rêvait puisqu'elle ne s'était jamais trouvée nulle part dans la maison. Mais quoi qu'il en fût, elle était incapable de la regarder ; elle ne voyait que la longue cicatrice blanche qui barrait le cou de Junior, et sous laquelle palpitait doucement la veine jugulaire. À ce moment-là, il avait les yeux fermés, et son visage exsangue luisait de sueur. Voilà qu'il se mettait à dodeliner de la tête et à l'appeler. Elle croyait le sentir au fond d'elle, mais en réalité il ne s'agissait pas de lui, mais de quelqu'un d'autre.

Où qu'il fût, de quelque univers parallèle où se déroulât son existence, Junior l'appelait, sa voix lui parvenant comme un message d'outre-tombe :

— Tout va bien ? Tu prends toujours bien soin de toi ?

— Ne m'en parle pas, répondit-elle.

32

— Il faut que nous ayons une conversation, annonça Mike.

Ils étaient dans la cuisine, juste après que Dynah en eut claqué la porte pour attraper son autobus.

Comme Kissy levait les yeux de son journal, il se pencha vers elle et le lui confisqua.

— Pardon ? s'étonna-t-elle.

— Je te demande quelques minutes d'attention, poursuivit-il d'un air sentencieux, en mettant les mains de sa femme entre les siennes. Toi et moi, nous travaillons trop, beaucoup trop. Il faut que nous fassions quelques concessions. Je t'aime, continua-t-il alors que les yeux de Kissy s'embuaient de larmes. Je voudrais tant que tout aille bien entre nous...

— Mais tout va très bien, objecta-t-elle avec un rire forcé. Mais je ne suis pas certaine d'apprécier ta personnalité à sa juste valeur et encore moins d'être amoureuse de toi.

Abasourdi, Burke ouvrit la bouche, sans qu'aucun son ne parvînt à s'en échapper.

— Pour l'amour du ciel, qu'est-ce que j'ai fait de mal ? réussit-il enfin à articuler.

— Pour commencer, tu me traites comme de la volaille. Crois-tu que j'aime me faire pour ainsi dire violer par un ivrogne, tous les week-ends ?

— C'est donc tout l'effet que ça te fait ? s'étonna l'homme après un long silence.

Kissy lui tourna le dos sans répondre. Ah, il voulait avoir une conversation ? Que disait-il de celle-là ? Le café qu'elle venait de boire prit tout à coup un goût d'ammoniaque. Vidant la carafe dans l'évier, elle entreprit de le rincer. Elle devait s'occuper les mains à quelque chose, n'importe quoi, faute de quoi elle ne répondrait plus de rien.

— Je suis désolé, continua Burke d'une voix brisée. Je croyais que ce n'était qu'un jeu, que tu aimais ça.

— Tu bois trop.

— Oui, acquiesça-t-il précipitamment. C'est vrai, mais j'ai eu tellement de travail, ces derniers temps. Je vais faire attention.

— Et puis ?

— Veux-tu que nous consultions un conseiller matrimonial ? C'est chose courante, de nos jours. Je trouverai le temps.

— Peux-tu décider quelque chose sans jamais te référer aux autres ?

— Bien sûr, Kissy, bien sûr. Mais il faut que tu m'aides. J'ai tant besoin de toi, Kissy... Je voudrais que nous ayons un enfant. Ma pendule biologique me le commande, tenta-t-il de plaisanter.

Kissy rit de bon cœur. Mike était trop peu enclin à la plaisanterie pour que cela pût passer inaperçu. Elle n'avait jamais cru que la naissance d'un enfant fût le remède aux problèmes conjugaux ; néanmoins, cela faisait des années qu'elle souhaitait être mère une seconde fois, et n'ignorait pas l'influence que pouvait avoir sur un homme la présence d'un enfant.

Mike souhaitait ardemment sauver son ménage ; il avait promis de changer d'attitude, et c'est ce qu'il fit, à telle enseigne qu'il cessa immédiatement de boire, et s'en trouva heureux en raison du bien que cela lui faisait. Sur le mur de la chambre à coucher, il accrocha un calendrier sur lequel il nota les cycles menstruels de sa femme en prenant régulièrement sa température. Pour ne pas affecter sa production de spermatozoïdes, il troqua ses slips moulants contre d'amples caleçons. Leurs rapports sexuels se limitèrent à deux fois par semaine, et jamais deux jours consécutifs. Il évoqua même la possibilité d'une insémination artificielle, au cas où cela ne marcherait pas. Mais, d'emblée, Kissy appréhenda la chose comme une tâche supplémentaire qui lui était imposée. Dès que les tests de grossesse se révéleraient positifs, se promit-elle, elle commencerait par jeter cette saleté de calendrier.

Profitant de la période du « All-Star », Junior revint à Peltry s'occuper de Dynah. Pour tenter d'oublier sa proximité, Kissy se cloîtra incontinent dans sa chambre noire, parfois jusqu'à l'aube. Exténuée, trempée de sueur, elle alla au réfrigérateur et s'octroya un jus d'orange qu'elle but à même le carton. Il était trop tard pour la séance de natation de Sowerwine ; et, quoique recrue de fatigue, elle savait qu'elle ne pourrait s'endormir sans avoir fait un peu d'exercice. Elle irait donc nager chez Junior, décida-t-elle ; cela lui donnerait l'occasion de prendre son petit déjeuner avec Dynah. Elle ne risquait rien, vu que Dunny serait aussi présent.

En arrivant, elle ne décela aucun signe de vie. D'un bleu calme et convivial, la piscine déserte était à son entière disposition. Après quarante minutes d'exercice, elle sentit ses muscles rouler sous sa peau comme des rouages bien huilés, sans que sa tension nerveuse se fût toutefois dissipée pour autant.

Après une douche, elle se vêtit et alla dans la cuisine préparer du café et des toasts. Une légère odeur de cuisine, confirmée par la vaisselle sale déposée au fond de l'évier, lui rappela que c'était jour d'école. Dunny avait dû réveiller Dynah et la conduire à l'école sans remarquer le Blazer garé près de la piscine, à l'autre extrémité de la demeure. Montant à l'étage, elle alla jeter un coup d'œil dans la chambre de sa fille. La pièce était vide et parfaitement rangée, le lit fait, comme elle l'avait enseigné à Dynah.

Junior était réveillé. Les mains jointes sur la nuque, il ne fut nullement surpris de la voir apparaître.

— Salut, dit-elle.

— Tu as bien nagé ?

— Oui.

— Approche ; viens te réchauffer, la convia-t-il en la voyant frissonner.

Kissy se glissa sous les couvertures sans se faire prier.

— Je comptais prendre le petit déjeuner avec Dynah ; j'avais oublié que c'était jour d'école, expliqua-t-elle.

— Elle m'a apporté un jus d'orange en me disant de rester au lit, fit Junior en attirant Kissy contre lui.

La tête appuyée contre le torse de son ex-mari, elle écouta les battements apaisants de son cœur. Nu, Junior lui apparut extraordinairement vivant, débordant de vitalité, et, comble de bonheur, velu comme un ours.

— Tu es toute chavirée, dit-il. Je te sens trembler ; quelque chose ne va pas ?

— J'ai travaillé toute la nuit.

Se redressant, elle lui parla de son travail, et Junior écouta attentivement, posant de temps à autre une question pertinente, faisant quelques mots d'esprit. Mais loin de la calmer, la narration de son emploi du temps ne fit que l'exciter davantage. Elle parlait trop vite, riait trop fort pour des propos futiles. Quand Junior lui caressa le visage, ce fut pour se rendre compte qu'elle ruisselait de pleurs, que ses larmes abondantes glissaient le long de son cou jusque dans l'interstice de ses seins. Fermant les yeux, elle s'abandonna de nouveau contre lui. Avec un tressaillement, elle sentit la main de Junior se poser sur sa cuisse, tandis que ses lèvres effleuraient les siennes.

Comme elle se détachait de lui, il repoussa ses draps en libérant un soupir.

— Et si on prenait un bain ?

— D'accord, dit-elle en s'essuyant le visage.

L'eau montait autour de leurs corps dénudés, tandis que, dans les bras l'un de l'autre, ils échangeaient des baisers rassurants. Junior caressa la peau rose de Kissy puis du bout de ses doigts effleura son pubis. Quelques instants plus tard, il entrait en elle en l'écrasant de tout son poids. Le regard rivé à celui de son ex-mari, elle ne fut plus que deux immenses pupilles dilatées par un plaisir aux profondeurs abyssales. De sa bouche entrouverte s'échappaient des sons gutturaux, jusqu'à ce qu'elle s'abandonnât à son orgasme avec l'impression que quelque chose se déchirait en elle.

Elle dormit si profondément que Junior répugna à la réveiller ; mais il était treize heures trente, et Dynah n'allait pas tarder à rentrer.

Dunny déjeunait dans la cuisine, et ne parut nullement surpris de voir apparaître son fils tenant Kissy par la main.

— Il y a de la soupe à la tomate, dit-il, et du fromage pour les sandwiches.

— Merci, mais il faut que je parte, répondit Kissy en l'embrassant affectueusement sur la joue.

Junior la regarda s'éloigner, puis entreprit de préparer un sandwich.

— Vous devriez vous montrer plus discrets, conseilla Dunny, tandis que s'éloignait le Blazer.

— Pour quelle raison ? objecta Junior. Je veux qu'elle revienne ; il n'y a plus qu'à attendre qu'elle le fasse de son propre gré.

— Tu crois qu'elle va un jour quitter son policier ?

— Ça se pourrait bien ; elle est à bout de nerfs.

— Peut-être fait-elle partie de ces gens voués à être malheureux où qu'ils soient, hasarda Dunny, qui ajouta, devant le regard incrédule de son fils : Et puis, qu'est-ce que j'en sais, moi ?

En apprenant la décision de Kissy d'aller rendre visite à Junior, Burke était monté sur ses grands chevaux, même si elle avait invoqué le prétexte fallacieux selon lequel Dynah ne pouvait se passer de voir son père. En réponse, elle s'était contentée de faire la moue. Elle se préparait à un esclandre, voire un ultimatum, quand, à sa grande surprise, Burke s'était ressaisi en se ménageant un rire à demi étranglé.

— J'ai l'impression de passer pour un idiot, avait-il dit. Tout ce que je souhaite, c'est que Dynah gâche la vie de son père comme elle est en train de gâcher la mienne.

Kissy avait gardé le silence. Ses arguments restaient immuables : il fallait que Dynah vît son père. Naturellement, Dunny aurait pu se charger de l'y emmener et de s'occuper d'elle le cas échéant, mais elle avait besoin de repos, elle aussi, et si Detroit n'était pas précisément l'endroit rêvé pour des vacances, c'était un compromis où chacun trouvait son compte. Pour ce qui était de Mike, c'était à prendre ou à laisser.

Bien entendu, elle avait l'intention de coucher avec Junior, que ce fût bien ou mal, moral ou immoral, et si Mike espérait contrôler son existence, il se fourvoyait du tout au tout, tout comme Ryne, en son temps, ou Junior, un peu plus tard. Vouloir lui passer le licou n'avait fait que lui démontrer à quel point il se fourvoyait, quand il croyait avoir des droits sur elle. Au moins Junior offrait-il l'avantage d'être un amant présentable. Aussi, redressant le menton, elle avait inspiré longuement, se gorgeant de cette revigorante sensation que confère l'assurance d'être dans son bon droit.

À présent, elle était au lit, près de Junior, dans la suite d'un grand hôtel de Detroit, pendant que Dynah dormait dans la chambre voisine.

— T'es-tu rendu compte à quel point tu es mariée au mauvais bonhomme ?

— Je te rappelle que j'ai d'abord été mariée avec toi, et tout ce qui en est ressorti, c'est Dynah, et des retrouvailles à la va-vite, assez semblables à celles-ci, rétorqua Kissy en assenant un coup de poing à son oreiller.

— À cette différence près qu'aujourd'hui nous avons M. Formidable dans les pattes. Pourquoi ne reviens-tu pas avec moi ? Il n'y aurait qu'à laisser faire les avocats.

Kissy se mit à rire. Elle avait laissé toutes ses photographies à Peltry, en otage chez Mike. Si elle ne rentrait pas, il ne faisait aucun doute qu'il les détruirait. Encore une chose à laquelle elle n'avait pas pensé et qui lui apparaissait aujourd'hui comme une erreur impardonnable. À son retour, elle en ferait des copies qu'elle garderait en lieu sûr. Chez Latham, cela ferait très bien l'affaire. Distraitement, elle se demanda si elle n'avait pas omis un autre détail important, s'il existait un autre moyen par lequel Mike pourrait avoir barre sur elle.

Quoique précautionneusement, Junior ne manquait pas une occasion de la presser de revenir. Cependant, quels que fussent ses arguments pour l'inciter à quitter Mike, il s'en était toujours tenu là. Un instant, Kissy avait craint qu'il ne décrochât le téléphone pour annoncer à Mike : « Hé, tête de nœud, entre Kissy et moi, c'est reparti ! » Mais il n'en avait rien fait. À vrai dire, l'idée d'avoir une aventure avec la femme d'un autre l'émoustillait, mais plus probablement avait-il décidé de s'armer de patience et d'attendre que Kissy quittât Burke en parfaite connaissance de cause. S'était-il demandé où tout cela mènerait ? Elle n'aurait su le dire. De toute manière, Junior ne comprendrait pas qu'après tant d'années passées avec lui elle était apte à assumer ses erreurs.

Kissy était en retard ; et si elle s'avisait de se dérober à cette soirée, il se ferait un devoir de lui botter le cul. Plus Mike Burke y pensait, plus il était résolu à le faire, car elle avait promis, bel et bien promis.

La soirée, qui battait son plein depuis déjà plus d'une heure, se déroulait dans le salon privé du meilleur restaurant de la ville. Bien que l'on eût ouvert grand portes et fenêtres, l'atmosphère y était suffocante et humide comme au mois d'août, alors que juin commençait à peine. Si, d'ordinaire, Mike carburait au scotch, il avait dû s'en tenir à quelques bières, sous peine de se faire taxer d'ivrognerie, comme feu son père, aurait-on murmuré. Sous peu, il risquait de se faire prendre en aparté par un vieux pochard repenti qui lui vanterait les mérites des A.A.

Mais il n'en était pas encore là, et cette soirée était dédiée à un événement particulier.

Le visage de Butch tournait à la pivoine. Sur le buffet ne subsistaient que des reliefs de victuailles et, déjà, on réclamait le gâteau.

— Hé, Mike ! beugla le procureur, où as-tu caché ta petite femme ? Dans le gâteau ? ajouta-t-il en balançant les épaules d'avant en arrière pour agiter une paire de seins imaginaires.

Dans l'assistance les rires fusèrent. Il y eut même des sifflements et quelques applaudissements.

— Naturellement, répliqua Mike, son verre levé en manière de toast.

De nouveaux cris de joie retentirent quand Kissy apparut, se frayant un chemin parmi la foule des invités, qui s'écartèrent sur son passage avec des sifflements admiratifs suivis d'une nouvelle salve d'applaudissements. Avec ses talons aiguilles d'arpenteuse de bitume, elle mesurait près de dix centimètres de plus que d'ordinaire. La robe qu'elle avait refusé de montrer à Burke se révéla être un fourreau de lamé bordeaux, fendu sur un côté jusqu'à la taille, et qui dévoilait de larges pans de cuisse alors qu'elle allait vers Butch avec des déhanchements suggestifs. Si les cheveux étaient plus hirsutes que jamais, les oreilles s'ornaient, en plus de leurs clous, de longues pendeloques dorées terminées par des billes d'un rouge écarlate. Comme elle se targuait de choisir elle-même ses bijoux, Burke se demanda où elle avait pu dénicher une bimbeloterie d'aussi mauvais goût.

Butch profita de ce qu'elle lui donnait l'accolade pour lui mordiller le lobe de l'oreille, puis il l'embrassa à bouche que veux-tu. La grosse paluche de son mari investissant la hanche de Kissy fit à peine sourire Narcissa, tandis que, un rictus figé sur les lèvres, Mike rejoignait sa femme avec une nonchalance affectée. Après s'être adroitement esquivée de l'étreinte de Butch, Kissy se laissa théâtralement tomber dans les bras de son mari dans l'hilarité générale.

L'arrivée du gâteau mit finalement un terme au spectacle.

— Tant qu'à faire, tu aurais dû venir à poil, grinça Burke en étreignant le poignet de Kissy.

Elle tenta de se libérer, mais, raffermissant sa prise, Burke reprit d'un ton faussement détaché, sans quitter l'entourage des yeux :

— Tous les hommes dans cette salle ne rêvent que de te sauter. Où étais-tu donc passée ?

— Les freins du Blazer ont lâché. J'ai dû le laisser dans un garage et appeler un taxi.

— Voilà longtemps que tu aurais dû te débarrasser de ce tas de ferraille, mais non, tu préfères le garder. À tout propos, tu t'en sers comme alibi chaque fois que tu arrives en retard.

— Va te faire foutre, Mike, rétorqua Kissy en grimaçant un sourire.

Contrairement à ce qu'il prévoyait, Kissy ne partit pas, mais au contraire, se mêlant à la foule, fit des mondanités auprès des femmes et exhiba ses appâts auprès de leurs maris. Elle fit même un brin de conversation à Butch, allant jusqu'à agiter ses seins sous son nez de manière suggestive, ce qui, une fois encore, ne fut pas du goût de Narcissa. Mike hua et siffla plus fort que les autres, sans s'inquiéter un instant de la réaction de Narcissa, sachant que, en fin de compte, elle dirait que la soirée organisée en l'honneur de son mari avait tourné à la bacchanale, tout en ayant, dans son for intérieur, adoré ça.

— Alors, tu t'es bien amusée ? demanda Burke à Kissy, à peine entré dans le vestibule. Ça t'a excitée d'agiter tes nichons sous le nez de Butch ?

Il était ivre ; et l'heure était d'autant plus favorable aux règlements de comptes que Dynah était chez son père, et qu'il pouvait vociférer tout son soûl.

— C'était ton idée, répliqua posément Kissy, en portant un soin particulièrement attentif au manteau de soirée qu'elle était en train d'accrocher. C'est toi-même qui m'as demandé de leur en mettre plein la vue ; la preuve, c'est que tu t'es manifesté plus bruyamment que les autres. Toi et tes amis, vous n'êtes au fond qu'une bande de petits banlieusards qui ne rêvez que de baiser la femme du voisin.

Elle s'immobilisa au pied de l'escalier pour ôter ses talons aiguilles, la jambe élégamment repliée, la tête et le bras rejetés en arrière pour saisir sa chaussure par le talon. Aux yeux de Burke, cela avait toujours représenté la partie la plus excitante de son déshabillage. À peine avait-elle retiré la première chaussure que, la saisissant par le poignet, il l'attira vers lui. Elle tenta de le repousser, mais il la frappa violemment sur la bouche du revers de la main. Déséquilibrée, elle tomba en heurtant la rampe, tenant toujours convulsivement sa chaussure. Burke l'agrippa alors par le bras et, la forçant à se mettre debout, se mit à la secouer comme un prunier. Profitant de ce qu'elle retrouvait un peu de son équilibre, Kissy lui lacéra le visage avec le talon de sa chaussure, avant d'être à nouveau projetée en arrière, contre les marches d'escalier.

Burke pleurait. Au sang qui coulait sur sa joue se mêlaient des larmes coulant à profusion.

— Sale pute, haleta-t-il, sale pute castratrice.

Finissant de se déchausser, Kissy se mit à genoux et se hissa jusqu'à l'étage. Là, enfermée dans la salle de bains, elle se démaquilla, puis aspergea son visage d'eau fraîche. Son dos lui faisait mal, très mal.

— Kissy ? la fit sursauter Burke derrière la porte. Est-ce que ça va ? Je suis désolé. Ouvre, s'il te plaît.

Lentement, elle déverrouilla la porte. Il était là, ne sachant trop sur quel pied danser ni que faire de ses mains.

— Je suis désolé, répéta-t-il.

Kissy se sentit tout à coup très lasse. Une violente migraine lui vrillait les tempes. Se détournant de Burke, elle s'empara du flacon d'aspirine et en avala deux comprimés. Quand elle voulut se rendre dans la chambre à coucher, Burke ne fit aucune obstruction et s'effaça docilement pour lui céder le passage.

Sa robe retirée, elle alla l'accrocher à un cintre, puis, une fois nue, revêtit un pyjama, sans adresser un instant un regard à son mari, qui, à l'inverse, ne la quittait pas des yeux.

Les yeux fermés, les couvertures tirées jusqu'au menton, elle se préparait au sommeil, quand Burke vint s'agenouiller devant elle, comme un enfant pour la prière du soir.

— J'ai l'impression d'être un pauvre type, murmura-t-il. Je ne peux te donner ni l'argent ni même l'enfant que t'a donnés ton premier mari.

Voyant Kissy lui tourner le dos sans répondre, il descendit au rez-de-chaussée. Elle l'entendit verrouiller les portes, éteindre les lumières. Elle reconnut aussi le frottement furtif du tiroir de son bureau qui contenait la bouteille de scotch dont elle était censée ignorer l'existence.

Il remonta les marches à pas comptés, et là encore, elle l'écouta se dévêtir. Burke prenait toujours grand soin de ses costumes. Dans la penderie les cintres de bois se heurtèrent brièvement. Puis elle sentit le matelas s'affaisser sous son poids. Un amalgame d'odeurs, fait de lotion après-rasage, d'alcool et de sueur lui chatouilla les narines. Des doigts frôlèrent timidement sa hanche, lissant le tissu contre sa peau. Elle eût aimé hurler, mais, à l'inverse, ne bougea pas d'un cil.

J'avais trop bu, argua Mike après avoir passé deux jours sans oser la regarder dans les yeux. Nous sommes allés trop loin, toi et moi.

Trop loin, trop loin... Elle était allée trop loin en bien des façons, par sa tenue provocante et sa conduite outrageante... Qu'elle l'admît ou non, et même si ce n'était pas dans ses intentions, elle l'avait provoqué.

La voix de la raison soufflait à Mike que rien n'arrive pour rien, et leurs tensions quasi permanentes n'étaient dues qu'à leur incapacité de faire un enfant, et à l'ombre maléfique de Junior Clootie qui ne cessait de planer au-dessus de leur ménage. Burke se surprit même à découvrir des excuses à sa femme : inconsciemment, elle sondait la profondeur de son engagement, et, de ce fait, Burke s'efforça de croire que Kissy ne pouvait le tromper avec son ex-mari.

— Pour l'amour du ciel, Kissy, dis quelque chose, protesta-t-il, au bord des larmes.

Mais elle ne dit rien, refusant même de le regarder, comme si, pour elle, il avait cessé d'exister.

Finalement, renonçant à l'agonir d'explications et d'excuses, il se rendit, à la première heure et chaque matin, à la salle de gymnastique, et apparut toujours d'humeur joyeuse et d'une sobriété de dromadaire. Il travailla très tard, finissant la plupart de ses nuits sur le divan de son bureau.

Elle fit poser une nouvelle serrure à sa chambre noire et une autre au cabinet adjacent qui lui servait de bureau. Son existence s'organisa de telle sorte qu'ils ne se virent que quatre ou cinq fois par semaine, en passant, à moins que Burke ne fît un effort particulier pour rentrer dîner.

Ils ne fréquentèrent plus personne ou, du moins, seul Burke répondit aux invitations qui leur étaient adressées. Personne ne lui demanda plus des nouvelles de Kissy, et pour ce qui était des siennes, on le faisait avec pudeur, comme il en va pour les cas difficiles. Burke n'avait jamais pensé que les choses pouvaient tourner ainsi, que Clootie pourrait un jour reconquérir Kissy avec autant de facilité. Il se sentait rongé d'humiliation ; toute la ville murmurait que sa femme lui faisait porter des cornes. D'ailleurs, elle n'avait plus jamais dormi dans leur lit depuis la soirée en l'honneur de Butch, dont le seul souvenir, soit dit en passant, lui levait encore le cœur.

Divorcer était hors de question. Il n'était plus un de ces godelureaux qui pouvaient annuler un mariage en prétextant une erreur de jeunesse. Et puis, il y avait autre chose : l'argent de Kissy lui était nécessaire pour vivre. Il avait changé du tout au tout son mode d'existence, et il n'était pas question de faire machine arrière, même si sa vénalité lui donnait parfois des sueurs froides. Le soir, avant d'aller se coucher, il lui arrivait d'examiner les relevés bancaires que sa femme ne cherchait d'ailleurs pas à dissimuler, simplement pour être au courant de ses avoirs.

C'est que, depuis son mariage, Burke vivait très au-dessus de ses moyens. Si la vente de sa première maison avait constitué une mise de fonds substantielle, c'est Kissy qui avait défrayé la différence de coût de celle qu'ils occupaient aujourd'hui. C'est aussi elle qui assumait l'entièreté des dépenses ménagères. Sa somptueuse BMW lui avait été offerte par Kissy, et son seul salaire ne lui aurait jamais permis d'avoir sa belle garde-robe, ni de boire les meilleurs whiskies, ni de fréquenter les meilleurs restaurants, surtout pas avec une femme à charge. Il faut dire que Kissy menait grand train ; et pour peu qu'un accident survînt à Clootie leurs existences s'en trouveraient enrichies d'autant, car Burke était prêt à parier qu'en plus d'être son exécuteur testamentaire, Kissy en serait aussi la principale héritière.

Car Junior Clootie était outrageusement, scandaleusement riche. Burke en fut si révolté que son esprit fut envahi de folles pensées. Ah, si seulement il pouvait le coincer ! Ce ne serait pas chose facile avec un personnage aussi notoire. Les athlètes professionnels sont pratiquement intouchables, quand bien même on les prendrait en flagrant délit de possession de cocaïne ou de pédophilie. Non, ce qui aurait pu arriver de mieux, ce qui aurait tout arrangé, c'eût été que, devenu tout à fait idiot, Clootie commît l'irréparable, comme une surdose ou un télescopage contre un arbre à cent soixante à l'heure sur sa saleté de Harley-Davidson, pour que Kissy décrochât la timbale. À ce moment-là, il ne verrait aucune objection à mettre les pouces après avoir fait cracher le gros paquet.

Ces pensées eurent le don de le rendre plus actif et, par là même, d'éviter de commettre un acte qui aurait à jamais compromis son existence. De façon plus réaliste, un mariage raté était aussi peu rare que le péché, et ne valait pas qu'on commît un meurtre. En tout état de cause, il se retrouverait quand même, comme à présent, seul dans son lit, pendant qu'elle s'affairerait à Dieu sait quoi dans sa chambre noire.

Une nuit, l'idée vint à Burke que cette sinistre farce avait assez duré. Il se leva et descendit dans son bureau. Étrange impression que de se retrouver derrière sa table de travail à trois heures du matin, les pied nus sur la moquette, dans une maison sombre et vide comme une caverne. Il ne pouvait entendre Kissy, la chambre noire se trouvant à l'autre extrémité de la maison ; en revanche, il détecterait sa présence aussitôt qu'elle entrerait dans la cuisine. Sous le halo de sa lampe de bureau, il se pencha sans conviction sur un dossier puisé dans sa mallette. Quand il entendit enfin le tintement de la cafetière contre le robinet de la cuisine, la pendule affichait presque cinq heures, et il ne pouvait se rappeler un seul mot de ce qu'il avait lu.

Elle dosait du café dans le filtre en papier. En l'entendant entrer, elle leva un regard atone, qui donna à Burke l'impression d'être invisible.

— Je n'aime pas du tout notre façon de vivre, dit-il. Je ne vous vois plus, ni toi ni Dynah. Je ne t'ai pas épousée pour que nous vivions comme deux étrangers.

— C'est bien dommage, murmura-t-elle après un silence.

Tirant une chaise à lui, Burke s'assit pesamment sans avoir la moindre idée de ce qu'il allait dire. Cela ne fit qu'ajouter à son amertume. Il sombrait peu à peu, et Kissy ne semblait pas disposée à lui venir en aide.

— Dis-moi au moins ce qu'il faut que je fasse...

L'œil dolent, il la vit lui adresser un long regard de biais. De larges taches de transpiration auréolaient son tricot de coton des aisselles aux seins. Le visage était moite, les yeux creusés de fatigue. Les mains s'affairaient toujours, malhabiles.

Au moment où il se leva, elle tressaillit, une main levée en signe de défense, avant de la laisser retomber, vaincue. Se ressaisissant, elle lui fit face, cependant. Burke, lui, avait la gorge trop serrée pour parler. Il se dirigea vers elle d'un pas chancelant et la prit dans ses bras, pour enfin tomber à genoux, et sangloter, le visage enfoui contre le ventre de Kissy. Quelques instants plus tard, elle lui effleura timidement les cheveux.

C'était étrange, songeait Burke, cette façon qu'elle avait de l'anéantir et ensuite de le ressusciter. Cela lui donnait l'impression d'être comme une de ses photos. À partir du personnage original, du négatif, elle s'amusait à le transformer, par des effets de lumière et d'obscurité. De ces expériences il émergeait à demi asphyxié, rongé par les acides, pour découvrir au bout du compte qu'il n'était pas le personnage qu'il avait cru être.

À l'issue d'une réunion, Butch s'enquit de son état ; il voulait savoir si ce qu'on murmurait à son sujet était fondé. Les paris sur sa future paternité étaient-ils encore ouverts ?

— Oui, nous faisons notre possible, répliqua Burke avec un rire nerveux.

— Excellente initiative. Besoin d'un coup de main ?

Burke était censé rire, ce qu'il fit.

— On ne vous a pas vus depuis des siècles, continua Butch. Nous faisons du poulet grillé, samedi soir ; si le cœur vous en dit...

— Désolé, répondit Mike, sincèrement navré, mais je dois conduire Kissy et Dynah au chalet.

— Ah, dans ce cas, tâchez de revenir assez tôt pour vous joindre à nous.

Ce qui laissait entendre qu'une fois encore Kissy l'abandonnait à son sort ; une bonne occasion pour Butch de faire comprendre à Mike que se séparer de sa femme durant l'été n'était pas la meilleure façon de lui faire un enfant. Néanmoins, tout le monde saurait à présent que tout allait pour le mieux chez les Burke, et, conscient de cela, Mike leva son verre, pour la première fois depuis longtemps, avec un réel contentement de soi.

33

— Alors, comme ça, tu es enceinte ? demanda Junior.

Kissy roula sur le dos pour le regarder dans les yeux.

— C'est possible, enfin, je crois... mais je n'en ai pas vraiment l'impression. Pourquoi cette question ?

— Mon père l'aurait appris par un de ses clients, un agent de sécurité du palais de justice, je crois. Il m'a aussitôt demandé si je prenais les précautions d'usage.

— Et que lui as-tu répondu ?

— Que j'essayais de te faire un enfant depuis des années, et que je n'y étais pas encore parvenu ; que je devrais peut-être consulter un médecin. Tu as recommencé à coucher avec lui, n'est-ce pas ?

Les yeux clos, elle se réfugia sans répondre contre le torse de son ex-mari.

— Je ne suis pas fâché, ma chérie, voulut-il la rassurer. Je vais partir bientôt pour mon camp.

— Oui, fit-elle sans qu'il sût si elle répondait à sa question ou prenait note de son départ.

— Accompagnez-moi, toutes les deux.

— Où ça ?

Cette question le mit à quia. Junior était aujourd'hui un joueur grassement rétribué, et le simple fait de l'échanger permettrait de promouvoir une jeune recrue pleine de talent à des coûts infiniment moindres. Le base-ball était en passe d'entrer en grève et, selon des sources bien informées, la LNH, la Ligue nationale de hockey, prenait le même chemin. Grève ou lock-out, ce serait pour lui du pareil au même, et son avenir s'en trouverait fortement compromis. Junior chassa de son esprit la vision de lui-même rentrant au bercail pour découvrir que Kissy était enceinte. Peut-être qu'avec un peu de chance, ce serait de lui, et non de Burke, mais il en doutait fort, puisque toutes ses tentatives avaient jusque-là échoué. Il commençait réellement à se demander si Kissy ou lui ne souffrait pas de quelque déficience, en se gardant bien toutefois de tenter d'en avoir la confirmation.

Ils passèrent un marché : il partirait seul, et elle s'installerait où bon lui semblerait, et à son retour elle lui reviendrait. Le seul obstacle, c'était qu'elle était mariée à quelqu'un d'autre ; mais était-ce vraiment un problème rédhibitoire ? Ne pouvait-elle pas, comme lui, avoir une autre vie dont son mari serait exclu ? Aussi peu conventionnel que cela pût paraître, ce ne serait guère différent de la vie qu'ils auraient eue s'ils étaient restés mariés. Excepté que lui, Junior, n'avait aucune autre femme dans sa vie, et qu'il ignorait à quel point Burke était au courant de leur liaison, si tant est qu'il pût l'être, borné comme il l'était. En attendant, c'était peut-être un bon compromis, médita-t-il, pour le moment du moins. À bien y repenser, plutôt que de le détester, il devrait peut-être remercier Burke de permettre à Kissy de le tromper aussi ouvertement. Mais c'était réciproque : lui aussi, hélas, devait faire preuve de tolérance. Le plus important, c'était la manière dont Kissy appréhendait la situation, et à cet égard Junior était convaincu que Burke ne représentait rien pour elle, que chaque fois qu'il l'entreprenait, cela ne devait pas être pour plus de dix secondes, desquelles elle ne retirait qu'un profond ennui.

— Ton petit copain Houston va bientôt être remis en liberté, apprit Mike à Kissy. Il fait partie d'un groupe qu'on a décidé d'élargir sur ordre du tribunal pour faire un peu de place dans les prisons. Sa bonne conduite lui aurait permis d'être libéré sous peu, de toute façon.

Kissy daigna à peine poser les yeux sur l'article avant de repousser le journal. Son copain Houston... pas même un ami. Mais Kissy n'en était pas moins heureuse que l'épreuve du jeune homme touchât à sa fin. Les photos de Ruth étaient exposées dans la galerie des Beaux-Arts et certains éditeurs y portaient un certain intérêt. L'élargissement de James Houston apparut à Kissy comme une nouvelle échéance à laquelle elle devrait bientôt faire face.

Ce soir-là, après que Junior eut papoté avec Dynah au téléphone, elle lui apprit la nouvelle.

— Et alors ? Tu as peur ? demanda-t-il.

— Non, pas du tout...

En principe, Junior téléphonait tous les soirs à sa fille, mais la plupart du temps il se manifestait plus tard dans la soirée en appelant Kissy sur la ligne privée qu'elle avait fait installer dans la chambre noire à l'exclusion de tout autre endroit. Un casque d'écouteurs lui permettait de continuer de vaquer à ses occupations. Il leur arrivait de garder le silence durant de longues minutes, n'écoutant que leurs souffles, et souvent il lui demandait de tenir des propos licencieux, ou inversement.

Ils jugèrent inutile de parler de ce qu'il advenait de lui, puisque, bonne nouvelle, il avait été échangé et jouait aujourd'hui pour les Caps, à l'organisation desquels appartenait déjà Mark. Qui sait ? Peut-être un jour joueraient-ils ensemble dans la même équipe ? Cette récente affectation signifiait aussi qu'il verrait Dynah – et Kissy, bien sûr – un peu plus souvent. La mauvaise nouvelle, c'était que les propriétaires des équipes avaient décliné la dernière proposition de l'association des joueurs. Ainsi, au cas où l'ordre de grève ou de lock-out serait donné, il risquait de rentrer à Peltry plus tôt que prévu, une bonne nouvelle à bien des égards, mais plutôt frustrante d'un point de vue professionnel.

Effectivement, le lock-out prit effet le 15 octobre. Mais l'ayant prévu, Junior rentra chez lui le 11. Personne n'aurait su dire combien de temps cela durerait ; toutefois, la grève des joueurs de base-ball avait réduit à néant la moitié de la saison, y compris les séries mondiales, et comme les négociations marquaient le pas on s'attendait à ce qu'il n'y eût pas non plus de matches de base-ball la saison suivante. La même situation pouvait aussi bien se produire au sein de la LNH. Nombreux étaient ceux qui pensaient que les gens de la commission ne visaient que la dissolution de l'association des joueurs, et à cette fin s'inspiraient des méthodes employées par les propriétaires des équipes de base-ball. Le lock-out ne touchant que les ligues majeures, Mark poursuivait allègrement sa carrière, et comme il n'était pas loin de Peltry Junior lui rendit visite.

Tout le monde s'accorda pour dire que la meilleure attitude en pareille occurrence, c'était de rester en forme et de se tenir prêt, au cas où le lock-out prendrait brusquement fin. C'est pourquoi Junior s'entraîna à Sowerwine, où les Spectres furent heureux de le recevoir, sans pour autant lui ménager les railleries de circonstance. Cela donna l'impression à Junior de retourner au collège, bien qu'il s'y sentît finalement trop vieux, et les Spectres trop jeunes.

Il consacra du temps à Bernie et Casey – Bernie, toujours entichée de son Yuri, quoique indécise quant à épouser un joueur de hockey – et surtout à Dynah. Le plus dur, pour lui, ce fut de vivre dans la même ville que Kissy, de ne la voir que lorsqu'il allait chercher ou ramenait leur fille. Sans l'imminence d'un départ, maugréa-t-il, il aurait fait en sorte qu'elle quittât Burke, une fois pour toutes. Mais Kissy présentait une exposition aux Beaux-Arts, aussi les prétextes pour l'éviter ne lui manquèrent-ils pas. Tant et si bien qu'il commença à en éprouver du ressentiment : alors qu'on lui reprochait d'être toujours absent, il lui suffisait d'être là pour qu'on n'eût plus de temps à lui consacrer.

Dynah passa le Thanksgiving avec lui. Elle voulut aider Dunny et Bernie à préparer le grand repas et, comme à son habitude, se montra particulièrement irritable. Junior l'encouragea, la taquina, l'excita tant et si bien que l'enfant fut bientôt en proie à un fou rire incontrôlable. Il s'avisa, mais trop tard, qu'elle était au bord de la crise de nerfs. Quand, pour la calmer, il voulut la prendre dans ses bras, elle saisit une cuisse de dinde et lui en assena un coup, puis lui lança des poignées de purée de pomme de terre au visage. L'incident tourna très vite à la crise de nerfs. Elle voulait sa maman.

Seul un bain dans le jacuzzi eut raison de ses hurlements, puisque, au contact de l'eau chaude, Dynah sombra dans une sorte de torpeur puis s'endormit profondément. De toute façon, il n'était pas question de la ramener chez sa mère ; il faisait trop froid pour mettre le nez dehors, surtout dans l'état où elle se trouvait. Peut-être couvait-elle quelque chose, ce qui expliquerait pourquoi elle était si irritable.

Quand Kissy téléphona pour souhaiter une bonne nuit à Dynah, Junior ne fit pas allusion à l'incident, se bornant à dire qu'elle s'était endormie. Sentant la présence de Burke aux côtés de Kissy, il se piqua de faire durer la conversation sous couleur d'arrangements pour le lendemain.

Au matin, Dynah alla beaucoup mieux, mais par prudence, plutôt que de lui faire suivre son cours de natation, Junior décida de l'emmener se promener dans le campus. L'exposition de Kissy s'achevait bientôt, et il désirait la revoir une dernière fois. Après avoir envoyé Dynah dans une galerie voisine, où se tenait une exposition pour les enfants, il se retrouva seul, avec l'impression que la galerie lui appartenait. Kissy ne manquait vraiment pas de talent,

410

songeait-il en se déplaçant d'une photo à l'autre. Quelques instants plus tard, il oubliait l'artiste pour ne penser qu'à Ruth, se mourant lentement sous ses yeux.

Dynah réapparut en faisant des glissades, et ils cheminèrent à travers le campus. Le temps était froid et venteux. Coupant à travers les taillis, ils se retrouvèrent devant le modeste monument érigé à la mémoire de Diane Greenan. Un homme était assis sur le banc. Intrigué, Junior ralentit le pas. L'individu était penché en avant et fixait la pierre d'un regard hypnotique. Lâchant la main de son père, Dynah alla se planter devant l'inconnu.

— Attends, Dynah, reviens, l'appela Junior en la voyant s'éloigner.

Au moment où Junior s'arrêtait près du banc, Dynah se retourna et l'interrogea du regard.

— Asseyons-nous quelques instants, dit-il.

Pour une fois, l'enfant ne se fit pas prier. À l'autre extrémité du banc, l'inconnu leur adressa un regard de biais, puis se replongea dans sa méditation.

— Qu'est-ce que tu as, papa ? Tu es fatigué ? demanda Dynah en se tortillant d'impatience.

— Non, simplement, c'est un des endroits préférés de ta maman.

— Je sais. Nous sommes déjà souvent venues ici.

En entendant ces mots, l'homme tourna de nouveau la tête. Il portait des lunettes sans monture et une barbiche qui le faisait ressembler à un étudiant rescapé des années soixante. Junior l'observa quelques instants à la dérobée.

— Houston, vous êtes James Houston, s'écria-t-il enfin.

Ce dernier battit précipitamment des paupières, puis opina de la tête, comme à regret.

— Êtes-vous allé à la galerie ? bredouilla Junior en rougissant.

— Oui, j'ai vu toutes les photos.

— C'est ma femme qui les a prises, déclara Junior avec un enthousiasme excessif. C'est Kissy Mellors. Elle a gardé son nom de jeune fille. Elle a témoigné...

— Je sais, murmura Houston.

— Je m'appelle Junior Clootie, se présenta ce dernier.

Houston parut hésiter, puis serra la main qu'on lui tendait. Il semblait nerveux, endurci. Une grande froideur émanait de sa personne. Il faisait penser à David Janssen, un acteur depuis longtemps disparu qui avait interprété le rôle principal dans une série télévisée nommée

Le Fugitif. Et c'est à cela que ressemblait James Houston : à un fugitif.

Passant son bras sur l'épaule de Dynah, Junior l'attira contre lui.

— Monsieur Houston, je vous présente ma fille, Dynah. Dynah, voici M. Houston.

Ce dernier adressa à la petite fille un regard distrait avec le petit signe de tête gêné de l'adulte peu habitué aux enfants.

— C'est notre fille, à Kissy et à moi. Nous passons nos vacances ensemble.

Les yeux de Houston revinrent à l'enfant et s'y fixèrent. Junior observa tour à tour l'homme et Dynah puis, lui prenant brusquement la main, il se leva et commença à s'éloigner.

— Il faut partir, à présent. Il commence à faire froid, dit-il.

— J'ai été heureuse de vous connaître, monsieur Houston, fit aimablement Dynah.

Houston acquiesça gravement.

— Moi aussi, Dynah.

Junior s'immobilisa quelques instants et demanda à brûle-pourpoint :

— Êtes-vous ici pour une raison particulière ?

L'ombre d'un sourire passa sur le visage de Houston.

— Il fut un temps où je suivais des cours de médecine à cette université. Comme mon grand-père y a versé quelques dons, on a aimablement décidé d'accepter ma réinscription.

Après un signe de tête entendu, Junior s'en alla, Dynah trottinant à ses côtés.

Au lieu de Dunny, c'est lui qui ramènerait Dynah chez sa mère, décida Junior. Il tendit le sac de voyage de Dynah et un sachet rempli de vidéocassettes d'enfants à Mike Burke qui s'en saisit avec humeur avant de les poser fermement sur le sol.

— Dis, maman, est-ce que je peux regarder une cassette ? demanda l'enfant.

Une seule, acquiesça Kissy.

— Je dois te parler, annonça Junior à son ex-femme, après avoir embrassé Dynah.

— Allez-y, nous vous écoutons, lança Burke avec morgue.

— Non. Je veux parler à Kissy seul à seul. C'est une affaire qui ne concerne qu'elle et moi.

La colère et l'indignation se peignirent sur le visage de Burke. Junior soutint le regard de Kissy et ajouta :

— Elle pourra toujours en discuter avec vous si bon lui semble ; mais je dois en parler avec elle d'abord.

— Encore des problèmes à l'école ? soupira Kissy.

Junior profita de la perche qu'on lui tendait.

— Oui, allons en discuter au Denny's. Puis d'ajouter à l'intention de Burke : Vous pourrez toujours envoyer quelques flics nous surveiller, si ça vous chante.

Écumant d'une colère qu'il avait de plus en plus de mal à contenir, Burke ne trouva toutefois rien à répliquer.

À peine assise dans la Mercedes, Kissy se plongea dans un profond mutisme. Au lieu de se rendre au Denny's, Junior prit la direction de Valley, et gara la voiture à l'abri des regards, sous un boqueteau de pins qui, en été, était le lieu de prédilection des pique-niqueurs.

— J'ai rencontré un de tes vieux amis, aujourd'hui, commença Junior, au campus, près du monument.

Kissy posa sur son ex-mari un regard à peine teinté de curiosité.

— James Houston.

En entendant ce nom, elle se mit à le fixer intensément, tandis que sur ses lèvres se dessinait un sourire énigmatique. L'impression de calme qui se dégageait d'elle parut à Junior pour le moins étrange.

— Il a été libéré, dit-il encore, et il a l'intention de reprendre ses cours de médecine. L'université lui serait redevable à cause de donations du temps de son grand-père.

Kissy opina de la tête.

— Il est aussi le père de Dynah.

Kissy acquiesça sans hésiter.

— Son père naturel, corrigea-t-elle, cependant. Puisque son vrai père, c'est toi, et c'est ce qui compte le plus.

Un rire nerveux secoua la poitrine de Junior.

— Merci, merci beaucoup ; c'est la chose la plus aimable que tu m'aies jamais dite.

Elle eut un sourire de dérision, comme si c'était l'évidence même.

— Étais-tu amoureuse de lui ?

— Non.

— Était-il au courant au sujet de Dynah ? Non ? Eh bien, après l'avoir vu, j'ai bien l'impression que si, à la manière dont il la regardait.

— Aucune importance. Je doute fort qu'il se manifeste.

— Il sera toujours dans les environs, en tout cas. Et si Burke l'apprend ?

— Que Dynah soit de toi ou de quelqu'un d'autre, que veux-tu que ça lui fasse ?

— Je ne sais pas. Je te pose la question. Mais l'idée que la fille de sa femme soit en réalité la fille illégitime d'un ancien taulard ne lui plaira sûrement pas.

Kissy détourna les yeux, laissant entendre que, de quelque nature qu'elles pussent être, les réactions de Burke la laissaient indifférente. Mais pivotant sur son siège, elle se tourna vers Junior, se colla contre lui et, sans crier gare, lui prit le visage à deux mains pour l'embrasser.

À la surprise succéda un élan de gratitude qu'il n'aurait su expliquer. Les policiers avaient beau patrouiller fréquemment dans le secteur, n'importe qui pouvait les surprendre d'un moment à l'autre, mais, tout comme Kissy, Junior n'en avait cure. Il pensa l'inviter à aller chez lui, mais se ravisa : dans ce qui les rapprochait, l'endroit était pour beaucoup. Ils n'eurent qu'à ouvrir leurs vêtements pour ensuite prendre leur temps, ne s'exprimant le plus souvent que par le langage des yeux. Longtemps après, elle avait encore sa tête nichée contre l'épaule de Junior.

— Reviens, souffla-t-il.

Elle lui scella la bouche de ses doigts.

— Je crois finalement que je ne suis pas faite pour le mariage, et que je devrais plutôt vivre seule. Je dirai à Mike que nous avons eu une dispute à propos de l'inscription de Dynah dans une école privée, et que j'ai eu le dernier mot.

Il la regarda entrer chez elle en repensant à ce qui la liait à Houston aujourd'hui, et se sentit vaguement stupide. Pour le seul bien de Dynah, elle avait gardé un secret sans en parler à quiconque, pas même à lui. Combien de temps Houston avait-il été son amant ? Une nuit ? Une semaine ? Tout au plus. Cela ne l'avait pourtant pas empêchée de garder l'enfant et de se marier sans jamais en souffler mot. À cet instant, Junior eut l'impression de n'avoir jamais vraiment connu Kissy. Une part d'elle-même lui était restée étrangère, tout comme Ruth Prashker sur les photos exposées dans la galerie, cette femme qui s'éloignait du spectateur au fur et à mesure qu'il la regardait.

Les photos décrochées, les reliefs d'emballage jonchant le sol, la galerie semblait plus triste que jamais, comme un endroit que l'on s'apprête à déserter. Sans égard pour les derniers curieux, Kissy emballait ses photos, aidée de Latham et de son assistant. Elle était à genoux, en train de sceller un colis à l'aide de ruban adhésif, quand un nouvel arrivant apparut dans la galerie. Malgré le pantalon de treillis flambant neuf et les chaussures de sport, Kissy reconnut immédiatement sa démarche, et leva les yeux sur l'individu qui s'immobilisait devant elle. Vieilli, paraissant beaucoup plus vieux que son âge, Houston se dandinait d'une jambe sur l'autre.

— Salut, Jimmy, lâcha-t-elle en poursuivant sa tâche.

— Salut. Je pensais bien te trouver ici. Est-ce que je te dérange ?

— Non.

Prenant cette réponse pour un encouragement, il s'assit en tailleur près d'elle et, le dos appuyé contre le mur, les mains posées sur les genoux, se mit à l'observer silencieusement. Latham, qui passait par là, le reconnut aussitôt, ouvrit de grands yeux ébahis et courut porter la nouvelle à son assistant.

— J'ai vu cette exposition plusieurs fois, dit Jimmy. Tu as fait un sacré bon boulot.

— On va en faire un livre. Les maquettes sont prêtes. Il n'y manque que le texte d'introduction.

— Tu t'es drôlement bien débrouillée depuis cette fameuse nuit, observa Houston. Une expo, un livre, un mari, un enfant...

— Tu as toujours aimé te montrer un peu cruel, n'est-ce pas ? répliqua Kissy en tranchant son ruban adhésif d'un coup sec.

— Oui, admit-il, et j'aime toujours ça.

— Tu n'éprouves donc rien pour elle..., fit-elle comme s'il s'était agi d'un simple constat.

— Bien sûr que si, répondit le jeune homme d'une voix vibrante d'émotion contenue. Je ne peux pas m'en empêcher ; mais ne t'attends pas à ce que je te dise merci, Kissy. Puisqu'il est question de cruauté, je te rappellerai que Dynah fait aussi partie de tout ce que j'ai perdu. Y as-tu seulement songé ?

— Tu as renvoyé la lettre que je t'ai écrite.

— Je le sais, mais vois-tu, il ne m'a jamais traversé l'esprit que tu pouvais attendre un enfant de moi, et encore moins décider de le garder.

— Je suis navrée ; je crois que je t'ai fait beaucoup de mal, Jimmy.

— Après avoir tué deux personnes, je pouvais tout imaginer, sauf avoir un enfant. Ç'aura peut-être été la seule chose que j'aurai fait de bien de toute ma vie.

— Penses-tu reprendre bientôt tes cours ?

— J'ai toute ma vie pour ça, ne crois-tu pas ? À moins que je ne me fasse renverser par un ivrogne en traversant la rue...

— Veux-tu voir ta fille ?

— Non, pas encore. Un jour, peut-être...

— Bonne chance, Jimmy.

— Merci, à toi aussi, répondit Houston en embrassant Kissy sur la joue.

La grande porte vitrée ne s'était pas refermée sur le jeune homme que Latham accourut aux nouvelles.

— Ton nouveau petit ami ?

— Ancien, plutôt.

— Son visage me dit quelque chose. Est-ce que je le connais ?

— C'est James Houston.

— Non..., s'étonna Latham, la narine frémissante.

— Il s'est inscrit en médecine.

— Fascinant... Est-il encore follement amoureux de toi, ou je me fais des idées ?

— Vous vous faites des idées, sourit Kissy. Nous n'avons jamais été amoureux l'un de l'autre.

— Oh, la menteuse ! se récria le professeur, les lèvres pincées. Je comprends maintenant pourquoi son visage m'était familier. Tu es vraiment une ensorceleuse, Kissy. Junior est-il au courant ?

— Oui, mais il est le seul. Aussi, vous prierai-je de tenir votre langue, cher professeur.

Butch toucha amicalement le coude de Burke et, du geste, l'invita à prendre place à une table dans un coin retiré. Récupérant son double scotch sur le comptoir, le jeune homme le suivit.

— Comment allez-vous ?

— Bien, très bien, fit le procureur en adressant au passage des saluts aux gens de sa connaissance.

— Merci pour cette invitation.

Butch répondit par un clin d'œil. Sa carrière en était au stade où une vacance inattendue lui offrait l'occasion de siéger dans un tribunal de grande instance. Pour ce qui était du corps électoral, tout allait pour le mieux. Cependant, ce poste à combler éveillait l'intérêt de tous les *district attorneys* de l'État. Une réunion était prévue à cet effet le lendemain, et risquait de se prolonger jusqu'au samedi. Le regard de Butch s'attarda sur le verre de son adjoint.

— Vous en êtes au combien ?

— C'est le deuxième.

— Pourquoi ne pas renoncer tout de suite?

— Bien sûr, acquiesça Burke. Pas de problème.

Une serveuse vint servir à Butch la bière qu'il avait commandée.

— Un autre verre, Mike? s'enquit-elle.

— Non, merci, chérie, sourit ce dernier.

La fille lui rendit son sourire et s'éloigna en ondulant des hanches.

— Joli cul, lâcha Butch. Mais dites-moi, est-ce que mon poste vous intéresse?

— Naturellement, un jour, peut-être...

— Je viens de prendre une décision, Mike. Il est temps pour moi de tenter ma chance dans le premier district.

Souriant, les deux hommes se serrèrent la main. Butch leva son verre, Burke le sien, et les deux hommes trinquèrent à la réussite du projet. Puis, avec des mines de conspirateur, Butch exposa son plan :

— Vous vous chargez de faire tourner le bureau les deux prochaines années, pendant que je m'occupe de ma campagne électorale. Votre principale préoccupation sera de soigner mon image de marque; vous en sentez-vous capable?

— Absolument.

— Si je suis élu, je démissionne, vous prenez la relève et, aux prochaines élections, vous deviendrez procureur en titre. Dans le cas contraire, je me retire en vous déléguant tous les pouvoirs. Si je ne suis pas au Congrès à ce moment-là, je ferais tout aussi bien de partir à mon compte et d'amasser quelque argent pour les élections suivantes.

Burke en conclut que, d'une manière ou d'une autre, il devait attendre encore deux ans, mais il acquiesça tout de même.

— Ça me semble tout à fait raisonnable.

Le procureur se mit à pianoter le bord de son verre.

— Pardonnez-moi, Mike, mais est-ce que tout va bien de votre côté? N'auriez-vous pas commis quelque petite maladresse qui pourrait resurgir à un moment donné?

Un bref instant, le jeune homme plongea son regard dans celui de son supérieur.

— Vous me connaissez mieux que ma propre mère, Butch. Quelque chose vous inquiète-t-il en particulier?

— Eh bien, si j'étais vous, je renoncerais au whisky et j'opterais pour la bière, tout au moins en public. Les électeurs se montrent de plus en plus sourcilleux, surtout quand il s'agit d'alcool. On vous voit souvent un verre à la main, et il n'en faut pas plus pour qu'on se mette à jaser et qu'on en conclue que vous avez des problèmes. Toute la ville est au courant au sujet de votre père, et on ne voudrait pas que la chose se reproduise pour son fils.

— Naturellement, répondit le jeune homme avec un rire gêné. Bon Dieu, je suis resté des mois sans toucher une seule...

Butch l'interrompit d'un geste apaisant.

— Je le sais, et je ne suis pas inquiet. Je vous parle seulement de la perception que les gens d'ici pourraient avoir de vous. Autre chose : Kissy et vous...

— Tout va pour le mieux, déclara précipitamment Burke.

— On a l'impression que votre couple ne va nulle part...

— Que voulez-vous, Kissy est une marginale. La politique ne l'intéresse absolument pas. C'est plutôt le genre artiste, un peu exubérante et déphasée...

— Cette robe qu'elle portait le soir de mon anniversaire, s'esclaffa brièvement Butch, j'ai compris que c'était une plaisanterie. En d'autres circonstances, elle est autrement raffinée...

— Elle souffre d'un sentiment d'insécurité ; c'est peut-être la raison pour laquelle elle en fait toujours trop, expliqua Burke. J'essaierai de lui faire entendre raison.

— Bien. Je suis sûr que Narcissa sera sincèrement heureuse de la mettre à l'aise. Elles pourront déjeuner ensemble ; Narcissa se fera un plaisir de lui donner quelques conseils.

— Elle ferait ça ? Ce serait formidable !

Burke épilogua quelques minutes encore sur le thème. Kissy déjeunant avec Narcissa... Il voyait d'ici la scène. Doux Jésus...

34

Hormis le livreur de pizzas, personne ne sonnait à sa porte ; or de pizza il n'avait point commandé. James Houston jeta un coup d'œil à travers le judas optique. C'était Kissy. Du coup, il en eut du mal à déverrouiller la porte.

— Hé ! lança-t-il pour cacher son trouble. Quelle surprise ! Comment m'as-tu trouvé ?

— Grâce à l'amabilité d'un officier d'état civil, répondit-elle.

Elle avait apporté une plante en pot, enveloppée dans du papier cellophane.

— Entre, entre.

Recevoir sa première visite le jetait dans des émois comparables à ceux qu'il avait eus le jour de ses six ans, quand il guettait l'arrivée de ses camarades par la fenêtre.

N'eût été le quartier, l'endroit aurait ressemblé à une chambre de bonne mansardée. Les fenêtres s'ouvraient sur les toits et les arbres environnants. Houston l'avait loué meublé, ou, du moins, prétendument tel. Pourtant, en plus d'un matelas flambant neuf, tout le mobilier y était parfaitement utilisable. Mais l'on pouvait présumer que ce qui importait le plus aux yeux du jeune homme, c'était qu'il ne s'y sentît pas en prison.

Elle lui tendit le pot : une sansevière, plante indestructible s'il en est puisqu'elle peut vivre des décennies sans le moindre soin. Houston sourit et la remercia chaleureusement, puis, un court instant, ne trouva plus ses mots.

— Ah, du café, dit-il péremptoirement, se parlant à lui-même, comme pour se rappeler que c'était tout ce qu'il pouvait offrir.

Kissy commençait à retirer sa veste quand il se précipita pour lui venir en aide. C'était un blouson de cuir de motard, orné de franges, mais coupé sur mesure, remarqua-t-il. Elle portait également un blue-jean délavé rentré dans des bottes de style western, et une chemise à manches longues qui lui moulait le buste. Une fois encore, les souvenirs affluèrent. Elle paraissait sept ans de plus, mais n'avait guère changé, ou alors en mieux. En vérité, elle semblait trop belle pour être vraie.

Alors que d'une main fébrile Houston s'employait à faire du café, Kissy jeta un coup d'œil par la fenêtre. Dénudées, les branches des arbres se désarticulaient sur fond de lumière phosphorescente, et elle eut hâte de les voir à nouveau se couvrir de bourgeons.

La cafetière était neuve, ainsi que l'ensemble des appareils électroménagers : une télévision de dimension modeste, un lecteur de vidéocassettes et une chaîne hi-fi. Houston avait pris un plaisir inattendu à les acheter, surtout l'ordinateur installé sur un bureau délabré récupéré à l'Armée du salut. Il avait un instant envisagé de s'offrir une voiture, mais avait finalement opté pour le MacIntosh, se disant que, de cette façon, il ne risquait de tuer personne. D'ailleurs, il n'était pas certain de vouloir effectuer les démarches pour repasser son permis de conduire. Sa bicyclette lui suffisait amplement, et puis il aimait pédaler, comme il aimait marcher et courir dans un monde sans murs ni barreaux.

— Ça me rappelle quelque chose, dit-il.

Kissy sourit, intriguée.

— Tu es déjà venue me voir, expliqua-t-il, la bouche subitement sèche. Est-ce que ça va se passer comme la dernière fois ?

— Ah, je vois..., fit-elle avec un petit rire.

Houston s'avisa qu'il tenait son gobelet de café comme s'il voulait le broyer entre ses mains. Le posant calmement, il en prit un autre et le posa tout aussi calmement à côté du premier.

— Je me suis comporté avec toi comme le dernier des malappris, dit-il, et je crains de ne m'être pas amélioré depuis. Tu risques fort d'être déçue, encore une fois. Ça fait sept ans que je n'ai pas touché une femme.

— Ça ira, Jimmy, ça ira, le rassura-t-elle avec une trace d'ironie dans la voix.

— Étais-tu là, quand Ruth est morte ?

— Non, j'ai raté ça.

Contournant le comptoir de la cuisine, Houston alla s'asseoir sur un coin du divan, les yeux baissés.

— Tu as réussi à en tirer quelque chose, comme j'ai essayé d'utiliser au mieux mes sept ans de prison.

— C'est fini maintenant.

— Autant que ça puisse l'être vraiment. Mais parle-moi de toi, Kissy, comment t'y es-tu prise pour te retrouver mariée à un flic ?

— C'était mon karma, fit-elle en levant les épaules.

La cafetière bouillonnait. Houston sursauta et courut dans la cuisine en demandant :

— Tu le prends comment, ton café ?

— Noir et sans sucre.

Elle sirota lentement son café, sous l'œil attentif du jeune homme. Il observa sa bouche, ses mains, constata que si elle ne portait pas d'alliance, c'était uniquement pour la circonstance, vu que son annulaire en gardait encore la trace.

Il croisa son regard, froid, conscient de l'examen auquel il se livrait, et pouffa de rire, à cause du désir mêlé de crainte qui l'envahissait.

— La dernière, ç'aura été toi, et je suis mort de peur, bredouilla-t-il.

Contournant le comptoir, elle s'immobilisa devant lui, à portée de main, le scrutant comme un objet étrange. S'imprégnant de ses odeurs, il laissa son regard errer sur ses traits, son grain de peau de femme épanouie, y décelant çà et là les premières marques du temps : d'imperceptibles pattes-d'oie au coin des yeux, une ridule verticale entre les sourcils, un léger affaissement au coin des lèvres... Tant de beauté le submergeait. Quand elle lui effleura la bouche du bout des doigts, il lui saisit le poignet et l'embrassa au creux de la paume.

Une femme dans ses bras. Un corps de femme contre le sien. Une bouche, des seins, une croupe, des jambes prêtes à l'accueillir. Houston retrouvait ses quinze ans, prêt à concrétiser son plaisir au premier contact d'épiderme.

— Doucement, doucement..., souffla-t-elle à son oreille.

Interdit, il s'immobilisa gauchement, cependant qu'elle se dirigeait calmement vers le lit pour retirer ses bottes.

— Je n'ai pas de préservatif, annonça-t-il soudain affolé.

— Ça ira, le rassura-t-elle.

— C'est ce que tu as aussi dit la dernière fois. Je croyais que tu aurais peur d'attraper le sida.

— Le sida ne m'a jamais fait peur, Jimmy.

— Et tomber enceinte, ça ne te fait pas peur non plus ? objecta-t-il, abasourdi. Tu as déjà eu un enfant de moi ; tu voudrais peut-être que je t'en fasse un autre ; c'est ça ?

— D'accord, d'accord, Jimmy. Je n'en aurai plus sans t'en parler, si c'est ça qui t'inquiète, le railla-t-elle.

Et quand bien même cela arriverait ? Elle ne lui avait rien demandé, la première fois. Il avait assez de soucis sans qu'on lui imposât de surcroît une paternité qu'il n'avait pas souhaitée.

Kissy se tint coite un long moment, assez pour qu'il s'inquiétât de savoir si elle n'avait pas décidé de lui battre froid.

— J'ai fait une erreur, admit-elle enfin, non sans amertume.

— À mon avis, tu en as commis plus d'une, hasarda-t-il.

— Ah, bien sûr ! Tu t'y connais dans ce domaine. Tu as même été en prison pour ça. C'est bien ce que tu essaies de me dire ?

— Non. Pour le genre d'erreur que tu as commise, on se contente d'une demande de divorce. C'est, du moins, ce que j'ai entendu dire.

Sans prendre le temps de se dévêtir, elle entreprit de le déshabiller, alors que lui, fasciné, se perdait dans la contemplation de la chair qui s'offrait à lui, la musculature des bras et des épaules, la plénitude des seins. Le frottement de son blue-jean contre ses jambes quand il le lui retira suffit à lui nouer la gorge. Après sept ans et un enfant, Kissy avait encore un corps beau à couper le souffle.

— Je dois partir.

Elle avait dit à Burke qu'elle serait absente pour tout le week-end.

— Non.

Sans autre explication. Elle ne devait rien à Houston, pas même des excuses.

— Reviens demain soir, dit-il en la regardant se rhabiller. J'aimerais me réveiller avec toi.

— J'essaierai.

Kissy partie, sa solitude ne lui parut que plus pesante. Tirant ses draps jusqu'au menton, il se rejoua le film de la soirée, heureux de n'avoir pas eu recours à une prostituée, comme il se l'était promis à sa sortie de prison. Mais revoir Kissy, avec qui il avait une histoire à partager, se révélait bien pire à de nombreux égards. Après avoir connu des instants de crainte sur ses capacités à lui donner du plaisir, voilà qu'il appréhendait toute l'importance qu'elle revêtait à ses yeux. D'elle était née *son* enfant, *sa* fille, et quels que fussent ses motifs, il lui en était reconnaissant. La reconnaissance, c'était encore une des dures leçons qu'il avait apprises, souvent à ses dépens.

Restaient les risques encourus à séduire la femme du procureur adjoint. Mais après ? La vie n'était-elle pas merveilleuse ? Horrible, aussi, mais pas quand on vient de caresser une femme pour la première fois depuis sept ans. Il aimait Kissy ; cet amour n'était peut-être qu'une forme de gratitude pour lui avoir permis de coucher avec elle, mais qu'importe ?

Fin janvier, Junior reprit le collier. Il vit Peltry disparaître dans les brumes hivernales avec un soulagement presque palpable. Cela n'était pas seulement dû au fait de recommencer à jouer, de penser que la saison était encore récupérable, car en cet instant il comprit que c'était en cela que consistait sa vraie vie. Il pouvait sentir Peltry s'accrocher à lui, peser sur lui, tenter de le retenir, puisque partir, c'était quitter tout ce qu'il ne pouvait emporter avec lui.

Mais il y avait la route qui menait toujours quelque part, les avions, les hôtels, les spectateurs en délire autour des patinoires. Un jour, il entra dans une librairie et tomba sur une jeune vendeuse avec qui il lia conversation puis l'invita à dîner. Elle s'appelait Miranda et avait quelques années de plus que lui. Alcoolique, divorcée sans enfant, elle suivait une cure de désintoxication. Junior se sentit immédiatement à l'aise en sa compagnie. Après le match et le dîner, ils couchèrent ensemble, non sans que Junior lui eût exposé sa situation. La jeune femme rit et le rassura, en lui disant qu'elle n'attendait rien de lui. Néanmoins, Junior garda son numéro de téléphone, et se mit à penser à elle, en se demandant s'il devrait la revoir, et si cela pouvait le mener quelque part. Il eut envie d'en parler à Kissy, mais chaque fois qu'il tentait de le faire elle trouvait un prétexte pour se dérober.

Au cours d'un vol de retour, il consulta son répondeur automatique grâce au téléphone de bord. Un message lui était adressé. La voix de Kissy lui parvint, traînante, articulant son nom avec peine, puis s'esclaffant avant d'éclater en sanglots. Junior comprit alors qu'elle était à nouveau enceinte. Quoi d'autre pouvait la faire rire et pleurer en même temps ? Burke avait finalement réussi. Elle raccrocha. La bande se déroula jusqu'au message suivant : Elle encore, plus calme, cette fois.

— Mon chéri, murmurait-elle. Dis-moi ce que je dois faire.

— Oui, répondit-il pour lui-même. Je reviens dès que possible ; je te le promets...

— Pardonne-moi, disait-elle encore. Je suis si seule ; il m'arrive de ne plus savoir que faire.

Junior composa le numéro de Kissy. Tant pis pour l'heure, et tant pis si Burke décrochait. Mais la ligne était occupée.

Ils allaient être en retard. Les problèmes de dernière minute vous tombent toujours dessus au moment où on s'apprête à quitter le bureau. Posant sa mallette, Burke monta quatre à quatre l'escalier. Encore une chance que Dynah passait la soirée chez son grand-père. Une soirée sans avoir à écouter les jérémiades de cette petite peste, sans skateboard ou Dieu sait quelle cochonnerie pour lui faire casser la figure, ça s'arrosait.

Kissy était encore en culotte dans la chambre à coucher. La télévision ronronnait dans un coin.

— Comment, tu n'es pas encore prête ? s'exclama Burke en retirant sa cravate.

— Je viens de voir mon frère Kevin. Il est cameraman pour CNN.

— Très bien, très bien. Sers-moi un verre, veux-tu ?

À peu de chose près, Kissy n'était bonne qu'à cela, et de son frère il n'en avait cure, puisqu'il ne l'avait jamais rencontré. Sans plus attendre, Burke se rua sous la douche. Le picotement de l'eau chaude lui arracha un hoquet. Une main apparut dans le nuage de vapeur, tenant un verre. Reculant d'un pas, il en avala une gorgée et, plaisir inégalé, sentit aussitôt une chaleur bienfaisante se répandre dans tout son corps.

Kissy éteignit le téléviseur. C'était Kevin, elle en était certaine ; il ressemblait tellement à leur père, au moment où il les avait abandonnés. Une nouvelle qui ne manquerait pas de faire plaisir à Caitlin ; au moins saurait-elle que son fils était toujours vivant. En téléphonant à CNN, peut-être pourrait-elle retrouver son adresse, entrer en contact avec lui. C'était quand même un soulagement de savoir qu'il allait bien, qu'il s'en était sorti, qu'il avait réussi à bâtir une vie sans être victime du sida ou de la drogue, qu'il survivait...

Elle se glissa dans sa robe moirée or, très courte, très décolletée. Des collants pailletés du même métal compléteraient agréablement l'ensemble. De profil devant son miroir, elle tendit le tissu sur son abdomen. La main plaquée sur son ventre rentré, elle s'adressa un sourire, puis fixa ses boucles d'oreilles, d'énormes pendeloques, grosses comme la main.

— Nom de Dieu ! grommela Burke de la salle de bains. Tu aurais pu mettre quelque chose qui ne te fasse pas ressembler à une poule de luxe. Je croyais pourtant que nous avions passé un accord, à ce sujet. Tu m'avais même promis d'aller chez le coiffeur, et de te faire faire une teinture et une coupe de cheveux présentables.

— Nous n'avons passé aucun accord et j'aime mes cheveux tels qu'ils sont, comme j'aime cette robe et ces boucles d'oreilles. Et ce n'est pas parce que je ne ressemble pas à une vieille rombière que j'ai l'air d'une pute.

— Je te rappelle une fois de plus que tu es ma femme, et qu'à ce titre tu es censée te comporter comme une personne adulte et responsable.

Assise sur le bord du lit, Kissy replia une jambe pour mettre ses chaussures à talons aiguilles.

— À ce propos, Mike, j'ai une nouvelle à t'annoncer : j'abandonne.

— Quoi ?

— J'abandonne.

— J'ai entendu. Mais qu'est-ce que tu abandonnes ?

— Toi.

Burke interrompit un instant la confection de son nœud de cravate, pour regarder Kissy avec insistance avant d'avoir un rire amer.

— Nous allons être en retard, fit-il simplement en se retournant vers le miroir.

— Tu ne m'écoutes pas ; je viens de te dire que je te quittais.

— Pas maintenant. Nous allons à un dîner très important.

Kissy se rassit et, sans quitter son mari des yeux, commença à retirer ses boucles d'oreilles.

— Tu choisis très mal ton moment, Kissy, reprit Burke. Si c'est une scène que tu veux, ça peut attendre demain. Je te donnerai la réplique aussi longtemps que tu voudras, tu peux me faire confiance.

Elle perçut clairement la menace que cachaient ces paroles. Burke put le constater à sa pâleur soudaine, à ses déglutitions répétées. Cela ne fit qu'ajouter à sa colère. Elle ouvrait les hostilités, puis, quand les choses tournaient mal, prenait des mines de lapin terrorisé. L'agrippant par le bras, il la força à se mettre debout.

— Tu n'as pas fait tout ce tralala uniquement pour m'emmerder, même si je suis certain que ça ajoute à ton plaisir. Ne nous mets pas en retard, Kissy.

La tenant par le coude, il la poussa devant lui dans l'escalier, pendant qu'elle remettait tant bien que mal ses boucles d'oreilles, en lui adressant des regards qui, en d'autres temps, l'auraient foudroyé sur place. Un regard de petite morveuse arrogante, songea-t-il. Décidément Dynah avait de qui tenir.

— Nous ferions mieux de prendre le Blazer, dit-elle. Les routes sont glissantes et il risque de neiger encore.

— Ton Blazer est bon pour la ferraille, rétorqua Burke. Je ne comprends toujours pas pourquoi tu n'as pas laissé ton ex t'en offrir un neuf.

— Si une voiture nous accroche, c'est le Blazer qui sera cabossé, pas la BMW, insista Kissy.

Pour ce qui était de Kissy, elle avait la tête si dure qu'un chasse-neige n'aurait pu la cabosser. Sachant l'humeur massacrante dans laquelle il se trouvait, elle se plaisait à ergoter, à l'asticoter. N'empêche que, pour une fois, elle avait raison. Imaginer sa chère BMW accidentée suffisait à lui donner froid dans le dos. De toute façon, ils étaient déjà en retard, et il pourrait toujours garer sa voiture loin de l'entrée ou faire quelques plaisanteries sur l'état du véhicule en prétextant le mauvais temps. Encore une corvée dont il se serait bien passé. Ce qu'il lui fallait, c'était un verre. Un autre verre. Et si Butch n'aimait pas le voir éméché, il pouvait toujours aller au diable. Butch, lui, n'avait pas une femme insolente, à qui tous les prétextes étaient bons pour bouder, ou pour lui tenir tête, ou même le provoquer. Narcissa, elle, était toujours en parfait accord avec son mari. Mais c'était Narcissa, et non Kissy. Après s'être servi un verre, Burke l'emporta dans le Blazer.

Au cours de la soirée, il put voir Kissy sourire et papoter, pendant que, riant sous cape, les hommes échangeaient des commentaires sur sa croupe ou sur ses seins safranés, entre deux coups d'œil furtifs. Ange dehors, démon dedans, disait souvent sa mère. Des picotements dans les yeux, il éclusa son verre et chercha des yeux le bar le plus proche.

Les conditions atmosphériques allaient se dégradant, et Junior piaffait d'impatience en attendant que l'avion décollât à son tour. D'une manière ou d'une autre, tous les passagers manifestaient leur impatience, mais, lui, il avait du mal à tenir en place. Débouclant sa ceinture, il remonta l'allée, histoire de se dégourdir les jambes. Il toucha son cou, là où sa cicatrice formait aujourd'hui un long cordon dur et sensible. Il ne disposait que de quarante-huit heures avant sa prochaine destination, et ces quarante-huit heures-là, il les sentait s'écouler inexorablement, pendant qu'il attendait dans cette saleté d'appareil.

Le message de Kissy était on ne peut plus clair, aussi n'attendrait-il pas la fin de la saison. Aussitôt débarqué, il les emmènerait, elle et Dynah. Il se pencha vers un hublot pour regarder dehors. La pluie cessait ; la belle affaire... Il regagna son siège.

— Laissez Kissy conduire, souffla Butch à l'oreille de son assistant pendant qu'ils se serraient la main. Donnez-lui les clés, vous me semblez plutôt pompette.

— En effet, admit Burke, en apparence le vin gai, mais en réalité écumant d'une colère rentrée.

S'il avait eu encore un verre dans les mains, il lui aurait arrangé le portrait, à l'ami Butch.

Il mit les clés dans les mains de Kissy en les refermant avec assez de force pour qu'elle en sentît les aspérités lui meurtrir les phalanges. Une fois dans la rue, le temps d'atteindre le Blazer, à l'autre coin de rue, ils étaient éclaboussés de gadoue depuis les chevilles jusqu'au cou.

Kissy faisait des efforts désespérés pour conserver ses clés en répétant :

— Tu es soûl, Mike.

Mais ce dernier les lui arracha des mains en lui enfonçant ses ongles dans les paumes. Puis, la saisissant par le coude, il la contraignit à prendre place sur le siège du passager.

— Allez, grimpe ; grimpe dans cette putain de voiture, Kissy. Et boucle ta ceinture de sécurité.

Elle obtempéra sans un mot, pendant que Burke se glissait derrière le volant. Il l'observa quelques instants, puis détourna lentement les yeux. Il venait à peine d'actionner la clé de contact, que Kissy eut l'impression que son visage éclatait. Un violent choc sur le nez lui coupa le souffle et catapulta sa tête contre le dossier. L'impact fut si fort que son corps fut agité d'un brusque tressautement. En un instant, sa vue se brouilla et elle ne put respirer rien d'autre que son propre sang. Instinctivement, elle protégea son visage de ses mains. Burke venait de la frapper, de toutes ses forces, du revers de la main. Elle comprit confusément qu'elle avait le nez cassé, elle en connaissait la sensation, puisque cela lui était déjà arrivé. Le sang ruisselait entre ses doigts, alors que le Blazer prenait de la vitesse, virait brutalement en la projetant contre la portière. Elle sanglotait, suffoquait. Ses yeux étaient tellement tuméfiés qu'elle pouvait à peine les ouvrir.

— Alors, tu es contente, maintenant ? Tu es fière de toi, espèce de salope ?

Elle voulut ouvrir la portière mais il actionna vivement le bouton de verrouillage. Puis il y eut un grand bruit et des éclats de verre qui l'incitèrent à se recroqueviller sur elle-même en poussant un cri de frayeur. Burke venait de briser le verre qu'il avait emporté avec lui contre le tableau de bord. Levant la tête, elle le vit à travers l'écran de ses doigts pointer un tesson de verre dans sa direction.

Elle n'allait pas le laisser faire sans réagir, songea-t-elle dans un sursaut d'énergie. Le revolver était toujours dans la boîte à gants. Elle ne l'en avait pas sorti depuis des lustres et ignorait l'état dans lequel il se trouvait. Une chose était sûre, cependant : il était chargé. Le seul problème, c'était que la boîte à gants était fermée à clé, et que la clé se balançait au bout du porte-clés, près de la clé de contact. Ils s'approchaient de la maison. À présent, Burke s'engageait sur le chemin privé. Subrepticement, elle retira ses chaussures, une main agrippant la poignée de porte, l'autre le bouton de la ceinture de sécurité. Le véhicule à peine immobilisé, elle perçut le déclic du bouton de verrouillage, poussa aussitôt la portière et se laissa tomber sur les gravillons du chemin. En la voyant se relever précipitamment et s'éloigner en courant de la maison, Burke poussa un rugissement de colère.

Très vite, elle se fondit dans l'ombre du bois voisin, pendant que l'autre hurlait sa fureur de la voir disparaître. Elle ne pouvait s'arrêter de crainte qu'il la retrouvât. Pourtant, il pouvait encore la traquer, simplement en écoutant le bruit de sa course sous les frondaisons. Elle parvint malgré son état à mettre quelque distance entre elle et son poursuivant dont elle pouvait entendre les halètements entrecoupés de grondements de bête assoiffée de sang. Retirant son manteau, elle l'abandonna derrière elle en espérant que Burke glisserait en marchant dessus. La poitrine en feu, les poumons douloureux à cause de l'air glacial, elle suivit un sentier qui descendait vers Valley. Au moins la pluie offrait-elle l'avantage de soulager ses yeux tuméfiés. Elle savait où elle était, se dit-elle ; elle le savait exactement alors que Burke pas du tout, pas dans l'état d'ébriété dans lequel il se trouvait. Elle tomba, mais se remit promptement debout, et malgré les branches qui lui fouettaient le visage, les racines sur lesquelles elle trébuchait sans cesse, elle parvint à maintenir la distance. À un moment donné, n'entendant plus son poursuivant, elle s'immobilisa, terrifiée, écoutant les bruits environnants de toutes les fibres de son corps, mais en vain. Elle reprit alors sa course, s'accorda encore quelques instants de pause et n'entendit que le crépitement de la pluie sur les feuilles et le grondement sourd du Hornpipe. Bientôt, la rivière s'étira à ses pieds. Au fond d'un grand vide noir, ses eaux tumultueuses bondissaient sur les rochers dans de grandes gerbes d'écume. Une fois encore, elle sut exactement où elle se trouvait. Alors, très lentement, avec une prudence extrême, elle quitta son refuge et descendit jusqu'au bord du courant avec le fol espoir d'y rencontrer quelqu'un qui pourrait la secourir. Qui sait ? peut-être un couple d'amoureux venus contempler la rivière. Mais elle ne vit personne.

Ses vêtements étaient trempés et elle mourait de froid. Kissy s'arrêta un instant pour retirer ses collants déchirés. Sur la route qui enjambait Valley, aucun véhicule n'était en vue. Elle pourrait s'y rendre malgré tout, et courir si nécessaire jusqu'à la première maison pour demander de l'aide. Non sans quelque réticence, elle prit pied sur la chaussée et se mit à courir pour réchauffer ses membres frigorifiés.

Des phares au détour d'un virage l'incitèrent à se recroqueviller sur le bord du talus, trop tard comprit-elle en reconnaissant la silhouette du Blazer. Dans sa hâte, elle s'était trompée de direction et, à présent, le véhicule lui coupait la route en direction des bois. Elle détala vers la rive, pendant que derrière elle se faisait entendre un crissement de freins.

— Salope ! hurla Burke dans la nuit.

Si glaciale que pût être l'eau, elle se sentit capable d'y nager ; et Burke n'oserait jamais l'y suivre. Remontant sa robe jusqu'aux hanches, elle allongea la foulée.

Une fois encore, elle trébucha sur le talus, mais le temps de se relever, le temps de se dépêtrer de la mare de boue dans laquelle elle s'était étalée, Burke l'avait rejointe et l'empoignait par l'épaule. Elle se débattit en hurlant, mais il la tenait d'une main de fer et de l'autre la tirait à lui par les cheveux. Prise de panique, elle tenta de se remémorer ce qu'on lui avait jadis enseigné aux cours d'autodéfense, ce qu'elle devait faire, la position qu'elle devait prendre, mais ne se souvint de rien. Lui faisant face, elle poussa alors un tel hurlement de désespoir qu'un très court instant, Burke hésita.

— Fous-moi la paix ! vociféra-t-elle comme une démente. Fousmoi la paix. J'ai pris des photos de tous les bleus que tu m'as faits, de tous les coups que tu m'as donnés, et je les ai cachées dans un endroit où tu ne pourras jamais les trouver ! Si tu t'avises de me toucher encore une fois, je m'en servirai contre toi, espèce d'ordure !

L'incrédulité, l'horreur et la colère se peignirent en un instant sur le visage de Burke. Il eut soudain l'impression d'avoir devant lui une diablesse qui voulait s'emparer de son âme. Ses mains se nouèrent autour de la gorge de Kissy presque inconsciemment. Presque inconsciemment aussi, le corps tendu dans un ultime effort, Kissy lança son genou en avant avec toute la force dont elle était encore capable. Hoquetant de douleur, Burke relâcha son étreinte et, l'œil révulsé, vacilla. Glissant dans la boue, il tituba, retrouva un instant son équilibre pour finalement tomber à genoux, les mains serrées sur son bas-ventre. Les yeux levés sur Kissy, il la vit, impuissant, prendre son élan et lui administrer un coup de pied magistral au plexus solaire. Le torse de l'homme exhala un son creux, étrange, mais parfaitement audible. Le souffle coupé, le regard étonné, il s'affala sur le côté et débloula la courte pente qui menait à la rivière. Kissy fit un pas en arrière et le regarda un instant se débattre dans l'eau. Se réfugiant sous un arbre, elle chercha un bâton ou un caillou, n'importe quoi qui lui permettrait de se défendre, mais avant qu'elle le trouvât Burke se dressait à nouveau, de l'eau jusqu'à mi-cuisses. À un moment donné, il dut faire un faux pas, car il retomba de tout son long sur le dos en poussant un cri aigu. Il risquait d'un instant à l'autre d'être emporté par le courant, mais Kissy ne fit pas un geste. Elle le laisserait se noyer, même en sachant que ses talents de nageuse lui permettaient largement de le tirer hors de l'eau. Burke criait, à présent ; il pleurait, suppliait :

— Aide-moi, Kissy ! Aide-moi !

Mais elle lui tourna le dos, et regagna calmement la route jusqu'au Blazer, dont le moteur tournait encore. Derrière elle s'élevaient des injures, des injures qui lui étaient spécifiquement destinées, et qui ne firent qu'éveiller en elle une grande lassitude, au point de l'inciter à ne pas se retourner. Après avoir ouvert le haillon, elle entreprit de retirer la roue de secours de son support en en desserrant laborieusement les quatre écrous. Elle y parvint finalement en dépit de l'obscurité et du froid et au prix de nombreuses écorchures aux doigts. Après avoir laissé tomber la roue sur la chaussée, elle la fit rouler tant bien que mal jusqu'à la rive.

Burke était toujours là, désespéré, qui résistait de plus en plus faiblement à la force du courant, le souffle haletant, incapable de proférer ses jurons. Kissy se dit qu'il devait être transi de froid.

— Mike ! cria-t-elle d'une voix enrouée.

Bien que son cri se perdît dans le vent, elle l'appela encore. À ce moment-là, il tourna la tête dans sa direction. Entrant dans l'eau jusqu'à mi-mollets, elle lança la roue dans sa direction, et en conçut un soulagement immédiat : il allait être sauvé ; elle avait fait ce qu'il fallait pour ça.

Elle le vit faire de gros efforts pour tenter d'attraper la roue, mais entraîné par la violence des flots l'objet le frappa en pleine poitrine. La surprise se peignit un instant sur le visage de Burke, puis, le temps d'un battement de cil, il disparut.

Elle resta un long moment immobile, refusant d'y croire, puis l'appela encore à maintes reprises. Mais elle eut beau fouiller l'obscurité du regard, elle ne vit que la roue ballottée par les eaux déchaînées.

— Tu aurais dû l'attraper ! cria-t-elle. Tu aurais pu t'en sortir !

Par un étrange caprice de la pensée, lui vint alors à l'esprit que si Junior, et non elle, s'était trouvé dans la même situation, il aurait fait précisément ce qu'elle venait de faire : le tuer.

Les eaux se précipitaient inexorablement contre les rochers, puis d'autres rochers encore, contre les arbres aux racines dénudées et se frayaient un chemin jusqu'à la grande rivière. Des ivrognes, elles en avaient déjà charrié, des cadavres de femmes, d'hommes et d'enfants aussi, pour les conduire dans la sombre et froide étreinte de la Dance. Elle en charrierait encore beaucoup d'autres.

Il n'y avait plus d'espoir, méditait-elle, et le sentiment de dérision qui l'habitait la conduisit en titubant jusqu'au Blazer. Ce n'est qu'après s'être un peu réchauffée qu'elle décrocha le téléphone de voiture. Dès lors, il ne lui resta plus qu'à attendre. Elle se demanda si le sergent Pearce serait parmi les sauveteurs, et le souhaita ardemment. Elle lui faisait confiance, et si quelqu'un pouvait croire à son histoire, ce serait lui.

Grelottante elle s'étreignit le torse en songeant qu'elle n'aurait plus jamais chaud. Elle leva les yeux vers le ciel. La lune y était absente, dissimulant son sourire narquois derrière un rideau de nuages. Elle était là, pourtant ; Kissy pouvait en sentir la froideur dans chacun des tressaillements que suscitaient en elle la pluie et le mugissement des eaux de la rivière, dans la pâle lumière que laissaient transparaître les nuages. Peut-être aurait-elle dû en éprouver une manière de soulagement, mais la douleur la submergeait, faisant dans sa gorge un nœud dur comme la pierre. Son chagrin s'adressait à Mike, qui n'avait pas su saisir les chances d'être heureux qui lui étaient offertes, mais aussi à Ruth, à Diane, autant de vies perdues, de places laissées inoccupées.

Un flocon de neige à peine plus gros qu'une mite vint écraser ses fragiles cristaux sur le pare-brise, aussitôt suivi d'un deuxième, puis d'un troisième. Hypnotisée, elle en contempla la chute hasardeuse. Cela lui fit penser à des empreintes de chats fantômes dansant dans la nuit, sautant sur son pare-brise.

— Où est Junior ? demanda-t-elle à haute voix.

Elle avait besoin de sa présence. Lui seul pourrait la comprendre et la réchauffer entre ses bras. S'adossant contre son siège, elle ferma les yeux et écouta le vent lui apporter la longue plainte d'une sirène.

Cet ouvrage a été imprimé par la
SOCIÉTÉ NOUVELLE FIRMIN-DIDOT
Mesnil-sur-l'Estrée
pour le compte des Éditions Flammarion
en mai 1998

Imprimé en France
Dépôt légal : mai 1998
N° d'impression : 42722